Berlitz ®

Spanish-English Dictionary

Diccionario Inglés-Español

**Berlitz Publishing / APA Publications GmbH & Co.
Verlag KG, Singapore Branch, Singapore**

Berlitz Dictionaries

Dansk	Engelsk, Fransk, Italiensk, Spansk, Tysk
Deutsch	Dänisch, Englisch, Finnisch, Französisch, Italienisch, Niederländisch, Norwegisch, Portugiesisch, Schwedish, Spanisch
English	Danish, Dutch, Finnish, French, German, Italian, Norwegian, Portuguese, Spanish, Swedish, Turkish
Español	Alemán, Danés, Finlandés, Francés, Holandés, Inglés, Noruego, Sueco
Français	Allemand, Anglais, Danois, Espagnol, Finnois, Italien, Néerlandais, Norvégien, Portugais, Suédois
Italiano	Danese, Finlandese, Francese, Inglese, Norvegese, Olandese, Svedese, Tedesco
Nederlands	Duits, Engels, Frans, Italiaans, Portugees, Spaans
Norsk	Engelsk, Fransk, Italiensk, Spansk, Tysk
Português	Alemão, Francês, Holandês, Inglês, Sueco
Suomi	Englanti, Espanja, Italia, Ranska, Ruotsi, Saksa
Svenska	Engelska, Finska, Franska, Italienska, Portugisiska, Spanska, Tyska

Spanish-English
Dictionary

Diccionario
Inglés-Español

Contents

Indice

Preface

In selecting the 12.500 word-concepts in each language for this dictionary, the editors have had the traveller's needs foremost in mind. This book will prove invaluable to all the millions of travellers, tourists and business people who appreciate the reassurance a small and practical dictionary can provide. It offers them—as it does beginners and students—all the basic vocabulary they are going to encounter and to have to use, giving the key words and expressions to allow them to cope in everyday situations.

Like our successful phrase books and travel guides, these dictionaries—created with the help of a computer data bank—are designed to slip into pocket or purse, and thus have a role as handy companions at all times.

Besides just about everything you normally find in dictionaries, there are these Berlitz bonuses:

- imitated pronunciation next to each foreign-word entry, making it easy to read and enunciate words whose spelling may look forbidding

- a unique, practical glossary to simplify reading a foreign restaurant menu and to take the mystery out of complicated dishes and indecipherable names on bills of fare

- useful information on how to tell the time and how to count, on conjugating irregular verbs, commonly seen abbreviations and converting to the metric system, in addition to basic phrases.

While no dictionary of this size can pretend to completeness, we expect the user of this book will feel well armed to tackle foreign travel with confidence. We should, however, be very pleased to receive comments, criticism and suggestions that you think may be of help in preparing future editions.

Prefacio

Al seleccionar las 12 500 palabras-conceptos en cada una de las lenguas de este diccionario, los redactores han tenido muy en cuenta las necesidades del viajero. Esta obra es indispensable para millones de viajeros, turistas y hombres de negocios, quienes apreciarán la seguridad que aporta un diccionario pequeño y práctico. Tanto a ellos como a los principiantes y estudiantes les ofrece todo el vocabulario basico que encontrarán o deberán emplear en el lenguaje de todos los días; les proporciona las palabras clave y las expresiones que les permitirán enfrentarse a las situaciones de la vida diaria.

Al igual que nuestros conocidos manuales de conversación y guías turísticas, estos diccionarios – realizados en computadora con la ayuda de un banco de datos – han sido ideados para llevarse en el bolsillo o en un bolso de mano, asumiendo de este modo su papel de compañeros disponibles en todo momento.

Además de las nociones que de ordinario ofrece un diccionario, encontrará:

- una transcripción fonética tan sencilla que facilita la lectura, aun cuando la palabra extranjera parezca impronunciable

- un léxico gastronómico inédito que le hará «descifrar» los menús en un restaurante extranjero, revelándole el secreto de los platos complicados y los misterios de la cuenta

- informaciones prácticas que le ayudarán a comunicar la hora y a contar, así como a utilizar los verbos irregulares, las abreviaturas más comunes y algunas expresiones útiles

Ningún diccionario de este formato puede tener la pretensión de ser completo, pero el fin de este libro es permitir que quien lo emplee posea un arma para enfrentarse con confianza al viaje en el extranjero. Sin embargo, recibiremos con gusto los comentarios, críticas y sugestiones que con toda seguridad nos permitirán preparar las futuras ediciones.

spanish-english

---

español-inglés

Introduction

This dictionary has been designed to take account of your practical needs. Unnecessary linguistic information has been avoided. The entries are listed in alphabetical order regardless of whether the entry word is printed in a single word or in two or more separate words. As the only exception to this rule, a few idiomatic expressions are listed as main entries alphabetically according to the most significant word of the expression. When an entry is followed by sub-entries, such as expressions and locutions, these, too, have been listed in alphabetical order.[1]

Each main-entry word is followed by a phonetic transcription (see guide to pronunciation). Following the transcription is the part of speech of the entry word whenever applicable. When an entry word may be used as more than one part of speech, the translations are grouped together after the respective part of speech.

Whenever an entry word is repeated in sub-entries a tilde ($\sim$) is used to represent the full entry word.

An asterisk (*) in front of a verb indicates that the verb is irregular. For details you may refer to the lists of irregular verbs.

The dictionary is based on Castilian Spanish. All words and meanings of words that are exclusively Mexican have been marked as such (see list of abbreviations used in the text).

Abbreviations

adj	adjective		*n*	noun
adv	adverb		*nAm*	noun (American)
Am	American		*num*	numeral
art	article		*p*	past tense
conj	conjunction		*pl*	plural
f	feminine		*plAm*	plural (American)
fMe	feminine (Mexican)		*pp*	past participle
fpl	feminine plural		*pr*	present tense
fplMe	feminine plural (Mexican)		*pref*	prefix
m	masculine		*prep*	preposition
Me	Mexican		*pron*	pronoun
mMe	masculine (Mexican)		*v*	verb
mpl	masculine plural		*vAm*	verb (American)
mplMe	masculine plural (Mexican)		*vMe*	verb (Mexican)

---

[1] Note that the alphabetical order in Spanish differs from our own in three cases: *ch*, *ll* and *ñ* are considered independent letters and come after *c*, *l* and n, respectively.

Guide to Pronunciation

Each main entry in this part of the dictionary is followed by a phonetic transcription which shows you how to pronounce the words. This transcription should be read as if it were English. It is based on Standard British pronunciation, though we have tried to take account of General American pronunciation also. Below, only those letters and symbols are explained which we consider likely to be ambiguous or not immediately understood.

The syllables are separated by hyphens, and stressed syllables are printed in *italics*.

Of course, the sounds of any two languages are never exactly the same, but if you follow carefully our indications, you should be able to pronounce the foreign words in such a way that you'll be understood. To make your task easier, our transcriptions occasionally simplify slightly the sound system of the language while still reflecting the essential sound differences.

Consonants

bh	a rather indecisive **b**, i.e. one verging on **v**
dh	like **th** in **th**is, often rather indecisive, possibly quite like **d**
g	always hard, as in **g**o
ǥ	a **g**-sound where the tongue doesn't quite close the air passage between itself and the roof of the mouth, so that the escaping air produces audible friction; it is also on occasions pronounced as an indecisive **g**
kh	like **ǥ**, but based on a **k**-sound; therefore hard and voiceless, like **ch** in Scottish lo**ch**
lʸ	like **lli** in mi**lli**on
ñ	as in the Spanish se**ñ**or, or like **ni** in o**ni**on
r	slightly rolled in the front of the mouth
rr	strongly rolled **r**
s	always hard, as in **s**o

Vowels and Diphthongs

ah	a short version of the **a** in c**a**r, i.e. **a** sound between **a** in c**a**t and **u** in c**u**t
igh	as in s**igh**
ou	as in l**ou**d

1) Raised letters (e.g. **ay^{oo}**, **^yah**) should be pronounced only fleetingly.

2) Spanish vowels (i.e. not diphthongs) are pure and fairly short. Therefore, you should try to read a transcription like **oa** without moving tongue or lips while pronouncing the sound.

Latin-American Pronunciation

Our transcriptions reflect the pronunciation of Castilian, the official language of Spain. In Latin America, two of the Castilian sounds are practically unknown:

1) **ll** as in the word **calle** (which we represent by **l^y**) is usually pronounced like Spanish **y** (as in English yet); in the Río de la Plata region, though, both **ll** and **y** are pronounced like **s** in pleasure.

2) The letters **c** (before **e** and **i**) and **z** are pronounced like **s** in so instead of **th** as in **thin**.

A

a (ah) *prep* to, on; at; **a las ...** at ... o'clock

abacería (ah-bhah-thay-*ree*-ah) *f* grocer's

abacero (ah-bhah-*thay*-roa) *m* grocer

abadía (ah-bhah-*dhee*-ah) *f* abbey

abajo (ah-*bhah*-khoa) *adv* downstairs; down; **hacia ~** downwards

abandonar (ah-bhahn-doa-*nahr*) *v* abandon

abanico (ah-bhah-*nee*-koa) *m* fan

abarrotería (ah-bhah-rroa-tay-*ree*-ah) *fMe* grocer's

abarrotero (ah-bhah-rroa-*tay*-roa) *mMe* grocer

abastecimiento (ah-bhahss-tay-thee-*mʸayn*-toa) *m* supply

abatido (ah-bhah-*tee*-dhoa) *adj* down

abecedario (ah-bhay-thay-*dhah*-rʸoa) *m* alphabet

abedul (ah-bhay-*dhool*) *m* birch

abeja (ah-*bhay*-khah) *f* bee

abertura (ah-bhayr-*too*-rah) *f* opening

abierto (ah-*bhʸayr*-toa) *adj* open

abismo (ah-*bhee*-zmoa) *m* abyss

ablandador (ah-bhlahn-dah-*dhoar*) *m* water-softener

ablandar (ah-bhlahn-*dahr*) *v* soften

abogado (ah-bhoa-*gah*-dhoa) *m* barrister, lawyer, attorney; solicitor; advocate

abolir (ah-bhoa-*leer*) *v* abolish

abolladura (ah-bhoa-lʸah-*dhoo*-rah) *f* dent

abonado (ah-bhoa-*nah*-dhoa) *m* subscriber

abono (ah-*bhoa*-noa) *m* manure, dung

aborto (ah-*bhoar*-toa) *m* miscarriage; abortion

abrazar (ah-bhrah-*thahr*) *v* embrace; hug

abrazo (ah-*bhrah*-thoa) *m* hug; embrace

abrecartas (ah-bhray-*kahr*-tahss) *m* paper-knife

abrelatas (ah-bhray-*lah*-tahss) *m* can opener, tin-opener

abreviatura (ah-bhray-bhʸah-*too*-rah) *f* abbreviation

abrigar (ah-bhree-*gahr*) *v* shelter

abrigo (ah-*bhree*-goa) *m* coat, overcoat; **~ de pieles** fur coat

abril (ah-*bhreel*) April

abrir (ah-*bhreer*) *v* open; unlock; turn on

abrochar (ah-bhroa-*chahr*) *v* button

abrupto (ah-*bhroop*-toa) *adj* steep

absceso (ahbhs-*thay*-soa) *m* abscess

absolución (ahbh-soa-loo-*thʸoan*) *f* acquittal

absolutamente (ahbh-soa-loo-tah-*mayn*-tay) *adv* absolutely

absoluto (ahbh-soa-*loo*-toa) *adj* sheer; total

abstemio (ahbhs-*tay*-mᵛoa) *m* teetotaller

*__abstenerse de__ (ahbhs-tay-*nayr*-say) abstain from

abstracto (ahbhs-*trahk*-toa) *adj* abstract

absurdo (ahbh-*soor*-dhoa) *adj* absurd; foolish

abuela (ah-*bhway*-lah) *f* grandmother

abuelo (ah-*bhway*-loa) *m* grandfather, granddad; **abuelos** *mpl* grandparents *pl*

abundancia (ah-bhoon-*dahn*-thᵛah) *f* abundance, plenty

abundante (ah-bhoon-*dahn*-tay) *adj* abundant, plentiful ·

abundar (ah-bhoon-*dahr*) *v* abound

aburrido (ah-bhoo-*rree*-dhoa) *adj* boring, dull

aburrimiento (ah-bhoo-rree-*mᵛayn*-toa) *m* annoyance

aburrir (ah-bhoo-*rreer*) *v* bore, annoy

abusar de (ah-bhoo-*sahr*) exploit

abuso (ah-*bhoo*-soa) *m* misuse, abuse

acá (ah-*kah*) *adv* here

acabar (ah-kah-*bhahr*) *v* end; **acabado** finished; over

academia (ah-kah-*dhay*-mᵛah) *f* academy; ~ **de bellas artes** art school

acallar (ah-kah-*lᵛahr*) *v* silence

acampador (ah-kahm-pah-*dhoar*) *m* camper

acampar (ah-kahm-*pahr*) *v* camp

acantilado (ah-kahn-tee-*lah*-dhoa) *m* cliff

acariciar (ah-kah-ree-*thᵛahr*) *v* cuddle

acaso (ah-*kah*-soa) *adv* perhaps

accesible (ahk-thay-*see*-bhlay) *adj* accessible

acceso (ahk-*thay*-soa) *m* entrance, access; approach

accesorio (ahk-thay-*soa*-rᵛoa) *adj* additional; **accesorios** *mpl* accessories *pl*

accidental (ahk-thee-dhayn-*tahl*) *adj* accidental

accidente (ahk-thee-*dhayn*-tay) *m* accident; ~ **aéreo** plane crash

acción (ahk-*thᵛoan*) *f* share; action; deed; **acciones** *fpl* stocks and shares

acechar (ah-thay-*chahr*) *v* watch for

aceite (ah-*thay*-tay) *m* oil; ~ **bronceador** suntan oil; ~ **de mesa** salad oil; ~ **de oliva** olive oil; ~ **lubricante** lubrication oil; ~ **para el pelo** hair-oil

aceitoso (ah-thay-*toa*-soa) *adj* oily

aceituna (ah-thay-*too*-nah) *f* olive

acelerador (ah-thay-lay-rah-*dhoar*) *m* accelerator

acelerar (ah-thay-lay-*rahr*) *v* accelerate

acento (ah-*thayn*-toa) *m* accent

acentuar (ah-thayn-*twahr*) *v* emphasize, stress

aceptar (ah-thayp-*tahr*) *v* accept

acera (ah-*thay*-rah) *f* pavement; sidewalk *nAm*

acerca de (ah-*thayr*-kah day) about

acercarse (ah-thayr-*kahr*-say) *v* approach

acero (ah-*thay*-roa) *m* steel; ~ **inoxidable** stainless steel

*__acertar__ (ah-thayr-*tahr*) *v* *hit; guess right

acidez (ah-thee-*dhayth*) *f* heartburn

ácido (*ah*-thee-dhoa) *m* acid

aclamar (ah-klah-*mahr*) *v* cheer

aclaración (ah-klah-rah-*thᵛoan*) *f* explanation

aclarar (ah-klah-*rahr*) *v* clarify

acné (ahk-*nay*) *m* acne

acogida (ah-koa-*khee*-dhah) *f* reception

acomodación (ah-koa-moa-dhah-*thᵛoan*) *f* accommodation

acomodado (ah-koa-moa-*dhah*-dhoa) *adj* well-to-do

acomodador (ah-koa-moa-dhah-*dhoar*) *m* usher

acomodadora (ah-koa-moa-dhah-*dhoa*-rah) *f* usherette

acomodar (ah-koa-moa-*dhahr*) *v* accommodate

acompañar (ah-koam-pah-*ñahr*) *v* accompany; conduct

aconsejar (ah-koan-say-*khahr*) *v* recommend, advise

acontecer (ah-koan-tay-*thayr*) *v* occur

acontecimiento (ah-koan-tay-thee-*m*y*ayn*-toa) *m* event; happening, occurrence

acordar (ah-koar-*dhahr*) *v* agree; **acordarse** *v* remember, recollect, recall

acortar (ah-koar-*tahr*) *v* shorten

acostar (ah-koass-*tahr*) *v* *lay down; **acostarse** *v* *go to bed

acostumbrado (ah-koass-toom-*brah*-dhoa) *adj* accustomed; customary; **estar ~ a** *be used to

acostumbrar (ah-koass-toom-*brahr*) *v* accustom

acrecentarse (ah-kray-thayn-*tahr*-say) *v* increase

acreditar (ah-kray-dhee-*tahr*) *v* credit

acreedor (ah-kray-ay-*dhoar*) *m* creditor

acta (*ahk*-tah) *f* certificate; **actas** minutes

actitud (ahk-tee-*toodh*) *f* attitude; position

actividad (ahk-tee-bhee-*dhahdh*) *f* activity

activo (ahk-*tee*-bhoa) *adj* active

acto (*ahk*-toa) *m* act, deed

actor (ahk-*toar*) *m* actor

actriz (ahk-*treeth*) *f* actress

actual (ahk-*twahl*) *adj* present; topical

actualmente (ahk-twahl-*mayn*-tay) *adv* now

actuar (ahk-*twahr*) *v* act

acuarela (ah-kwah-*ray*-lah) *f* watercolour

acuerdo (ah-*kwayr*-dhoa) *m* approval; agreement, settlement; **¡de acuerdo!** all right!, okay!; **estar de ~ con** approve of

acumulador (ah-koo-moo-lah-*dhoar*) *m* battery

acusación (ah-koo-sah-th**y**oan) *f* charge

acusado (ah-koo-*sah*-dhoa) *m* accused

acusar (ah-koo-*sahr*) *v* accuse; charge

adaptador (ah-dhahp-tah-*dhoar*) *m* adaptor

adaptar (ah-dhahp-*tahr*) *v* adapt; suit

adecuado (ah-dhay-*kwah*-dhoa) *adj* adequate; convenient, appropriate

adelantar (ah-dhay-lahn-*tahr*) *v* *get on; **por adelantado** in advance; **prohibido ~** no overtaking

adelante (ah-dhay-*lahn*-tay) *adv* ahead, onwards, forward

adelanto (ah-dhay-*lahn*-toa) *m* advance

adelgazar (ah-dhayl-gah-*thahr*) *v* slim

además (ah-dhay-*mahss*) *adv* moreover, furthermore, besides; **~ de** beyond, besides

adentro (ah-*dhayn*-troa) *adv* inside, in; **hacia ~** inwards

adeudado (ah-dhay**oo**-*dhah*-dhoa) *adj* due

adición (ah-dhee-th**y**oan) *f* addition

adicional (ah-dhee-th**y**oa-*nahl*) *adj* additional

adicionar (ah-dhee-th**y**oa-*nahr*) *v* add; count

¡adiós! (ah-dh**y**oass) good-bye!

adivinar (ah-dhee-bhee-*nahr*) *v* guess

adjetivo (ahdh-khay-*tee*-bhoa) *m* adjective

administración (ahdh-mee-neess-trah-

th^yoan) *f* administration; direction

administrar (ahdh-mee-neess-*trahr*) *v* manage; direct; administer

administrativo (ahdh-mee-neess-trah-*tee*-bhoa) *adj* administrative

admirable (ahdh-mee-*rah*-bhlay) *adj* admirable

admiración (ahdh-mee-rah-*th^yoan*) *f* admiration

admirador (ahdh-mee-rah-*dhoar*) *m* fan

admirar (ahdh-mee-*rahr*) *v* admire

admisión (ahdh-mee-s^y*oan*) *f* admission; admittance

admitir (ahdh-mee-*teer*) *v* admit; acknowledge

adonde (ah-*dhoan*-day) *adv* where

adoptar (ah-dhoap-*tahr*) *v* adopt

adorable (ah-dhoa-*rah*-bhlay) *adj* adorable

adorar (ah-dhoa-*rahr*) *v* worship

adormidera (ah-dhoar-mee-*dhay*-rah) *f* poppy

adorno (ah-*dhoar*-noa) *m* ornament

adquirible (ahdh-kee-*ree*-bhlay) *adj* obtainable, available

*** adquirir** (ahdh-kee-*reer*) *v* acquire; *buy

adquisición (ahdh-kee-see-*th^yoan*) *f* acquisition

aduana (ah-*dwah*-nah) *f* Customs *pl*

adulto (ah-*dhool*-toa) *adj* grown-up, adult; *m* grown-up, adult

adverbio (ahdh-*bhayr*-bh^yoa) *m* adverb

advertencia (ahdh-bhayr-*tayn*-th^yah) *f* warning

*** advertir** (ahdh-bhayr-*teer*) *v* caution, warn; notice

aerolínea (ah-ay-roa-*lee*-nay-ah) *f* airline

aeropuerto (ah-ay-roa-*pwayr*-toa) *m* airport

aerosol (ah-ay-roa-*soal*) *m* atomizer

afamado (ah-fah-*mah*-dhoa) *adj* noted

afección (ah-fayk-*th^yoan*) *f* affection

afectado (ah-fayk-tah-dhoa) *adj* affected

afectar (ah-fayk-*tahr*) *v* affect; feign

afeitadora eléctrica (ah-fay-tah-*dhoa*-rah ay-*layk*-tree-kah) electric razor

afeitarse (ah-fay-*tahr*-say) *v* shave; **máquina de afeitar** safety-razor; shaver

afición (ah-fee-*th^yoan*) *f* hobby

aficionado (ah-fee-th^yoa-*nah*-dhoa) *m* supporter

afilar (ah-fee-*lahr*) *v* sharpen; **afilado** sharp

afiliación (ah-fee-l^yah-*th^yoan*) *f* membership

afiliado (ah-fee-*l^yah*-dhoa) *adj* affiliated

afirmación (ah-feer-mah-*th^yoan*) *f* statement

afirmar (ah-feer-*mahr*) *v* claim

afirmativo (ah-feer-mah-*tee*-bhoa) *adj* affirmative

aflicción (ah-fleek-*th^yoan*) *f* grief

afligido (ah-flee-*khee*-dhoa) *adj* sad; *** estar** ~ grieve

afluente (ah-*flwayn*-tay) *m* tributary

afortunado (ah-foar-too-*nah*-dhoa) *adj* fortunate, lucky

África (*ah*-free-kah) *f* Africa

África del Sur (*ah*-free-kah dayl soor) South Africa

africano (ah-free-*kah*-noa) *adj* African; *m* African

afuera (ah-*fway*-rah) *adv* outside, outdoors; **hacia** ~ outwards

afueras (ah-*fway*-rahss) *fpl* outskirts *pl*

agarradero (ah-gah-rrah-*dhay*-roa) *m* grip

agarrar (ah-gah-*rrahr*) *v* grasp, seize; **agarrarse** *v* *hold on

agarre (ah-*gah*-rray) *m* grip, grasp

agencia (ah-*khayn*-th^yah) *f* agency; ~

de viajes travel agency
agenda (ah-*khayn*-dah) *f* diary
agente (ah-*khayn*-tay) *m* agent; ~ **de policía** policeman; ~ **de viajes** travel agent
ágil (*ah*-kheel) *adj* supple
agitación (ah-khee-tah-*th*ʸ*oan*) *f* excitement; bustle
agitar (ah-khee-*tahr*) *v* stir up
agosto (ah-*goass*-toa) August
agotado (ah-goa-*tah*-dhoa) *adj* sold out
agotar (ah-goa-*tahr*) *v* use up
agradable (ah-grah-*dhah*-bhlay) *adj* agreeable; enjoyable, pleasing, pleasant; nice
***agradecer** (ah-grah-dhay-*thayr*) *v* thank
agradecido (ah-grah-dhay-*thee*-dhoa) *adj* grateful, thankful
agrario (ah-*grah*-rʸoa) *adj* agrarian
agraviar (ah-grah-*bh*ʸ*ahr*) *v* wrong
agregar (ah-gray-*gahr*) *v* add
agresivo (ah-gray-*see*-bhoa) *adj* aggressive
agrícola (ah-*gree*-koa-lah) *adj* agrarian
agricultura (ah-gree-kool-*too*-rah) *f* agriculture
agrio (*ah*-grʸoa) *adj* sour
agua (*ah*-gwah) *f* water; ~ **corriente** running water; ~ **de mar** seawater; ~ **de soda** soda-water; ~ **dulce** fresh water; ~ **helada** iced water; ~ **mineral** mineral water; ~ **potable** drinking-water
aguacero (ah-gwah-*thay*-roa) *m* shower; downpour
aguafuerte (ah-gwah-*fwayr*-tay) *f* etching
aguanieve (ah-gwah-*n*ʸ*ay*-bhay) *f* slush
aguantar (ah-gwahn-*tahr*) *v* *bear
aguardado (ah-gwahr-*dhah*-dhoa) due
aguardar (ah-gwahr-*dahr*) *v* expect

agudo (ah-*goo*-dhoa) *adj* keen; acute
águila (*ah*-gee-lah) *m* eagle
aguja (ah-*goo*-khah) *f* needle; spire; **labor de** ~ needlework
agujero (ah-goo-*khay*-roa) *m* hole
ahí (ah-*ee*) *adv* there
ahogar (ah-oa-*gahr*) *v* drown; **ahogarse** *v* *be drowned
ahora (ah-*oa*-rah) *adv* now; **de** ~ **en adelante** henceforth; **hasta** ~ so far
ahorrar (ah-oa-*rrahr*) *v* save
ahorros (ah-*oa*-rroass) *mpl* savings *pl*; **caja de** ~ savings bank
ahuyentar (ou-ʸayn-*tahr*) *v* chase
aire (*igh*-ray) *m* air; sky; breath; ~ **acondicionado** air-conditioning; **cámara de** ~ inner tube; ***tener aires de** look
airear (igh-ray-*ahr*) *v* air, ventilate
aireo (igh-*ray*-oa) *m* ventilation
airoso (igh-*roa*-soa) *adj* airy
aislado (ighz-*lah*-dhoa) *adj* isolated
aislador (ighz-lah-*dhoar*) *m* insulator
aislamiento (ighz-lah-*m*ʸ*ayn*-toa) *m* isolation; insulation
aislar (ighz-*lahr*) *v* isolate; insulate
ajedrez (ah-khay-*dhrayth*) *m* chess
ajeno (ah-*khay*-noa) *adj* foreign
ajetrearse (ah-khay-tray-*ahr*-say) *v* labour
ajo (*ah*-khoa) *m* garlic
ajustar (ah-khooss-*tahr*) *v* adjust
ala (*ah*-lah) *f* wing
alabar (ah-lah-*bhahr*) *v* praise
alambre (ah-*lahm*-bray) *m* wire
alargar (ah-lahr-*gahr*) *v* lengthen; renew; hand
alarma (ah-*lahr*-mah) *f* alarm; ~ **de incendio** fire-alarm
alarmante (ah-lahr-*mahn*-tay) *adj* scary
alarmar (ah-lahr-*mahr*) *v* alarm
alba (*ahl*-bhah) *f* dawn

albañil (ahl-bhah-*ñeel*) *m* bricklayer

albaricoque (ahl-bhah-ree-*koa*-kay) *m* apricot

albergue para jóvenes (ahl-*bhayr*-gay pah-rah khoa-bhay-nayss) youth hostel

alborotador (ahl-bhoa-roa-tah-*dhoar*) *adj* rowdy

alboroto (ahl-bhoa-*roa*-toa) *m* noise, racket

álbum (*ahl*-bhoom) *m* album

alcachofa (ahl-kah-*choa*-fah) *f* artichoke

alcalde (ahl-*kahl*-dhay) *m* mayor

alcance (ahl-*kahn*-thay) *m* reach, range

alcanzable (ahl-kahn-*thah*-bhlay) *adj* attainable

alcanzar (ahl-kahn-*thahr*) *v* achieve, reach

alce (*ahl*-thay) *m* moose

alcohol (ahl-*koal*) *m* alcohol; ~ **de quemar** methylated spirits

alcohólico (ahl-*koa*-lee-koa) *adj* alcoholic

aldea (ahl-*day*-ah) *f* hamlet

alegrar (ah-lay-*grahr*) *v* cheer up

alegre (ah-*lay*-gray) *adj* cheerful, merry, joyful; glad, gay

alegría (ah-lay-*gree*-ah) *f* gaiety; gladness

alejar (ah-lay-*khahr*) *v* move away

alemán (ah-lay-*mahn*) *adj* German; *m* German

Alemania (ah-lay-*mah*-nʸah) *f* Germany

***alentar** (ah-layn-*tahr*) *v* encourage

alergia (ah-*layr*-khʸah) *f* allergy

alfiler (ahl-fee-*layr*) *m* pin

alfombra (ahl-*foam*-brah) *f* carpet

alfombrilla (ahl-foam-*bree*-lʸah) *f* rug

álgebra (*ahl*-gay-bhrah) *f* algebra

algo (*ahl*-goa) *pron* something; *adv* somewhat

algodón (ahl-goa-*dhoan*) *m* cotton; cotton-wool; **de** ~ cotton

alguien (*ahl*-gʸayn) *pron* someone, somebody

alguno (ahl-*goo*-noa) *adj* any; **algunos** *adj* some; *pron* some

alhaja (ah-*lah*-khah) *f* gem

alharaca (ah-lah-*rah*-kah) *f* fuss

aliado (ah-*lʸah*-dhoa) *m* associate

alianza (ah-*lʸahn*-thah) *f* alliance

alicates (ah-lee-*kah*-tayss) *mpl* pliers *pl*

alienado (ah-lʸay-*nah*-dhoa) *m* lunatic

aliento (ah-*lʸayn*-toa) *m* breath

alimentar (ah-lee-mayn-*tahr*) *v* *feed

alimento (ah-lee-*mayn*-toa) *m* fare; food; **alimentos naturales** health food

alivio (ah-*lee*-bhʸoa) *m* relief

alma (*ahl*-mah) *f* soul

almacén (ahl-mah-*thayn*) *m* depot, warehouse, depository, store-house; store; ~ **de licores** off-licence; **grandes almacenes** department store

almacenaje (ahl-mah-thay-*nah*-khay) *m* storage

almacenar (ahl-mah-thay-*nahr*) *v* store

almanaque (ahl-mah-*nah*-kay) *m* almanac

almendra (ahl-*mayn*-drah) *f* almond

almidón (ahl-mee-*dhoan*) *m* starch

almidonar (ahl-mee-dhoa-*nahr*) *v* starch

almirante (ahl-mee-*rahn*-tay) *m* admiral

almohada (ahl-moa-*ah*-dhah) *f* pillow; ~ **eléctrica** heating pad

almohadilla (ahl-moa-ah-*dhee*-lʸah) *f* pad

almohadón (ahl-moa-ah-*dhoan*) *m* cushion; pillow

almuerzo (ahl-*mwayr*-thoa) *m* lunch, luncheon

alojamiento (ah-loa-khah-*mʸayn*-toa)

m accommodation, lodgings *pl*

alojar (ah-loa-*khahr*) *v* lodge

alondra (ah-*loan*-drah) *f* lark

alquilar (ahl-kee-*lahr*) *v* hire; rent, lease, *let

alquiler (ahl-kee-*layr*) *m* rent; ~ **de coches** car hire; **de** ~ for hire

alrededor de (ahl-ray-dhay-*dhoar* day) around, round; about

alrededores (ahl-ray-dhay-*dhoa*-rayss) *mpl* environment, surroundings *pl*

altar (ahl-*tahr*) *m* altar

altavoz (ahl-tah-*bhoath*) *m* loud-speaker

alteración (ahl-tay-rah-*th*oan*) *f* alteration

alterar (ahl-tay-*rahr*) *v* alter

alternar con (ahl-tayr-*nahr*) mix with

alternativa (ahl-tayr-nah-*tee*-bhah) *f* alternative

alternativo (ahl-tayr-nah-*tee*-bhoa) *adj* alternate

altiplano (ahl-tee-*plah*-noa) *m* uplands *pl*

altitud (ahl-tee-*toodh*) *f* altitude

altivo (ahl-*tee*-bhoa) *adj* haughty

alto (*ahl*-toa) *adj* high, tall; **en** ~ overhead

¡alto! (*ahl*-toa) stop!

altura (ahl-*too*-rah) *f* height

aludir a (ah-loo-*dheer*) allude to

alumbrado (ah-loom-*brah*-dhoa) *m* lighting

alumna (ah-*loom*-nah) *f* schoolgirl

alumno (ah-*loom*-noa) *m* scholar, pupil; schoolboy

alzar (ahl-*thahr*) *v* raise

allá (ah-*l*ah*) *adv* over there; **más** ~ beyond; **más** ~ **de** past, beyond

allí (ah-*l*ee*) *adv* there

amable (ah-*mah*-bhlay) *adj* kind, friendly

amado (ah-*mah*-dhoa) *adj* dear

amaestrar (ah-mah-ayss-*trahr*) *v* train

amamantar (ah-mah-mahn-*tahr*) *v* nurse

amanecer (ah-mah-nay-*thayr*) *m* sunrise, daybreak

amante (ah-*mahn*-tay) *m* lover

amapola (ah-mah-*poa*-lah) *f* poppy

amar (ah-*mahr*) *v* love

amargo (ah-*mahr*-goa) *adj* bitter

amarillo (ah-mah-*ree*-l*oa) *adj* yellow

amatista (ah-mah-*teess*-tah) *f* amethyst

ámbar (*ahm*-bahr) *m* amber

ambicioso (ahm-bee-*th*oa*-soa) *adj* ambitious

ambiente (ahm-*b*ayn*-tay) *m* atmosphere

ambiguo (ahm-*bee*-gwoa) *adj* ambiguous

ambos (*ahm*-boass) *adj* both; either

ambulancia (ahm-boo-*lahn*-th*ah) *f* ambulance

ambulante (ahm-boo-*lahn*-tay) *adj* itinerant

amenaza (ah-may-*nah*-thah) *f* threat

amenazador (ah-may-nah-thah-*dhoar*) *adj* threatening

amenazar (ah-may-nah-*thahr*) *v* threaten

ameno (ah-*may*-noa) *adj* nice

América (ah-*may*-ree-kah) *f* America; ~ **Latina** Latin America

americana (ah-may-ree-*kah*-nah) *f* jacket

americano (ah-may-ree-*kah*-noa) *adj* American; *m* American

amiga (ah-*mee*-gah) *f* friend

amígdalas (ah-*meeg*-dhah-lahss) *fpl* tonsils *pl*

amigdalitis (ah-meeg-dhah-*lee*-teess) *f* tonsilitis

amigo (ah-*mee*-goa) *m* friend

amistad (ah-meess-*tahdh*) *f* friendship

amistoso (ah-meess-*toa*-soa) *adj* friendly

amnistía (ahm-neess-*tee*-ah) f amnesty

amo (*ah*-moa) m master

amoníaco (ah-moa-*nee*-ah-koa) m ammonia

amontonar (ah-moan-toa-*nahr*) v pile

amor (ah-*moar*) m love; darling, sweetheart

amorío (ah-moa-*ree*-oa) m affair, romance

amortiguador (ah-moar-tee-gwah-*dhoar*) m shock absorber

amortizar (ah-moar-tee-*thahr*) v *pay off

amotinamiento (ah-moa-tee-nah-*m^yayn*-toa) m mutiny

ampliación (ahm-pl^yah-*th^yoan*) f enlargement; extension

ampliar (ahm-*pl^yahr*) v enlarge; extend

amplio (*ahm*-pl^yoa) adj broad

ampolla (ahm-*poa*-l^yah) f blister

amueblar (ah-mway-*bhlahr*) v furnish

amuleto (ah-moo-*lay*-toa) m charm

analfabeto (ah-nahl-fah-*bhay*-toa) m illiterate

análisis (ah-*nah*-lee-seess) f analysis

analista (ah-nah-*leess*-tah) m analyst

analizar (ah-nah-lee-*thahr*) v analyse; *break down

análogo (ah-*nah*-loa-goa) adj similar

anarquía (ah-nahr-*kee*-ah) f anarchy

anatomía (ah-nah-toa-*mee*-ah) f anatomy

anciano (ahn-*th^yah*-noa) adj aged; elderly

ancla (*ahng*-klah) f anchor

ancho (*ahn*-choa) adj broad; wide; m breadth

anchoa (ahn-*choa*-ah) f anchovy

anchura (ahn-*choo*-rah) f width

andadura (ahn-dah-*dhoo*-rah) f walk

andamio (ahn-dah-*m^yoa*) m scaffolding

***andar** (ahn-*dahr*) v walk

andares (ahn-*dah*-rayss) mpl pace

andén (ahn-*dayn*) m platform

anemia (ah-*nay*-m^yah) f anaemia

anestesia (ah-nayss-*tay*-s^yah) f anaesthesia

anestésico (ahn-ayss-*tay*-see-koa) m anaesthetic

anexar (ah-nayk-*sahr*) v annex

anexo (ah-*nayk*-soa) m annex, enclosure

anfitrión (ahn-fee-*tr^yoan*) m host

ángel (*ahng*-khayl) m angel

angosto (ahng-*goass*-toa) adj narrow, tight

anguila (ahng-*gee*-lah) f eel

ángulo (*ahng*-goo-loa) m angle

angustioso (ahng-gooss-*t^yoa*-soa) adj afraid

anhelar (ah-nay-*lahr*) v desire, long for

anhelo (ah-*nay*-loa) m longing

anillo (ah-*nee*-l^yoa) m ring; ~ **de boda** wedding-ring; ~ **de esponsales** engagement ring

animado (ah-nee-*mah*-dhoa) adj crowded

animal (ah-nee-*mahl*) m beast, animal; ~ **de presa** beast of prey; ~ **doméstico** pet

animar (ah-nee-*mahr*) v encourage, inspire; animate

ánimo (*ah*-nee-moa) m mind; courage

aniversario (ah-nee-bhayr-*sah*-r^yoa) m anniversary; jubilee

anoche (ah-*noa*-chay) adv last night

anomalía (ah-noa-mah-*lee*-ah) f aberration

anónimo (ah-*noa*-nee-moa) adj anonymous

anormal (ah-noar-*mahl*) adj abnormal

anotación (ah-noa-tah-*th^yoan*) f entry

anotar (ah-noa-*tahr*) v *write down

ansia (*ahn*-s^yah) f anxiety

ansioso (ahn-*s^yoa*-soa) adj anxious, eager

ante (ahn-tay) prep in front of

anteayer (ahn-tay-ah-ᵞayr) adv the day before yesterday

antecedentes (ahn-tay-thay-dhayn-tayss) mpl background

antena (ahn-tay-nah) f aerial

anteojos (ahn-tay-oa-khoass) mpl spectacles, glasses

antepasado (ahn-tay-pah-sah-dhoa) m ancestor

antepecho (ahn-tay-pay-choa) m window-sill

anterior (ahn-tay-rᵞoar) adj former, prior, previous

antes (ahn-tayss) adv before; formerly; at first; ~ **de** before; ~ **de que** before

antibiótico (ahn-tee-bhᵞoa-tee-koa) m antibiotic

anticipar (ahn-tee-thee-pahr) v advance

anticipo (ahn-tee-thee-poa) m advance

anticonceptivo (ahn-tee-koan-thayp-tee-bhoa) m contraceptive

anticongelante (ahn-tee-koang-khay-lahn-tay) m antifreeze

anticuado (ahn-tee-kwah-dhoa) adj old-fashioned; ancient, out of date, quaint

anticuario (ahn-tee-kwah-rᵞoa) m antique dealer

antigualla (ahn-tee-gwah-lᵞah) f antique

Antigüedad (ahn-tee-gway-dhahdh) f antiquity

antigüedades (ahn-tee-gway-dhah-dhayss) fpl antiquities pl

antiguo (ahn-tee-gwoa) adj ancient, antique; former

antipatía (ahn-tee-pah-tee-ah) f antipathy, dislike

antipático (ahn-tee-pah-tee-koa) adj nasty, unpleasant

antiséptico (ahn-tee-sayp-tee-koa) m antiseptic

antojarse (ahn-toa-khahr-say) v fancy, *feel like

antojo (ahn-toa-khoa) m fad, whim

antología (ahn-toa-loa-khee-ah) f anthology

antorcha (ahn-toar-chah) f torch

anual (ah-nwahl) adj annual, yearly

anuario (ah-nwah-ree-oa) m annual

anudar (ah-noo-dhahr) v tie; knot

anular (ah-noo-lahr) v cancel

anunciar (ah-noon-thᵞahr) v announce

anuncio (ah-noon-thᵞoa) m announcement; advertisement

anzuelo (ahn-thway-loa) m fishing hook

añadir (ah-ñah-dheer) v add

año (ah-ñoa) m year; **al** ~ per annum; ~ **bisiesto** leap-year; ~ **nuevo** New Year

apagado (ah-pah-gah-dhoa) adj mat

apagar (ah-pah-gahr) v extinguish; *put out, switch off

aparato (ah-pah-rah-toa) m appliance, apparatus; machine

aparcamiento (ah-pahr-kah-mᵞayn-toa) m parking; **zona de** ~ parking zone

***aparecer** (ah-pah-ray-thayr) v appear

aparejo (ah-pah-ray-khoa) m gear; ~ **de pesca** fishing tackle

aparente (ah-pah-rayn-tay) adj apparent

aparición (ah-pah-ree-thᵞoan) f apparition

apariencia (ah-pah-rᵞayn-thᵞah) f appearance, semblance

apartado (ah-pahr-tah-dhoa) adj out of the way

apartamento (ah-pahr-tah-mayn-toa) m suite; apartment nAm

apartar (ah-pahr-tahr) v separate

aparte (ah-pahr-tay) adv aside; adj individual

apasionado (ah-pah-sᵞoa-nah-dhoa)

adj passionate
apearse (ah-pay-*ahr*-say) *v* *get off
apelación (ah-pay-lah-*th*ʸoan) *f* appeal
apelmazado (ah-payl-mah-*thah*-dhoa) *adj* lumpy
apellido (ah-pay-*lʸee*-dhoa) *m* family name, surname; ~ **de soltera** maiden name
apenado (ah-pay-*nah*-dhoa) *adj* sorry
apenas (ah-*pay*-nahss) *adv* hardly, barely, scarcely; just
apéndice (ah-*payn*-dee-thay) *m* appendix
apendicitis (ah-payn-dee-*thee*-teess) *f* appendicitis
aperitivo (ah-pay-ree-*tee*-bhoa) *m* aperitif, drink
apertura (ah-payr-*too*-rah) *f* opening
apestar (ah-payss-*tahr*) *v* *stink
apetito (ah-pay-*tee*-toa) *m* appetite
apetitoso (ah-pay-tee-*toa*-soa) *adj* appetizing
apio (*ah*-pʸoa) *m* celery
aplaudir (ah-plou-*dheer*) *v* clap
aplauso (ah-*plou*-soa) *m* applause
aplazar (ah-plah-*thahr*) *v* postpone, adjourn, *put off
aplicación (ah-plee-kah-*s*ʸoan) *f* application
aplicar (ah-plee-*kahr*) *v* apply; **aplicarse a** apply, *be valid for
apogeo (ah-poa-*khayoa*) *m* height; zenith; ~ **de la temporada** peak season
apostar (ah-poass-*tahr*) *v* *bet
apoyar (ah-poa-*ʸahr*) *v* support; **apoyarse** *v* *lean
apoyo (ah-*poa*-ʸoa) *m* support; assistance
apreciar (ah-pray-*th*ʸ*ahr*) *v* appreciate
aprecio (ah-*pray*-thʸoa) *m* appreciation
aprender (ah-prayn-*dayr*) *v* *learn; **aprenderse de memoria** memorize

apresar (ah-pray-*sahr*) *v* hijack
apresurado (ah-pray-soo-*rah*-dhoa) *adj* hasty
apresurarse (ah-pray-soo-*rahr*-say) *v* hasten, hurry
apretado (ah-pray-*tah*-dhoa) *adj* tight
apretar (ah-pray-*tahr*) *v* press; tighten
apretón (ah-pray-*toan*) *m* clutch; ~ **de manos** handshake
aprobación (ah-proa-bhah-*th*ʸoan) *f* approval
aprobar (ah-proa-*bhahr*) *v* approve; pass
apropiado (ah-proa-*p*ʸ*ah*-dhoa) *adj* appropriate, suitable, proper; fit
aprovechar (ah-proa-bhay-*chahr*) *v* profit, benefit
aproximadamente (ah-proak-see-mah-dhah-*mayn*-tay) *adv* about, approximately
aproximado (ah-proak-see-*mah*-dhoa) *adj* approximate
aptitud (ahp-tee-*toodh*) *f* qualification; faculty
apto (*ahp*-toa) *adj* suitable; *ser ~ **para** qualify
apuesta (ah-*pwayss*-tah) *f* bet
apuntar (ah-poon-*tahr*) *v* aim at; point out
apunte (ah-*poon*-tay) *m* note; memo; **libreta de apuntes** notebook
aquel (ah-*kayl*) *adj* that; **aquellos** *adj* those
aquél (ah-*kayl*) *pron* that; **aquéllos** *pron* those
aquí (ah-*kee*) *adv* here
árabe (*ah*-rah-bhay) *adj* Arab; *m* Arab
Arabia Saudí (ah-*rah*-bhʸah sou-*dhee*) Saudi Arabia
arado (ah-*rah*-dhoa) *m* plough
arancel (ah-rahn-*thayl*) *m* tariff; duty
araña (ah-*rah*-ñah) *f* spider; **tela de ~**

cobweb

arar (ah-*rahr*) v plough

arbitrario (ahr-bhee-*trah*-r^yoa) adj arbitrary

árbitro (*ahr*-bhee-troa) m umpire

árbol (*ahr*-bhoal) m tree; ~ **de levas** camshaft

arbolado (ahr-bhoa-*lah*-dhoa) m woodland

arbusto (ahr-*bhooss*-toa) m shrub

arca (*ahr*-kah) f chest

arcada (ahr-*kah*-dhah) f arcade

arce (*ahr*-thay) m maple

arcilla (ahr-*thee*-l^yah) f clay

arco (*ahr*-koa) m arch, bow; ~ **iris** rainbow

archivo (ahr-*chee*-bhoa) m archives pl

arder (ahr-*dhayr*) v *burn

ardilla (ahr-*dhee*-l^yah) f squirrel

área (*ah*-ray-ah) f area; are

arena (ah-*ray*-nah) f sand

arenoso (ah-ray-*noa*-soa) adj sandy

arenque (ah-*rayng*-kay) m herring

Argelia (ahr-*khay*-l^yah) f Algeria

argelino (ahr-khay-*lee*-noa) adj Algerian; m Algerian

Argentina (ahr-khayn-*tee*-nah) f Argentina

argentino (ahr-khayn-*tee*-noa) adj Argentinian; m Argentinian

argumentar (ahr-goo-mayn-*tahr*) v argue

argumento (ahr-goo-*mayn*-toa) m argument

árido (*ah*-ree-dhoa) adj arid

arisco (ah-*reess*-koa) adj unkind

aritmética (ah-reet-*may*-tee-kah) f arithmetic

arma (*ahr*-mah) f weapon, arm

armador (ahr-mah-*dhoar*) m shipowner

armadura (ahr-mah-*dhoo*-rah) f frame; armour

armar (ahr-*mahr*) v arm

armario (ahr-*mah*-r^yoa) m cupboard; closet

armonía (ahr-moa-*nee*-ah) f harmony

aroma (ah-*roa*-mah) m aroma

arpa (*ahr*-pah) f harp

arqueado (ahr-kay-ah-dhoa) adj arched

arqueología (ahr-kay-oa-loa-*khee*-ah) f archaeology

arqueólogo (ahr-kay-*oa*-loa-goa) m archaeologist

arquitecto (ahr-kee-*tayk*-toa) m architect

arquitectura (ahr-kee-tayk-*too*-rah) f architecture

arraigarse (ah-rrigh-*gahr*-say) v settle down

arrancar (ah-rrahng-*kahr*) v uproot, pull out; start off

arranque (ah-*rrahng*-kay) m starter motor

arrastrar (ah-rrahss-*trahr*) v haul, drag; *draw; **arrastrarse** v crawl

arrecife (ah-rray-*thee*-fay) m reef

arreglar (ah-rray-*glahr*) v settle; tidy up; repair, fix; **arreglarse con** *make do with

arreglo (ah-*rray*-gloa) m arrangement; settlement; **con ~ a** in accordance with

arrendamiento (ah-rrayn-dah-m^yayn-toa) m lease; **contrato de ~** lease

*** arrendar** (ah-rrayn-*dahr*) v lease

arrepentimiento (ah-rray-payn-tee-m^yayn-toa) m regret, repentance

arrestar (ah-rrayss-*tahr*) v arrest

arresto (ah-*rrayss*-toa) m arrest

arriar (ah-r^yahr) v *strike, lower

arriate (ah-r^yah-tay) m flowerbed

arriba (ah-*rree*-bhah) adv upstairs; up

arriesgado (ah-rrayaz-*gah*-dhoa) adj risky

arriesgar (ah-rr^yayz-*gahr*) v venture, risk

arrodillarse (ah-rroa-dhee-*l*Yahr-say) v *kneel

arrogante (ah-rroa-*gahn*-tay) adj snooty

arrojar (ah-rroa-*khahr*) v *throw

arroyo (ah-*rroa*-Yoa) m stream, brook

arroz (ah-*rroath*) m rice

arruga (ah-*rroo*-gah) f wrinkle

arrugar (ah-rroo-*gahr*) v wrinkle

arruinar (ah-rrwee-*nahr*) v ruin; **arruinado** broke

arte (*ahr*-tay) m/f art; **artes industriales** arts and crafts; **bellas artes** fine arts

arteria (ahr-*tay*-rYah) f artery; ~ **principal** thoroughfare

artesanía (ahr-tay-sah-*nee*-ah) f handicraft

articulación (ahr-tee-koo-lah-*th*Yoan) f joint

artículo (ahr-*tee*-koo-loa) m article

artificial (ahr-tee-fee-*th*Yahl) adj artificial

artificio (ahr-tee-*fee*-th Yoa) m artifice

artista (ahr-*teess*-tah) m/f artist

artístico (ahr-*teess*-tee-koa) adj artistic

arzobispo (ahr-thoa-*bheess*-poa) m archbishop

asamblea (ah-sahm-*blay*-ah) f assembly, meeting

asar (ah-*sahr*) v roast; ~ **en parrilla** roast

asbesto (ahdh-*bhayss*-toa) m asbestos

ascensor (ah-thayn-*soar*) m lift; elevator nAm

aseado (ah-say-*ah*-dhoa) adj tidy

asegurar (ah-say-goo-*rahr*) v assure, insure; **asegurarse de** ascertain

asemejarse (ah-say-may-*khahr*-say) v resemble

asesinar (ah-say-see-*nahr*) v murder

asesinato (ah-say-see-*nah*-toa) m murder, assassination

asesino (ah-say-*see*-noa) m murderer

asfalto (ahss-*fahl*-toa) m asphalt

así (ah-*see*) adv thus, so; ~ **que** so that

Asia (*ah*-sYah) f Asia

asiático (ah-sYah-tee-koa) adj Asian; m Asian

asiento (ah-sYayn-toa) m seat

asignación (ah-seeg-nah-*th*Yoan) f allowance

asignar (ah-seeg-*nahr*) v allot; ~ **a** assign to

asilo (ah-*see*-loa) m asylum

asimismo (ah-see-*meez*-moa) adv also, likewise

***asir** (ah-*seer*) v grip

asistencia (ah-seess-*tayn*-thYah) f attendance; assistance

asistente (ah-seess-*tayn*-tay) m assistant

asistir (ah-seess-*teer*) v assist, aid; ~ **a** assist at, attend

asma (*ahz*-mah) f asthma

asociación (ah-soa-thYah-*th*Yoan) f association; club, society

asociado (ah-soa-*th*Yah-dhoa) m associate

asociar (ah-soa-*th*Yahr) v associate; **asociarse a** join

asombrar (ah-soam-*brahr*) v amaze, astonish

asombro (ah-*soam*-broa) m amazement; wonder

asombroso (ah-soam-*broa*-soa) adj astonishing

aspecto (ahss-*payk*-toa) m aspect; appearance, look; sight

áspero (*ahss*-pay-roa) adj harsh; rough

aspiración (ahss-pee-rah-*th*Yoan) f inhalation; aspiration

aspirador (ahss-pee-rah-*dhoar*) m vacuum cleaner; **pasar el** ~ hoover

aspirar (ahss-pee-*rahr*) v aspire; ~ **a** aim at

aspirina (ahss-pee-*ree*-nah) f aspirin

asqueroso (ahss-kay-*roa*-soa) adj disgusting

astilla (ahss-tee-l^yah) f splinter; chip

astillar (ahss-tee-*l^yahr*) v chip

astillero (ahss-tee-*l^yay*-roa) m shipyard

astronomía (ahss-troa-noa-*mee*-ah) f astronomy

astucia (ahss-*too*-th^yah) f ruse

astuto (ahss-*too*-toa) adj cunning; clever, sly

asunto (ah-*soon*-toa) m affair, matter; concern, business; topic

asustado (ah-sooss-*tah*-dhoa) adj afraid

asustar (ah-sooss-*tahr*) v scare; **asustarse** v *be frightened

atacar (ah-tah-*kahr*) v attack, assault; *strike

atadura (ah-tah-*dhoo*-rah) f binding

atañer (ah-tah-*ñayr*) v concern

ataque (ah-*tah*-kay) m attack, fit; stroke; ~ **cardíaco** heart attack

atar (ah-*tahr*) v tie, *bind; fasten; bundle

atareado (ah-tah-ray-*ah*-dhoa) adj busy

atención (ah-tayn-*th^yoan*) f attention; consideration, notice; **prestar ~** *pay attention, look out

* **atender a** (ah-tayn-*dayr*) v attend to, see to; nurse

atento (ah-*tayn*-toa) adj attentive; thoughtful

ateo (ah-*tay*-oa) m atheist

aterido (ah-tay-*ree*-dhoa) adj numb

aterrador (ah-tay-rrah-*dhoar*) adj terrifying

aterrizar (ah-tay-rree-*thahr*) v land

aterrorizar (ah-tay-rroa-ree-*thahr*) v terrify

Atlántico (aht-*lahn*-tee-koa) m Atlantic

atleta (aht-*lay*-tah) m athlete

atletismo (aht-lay-*teez*-moa) m athletics pl

atmósfera (aht-*moass*-fay-rah) f atmosphere

atómico (ah-*toa*-mee-koa) adj atomic

átomo (*ah*-toa-moa) m atom

atónito (ah-*toa*-nee-toa) adj speechless

atontado (ah-toan-*tah*-dhoa) adj dumb

atormentar (ah-toar-mayn-*tahr*) v torment

atornillar (ah-toar-nee-*l^yahr*) v screw

atracar (ah-trah-*kahr*) v dock

atracción (ah-trahk-*th^yoan*) f attraction

atraco (ah-*trah*-koa) m hold-up

atractivo (ah-trahk-*tee*-bhoa) adj attractive

* **atraer** (ah-trah-*ayr*) v attract

atrapar (ah-trah-*pahr*) v contract

atrás (ah-*trahss*) adv back

atrasado (ah-trah-*sah*-dhoa) adj overdue

* **atravesar** (ah-trah-bhay-*sahr*) v cross, pass through

atreverse (ah-tray-*bhayr*-say) v dare

atrevido (ah-tray-*bhee*-dhoa) adj daring

* **atribuir a** (ah-tree-*bhweer*) assign to

atroz (ah-*troath*) adj horrible

atún (ah-*toon*) m tuna

audacia (ou-*dhah*-th^yah) f nerve

audaz (ou-*dhahth*) adj bold

audible (ou-*dhee*-bhlay) adj audible

auditorio (ou-dhee-*toa*-r^yoa) m audience

aula (*ou*-lah) f auditorium

aumentar (ou-mayn-*tahr*) v increase, raise

aumento (ou-*mayn*-toa) m increase; rise; raise nAm

aun (ah-*oon*) adv (aún) yet; even

aunque (*oung*-kay) conj although, though

aurora (ou-*roa*-rah) f dawn

ausencia (ou-*sayn*-th^yah) f absence

ausente (ou-*sayn*-tay) adj absent

Australia (ouss-*trah*-l^yah) f Australia

australiano (ouss-trah-l^yah-noa) adj Australian; m Australian

Austria (*ouss*-tr^yah) f Austria

austríaco (ouss-*tree*-ah-koa) adj Austrian; m Austrian

auténtico (ou-*tayn*-tee-koa) adj authentic; true, original

auto (*ou*-toa) m car

autobús (ou-toa-*bhooss*) m coach, bus

autoestopista (ou-toa-ayss-toa-*peess*-tah) m hitchhiker

automático (ou-toa-*mah*-tee-koa) adj automatic

automatización (ou-toa-mah-tee-thah-th^yoan) f automation

automóvil (ou-toa-*moa*-bheel) m motor-car, automobile; ~ **club** automobile club

automovilismo (ou-toa-moa-bhee-*leez*-moa) m motoring

automovilista (ou-toa-moa-bhee-*leess*-tah) m motorist

autonomía (ou-toa-noa-*mee*-ah) f self-government

autónomo (ou-*toa*-noa-moa) adj independent, autonomous

autopista (ou-toa-*peess*-tah) f motorway; highway nAm; ~ **de peaje** turnpike nAm

autopsia (ou-*toap*-s^yah) f autopsy

autor (ou-*toar*) m author

autoridad (ou-toa-ree-*dhahdh*) f authority

autoritario (ou-toa-ree-*tah*-r^yoa) adj authoritarian

autorización (ou-toa-ree-thah-th^yoan) f authorization; permission

autorizar (ou-toa-ree-*thahr*) v allow; license

autoservicio (ou-toa-sayr-*bhee*-th^yoa) m self-service

***hacer autostop** (ah-*thayr* ou-toa-*stoap*) hitchhike

auxilio (ouk-*see*-l^yoa) m assistance; **primeros auxilios** first-aid

avalancha (ah-bhah-*lahn*-chah) f avalanche

avanzar (ah-bhahn-*thahr*) v advance

avaro (ah-*bhah*-roa) adj avaricious

avefría (ah-bhay-*free*-ah) f pewit

avellana (ah-bhay-*l^yah*-nah) f hazelnut

avena (ah-*bhay*-nah) f oats pl

avenida (ah-bhay-*nee*-dhah) f avenue

aventura (ah-bhayn-*too*-rah) f adventure

***avergonzarse** (ah-bhayr-goan-*thahr*-say) v *be ashamed

avería (ah-bhay-*ree*-ah) f breakdown

averiarse (ah-bhay-r^y*ahr*-say) v *break down; **averiado** adj out of order

aversión (ah-bhayr-s^y*oan*) f aversion, dislike

avestruz (ah-bhayss-*trooth*) m ostrich

avión (ah-bh^y*oan*) m aeroplane; aircraft, plane; airplane nAm; ~ **a reacción** jet; ~ **turborreactor** turbojet

avíos (ah-*bhee*-oass) mpl kit; ~ **de pesca** fishing gear

avisar (ah-bhee-*sahr*) v inform

aviso (ah-*bhee*-soa) m notice

avispa (ah-*bheess*-pah) f wasp

aya (*ah*-^yah) f governess

ayer (ah-^y*ayr*) adv yesterday

ayuda (ah-^y*oo*-dhah) f help; relief; ~ **de cámara** valet

ayudante (ah-^yoo-*dhahn*-tay) m helper

ayudar (ah-^yoo-*dhahr*) v aid, help

ayuntamiento (ah-^yoon-tah-m^y*ayn*-toa) m town hall

azada (ah-*thah*-dhah) f spade

azafata (ah-thah-*fah*-tah) f hostess; stewardess

azar (ah-*thahr*) m chance, luck

azor (ah-*thoar*) *m* hawk
azote (ah-*thoa*-tay) *m* whip
azúcar (ah-*thoo*-kahr) *m/f* sugar; **te-rrón de** ~ lump of sugar
azucena (ah-thoo-*thay*-nah) *f* lily
azul (ah-*thool*) *adj* blue
azulejo (ah-thoo-*lay*-khoa) *m* tile

B

babor (bah-*bhoar*) *m* port
bacalao (bah-kah-*lah*-oa) *m* cod; had-dock
bacteria (bahk-*tay*-r^{y}ah) *f* bacterium
bache (*bah*-chay) *m* hole
bahía (bah-*ee*-ah) *f* bay
bailar (bigh-*lahr*) *v* dance
baile (*bigh*-lay) *m* ball; dance
baja (*bah*-khah) *f* slump
bajada (bah-*khah*-dhah) *f* descent
bajamar (bah-khah-*mahr*) *f* low tide
bajar (bah-*khahr*) *v* lower; **bajarse** *v* *bend down
bajo (*bah*-khoa) *adj* low; short; *prep* under, below; *m* bass
bala (*bah*-lah) *f* bullet
baladí (bah-lah-*dhee*) *adj* insignificant
balance (bah-*lahn*-thay) *m* balance
balanza (bah-*lahn*-thah) *f* scales *pl*
balbucear (bahl-bhoo-thay-*ahr*) *v* falter
balcón (bahl-*koan*) *m* balcony; circle
balde (*bahl*-day) *m* pail; bucket
baldío (bahl-*dee*-oa) *adj* waste
balneario (bahl-nay-ah-r^{y}oa) *m* spa
ballena (bah-*l^{y}ay*-nah) *f* whale
ballet (bah-*lay*) *m* ballet
bambú (bahm-*boo*) *m* bamboo
banco (*bahng*-koa) *m* bank; bench
banda (*bahn*-dah) *f* band; gang
bandeja (bahn-*day*-khah) *f* tray
bandera (bahn-*day*-rah) *f* flag; banner
bandido (bahn-dee-dhoa) *m* bandit

banquete (bahng-*kay*-tay) *m* banquet
bañador (bah-ñah-*dhoar*) *m* bathing-trunks
bañarse (bah-*ñahr*-say) *v* bathe
baño (*bah*-ñoa) *m* bath; *mMe* bath-room; ~ **turco** Turkish bath; **cal-zón de** ~ swimming-trunks; **traje de** ~ swim-suit
bar (bahr) *m* bar; saloon, café
barajar (bah-rah-*khahr*) *v* shuffle
baranda (bah-*rahn*-dah) *f* banisters *pl*
barandilla (bah-rahn-*dee*-l^{y}ah) *f* rail; railing
barato (bah-*rah*-toa) *adj* inexpensive, cheap
barba (*bahr*-bhah) *f* beard
barbero (bahr-*bhay*-roa) *m* barber
barbilla (bahr-*bhee*-l^{y}ah) *f* chin
barca (*bahr*-kah) *f* boat
barco (*bahr*-koa) *m* boat
barítono (bah-*ree*-toa-noa) *m* baritone
barman (*bahr*-mahn) *m* bartender, barman
barniz (bahr-*neeth*) *m* varnish; ~ **para las uñas** nail-polish
barnizar (bahr-nee-*thahr*) *v* varnish
barómetro (bah-*roa*-may-troa) *m* ba-rometer
barquillo (bahr-*kee*-l^{y}oa) *m* waffle
barra (*bah*-rrah) *f* bar, rod; counter
barrer (bah-*rrayr*) *v* *sweep
barrera (bah-*rray*-rah) *f* barrier, rail; ~ **de protección** crash barrier
barril (bah-*rreel*) *m* barrel, cask
barrilete (bah-rree-*lay*-tay) *m* keg
barrio (*bah*-rr^{y}oa) *m* quarter, district; ~ **bajo** slum
barroco (bah-*rroa*-koa) *adj* baroque
barrote (bah-*rroa*-tay) *m* bar
basar (bah-*sahr*) *v* base
báscula (*bahss*-koo-lah) *f* weighing-machine
base (*bah*-say) *f* basis, base
basílica (bah-*see*-lee-kah) *f* basilica

bastante (bahss-*tahn*-tay) *adv* enough, sufficient; fairly, pretty, rather, quite

bastar (bahss-*tahr*) *v* suffice

bastardo (bahss-*tahr*-dhoa) *m* bastard

bastón (bahss-*toan*) *m* cane; walking-stick; **bastones de esquí** ski sticks

basura (bah-*soo*-rah) *f* trash, rubbish, garbage; **cubo de la ~** rubbish-bin

bata (*bah*-tah) *f* dressing-gown; **~ de baño** bathrobe; **~ suelta** negligee

batalla (bah-*tah*-l^yah) *f* battle

batería (bah-tay-*ree*-ah) *f* battery

batidora (bah-tee-*dhoa*-rah) *f* mixer

batir (bah-*teer*) *v* *beat, whip

baúl (bah-*ool*) *m* trunk

bautismo (bou-*teez*-moa) *m* baptism

bautizar (bou-tee-*thahr*) *v* christen, baptize

bautizo (bou-*tee*-thoa) *m* christening, baptism

baya (*bah*-^yah) *f* berry

bebé (bay-*bhay*) *m* baby

beber (bay-*bhayr*) *v* *drink

bebida (bay-*bhee*-dhah) *f* drink, beverage; **~ no alcohólica** soft drink; **bebidas espirituosas** spirits

beca (*bay*-kah) *f* grant, scholarship

becerro (bay-*thay*-rroa) *m* calf skin

beige (*bay*-khay) *adj* beige

béisbol (*bayz*-bhoal) *m* baseball

belga (*bayl*-gah) *adj* Belgian; *m* Belgian

Bélgica (*bayl*-khee-kah) *f* Belgium

belleza (bay-*l*^y*ay*-thah) *f* beauty; **salón de ~** beauty salon

bello (*bay*-l^yoa) *adj* fine

bellota (bay-*l*^y*oa*-tah) *f* acorn

*bendecir (bayn-day-*theer*) *v* bless

bendición (bayn-dee-*th*^y*oan*) *f* blessing

beneficio (bay-nay-*fee*-th^yoa) *m* profit, benefit

berenjena (bay-rayng-*khay*-nah) *f* eggplant

berro (*bay*-rroa) *m* watercress

besar (bay-*sahr*) *v* kiss

beso (*bay*-soa) *m* kiss

betún (bay-*toon*) *m* shoe polish

biblia (*bee*-bhl^yah) *f* bible

biblioteca (bee-bhl^yoa-*tay*-kah) *f* library

bicicleta (bee-thee-*klay*-tah) *f* cycle, bicycle

biciclo (bee-*thee*-kloa) *m* cycle, bicycle

bicimotor (bee-thee-moa-*toar*) *m* moped

biela (*b*^y*ay*-lah) *f* piston-rod

bien (b^yayn) *adv* well; **¡bien!** all right!; **bien ... bien** either ... or

bienes (*b*^y*ay*-nayss) *mpl* goods *pl*; possessions

bienestar (b^yay-nayss-*tahr*) *m* ease; welfare

bienvenida (b^yayn-bhay-*nee*-dhah) *f* welcome; ***dar la ~** welcome

bienvenido (b^yayn-bhay-*nee*-dhoa) *adj* welcome

biftec (beef-*tayk*) *m* steak

bifurcación (bee-foor-kah-*th*^y*oan*) *f* road fork, fork

bifurcarse (bee-foor-*kahr*-say) *v* fork

bigote (bee-*goatay*) *m* moustache

bilingüe (bee-*leeng*-gway) *adj* bilingual

bilis (*bee*-leess) *f* gall, bile

billar (bee-*l*^y*ahr*) *m* billiards *pl*

billete (bee-*l*^y*ay*-tay) *m* ticket; **~ de andén** platform ticket; **~ de banco** banknote; **~ gratuito** free ticket

biología (b^yoa-loa-*khee*-ah) *f* biology

biológico (b^yoa-*loa*-khee-koa) *adj* biological

bisagra (bee-*sah*-grah) *f* hinge

bizco (*beeth*-koa) *adj* cross-eyed

bizcocho (beeth-*koa*-choa) *m* cookie *nAm*

blanco[1] (*blahng*-koa) *adj* white; blank

blanco[2] (*blahng*-koa) *m* mark, target

blando (*blahn*-doa) *adj* soft

blanquear (blahng-kay-*ahr*) *v* bleach

bloc (bloak) *mMe* writing-pad

bloque (*bloa*-kay) *m* block; writing-pad

bloquear (bloa-kay-*ahr*) *v* block

blusa (*bloo*-sah) *f* blouse

bobina (boa-*bhee*-nah) *f* spool; ~ **del encendido** ignition coil

bobo (*boa*-bhoa) *adj* silly

boca (*boa*-kah) *f* mouth

bocadillo (boa-kah-*dhee*-lʸoa) *m* sandwich

bocado (boa-*kah*-dhoa) *m* bite

bocina (boa-*thee*-nah) *f* horn, hooter; **tocar la ~** hoot

boda (*boa*-dhah) *f* wedding

bodega (boa-*dhay*-gah) *f* hold

bofetada (boa-fay-*tah*-dhah) *f* smack, slap

boina (*boi*-nah) *f* beret

bolera (boa-*lay*-rah) *f* bowling alley

boletín meteorológico (boa-lay-*teen* may-tay-oa-roa-*loa*-khee-koa) weather forecast

boleto (boa-*lay*-toa) *mMe* ticket

bolígrafo (boa-*lee*-grah-foa) *m* ballpoint-pen, Biro

Bolivia (boa-*lee*-bhʸah) *f* Bolivia

boliviano (boa-lee-bhʸah-noa) *adj* Bolivian; *m* Bolivian

bolsa (*boal*-sah) *f* bag; stock market, stock exchange; pocket-book, purse; ~ **de hielo** ice-bag; ~ **de papel** paper bag

bolsillo (boal-*see*-lʸoa) *m* pocket

bolso (*boal*-soa) *m* handbag; bag

bollo (*boa*-lʸoa) *m* bun

bomba (*boam*-bah) *f* pump; bomb; ~ **de agua** water pump; ~ **de gasolina** petrol pump; fuel pump *Am*

bombardear (boam-bahr-dhay-*ahr*) *v* bomb

bombear (boam-bay-*ahr*) *v* pump

bomberos (boam-*bay*-roass) *mpl* fire-brigade

bombilla (boam-*bee*-lʸah) *f* light bulb; ~ **de flash** flash-bulb

bombón (boam-*boan*) *m* chocolate; candy *nAm*

bondad (boan-*dahdh*) *f* goodness

bondadoso (boan-dah-*dhoa*-soa) *adj* good-natured, kind

bonito (boa-*nee*-toa) *adj* pretty; fair, nice, lovely

boquerón (boa-kay-*roan*) *m* whitebait

boquilla (boa-*kee*-lʸah) *f* cigarette-holder

bordado (boar-*dhah*-dhoa) *m* embroidery

bordar (boar-*dhahr*) *v* embroider

borde (*boar*-dhay) *m* edge, border; verge, rim, brim; ~ **del camino** wayside

bordillo (boar-*dhee*-lʸoa) *m* curb

a bordo (ah *boar*-doa) aboard

borracho (boa-*rrah*-choa) *adj* drunk

borrar (boa-*rrahr*) *v* erase

borrascoso (boa-rrahss-*koa*-soa) *adj* gusty

borrón (boa-*rroan*) *m* blot

bosque (*boass*-kay) *m* wood, forest

bosquejar (boass-kay-*khahr*) *v* sketch

bosquejo (boass-*kay*-khoa) *m* sketch

bostezar (boass-tay-*thahr*) *v* yawn

bota (*boa*-tah) *f* boot; **botas de esquí** ski boots

botadura (boa-tah-*dhoo*-rah) *f* launching

botánica (boa-*tah*-nee-kah) *f* botany

bote (*boa*-tay) *m* rowing-boat; ~ **a motor** motor-boat

botella (boa-*tay*-lʸah) *f* bottle

botón (boa-*toan*) *m* button; knob, push-button; ~ **del cuello** collar stud

botones (boa-*toa*-nayss) *mpl* bellboy

bóveda (*boa*-bhay-dhah) *f* vault, arch

boxear (boak-say-*ahr*) v box
boya (boa-Yah) f buoy
braga (brah-gah) f briefs pl; panties pl
bragueta (brah-*gay*-tah) f fly
branquia (brahng-kYah) f gill
Brasil (brah-*seel*) m Brazil
brasileño (brah-see-*lay*-ño͘a) adj Brazilian; m Brazilian
braza (brah-thah) f breaststroke; ~ **de mariposa** butterfly stroke
brazo (brah-thoa) m arm; **del** ~ arm-in-arm
brea (bray-ah) f tar
brecha (bray-chah) f breach
bregar (bray-*gahr*) v labour
brema (bray-mah) f bream
breve (bray-bhay) adj brief; **en** ~ soon
brezal (bray-*thahl*) m moor
brezo (bray-thoa) m heather
brillante (bree-lYahn-tay) adj brilliant
brillantina (bree-lYahn-*tee*-nah) f hair cream
brillar (bree-lYahr) v glow, *shine
brillo (bree-lYoa) m glow, gloss
brincar (breeng-*kahr*) v hop; skip
brindis (breen-deess) m toast
brisa (bree-sah) f breeze
británico (bree-tah-nee-koa) adj British; m Briton
brocha (broa-chah) f brush; ~ **de afeitar** shaving-brush
broche (broa-chay) m brooch
broma (broa-mah) f joke
bronca (broang-kah) f row
bronce (broan-thay) m bronze; **de** ~ bronze
bronquitis (broang-kee-teess) f bronchitis
brotar (broa-*tahr*) v bud
bruja (broo-khah) f witch
brújula (broo-khoo-lah) f compass
brumoso (broo-*moa*-soa) adj foggy; hazy

brutal (broo-*tahl*) adj brutal
bruto (broo-toa) adj gross
bucear (boo-thay-*ahr*) v dive
bueno (bway-noa) adj good; kind; sound; **¡bueno!** well!
buey (bway) m ox
bufanda (boo-*fahn*-dah) f scarf
buffet (boof-*fayt*) m buffet
buhardilla (bwahr-*dee*-lYah) f attic
buho (boo-oa) m owl
buitre (bwee-tray) m vulture
bujía (boo-*khee*-ah) f sparking-plug
bulbo (bool-bhoa) m bulb; light bulb
Bulgaria (bool-*gah*-rYah) f Bulgaria
búlgaro (bool-gah-roa) adj Bulgarian; m Bulgarian
bulto (bool-toa) m bulk
bulla (boo-lYah) f fuss
buque (boo-kay) m ship; vessel; ~ **a motor** launch; ~ **cisterna** tanker; ~ **de guerra** man-of-war; ~ **velero** sailing-boat
burbuja (boor-*boo*-khah) f bubble
burdel (boor-*dhayl*) m brothel
burdo (boor-dhoa) adj coarse
burgués (boor-*gayss*) adj middle-class, bourgeois
burla (boor-lah) f mockery
burlarse de (boor-*lahr*-say) mock
burocracia (boo-roa-*krah*-thYah) f bureaucracy
burro (boo-rroa) m ass, donkey
buscar (booss-*kahr*) v look for; look up, *seek, search; hunt for; *ir a ~ *get, pick up, fetch
búsqueda (booss-kay-dhah) f search
busto (booss-toa) m bust
butaca (boo-*tah*-kah) f armchair, easy chair; stall; orchestra seat Am
buzón (boo-*thoan*) m pillar-box, letter-box; mailbox nAm

C

caballero (kah-bhah-l*Y*ay-roa) *m* gentleman; knight

caballitos (kah-bhah-l*Y*ee-toass) *mpl* merry-go-round

caballo (kah-*bhah*-l*Y*oa) *m* horse; ~ **de carrera** race-horse; ~ **de vapor** horsepower

cabaña (kah-*bhah*-ñah) *f* cabin, hut

cabaret (kah-bhah-*rayt*) *m* cabaret

cabecear (kah-bhay-thay-*ahr*) *v* nod

cabeceo (kah-bhay-*thay*-oa) *m* nod

cabello (kah-*bhay*-l*Y*oa) *m* hair; **suavizante de** ~ conditioner

cabelludo (kah-bhay-l*Y*oo-dhoa) *adj* hairy

cabeza (kah-*bhay*-thah) *f* head; ~ **de turco** scapegoat; **dolor de** ~ headache

cabezudo (kah-bhay-*thoo*-dhoa) *adj* head-strong

cabina (kah-*bhee*-nah) *f* cabin; booth; ~ **telefónica** telephone booth

cable (*kah*-bhlay) *m* cable

cablegrafiar (kah-bhlay-grah-f*Y*ahr) *v* cable

cablegrama (kah-bhlay-*grah*-mah) *m* cable

cabo (*kah*-bhoa) *m* cape

cabra (*kah*-bhrah) *f* goat

cabritilla (kah-bhree-*tee*-l*Y*ah) *f* kid

cabrón (kah-*bhroan*) *m* goat

cacahuate (kah-kah-*wah*-tay) *mMe* peanut

cacahuete (kah-kah-*way*-tay) *m* peanut

cacerola (kah-thay-*roa*-lah) *f* saucepan

cachear (kah-chay-*ahr*) *v* search

cachivache (kah-chee-*bhah*-chay) *m* junk

cada (*kah*-dhah) *adj* every, each; ~

uno everyone

cadáver (kah-*dhah*-bhayr) *m* corpse

cadena (kah-*dhay*-nah) *f* chain

cadera (kah-*dhay*-rah) *f* hip

caducado (kah-dhoo-*kah*-dhoa) *adj* expired

***caer** (kah-*ayr*) *v* *fall; **dejar** ~ drop

café (kah-*fay*) *m* coffee; public house

cafeína (kah-fay-*ee*-nah) *f* caffeine

cafetera filtradora (kah-fay-*tay*-rah feel-trah-*dhoa*-rah) percolator

cafetería (kah-fay-tay-*ree*-ah) *f* snack-bar, cafeteria

caída (kah-*ee*-dhah) *f* fall

caja (*kah*-khah) *f* box; crate; pay-desk; ~ **de cartón** carton; ~ **de caudales** safe, vault; ~ **de cerillas** match-box; ~ **de colores** paint-box; ~ **de velocidades** gear-box; ~ **fuerte** safe; ~ **metálica** canister

cajero (kah-*khay*-roa) *m* cashier; ~ **automático** cash dispenser, ATM

cajón (kah-*khoan*) *m* drawer

cal (kahl) *f* lime

calambre (kah-*lahm*-bray) *m* cramp

calamidad (kah-lah-mee-*dhahdh*) *f* disaster

calcetín (kahl-thay-*teen*) *m* sock

calcio (*kahl*-th*Y*oa) *m* calcium

calculadora (kahl-koo-lah-*dhoa*-rah) *f* calculator

calcular (kahl-koo-*lahr*) *v* reckon, calculate

cálculo (*kahl*-koo-loa) *m* calculation; ~ **biliar** gallstone

calderilla (kahl-day-*ree*-l*Y*ah) *f* petty cash

calefacción (kah-lay-fahk-*th*Y*oan*) *f* heating

calefactor (kah-lay-fahk-*toar*) *m* heater

calendario (kah-layn-*dah*-r*Y*oa) *m* calendar

***calentar** (kah-layn-*tahr*) *v* warm, heat

calidad (kah-lee-*dhahdh*) *f* quality; **de**

primera ~ first-class

caliente (kah-*lʸayn*-tay) *adj* warm, hot

calificado (kah-lee-fee-*kah*-dhoa) *adj* qualified

calina (kah-*lee*-nah) *f* haze

calinoso (kah-lee-*noa*-soa) *adj* hazy

calma (*kahl*-mah) *f* calm

calmante (kahl-*mahn*-tay) *m* tranquillizer, sedative

calmar (kahl-*mahr*) *v* calm down; **calmarse** *v* calm down

calor (kah-*loar*) *m* warmth, heat

caloría (kah-loa-*ree*-ah) *f* calorie

calorífero (kah-loa-*ree*-fay-roa) *m* hot-water bottle

calumnia (kah-*loom*-nʸah) *f* slander

calvinismo (kahl-bhee-*neez*-moa) *m* Calvinism

calvo (*kahl*-bhoa) *adj* bald

calzada (kahl-*thah*-dhah) *f* carriage-way, causeway; drive

calzado (kahl-*thah*-dhoa) *m* footwear

calzoncillos (kahl-thoan-*thee*-lʸoass) *mpl* pants *pl*, briefs *pl*, drawers; shorts *plAm*

callado (kah-*lʸah*-dhoa) *adj* silent

callarse (kah-*lʸahr*-say) *v* *be silent

calle (*kah*-lʸay) *f* street; road; ~ **lateral** side-street; ~ **mayor** main street

callejón (kah-lʸay-*khoan*) *m* alley, lane; ~ **sin salida** cul-de-sac

callo (*kah*-lʸoa) *m* callus; corn

cama (*kah*-mah) *f* bed; ~ **de tijera** camp-bed; cot *nAm*; **camas gemelas** twin beds; ~ **y desayuno** bed and breakfast

camafeo (kah-mah-*fay*-oa) *m* cameo

cámara (*kah*-mah-rah) *f* camera; ~ **fotográfica** camera

camarada (kah-mah-*rah*-dhah) *m* comrade

camarera (kah-mah-*ray*-rah) *f* waitress

camarero (kah-mah-*ray*-roa) *m* waiter; steward; **jefe de camareros** head-waiter

camarón (kah-mah-*roan*) *m* shrimp

camastro (kah-*mahss*-troa) *m* bunk

cambiar (kahm-*bʸahr*) *v* alter, change; vary; exchange, switch; ~ **de marcha** change gear

cambio (*kahm*-bʸoa) *m* alteration, change, variation; turn; exchange; exchange rate; **oficina de** ~ money exchange

camello (kah-*may*-lʸoa) *m* camel

caminar (kah-mee-*nahr*) *v* *go; hike

caminata (kah-mee-*nah*-tah) *f* walk

camino (kah-*mee*-noa) *m* way; road; **a mitad de** ~ halfway; **borde del** ~ roadside; ~ **de** bound for; ~ **en obras** road up; ~ **principal** main road

camión (kah-*mʸoan*) *m* lorry; truck *nAm*

camioneta (kah-mʸoa-*nay*-tah) *f* van

camisa (kah-*mee*-sah) *f* shirt

camiseta (kah-mee-*say*-tah) *f* undershirt; vest

camisón (kah-mee-*soan*) *m* nightdress

campamento (kahm-pah-*mayn*-toa) *m* camp

campana (kahm-*pah*-nah) *f* bell

campanario (kahm-pah-*nah*-rʸoa) *m* steeple

campaña (kahm-*pah*-ñah) *f* campaign; **catre de** ~ camp-bed

campeón (kahm-pay-*oan*) *m* champion

campesino (kahm-pay-*see*-noa) *m* peasant

camping (*kahm*-peeng) *m* camping site, camping

campo (*kahm*-poa) *m* countryside, country; field; ~ **de aviación** airfield; ~ **de golf** golf-course; ~ **de tenis** tennis-court; **día de** ~ picnic

Canadá (kah-nah-*dhah*) *m* Canada

canadiense (kah-nah-*dhʸayn*-say) *adj*

Canadian; *m* Canadian

canal (kah-*nahl*) *m* canal; channel; **Canal de la Mancha** English Channel

canario (kah-*nahr*-ryoa) *m* canary

cancelación (kahn-thay-lah-*thyoan*) *f* cancellation

cancelar (kahn-thay-*lahr*) *v* cancel

cáncer (*kahn*-thayr) *m* cancer

canción (kahn-*thyoan*) *f* song

cancha (*kahn*-chah) *f* tennis-court

candado (kahn-*dah*-dhoa) *m* padlock

candela (kahn-*day*-lah) *f* candle

candelabro (kahn-day-*lah*-bhroa) *m* candelabrum

candidato (kahn-dee-*dhah*-toa) *m* candidate

canela (kah-*nay*-lah) *f* cinnamon

cangrejo (kahng-*gray*-khoa) *m* crab

canguro (kahng-*goo*-roa) *m* kangaroo

canica (kah-*nee*-kah) *f* marble

canoa (kah-*noa*-ah) *f* canoe

cansancio (kahn-*sahn*-thyoa) *m* fatigue

cansar (kahn-*sahr*) *v* tire; **cansado** tired, weary

cantadora (kahn-tah-*dhoa*-rah) *f* singer·

cantante (kahn-*tahn*-tay) *m* singer

cantar (kahn-*tahr*) *v* *sing

cántaro (*kahn*-tah-roa) *m* pitcher; jug

cantera (kahn-*tay*-rah) *f* quarry

cantidad (kahn-tee-*dhahdh*) *f* amount, quantity; number; lot

cantina (kahn-*tee*-nah) *f* canteen; *fMe* saloon

canto (*kahn*-toa) *m* singing; edge

caña (*kah*-ñah) *f* cane; **~ de pescar** fishing rod

cañada (kah-*ñah*-dhah) *f* glen

cáñamo (*kah*-ñah-moa) *m* hemp

cañón (kah-*ñoan*) *m* gun; gorge

caos (*kah*-oass) *m* chaos

caótico (kah-*oa*-tee-koa) *adj* chaotic

capa (*kah*-pah) *f* cloak, cape; layer; deposit

capacidad (kah-pah-thee-*dhahdh*) *f* capacity

capataz (kah-pah-*tahth*) *m* foreman

capaz (kah-*pahth*) *adj* able; capable; ***ser ~ de** *be able to; qualify

capellán (kah-pay-*lyahn*) *m* chaplain

capilla (kah-*pee*-lyah) *f* chapel

capital (kah-pee-*tahl*) *m* capital; *adj* capital

capitalismo (kah-pee-tah-*leez*-moa) *m* capitalism

capitán (kah-pee-*tahn*) *m* captain

capitulación (kah-pee-too-lah-*thyoan*) *f* capitulation

capítulo (kah-*pee*-too-loa) *m* chapter

capó (kah-*poa*) *m* bonnet; hood *nAm*

capricho (kah-*pree*-choa) *m* fancy, whim

cápsula (*kahp*-soo-lah) *f* capsule

captura (kahp-*too*-rah) *f* capture

capturar (kahp-too-*rahr*) *v* capture

capucha (kah-*poo*-chah) *f* hood

capullo (kah-*poo*-lyoa) *m* bud

caqui (*kah*-kee) *m* khaki

cara (*kah*-rah) *f* face

caracol (kah-rah-*koal*) *m* snail; **~ marino** winkle

carácter (kah-*rahk*-tayr) *m* character

característica (kah-rahk-tay-*reess*-tee-kah) *f* characteristic, feature; quality

característico (kah-rahk-tay-*reess*-tee-koa) *adj* typical, characteristic

caracterizar (kah-rahk-tay-ree-*thahr*) *v* characterize, mark

caramelo (kah-rah-*may*-loa) *m* caramel, toffee, sweet

caravana (kah-rah-*bhah*-nah) *f* caravan; trailer *nAm*

carbón (kahr-*bhoan*) *m* coal; **~ de leña** charcoal

carburador (kahr-bhoo-rah-*dhoar*) *m* carburettor

cárcel (*kahr*-thayl) *f* jail, gaol

carcelero (kahr-thay-*lay*-roa) *m* jailer

cardenal (kahr-dhay-*nahl*) *m* cardinal

cardinal (kahr-dhee-*nahl*) *adj* cardinal

cardo (*kahr*-dhoa) *m* thistle

*****carecer** (kah-ray-*thayr*) *v* lack

carencia (kah-*rayn*-thᵛah) *f* want, shortage

carga (*kahr*-gah) *f* charge; cargo, freight, load; batch

cargar (kahr-*gahr*) *v* charge; load

cargo (*kahr*-goa) *m* office; freight

cari (*kah*-ree) *m* curry

caridad (kah-ree-*dhahdh*) *f* charity

carillón (kahr-nah-*bhahl*) *m* chimes *pl*

cariño (kah-*ree*-ñoa) *m* affection; pet

cariñoso (kah-ree-*ñoa*-soa) *adj* affectionate

carmesí (kahr-may-*see*) *adj* crimson

carnaval (kahr-nah-*bhahl*) *m* carnival

carne (*kahr*-nay) *f* meat; flesh; ~ **de cerdo** pork; ~ **de gallina** gooseflesh; ~ **de ternera** veal; ~ **de vaca** beef

carnero (kahr-*nay*-roa) *m* mutton

carnicero (kahr-nee-*thay*-roa) *m* butcher

caro (*kah*-roa) *adj* expensive, dear

carpa (*kahr*-pah) *f* carp

carpintero (kahr-peen-*tay*-roa) *m* carpenter

carrera (kah-*rray*-rah) *f* career; race; ~ **de caballos** horserace; **pista para carreras** race-track

carretera (kah-rray-*tay*-rah) *f* highway

carretilla (kah-rray-*tee*-lᵛah) *f* wheelbarrow

carro (*kah*-rroa) *m* cart; *mMe* car; ~ **de gitanos** caravan

carrocería (kah-rroa-thay-*ree*-ah) *f* coachwork

carroza (kah-*rroa*-thah) *f* coach

carta (*kahr*-tah) *f* map; letter; ~ **certificada** registered letter; ~ **de crédito** letter of credit; ~ **de recomen-** dación letter of recommendation; ~ **de vinos** wine-list; ~ **marina** chart

cartel (kahr-*tayl*) *m* poster, placard

cárter (*kahr*-tayr) *m* crankcase

cartera (kahr-*tay*-rah) *f* bag; satchel; wallet

cartero (kahr-*tay*-roa) *m* postman

cartílago (kahr-*tee*-lah-goa) *m* cartilage

cartón (kahr-*toan*) *m* cardboard; carton; **de** ~ cardboard

cartucho (kahr-*too*-choa) *m* cartridge

casa (*kah*-sah) *f* house; home; **a** ~ home; **ama de** ~ housewife; ~ **de campo** cottage; ~ **de correos** post-office; ~ **del párroco** vicarage; ~ **de pisos** block of flats; apartment house *Am*; ~ **de reposo** rest-home; ~ **flotante** houseboat; ~ **señorial** manor-house; **en** ~ at home; indoors, indoor, home; **gobierno de la** ~ housekeeping

casarse (kah-*sahr*-say) *v* marry

cascada (kahss-*kah*-dhah) *f* waterfall

cascanueces (kahss-kah-*nway*-thayss) *m* nutcrackers *pl*

cáscara (*kahss*-kah-rah) *f* shell; skin; ~ **de nuez** nutshell

casco (*kahss*-koa) *m* helmet; hoof

casero (kah-*say*-roa) *adj* home-made

casi (*kah*-see) *adv* almost, nearly

casimir (kah-see-*meer*) *m* cashmere

casino (kah-see-noa) *m* casino

caso (*kah*-soa) *m* event; case; instance; ~ **de urgencia** emergency; **en** ~ **de** in case of; **en ningún** ~ by no means; **en tal** ~ then; **en todo** ~ at any rate, anyway

caspa (*kahss*-pah) *f* dandruff

casquillo (kahss-*kee*-lᵛoa) *m* socket

castaña (kahss-*tah*-ñah) *f* chestnut

castellano (kahss-tay-*lᵛah*-noa) *adj* Castilian; *m* Castilian

castigar (kahss-tee-*gahr*) v punish

castigo (kahss-*tee*-goa) m penalty, punishment

castillo (kahss-*tee*-lᵞoa) m castle

casto (*kahss*-toa) adj chaste; pure

castor (*kahss*-toar) m beaver

por casualidad (poar kah-swah-lee-*dhahdh*) by chance

catacumba (kah-tah-*koom*-bah) f catacomb

catálogo (kah-*tah*-loa-goa) m catalogue

catarro (kah-*tah*-rroa) m catarrh

catástrofe (kah-*tahss*-troa-fay) f disaster, catastrophe, calamity

catedral (kah-tay-*dhrahl*) f cathedral

catedrático (kah-tay-*dhrah*-tee-koa) m professor

categoría (kah-tay-goa-*ree*-ah) f category

católico (kah-*toa*-lee-koa) adj catholic, Roman Catholic

catorce (kah-*toar*-thay) num fourteen

catorceno (kah-toar-*thay*-noa) num fourteenth

caucho (*kou*-choa) m rubber

causa (*kou*-sah) f cause, reason; case; lawsuit; **a ~ de** because of, on account of, for, owing to

causar (kou-*sahr*) v cause

cautela (kou-*tay*-lah) f caution

cautivar (kou-tee-*bhahr*) v fascinate

cavar (kah-*bhahr*) v *dig

caviar (kah-*bhᵞahr*) m caviar

cavidad (kah-bhee-*dhahdh*) f cavity

caza (*kah*-thah) f chase, hunt; game; **apeadero de ~** lodge

cazador (kah-thah-*dhoar*) m hunter

cazar (kah-*thahr*) v hunt; chase; **~ en vedado** poach

cebada (thay-*bhah*-dhah) f barley

cebo (*thay*-bhoa) m bait

cebolla (thay-*bhoa*-lᵞah) f onion

cebollino (thay-bhoa-lᵞ*ee*-noa) m chives pl

cebra (*thay*-bhrah) f zebra

ceder (thay-*dhayr*) v indulge; *give in

*cegar (thay-*gahr*) v blind

ceja (*thay*-khah) f eyebrow

celda (*thayl*-dah) f cell

celebración (thay-lay-bhrah-th ᵞoan) f celebration

celebrar (thay-lay-*bhrahr*) v celebrate

célebre (*thay*-lay-bhray) adj famous

celebridad (thay-lay-bhree-*dhahdh*) f celebrity

celeste (thay-*layss*-tay) adj heavenly

celibato (thay-lee-*bhah*-toa) m celibacy

celo (*thay*-loa) m zeal, diligence; **celos** jealousy

celofán (thay-loa-*fahn*) m cellophane

celoso (thay-*loa*-soa) adj zealous, diligent; envious, jealous

célula (*thay*-loo-lah) f cell

cementerio (thay-mayn-*tay*-rᵞoa) m churchyard, graveyard, cemetery

cemento (thay-*mayn*-toa) m cement

cena (*thay*-nah) f dinner, supper

cenar (thay-*nahr*) v dine, *eat

cenicero (thay-nee-*thay*-roa) m ashtray

cenit (thay-*neet*) m zenith

ceniza (thay-*nee*-thah) f ash

censura (thayn-*soo*-rah) f censorship

centelleante (thayn-tay-lᵞay-*ahn*-tay) adj sparkling

centígrado (thayn-*tee*-grah-dhoa) adj centigrade

centímetro (thayn-*tee*-may-troa) m centimetre; tape-measure

central (thayn-*trahl*) adj central; **central eléctrica** power-station; **central telefónica** telephone exchange

centralizar (thayn-trah-lee-*thahr*) v centralize

centro (*thayn*-troa) m centre; **~ comercial** shopping centre; **~ de la ciudad** town centre; **~ de recreo** recreation centre

cepillar (thay-pee-l^yahr) v brush

cepillo (thay-pee-l^yoa) m brush; ~ **de dientes** toothbrush; ~ **de la ropa** clothes-brush; ~ **para el cabello** hairbrush; ~ **para las uñas** nail-brush

cera (thay-rah) f wax

cerámica (thay-rah-mee-kah) f ceramics pl; crockery, pottery

cerca (thayr-kah) f fence

cerca de (thayr-kah day) near, by; almost

cercano (thayr-kah-noa) adj close, nearby, near

cercar (thayr-kahr) v encircle, surround

cerdo (thayr-dhoa) m pig

cereales (thay-ray-ah-layss) mpl corn

cerebro (thay-ray-bhroa) m brain; **conmoción cerebral** concussion

ceremonia (thay-ray-moa-n^yah) f ceremony

cereza (thay-ray-thah) f cherry

cerilla (thay-ree-l^yah) f match

cerillo (thay-ree-l^yoa) mMe match

cero (thay-roa) m zero, nought

cerradura (thay-rrah-dhoo-rah) f lock; **ojo de la ~** keyhole

*cerrar (thay-rrahr) v close, *shut; fasten; turn off; ~ **con llave** lock

cerrojo (thay-rroa-khoa) m bolt

certificación (thayr-tee-fee-kah-th^yoan) f certificate

certificado (thayr-tee-fee-kah-dhoa) m certificate; ~ **de salud** health certificate

certificar (thayr-tee-fee-kahr) v register

cervato (thayr-bhah-toa) m fawn

cervecería (thayr-bhay-thay-ree-ah) f brewery

cerveza (thayr-bhay-thah) f beer; ale

cesar (thay-sahr) v cease, quit, stop; discontinue

césped (thayss-paydh) m lawn; grass

cesta (thayss-tah) f basket

cesto (thayss-toa) m hamper; ~ **para papeles** wastepaper-basket

cicatriz (thee-kah-treeth) f scar

ciclista (thee-kleess-tah) m cyclist

ciclo (thee-kloa) m cycle

ciego (th^yay-goa) adj blind

cielo (th^yay-loa) m heaven; sky; ~ **raso** ceiling

ciencia (th^yayn-th^yah) f science

científico (th^yayn-tee-fee-koa) adj scientific; m scientist

ciento (th^yayn-toa) num hundred; **por ~** percent

cierre (th^yay-rray) m fastener; ~ **relámpago** zipper

cierto (th^yayr-toa) adj certain; **por ~** indeed

ciervo (th^yayr-bhoa) m deer

cifra (thee-frah) f number, figure

cigarrillo (thee-gah-rree-l^yoa) m cigarette

cigüeña (thee-gway-ñah) f stork

cigüeñal (thee-gway-ñahl) m crankshaft

cilindro (thee-leen-droa) m cylinder; **culata del ~** cylinder head

cima (thee-mah) f top, summit; hilltop

cinc (theengk) m zinc

cincel (theen-thayl) m chisel

cinco (theeng-koa) num five

cincuenta (theeng-kwayn-tah) num fifty

cine (thee-nay) m pictures

cinematógrafo (thee-nay-mah-toa-grah-foa) m cinema

cinta (theen-tah) f ribbon, tape; ~ **adhesiva** scotch tape, adhesive tape; ~ **de goma** elastic band; ~ **métrica** tape-measure

cintura (theen-too-rah) f waist

cinturón (theen-too-roan) m belt; bypass; ~ **de seguridad** seat-belt

cipo (*thee*-poa) *m* milepost

circo (*theer*-koa) *m* circus

*circuir (theer-*kweer*) *v* encircle

circulación (theer-koo-lah-*th^yoan*) *f* circulation

circular (theer-koo-*lahr*) *v* circulate

círculo (*theer*-koo-loa) *m* circle, ring; club

circundante (theer-koon-*dahn*-tay) *adj* surrounding

circundar (theer-koon-*dahr*) *v* circle

circunstancia (theer-koons-*tahn*-th^yah) *f* circumstance, condition

ciruela (thee-*rway*-lah) *f* plum; ~ **pasa** prune

cirujano (thee-roo-*khah*-noa) *m* surgeon

cisne (*theez*-nay) *m* swan

cistitis (theess-*tee*-teess) *f* cystitis

cita (*thee*-tah) *f* date, appointment; quotation

citación (thee-tah-*th^yoan*) *f* summons

citar (thee-*tahr*) *v* quote

ciudad (th^yoo-*dhahd*) *f* city, town

ciudadanía (th^yoo-dhah-dhah-*nee*-ah) *f* citizenship

ciudadano (th^yoo-dhah-*dhah*-noa) *m* citizen

cívico (*thee*-bhee-koa) *adj* civic

civil (thee-*bheel*) *adj* civilian, civil

civilización (thee-bhee-lee-thah-*th^yoan*) *f* civilization

civilizado (thee-bhee-lee-*thah*-dhoa) *adj* civilized

claridad (klah-ree-*dhahdh*) *f* clarity

clarificar (klah-ree-fee-*kahr*) *v* clarify

claro (*klah*-roa) *adj* clear; plain, distinct; serene, bright; *m* clearing

clase (*klah*-say) *f* class; sort; form; classroom; ~ **media** middle class; ~ **turista** tourist class; **de primera** ~ first-rate; **toda** ~ **de** all sorts of

clásico (*klah*-see-koa) *adj* classical

clasificar (klah-see-fee-*kahr*) *v* classify, assort, sort, arrange

cláusula (*klou*-soo-lah) *f* clause

clavar (klah-*bhahr*) *v* pin

clavicémbalo (klah-bhee-*thaym*-bah-loa) *m* harpsichord

clavícula (klah-*bhee*-koo-lah) *f* collarbone

clavo (*klah*-bhoa) *m* nail

clemencia (klay-*mayn*-th^yah) *f* mercy

clérigo (*klay*-ree-goa) *m* clergyman, minister

cliente (*kl^yayn*-tay) *m* client, customer

clima (*klee*-mah) *m* climate

climatizado (klee-mah-tee-*thah*-dhoa) *adj* air-conditioned

clínica (*klee*-nee-kah) *f* clinic

cloro (*kloa*-roa) *m* chlorine

club de yates yacht-club

coagularse (koa-ah-goo-*lahr*-say) *v* coagulate

cobarde (koa-*bhahr*-dhay) *adj* cowardly; *m* coward

cobertizo (koa-bhayr-*tee*-thoa) *m* shed

cobrador (koa-bhrah-*dhoar*) *m* conductor

cobrar (koa-*bhrahr*) *v* cash

cobre (*koa*-bhray) *m* copper, brass; **cobres** *mpl* brassware

cocaína (koa-kah-*ee*-nah) *f* cocaine

cocina (koa-*thee*-nah) *f* kitchen; cooker, stove; ~ **de gas** gas cooker

cocinar (koa-thee-*nahr*) *v* cook

cocinero (koa-thee-*nay*-roa) *m* cook

coco (*koa*-koa) *m* coconut

cocodrilo (koa-koa-*dhree*-l^yoa) *m* crocodile

cóctel (*koak*-tayl) *m* cocktail

coche (*koa*-chay) *m* car; carriage; ~ **cama** sleeping-car; ~ **comedor** dining-car; ~ **de carreras** sports-car; ~ **Pullman** Pullman

cochecillo (koa-chay-*thee*-l^yoa) *m* pram; baby carriage *Am*

cochinillo (koa-chee-*nee*-l^yoa) *m* piglet

codicia (koa-*dhee*-th^yah) f greed

codicioso (koa-dhee-*th^yoa*-soa) adj greedy

código (*koa*-dhee-goa) m code; ~ **postal** zip code Am

codo (*koa*-dhoa) m elbow

codorniz (koa-dhoar-*neeth*) f quail

coger (koa-*khayr*) v *catch; *take; **llegar a** ~ *catch

coherencia (koa-ay-*rayn*-th^yah) f coherence

cohete (koa-*ay*-tay) m rocket

coincidencia (koa-een-thee-*dhayn*-th^yah) f concurrence

coincidir (koa-een-thee-*dheer*) v coincide

cojear (koa-khay-*ahr*) v limp

cojo (*koa*-khoa) adj lame

col (koal) m cabbage; ~ **de Bruselas** sprouts pl

cola (*koa*-lah) f queue, file, line; tail; gum, glue; *hacer ~ queue

colaboración (koa-lah-bhoa-rah-*th^yoan*) f co-operation

colcha (*koal*-chah) f counterpane, quilt

colchón (koal-*choan*) m mattress

colección (koa-layk-*th^yoan*) f collection; ~ **de arte** art collection

coleccionar (koa-layk-th^yoa-*nahr*) v gather

coleccionista (koa-layk-th^yoa-*neess*-tah) m collector

colectivo (koa-layk-*tee*-bhoa) adj collective

colector (koa-layk-*toar*) m collector

colega (koa-*lay*-gah) m colleague

colegio (koa-*lay*-kh^yoa) m college

cólera (*koa*-lay-rah) f anger, passion, temper

colérico (koa-*lay*-ree-koa) adj hot-tempered

*colgar (koal-*gahr*) v *hang

coliflor (koa-lee-*floar*) f cauliflower

colina (koa-*lee*-nah) f hill

colisión (koa-lee-s^yoan) f collision

colmena (koal-*may*-nah) f beehive

colmo (*koal*-moa) m height

colocar (koa-loa-*kahr*) v *lay, place, *put

Colombia (koa-*loam*-b^yah) f Colombia

colombiano (koa-loam-*b^yah*-noa) adj Colombian; m Colombian

colonia (koa-*loa*-n^yah) f colony; ~ **veraniega** holiday camp

color (koa-*loar*) m colour; ~ **de agua-da** water-colour; **de** ~ coloured

colorado (koa-loa-*rah*-dhoa) adj colourful

colorante (koa-loa-*rahn*-tay) m colourant

colorete (koa-loa-*ray*-tay) m rouge

columna (koa-*loom*-nah) f column, pillar; ~ **del volante** steering-column

columpiarse (koa-loom-*p^yahr*-say) v *swing

columpio (koa-*loom*-p^yoa) m swing; seesaw

collar (koa-*l^yahr*) m beads pl, necklace; collar

coma (*koa*-mah) f comma; m coma

comadrona (koa-mah-*dhroa*-nah) f midwife

comandante (koa-mahn-*dahn*-tay) m commander; captain

comarca (koa-*mahr*-kah) f district

comba (*koam*-bah) f bend

combate (koam-*bah*-tay) m combat, battle, struggle, fight; ~ **de boxeo** boxing match

combatir (koam-bah-*teer*) v combat, battle, *fight

combinación (koam-bee-nah-*th^yoan*) f combination; slip

combinar (koam-bee-*nahr*) v combine

combustible (koam-booss-*tee*-bhlay) m fuel; ~ **líquido** fuel oil

comedia (koa-*may*-dh^yah) f comedy;

~ **musical** musical

comediante (koa-may-*dh*Y*ahn*-tay) *m* comedian

comedor (koa-may-*dhoar*) *m* dining-room; ~ **de gala** banqueting-hall

comentar (koa-mayn-*tahr*) *v* comment

comentario (koa-mayn-*tah*-r*Yoa*) *m* comment

*****comenzar** (koa-mayn-*thahr*) *v* commence, **begin

comer (koa-*mayr*) *v* **eat

comercial (koa-mayr-*th*Yahl) *adj* commercial

comerciante (koa-mayr-*th*Yahn-tay) *m* merchant; trader, dealer; ~ **al por menor** retailer

comerciar (koa-mayr-*th*Yahr) *v* trade

comercio (koa-*mayr*-th*Y*oa) *m* commerce, trade, business; ~ **al por menor** retail trade

comestible (koa-mayss-*tee*-bhlay) *adj* edible

comestibles (koa-mayss-*tee*-bhlayss) *mpl* groceries *pl*; **tienda de ~ finos** delicatessen

cometer (koa-may-*tayr*) *v* commit

cómico (*koa*-mee-koa) *adj* comic, funny; *m* comedian; entertainer

comida (koa-*mee*-dhah) *f* food; meal; ~ **principal** dinner

comidilla (koa-mee-*dhee*-lYah) *f* hobby-horse

comienzo (koa-m*Y*ayn-thoa) *m* beginning, start

comillas (koa-*mee*-lYahss) *fpl* quotation marks

comisaría (koa-mee-sah-*ree*-ah) *f* police-station

comisión (koa-mee-s*Yoan*) *f* committee, commission

comité (koa-mee-*tay*) *m* committee

comitiva (koa-mee-*tee*-bhah) *f* procession

como (*koa*-moa) *adv* as, like, like; **así**

~ as well as; ~ **máximo** at most; ~ **si** as if

cómo (*koa*-moa) *adv* how

cómoda (*koa*-moa-dhah) *f* chest of drawers; bureau *nAm*

comodidad (koa-moa-dhee-*dhahdh*) *f* comfort, leisure

cómodo (*koa*-moa-dhoa) *adj* convenient, easy

compacto (koam-*pahk*-toa) *adj* compact

compadecerse de (koam-pah-dhay-*thayr*-say) pity

compañero (koam-pah-*ñay*-roa) *m* companion; associate; ~ **de clase** class-mate

compañía (koam-pah-*ñee*-ah) *f* company; society

comparación (koam-pah-rah-*th*Yoan) *f* comparison

comparar (koam-pah-*rahr*) *v* compare

compartimento (koam-pahr-tee-*mayn*-toa) *m* compartment; ~ **para fumadores** smoking-compartment

compartir (koam-pahr-*teer*) *v* share

compasión (koam-pah-s*Yoan*) *f* sympathy

compasivo (koam-pah-*see*-bhoa) *adj* sympathetic

compatriota (koam-pah-*tr*Yoa-tah) *m* countryman

compeler (koam-pay-*layr*) *v* compel

compensación (koam-payn-sah-*th*Yoan) *f* compensation

compensar (koam-payn-*sahr*) *v* compensate; **make good

competencia (koam-pay-*tayn*-th*Y*ah) *f* competition, rivalry; capacity

competente (koam-pay-*tayn*-tay) *adj* expert, qualified

competidor (koam-pay-tee-*dhoar*) *m* competitor, rival

*****competir** (koam-pay-*teer*) *v* compete

compilar (koam-pee-*lahr*) *v* compile

*complacer (koam-plah-*thayr*) *v* please; *give satisfaction

complejo (koam-*play*-khoa) *adj* complex; *m* complex

completamente (koam-play-tah-*maynt*ay) *adv* completely, quite

completar (koam-play-*tahr*) *v* complete; fill in; fill out *Am*

completo (koam-*play*-toa) *adj* complete; whole, total, utter; full up

complicado (koam-plee-*kah*-dhoa) *adj* complicated

cómplice (*koam*-plee-thay) *m* accessary

complot (koam-*ploat*) *m* plot

*componer (koam-poa-*nayr*) *v* compose

comportarse (koam-poar-*tahr*-say) *v* behave, act

composición (koam-poa-see-*th*ʸoan) *f* composition; essay

compositor (koam-poa-see-*toar*) *m* composer

compra (*koam*-prah) *f* purchase; ***ir de compras** shop

comprador (koam-prah-*dhoar*) *m* purchaser, buyer

comprar (koam-*prahr*) *v* purchase, *buy

comprender (koam-prayn-*dayr*) *v* *understand; *see, *take; comprise, contain

comprensión (koam-prayn-*s*ʸoan) *m* understanding

comprobante (koam-proa-*bhahn*-tay) *m* voucher

*comprobar (koam-proa-*bhahr*) *v* ascertain, diagnose, establish, note; prove

comprometerse (koam-proa-may-*tayr*-say) *v* engage

compromiso (koam-proa-*mee*-soa) *m* compromise; engagement

compuerta (koam-*pwayr*-tah) *f* sluice

común (koa-*moon*) *adj* common; ordinary; **en ~** joint

comuna (koa-*moo*-nah) *f* commune

comunicación (koa-moo-nee-kah-*th*ʸoan) *f* communication

comunicado (koa-moo-nee-*kah*-dhoa) *m* communiqué, information

comunicar (koa-moo-nee-*kahr*) *v* communicate, inform

comunidad (koa-moo-nee-*dhahdh*) *f* congregation

comunismo (koa-moo-*neez*-moa) *m* communism

comunista (koa-moo-*neess*-tahˀ) *m* communist

con (koan) *prep* with; by

*concebir (koan-thay-*bheer*) *v* conceive

conceder (koan-thay-*dhayr*) *v* extend, grant; award

concentración (koan-thayn-trah-*th*ʸoan) *f* concentration

concentrarse (koan-thayn-*trahr*-say) *v* concentrate

concepción (koan-thayp-*th*ʸoan) *f* conception

concepto (koan-*thayp*-toa) *m* idea

*concernir (koan-thayr-*neer*) *v* touch, concern; **concerniente a** concerning

concesión (koan-thay-*s*ʸoan) *f* concession

conciencia (koan-*th*ʸayn-thʸah) *f* conscience; consciousness

concierto (koan-*th*ʸayr-toa) *m* concert

conciso (koan-*thee*-soa) *adj* concise

*concluir (koang-*klweer*) *v* conclude

conclusión (koang-kloo-*s*ʸoan) *f* conclusion; issue, ending

*concordar (koang-koar-*dhahr*) *v* agree

concreto (koang-*kray*-toa) *adj* concrete

concupiscencia (koang-koo-pee-*thayn*-thʸah) *f* lust

concurrido (koang-koo-*rree*-dhoa) *adj*

busy

concurrir (koang-koo-*rreer*) *v* coincide; concur

concurso (koang-*koor*-soa) *m* competition, contest; quiz

concha (*koan*-chah) *f* shell; sea-shell

condado (koan-*dah*-dhoa) *m* county

conde (*koan*-day) *m* count, earl

condena (koan-*day*-nah) *f* conviction

condenado (koan-day-*nah*-dhoa) *m* convict

condesa (koan-*day*-sah) *f* countess

condición (koan-dee-th^yoan) *f* condition, term

condicional (koan-dee-th^yoa-*nahl*) *adj* conditional

condimentado (koan-dee-mayn-*tah*-dhoa) *adj* spiced

*****conducir** (koan-doo-*theer*) *v* *lead, carry, conduct; *drive

conducta (koan-*dook*-tah) *f* behaviour, conduct

conducto (koan-*dook*-toa) *m* pipe

conductor (koan-dook-*toar*) *m* driver; *mMe* conductor

conectar (koa-nayk-*tahr*) *v* connect

conejo (koa-*nay*-khoa) *m* rabbit; **conejillo de Indias** guinea-pig

conexión (koa-nayk-s^yoan) *f* connection

confeccionado (koan-fayk-th^yoa-*nah*-dhoa) *adj* ready-made

confederación (koan-fay-day-rah-th^yoan) *f* union

conferencia (koan-fay-*rayn*-th^yah) *f* conference; lecture; ~ **interurbana** trunk-call

*****confesarse** (koan-fay-*sahr*-say) *v* confess

confesión (koan-fay-s^yoan) *f* confession

confiable (koan-f^yah-bhlay) *adj* trustworthy

confianza (koan-f^yahn-thah) *f* faith,

trust, confidence; **indigno de** ~ untrustworthy

confiar (koan-f^yahr) *v* commit; ~ **en** trust

confidencial (koan-fee-dhayn-th^yahl) *adj* confidential

confirmación (koan-feer-mah-th^yoan) *f* confirmation

confirmar (koan-feer-*mahr*) *v* confirm, acknowledge

confiscar (koan-feess-*kahr*) *v* confiscate, impound

confitería (koan-fee-tay-*ree*-ah) *f* sweetshop

confitero (koan-fee-*tay*-roa) *m* confectioner

confitura (koan-fee-*too*-rah) *f* marmalade

conflicto (koan-*fleek*-toa) *m* conflict

conforme (koan-*foar*-may) *adj* alike; in agreement; ~ **a** according to, in agreement with

conformidad (koan-foar-mee-*dhahdh*) *f* agreement

confort (koan-*foart*) *m* comfort

confortable (koan-foar-*tah*-bhlay) *adj* comfortable; cosy

confundir (koan-foon-*deer*) *v* *mistake, confuse

confusión (koan-foo-s^yoan) *f* confusion; disturbance

confuso (koan-*foo*-soa) *adj* confused

congelado (koang-khay-*lah*-dhoa) *adj* frozen; **alimento** ~ frozen food

congelador (koang-khay-lah-*dhoar*) *m* deep-freeze

congelar (koang-khay-*lahr*) *v* *freeze

congestión (koang-khayss-t^yoan) *f* jam

congregación (koang-gray-gah-th^yoan) *f* congregation

congreso (koang-*gray*-soa) *m* congress

conjetura (koang-khay-*too*-rah) *f* guess

conjeturar (koang-khay-too-*rahr*) *v* guess

conjuración (koang-khoo-rah-*th*ᵞ*oan*) f plot

conmemoración (koan-may-moa-rah-*th*ᵞ*oan*) f commemoration

conmovedor (koan-moa-bhay-*dhoar*) adj touching

*conmover (koan-moa-*bhayr*) v move

connotación (koan-noa-tah-*th*ᵞ*oan*) f connotation

*conocer (koa-noa-*thayr*) v *know

conocido (koa-noa-*thee*-dhoa) m acquaintance

conocimiento (koa-noa-thee-*m*ᵞ*ayn*-toa) m knowledge

conquista (koang-*keess*-tah) f conquest, capture

conquistador (koang-keess-tah-*dhoar*) m conqueror

conquistar (koang-keess-*tahr*) v conquer, capture

consciente (koan-*th*ᵞ*ayn*-tay) adj conscious, aware

consecuencia (koan-say-*kwayn*-th*ᵞ*ah) f consequence, result; issue

*conseguir (koan-say-*geer*) v *get; *make, obtain

consejero (koan-say-*khay*-roa) m counsellor; councillor

consejo (koan-*say*-khoa) m advice, counsel; council, board

consentimiento (koan-sayn-tee-*m*ᵞ*ayn*-toa) m consent; approval

*consentir (koan-sayn-*teer*) v agree, consent

conserje (koan-*sayr*-khay) m concierge, janitor

conservación (koan-sayr-bhah-*th*ᵞ*oan*) f preservation

conservador (koan-sayr-bhah-*dhoar*) adj conservative

conservar (koan-sayr-*bhahr*) v preserve

conservas (koan-*sayr*-bhahss) fpl tinned food

conservatorio (koan-sayr-bhah-toa-rᵞoa) m music academy

considerable (koan-see-dhay-*rah*-bhlay) adj considerable

consideración (koan-see-dhay-rah-*th*ᵞ*oan*) f consideration

considerado (koan-see-dhay-*rah*-dhoa) adj considerate

considerando (koan-see-dhay-*rahn*-doa) prep considering

considerar (koan-see-dhay-*rahr*) v regard, consider; *think over; count, reckon

consigna (koan-*seeg*-nah) f left luggage office

por consiguiente (poar koan-see-*g*ᵞ*ayn*-tay) consequently

consistir en (koan-seess-*teer*) consist of

*consolar (koan-soa-*lahr*) v comfort

consorcio (koan-*soar*-th*ᵞ*oa) m concern

conspirar (koans-pee-*rahr*) v conspire

constante (koans-*tahn*-tay) adj even, constant; steadfast

constar de (koans-*tahr*) consist of

constitución (koans-tee-too-*th*ᵞ*oan*) f constitution

*constituir (koans-tee-*tweer*) v constitute; represent

construcción (koans-trook-*th*ᵞ*oan*) f construction

*construir (koans-*trweer*) v construct, *build

consuelo (koan-*sway*-loa) m comfort

cónsul (*koan*-sool) m consul

consulado (koan-soo-*lah*-dhoa) m consulate

consulta (koan-*sool*-tah) f consultation

consultar (koan-sool-*tahr*) v consult

consultorio (koan-sool-toa-rᵞoa) m surgery

consumidor (koan-soo-mee-*dhoar*) m consumer

consumir (koan-soo-*meer*) *v* use up

contacto (koan-*tahk*-toa) *m* contact; touch

contador (koan-tah-*dhoar*) *m* meter

contagioso (koan-tah-khᵞoa-soa) *adj* infectious, contagious

contaminación (koan-tah-mee-nah-thᵞoan) *f* pollution

*****contar** (koan-*tahr*) *v* count; relate, *tell; ~ con rely on

contemplar (koan-taym-*plahr*) *v* contemplate

contemporáneo (koan-taym-poa-*rah*-nay-oa) *adj* contemporary; *m* contemporary

contenedor (koan-tay-nay-*dhoar*) *m* container

*****contener** (koan-tay-*nayr*) *v* contain; restrain

contenido (koan-tay-*nee*-dhoa) *m* contents *pl*

contentar (koan-tayn-*tahr*) *v* satisfy

contento (koan-*tayn*-toa) *adj* happy, glad, content, joyful; pleased

contestar (koan-tayss-*tahr*) *v* answer

contienda (koan-tᵞayn-dah) *f* dispute

contiguo (koan-*tee*-gwoa) *adj* neighbouring

continental (koan-tee-nayn-*tahl*) *adj* continental

continente (koan-tee-*nayn*-tay) *m* continent

continuación (koan-tee-nwah-thᵞoan) *f* sequel

continuamente (koan-tee-nwah-*mayn*-tay) *adv* all the time, continually

continuar (koan-tee-*nwahr*) *v* *go on, *go ahead; carry on, continue, *keep on; *keep

continuo (koan-*tee*-nwoa) *adj* continuous, continual

contorno (koan-*toar*-noa) *m* outline, contour

contra (*koan*-trah) *prep* against, versus

contrabandear (koan-trah-bhahn-day-ahr) *v* smuggle

*****contradecir** (koan-trah-dhay-*theer*) *v* contradict

contradictorio (koan-trah-dheek-*toa*-rᵞoa) *adj* contradictory

contrahecho (koan-trah-*ay*-choa) *adj* deformed

contralto (koan-*trahl*-toa) *m* alto

contrario (koan-*trah*-rᵞoa) *adj* opposite, contrary; *m* contrary, reverse; **al ~** on the contrary

contraste (koan-*trahss*-tay) *m* contrast

contratiempo (koan-trah-tᵞaym-poa) *m* misfortune

contratista (koan-trah-*teess*-tah) *m* contractor

contrato (koan-*trah*-toa) *m* agreement, contract

contribución (koan-tree-bhoo-thᵞoan) *f* contribution

*****contribuir** (koan-tree-*bhweer*) *v* contribute

contrincante (koan-treeng-*kahn*-tay) *m* opponent

control (koan-*troal*) *m* inspection, control

controlar (koan-troa-*lahr*) *v* check, control

controvertible (koan-troa-bhayr-*tee*-bhlay) *adj* controversial

controvertido (koan-troa-bhayr-*tee*-dhoa) *adj* controversial

convencer (koam-bayn-*thayr*) *v* convince, persuade; convict

convencimiento (koam-bayn-thee-mᵞayn-toa) *m* conviction

conveniente (koam-bay-nᵞayn-tay) *adj* adequate, proper; convenient

convenio (koam-*bay*-nᵞoa) *m* settlement

*****convenir** (koam-bay-*neer*) *v* agree; fit, suit

convento (koam-*bayn*-toa) *m* cloister,

convent; nunnery

conversación (koam-bayr-sah-*th*ʸoan) *f* conversation, talk, discussion

***convertir** (koam-bayr-*teer*) *v* convert; ***convertirse en** turn into

convicción (koam-beek-*th*ʸoan) *f* persuasion

convidar (koam-bee-*dhahr*) *v* invite

convulsión (koam-bool-sʸoan) *f* convulsion

cónyuges (*koan*-ʸoo-khayss) *mpl* married couple

coñac (koa-*ñahk*) *m* cognac

cooperación (koa-oa-pay-rah-*th*ʸoan) *f* co-operation

cooperador (koa-oa-pay-rah-*dhoar*) *adj* co-operative

cooperativa (koa-oa-pay-rah-*tee*-bhah) *f* co-operative

cooperativo (koa-oa-pay-rah-*tee*-bhoa) *adj* co-operative

coordinación (koa-oar-dhee-nah-*th*ʸoan) *f* co-ordination

coordinar (koa-oar-dhee-*nahr*) *v* co-ordinate

copa (*koa*-pah) *f* cup

copia (*koa*-pʸah) *f* copy, carbon copy

copiar (koa-*p*ʸahr) *v* copy

coraje (koa-*rah*-khay) *m* guts

coral (koa-*rahl*) *m* coral

corazón (koa-rah-*thoan*) *m* heart; core

corbata (koar-*bhah*-tah) *f* tie, necktie; ~ **de lazo** bow tie

corbatín (koar-bhah-*teen*) *m* bow tie

corcino (koar-*thee*-noa) *m* fawn

corcho (*koar*-choa) *m* cork

cordel (koar-*dhayl*) *m* string

cordero (koar-*dhay*-roa) *m* lamb

cordial (koar-*dh*ʸahl) *adj* cordial, hearty, sympathetic

cordillera (koar-dhee-*l*ʸay-rah) *f* mountain range

cordón (koar-*dhoan*) *m* cord, line; lace, shoe-lace; ~ **de extensión** ex-

tension cord; ~ **flexible** flex

cornamenta (koar-nah-*mayn*-tah) *f* antlers *pl*

corneja (koar-*nay*-khah) *f* crow

coro (*koa*-roa) *m* choir

corona (koa-*roa*-nah) *f* crown

coronar (koa-roa-*nahr*) *v* crown

coronel (koa-roa-*nayl*) *m* colonel

corpulento (koar-poo-*layn*-toa) *adj* corpulent, stout

corral (koa-*rrahl*) *m* yard; **aves de** ~ poultry

correa (koa-*rray*-ah) *f* leash, strap; ~ **del ventilador** fan belt; ~ **de reloj** watch-strap

corrección (koa-rrayk-*th*ʸoan) *f* correction

correcto (koa-*rrayk*-toa) *adj* correct; right

corredor (koa-rray-*dhoar*) *m* broker; bookmaker; ~ **de casas** house agent

***corregir** (koa-rray-*kheer*) *v* correct

correo (koa-*rray*-oa) *m* post, mail; ~ **aéreo** airmail; **enviar por** ~ mail; **sello de correos** postage stamp

correr (koa-*rrayr*) *v* *run; dash; flow

correspondencia (koa-rrayss-poan-*dayn*-th ʸah) *f* correspondence

corresponder (koa-rrayss-poan-*dayr*) *v* correspond; **corresponderse** *v* correspond

corresponsal (koa-rrayss-poan-*sahl*) *m* correspondent

corrida de toros (koa-*rree*-dhah day *toa*-roass) *f* bullfight

corriente (koa-rrʸ*ayn*-tay) *adj* current; regular, customary, plain; *f* current; stream; ~ **alterna** alternating current; ~ **continua** direct current; ~ **de aire** draught

corromper (koa-rroam-*payr*) *v* corrupt

corrupción (koa-rroop-*th*ʸoan) *f* corruption

corrupto (koa-*rroop*-toa) *adj* corrupt

corsé (koar-*say*) *m* corset

cortadura (koar-tah-*dhoo*-rah) *f* cut

cortaplumas (koar-tah-*ploo*-mahss) *m* penknife

cortar (koar-*tahr*) *v* *cut; chip, *cut off

corte (*koar*-tay) *f* court

cortés (koar-*tayss*) *adj* civil, courteous, polite

corteza (koar-*tay*-thah) *f* bark; crust

cortijo (koar-*tee*-khoa) *m* farmhouse

cortina (koar-*tee*-nah) *f* curtain

corto (*koar*-toa) *adj* short

cortocircuito (koar-toa-theer-*kwee*-toa) *m* short circuit

cosa (*koa*-sah) *f* thing; **entre otras cosas** among other things

cosecha (koa-*say*-chah) *f* harvest, crop

coser (koa-*sayr*) *v* sew

cosméticos (koaz-*may*-tee-koass) *mpl* cosmetics *pl*

cosquillear (koass-kee-*l*ᵛ*ahr*) *v* tickle

costa (*koass*-tah) *f* coast

***costar** (koass-*tahr*) *v* *cost

coste (*koass*-tay) *m* cost

costilla (koass-*tee*-l*ᵛ*ah) *f* rib

costoso (koass-*toa*-soa) *adj* expensive

costumbre (koass-*toom*-bray) *f* custom; **costumbres** morals

costura (koass-*too*-rah) *f* seam; **sin ~** seamless

cotidiano (koa-tee-*dh*ᵛ*ah*-noa) *adj* everyday

cotorra (koa-*toa*-rrah) *f* parakeet

cráneo (*krah*-nay-oa) *m* skull

cráter (*krah*-tayr) *m* crater

creación (kray-ah-*th*ᵛ*oan*) *f* creation

crear (kray-*ahr*) *v* create

***crecer** (kray-*thayr*) *v* *grow

crecimiento (kray-thee-*m*ᵛ*ayn*-toa) *m* growth

crédito (*kray*-dhee-toa) *m* credit

crédulo (*kray*-dhoo-loa) *adj* credulous

creencia (kray-*ayn*-th*ᵛ*ah) *f* belief

***creer** (kray-*ayr*) *v* believe; guess, reckon

crema (*kray*-mah) *f* cream; **~ de afeitar** shaving-cream; **~ de base** foundation cream; **~ de noche** nightcream; **~ facial** face-cream; **~ hidratante** moisturizing cream; **~ para la piel** skin cream; **~ para las manos** hand cream

cremallera (kray-mah-*l*ᵛ*ay*-rah) *f* zip

cremoso (kray-*moa*-soa) *adj* creamy

crepúsculo (kray-*pooss*-koo-loa) *m* twilight, dusk

crespo (*krayss*-poa) *adj* curly

cresta (*krayss*-tah) *f* ridge

creta (*kray*-tah) *f* chalk

criada (kr*ᵛ*ah-dhah) *f* housemaid

criado (kr*ᵛ*ah-dhoa) *m* servant

criar (kr*ᵛ*ahr) *v* rear; raise

criatura (kr*ᵛ*ah-*too*-rah) *f* creature; infant

crimen (*kree*-mayn) *m* crime

criminal (kree-mee-*nahl*) *adj* criminal; *m* criminal

criminalidad (kree-mee-nah-lee-*dhahdh*) *f* criminality

crisis (*kree*-seess) *f* crisis

cristal (kreess-*tahl*) *m* crystal; pane; **de ~** crystal

cristiano (kreess-*t*ᵛ*ah*-noa) *adj* Christian; *m* Christian

Cristo (*kreess*-toa) Christ

criterio (kree-*tay*-r*ᵛ*oa) *m* criterion

crítica (*kree*-tee-kah) *f* criticism

criticar (kree-tee-*kahr*) *v* criticize

crítico (*kree*-tee-koa) *adj* critical; *m* critic

cromo (*kroa*-moa) *m* chromium

crónica (*kroa*-nee-kah) *f* chronicle

crónico (*kroa*-nee-koa) *adj* chronic

cronológico (kroa-noa-*loa*-khee-koa) *adj* chronological

cruce (*kroo*-thay) *m* crossroads; **~ pa-**

ra peatones pedestrian crossing; crosswalk *nAm*

crucero (kroo-*thay*-roa) *m* cruise

crucificar (kroo-thee-fee-*kahr*) *v* crucify

crucifijo (kroo-thee-*fee*-khoa) *m* crucifix

crucifixión (kroo-thee-feek-s^yoan) *f* crucifixion

crudo (*kroo*-dhoa) *adj* raw

cruel (krwayl) *adj* harsh, cruel

crujido (kroo-*khee*-dhoa) *m* crack

crujiente (kroo-kh^yayn-tay) *adj* crisp

crujir (kroo-*kheer*) *v* creak, crack

cruz (krooth) *f* cross

cruzada (kroo-*thah*-dhah) *f* crusade

cruzar (kroo-*thahr*) *v* cross

cuadrado (kwah-*dhrah*-dhoa) *adj* square; *m* square

cuadriculado (kwah-dhree-koo-*lah*-dhoa) *adj* chequered

cuadro (*kwah*-dhroa) *m* cadre; picture; **a cuadros** chequered; **~ de distribución** switchboard

cuál (kwahl) *pron* which

cualidad (kwah-lee-*dhahdh*) *f* property

cualquiera (kwahl-*k^yay*-rah) *pron* anyone, anybody; whichever; **cualquier cosa** anything

cuando (*kwahn*-doa) *conj* when; **~ quiera que** whenever

cuándo (*kwahn*-doa) *adv* when

cuánto (*kwahn*-toa) *adv* how much; how many; **cuanto más ... más** the ... the; **en cuanto a** as regards

cuarenta (kwah-*rayn*-tah) *num* forty

cuarentena (kwah-rayn-*tay*-nah) *f* quarantine

cuartel (kwahr-*tayl*) *m* barracks *pl*; **~ general** headquarters *pl*

cuarterón (kwahr-tay-*roan*) *m* panel

cuarto¹ (*kwahr*-toa) *num* fourth; *m* quarter; **~ de hora** quarter of an hour

cuarto² (*kwahr*-toa) *m* chamber; **~ de aseo** lavatory; washroom *nAm*; **~ de baño** bathroom; **~ de niños** nursery; **~ para huéspedes** spare room

cuatro (*kwah*-troa) *num* four

Cuba (*koo*-bhah) *f* Cuba

cubano (koo-*bhah*-noa) *adj* Cuban; *m* Cuban

cubierta (koo-*bh^yayr*-tah) *f* cover; deck

cubierto (koo-*bh^yayr*-toa) *adj* cloudy

cubiertos (koo-*bh^yayr*-toass) *mpl* cutlery

cubo (*koo*-bhoa) *m* cube; **~ de la basura** dustbin

cubrir (koo-*bhreer*) *v* cover

cuclillo (koo-*klee*-l^yoa) *m* cuckoo

cuchara (koo-*chah*-rah) *f* spoon; soupspoon, tablespoon

cucharada (koo-chah-*rah*-dhah) *f* spoonful

cucharadita (koo-chah-rah-*dhee*-tah) *f* teaspoonful

cucharilla (koo-chah-*ree*-l^yah) *f* teaspoon

cuchillo (koo-*chee*-l^yoa) *m* knife

cuello (*kway*-l^yoa) *m* neck; collar; **~ de botella** bottleneck

cuenta (*kwayn*-tah) *f* account; bill; check *nAm*; bead; **~ de banco** bank account; ***darse ~ *see**

cuento (*kwayn*-toa) *m* story, tale

cuerda (*kwayr*-dhah) *f* cord; string; ***dar ~ *wind**

cuerno (*kwayr*-noa) *m* horn

cuero (*kway*-roa) *m* leather; **~ vacuno** cow-hide

cuerpo (*kwayr*-poa) *m* body

cuervo (*kwayr*-bhoa) *m* raven

cuestión (kwayss-t^yoan) *f* matter, issue, question

cueva (*kway*-bhah) *f* cavern, cave; wine-cellar

cuidado (kwee-*dhah*-dhoa) *m* care;
  *****tener** ~ watch out, look out
cuidadoso (kwee-dhah-*dhoa*-soa) *adj*
  careful; diligent
cuidar de (kwee-*dhahr*) *v* attend to, look
  after, tend, *take care of
culebra (koo-*lay*-bhrah) *f* snake
culpa (*kool*-pah) *f* guilt, fault, blame
culpable (kool-*pah*-bhlay) *adj* guilty
culpar (kool-*pahr*) *v* blame
cultivar (kool-tee-*bhahr*) *v* cultivate;
  *grow, raise
cultivo (kool-*tee*-bhoa) *m* cultivation
culto (*kool*-toa) *adj* cultured; *m* worship
cultura (kool-*too*-rah) *f* culture
cultural (kool-too-*rahl*) *adj* cultural
cumbre (*koom*-bray) *f* peak
cumpleaños (koom-play-*ah*-ñoass) *m*
  birthday
cumplimentar (koom-plee-mayn-*tahr*)
  v compliment
cumplimiento (koom-plee-*mᵛayn*-toa)
  m compliment
cumplir (koom-*pleer*) *v* accomplish
cuna (*koo*-nah) *f* cradle; ~ **de viaje**
  carry-cot
cuneta (koo-*nay*-tah) *f* ditch; gutter
cuña (*koo*-ñah) *f* wedge
cuñada (koo-*ñah*-dhah) *f* sister-in-law
cuñado (koo-*ñah*-dhoa) *m* brother-in-
  law
cuota (*kwoa*-tah) *f* quota
cupón (koo-*poan*) *m* coupon
cúpula (*koo*-poo-lah) *f* dome
cura (*koo*-rah) *m* priest; *f* cure
curación (koo-rah-*thᵛoan*) *f* cure, recovery
curandero (koo-rahn-*day*-roa) *m* quack
curar (koo-*rahr*) *v* cure, heal; **curarse**
  v recover
curato (koo-*rah*-toa) *m* parsonage
curiosidad (koo-rᵛoa-see-*dhahdh*) *f*
  curiosity; sight; curio

curioso (koo-*rᵛoa*-soa) *adj* curious; inquisitive; quaint
cursiva (koor-*see*-bhah) *f* italics *pl*
curso (*koor*-soa) *m* course; lecture; ~
  intensivo intensive course
curva (koor-bhah) *f* turn, curve, bend
curvado (koor-*bhah*-dhoa) *adj* curved
curvo (*koor*-bhoa) *adj* crooked, bent
custodia (kooss-*toa*-dhᵛah) *f* custody
cuyo (*koo*-ᵛoa) *pron* whose; of which

CH

chabacano (chah-bhah-*kah*-noa) *mMe*
  apricot
chal (chahl) *m* shawl
chaleco (chah-*lay*-koa) *m* waistcoat;
  vest *nAm*; ~ **salvavidas** lifebelt
chalet (chah-*layt*) *m* chalet
champán (chahm-*pahn*) *m* champagne
champú (chahm-*poo*) *m* shampoo
chantaje (chahn-*tah*-khay) *m* blackmail; *hacer ~ blackmail
chapa (*chah*-pah) *f* plate, sheet
chaparrón (chah-pah-*rroan*) *m* cloud-
  burst
chapucero (chah-poo-*thay*-roa) *adj*
  sloppy
chaqueta (chah-*kay*-tah) *f* jacket; cardigan; ~ **ligera** blazer
charanga (chah-*rahng*-gah) *f* brass
  band
charco (*chahr*-koa) *m* puddle
charla (*chahr*-lah) *f* chat
charlar (chahr-*lahr*) *v* chat
charlatán (chahr-lah-*tahn*) *m* chatterbox; quack
charola (chah-*roa*-lah) *fMe* tray
chasis (chah-*seess*) *m* chassis
chatarra (chah-*tah*-rrah) *f* scrap-iron
checo (*chay*-koa) *adj* Czech; *m* Czech

cheque (*chay*-kay) *m* cheque; check
nAm; ~ **de viajero** traveller's
cheque

chicle (*chee*-klay) *m* chewing-gum

chico (*chee*-koa) *m* boy; kid

chichón (chee-*choan*) *m* lump

Chile (*chee*-lay) *m* Chile

chileno (chee-*lay*-noa) *adj* Chilean; *m*
Chilean

chillar (chee-*lʸahr*) *v* scream, shriek

chillido (chee-*lʸee*-dhoa) *m* scream,
shriek

chimenea (chee-may-*nay*-ah) *f* chimney; fireplace

China (*chee*-nah) *f* China

chinche (*cheen*-chay) *f* bug; drawing-
pin; thumbtack *nAm*

chinchorro (cheen-*choa*-rroa) *m* dinghy

chino (*chee*-noa) *adj* Chinese; *m* Chinese; *adjMe* curly

chisguete (cheez-*gay*-tay) *m* squirt

chisme (*cheez*-may) *m* gossip; *contar chismes** gossip

chispa (*cheess*-pah) *f* spark

chistoso (cheess-*toa*-soa) *adj* witty,
humorous

chocante (choa-*kahn*-tay) *adj* revolting, shocking

chocar (choa-*kahr*) *v* collide, crash,
bump; shock; ~ **contra** knock
against

chocolate (choa-koa-*lah*-tay) *m* chocolate

chófer (*choa*-fayr) *m* chauffeur

choque (*choa*-kay) *m* crash; shock

chorro (*choa*-rroa) *m* spout, jet

chuleta (choo-*lay*-tah) *f* chop, cutlet

chupar (choo-*pahr*) *v* suck

D

dactilógrafa (dahk-tee-*loa*-grah-fah) *f*
typist

dadivoso (dah-dhee-*bhoa*-soa) *adj* liberal

daltoniano (dahl-toa-*nʸah*-noa) *adj*
colour-blind

dama (*dah*-mah) *f* lady

danés (dah-*nayss*) *adj* Danish; *m*
Dane

dañar (dah-*ñahr*) *v* damage; *hurt

daño (*dah*-ñoa) *m* mischief; harm;
*hacer ~ *hurt

dañoso (dah-*ñoa*-soa) *adj* harmful

***dar** (dahr) *v* *give; **dado que** sup-
posing that

dátil (*dah*-teel) *m* date

dato (*dah*-toa) *m* data *pl*

de (day) *prep* of; out of, from, off;
with

debajo (day-*bhah*-khoa) *adv* underneath, beneath, below; ~ **de** under,
beneath, below

debate (day-*bhah*-tay) *m* debate, discussion

debatir (day-bhah-*teer*) *v* discuss

debe (*day*-bhay) *m* debit

deber (day-*bhayr*) *m* duty; *v* *have to,
need to, need; owe; ~ **de** *be
bound to

debido (day-*bhee*-dhoa) *adj* due;
proper; ~ **a** owing to

débil (*day*-bheel) *adj* faint, weak,
feeble

debilidad (day-bhee-lee-*dhahdh*) *f*
weakness

decencia (day-*thayn*-thʸah) *f* decency

decente (day-*thayn*-tay) *adj* decent

decepcionar (day-thayp-thʸoa-*nahr*) *v*
*let down, disappoint

decidir (day-thee-*dheer*) *v* decide; **de-**

cidido resolute

décimo (*day*-thee-moa) *num* tenth

decimoctavo (day-thee-moak-*tah*-bhoa) *num* eighteenth

decimonono (day-thee-moa-*noa*-noa) *num* nineteenth

decimoséptimo (day-thee-moa-*sayp*-tee-moa) *num* seventeenth

decimosexto (day-thee-moa-*sayks*-toa) *num* sixteenth

***decir** (day-*theer*) *v* *say, *tell; *querer ~ *mean

decisión (day-thee-*s*ʸ*oan*) *f* decision

decisivo (day-thee-*see*-bhoa) *adj* decisive

declaración (day-klah-rah-*th*ʸ*oan*) *f* statement, declaration

declarar (day-klah-*rahr*) *v* state, declare

decoración (day-koa-rah-*th*ʸ*oan*) *f* decoration

decorativo (day-koa-rah-*tee*-bhoa) *adj* decorative

decreto (day-*kray*-toa) *m* decree

dedal (day-*dhahl*) *m* thimble

dédalo (*day*-dhah-loa) *m* muddle

dedicar (day-dhee-*kahr*) *v* devote, dedicate

dedo (*day*-dhoa) *m* finger; ~ auricular little finger; ~ del pie toe

***deducir** (day-dhoo-*theer*) *v* infer, deduce; deduct

defecto (day-*fayk*-toa) *m* fault

defectuoso (day-fayk-*twoa*-soa) *adj* defective, faulty

***defender** (day-fayn-*dayr*) *v* defend

defensa (day-*fayn*-sah) *f* defence; plea; *fMe* fender

defensor (day-fayn-*soar*) *m* champion

deficiencia (day-fee-*th*ʸ*ayn*-th*ʸ*ah) *f* deficiency, shortcoming

déficit (*day*-fee-theet) *m* deficit

definición (day-fee-nee-*th*ʸ*oan*) *f* definition

definir (day-fee-*neer*) *v* define; **definido** definite

definitivo (day-fee-nee-*tee*-bhoa) *adj* definitive

deforme (day-*foar*-may) *adj* deformed

dejar (day-*khahr*) *v* *let, *leave; *leave behind, desert; ~ de stop

delantal (day-lahn-*tahl*) *m* apron

delante de (day-*lahn*-tay day) before, in front of, ahead of

delegación (day-lay-gah-*th*ʸ*oan*) *f* delegation

delegado (day-lay-*gah*-dhoa) *m* delegate

deleitable (day-lay-tah-bhlay) *adj* enjoyable

deleite (day-*lay*-tay) *m* delight

deleitoso (day-lay-*toa*-soa) *adj* delightful

deletrear (day-lay-tray-*ahr*) *v* *spell

deletreo (day-lay-*tray*-oa) *m* spelling

delgado (dayl-*gah*-dhoa) *adj* thin

deliberación (day-lee-bhay-rah-*th*ʸ*oan*) *f* deliberation

deliberar (day-lee-bhay-*rahr*) *v* deliberate; **deliberado** *adj* deliberate

delicado (day-lee-*kah*-dhoa) *adj* delicate, tender

delicia (day-*lee*-th*ʸ*ah) *f* joy, delight

delicioso (day-lee-*th*ʸ*oa*-soa) *adj* wonderful, delightful, delicious, lovely

delincuente (day-leeng-*kwayn*-tay) *m* criminal

delito (day-*lee*-toa) *m* crime

demanda (day-*mahn*-dah) *f* request; application; demand

demás (day-*mahss*) *adj* remaining

demasiado (day-mah-s*ʸ*ah-dhoa) *adv* too

democracia (day-moa-*krah*-th*ʸ*ah) *f* democracy

democrático (day-moa-*krah*-tee-koa) *adj* democratic

***demoler** (day-moa-*layr*) *v* demolish

demolición (day-moa-lee-*th*ʸ*oan*) *f* demolition

demonio (day-*moa*-nʸoa) *m* devil

demostración (day-moass-trah-*th*ʸ*oan*) *f* demonstration

*****demostrar** (day-moass-*trahr*) *v* demonstrate, *show, prove

*****denegar** (day-nay-*gahr*) *v* deny

denominación (day-noa-mee-nah-*th*ʸ*oan*) *f* denomination

denso (*dayn*-soa) *adj* thick, dense

dentadura postiza (dayn-tah-*dhoo*-rah poass-*tee*-thah) false teeth, denture

dentista (dayn-*teess*-tah) *m* dentist

dentro (*dayn*-troa) *adv* inside; **de ~** within; **~ de** inside, within; into; in

departamento (day-pahr-tah-*mayn*-toa) *m* department; section, division

depender de (day-payn-*dayr*) depend on

dependiente (day-payn-*d*ʸ*ayn*-tay) *adj* dependant; *m* shop assistant

deporte (day-*poar*-tay) *m* sport; **conjunto de ~** sportswear; **chaqueta de ~** sports-jacket

deportista (day-poar-*teess*-tah) *m* sportsman

depositar (day-poa-see-*tahr*) *v* bank

depósito (day-*poa*-see-toa) *m* deposit; **~ de gasolina** petrol tank

depresión (day-pray-sʸ*oan*) *f* depression

deprimente (day-pree-*mayn*-tay) *adj* depressing

deprimir (day-pree-*meer*) *v* depress; **deprimido** blue, depressed, low

derecho (day-*ray*-choa) *m* right; law, right, justice, straight; *adj* upright; right-hand; **~ administrativo** administrative law; **~ civil** civil law; **~ comercial** commercial law; **~ electoral** franchise, suffrage; **~ penal** criminal law

derivar de (day-ree-*bahr*) *be derived from

derramar (day-rrah-*mahr*) *v* *shed

derribar (day-rree-*bahr*) *v* knock down

derrochador (day-rroa-chah-*dhoar*) *adj* wasteful

derrota (day-*rroa*-tah) *f* defeat

derrotar (day-rroa-*tahr*) *v* defeat

derrumbarse (day-rroom-*bahr*-say) *v* collapse

desabotonar (day-sah-bhoa-toa-*nahr*) *v* unbutton

desacelerar (day-sah-thay-lay-*rahr*) *v* slow down

desacostumbrado (day-sah-koass-toom-*brah*-dhoa) *adj* unaccustomed

desacostumbrar (day-sah-koass-toom-*brahr*) *v* unlearn

desafiar (day-sah-fʸ*ahr*) *v* dare; challenge

desafilado (day-sah-fee-*lah*-dhoa) *adj* blunt

desafortunado (day-sah-foar-too-*nah*-dhoa) *adj* unlucky, unfortunate

desagradable (day-sah-grah-*dhah*-bhlay) *adj* nasty, disagreeable, unpleasant; unkind

desagradar (day-sah-grah-*dhahr*) *v* displease

desagüe (day-*sah*-gway) *m* sewer, drain

desaliñado (day-sah-lee-*ñah*-doa) *adj* untidy

desamueblado (day-sah-mway-*bhlah*-dhoa) *adj* unfurnished

desánimo (day-*sah*-nee-moa) *m* depression

*****desaparecer** (day-sah-pah-ray-*thayr*) *v* disappear; vanish

desaparecido (day-sah-pah-ray-*thee*-dhoa) *adj* lost; *m* missing person

desapasionado (day-sah-pah-sʸoa-*nah*-dhoa) *adj* matter-of-fact

*****desaprobar** (day-sah-proa-*bahr*) *v*

disapprove

desarrollar (day-sah-rroa-l^yahr) v develop

desarrollo (day-sah-rroa-l^yoa) m development

desasosiego (day-sah-soa-s^yay-goa) m unrest

desastre (day-sahss-tray) m disaster, calamity

desastroso (day-sahss-troa-soa) adj disastrous

desatar (day-sah-tahr) v *undo, untie, unfasten

desautorizado (day-sou-toa-ree-thah-dhoa) adj unauthorized

desayuno (day-sah-^yoo-noa) m breakfast

descafeinado (dayss-kah-fay-nah-dhoa) adj decaffeinated

descansar (dayss-kahn-sahr) v rest; relax

descanso (dayss-kahn-soa) m rest; break; half-time

descarado (dayss-kah-rah-dhoa) adj bold, impertinent

descargar (dayss-kahr-gahr) v discharge, unload

descendencia (dayss-thayn-dayn-th^yah) f origin

***descender** (day-thayn-dhayr) v *fall

descendiente (day-thayn-d^yayn-tay) m descendant

descolorido (dayss-koa-loa-ree-dhoa) adj discoloured

descompostura (dayss-koam-poass-too-rah) fMe breakdown

***desconcertar** (dayss-koan-thayr-tahr) v overwhelm, embarrass

desconectar (dayss-koa-nayk-tahr) v disconnect

desconfiado (dayss-koan-f^yah-dhoa) adj suspicious

desconfianza (dayss-koan-f^yahn-thah) f suspicion

desconfiar de (dayss-koan-f^yahr) v mistrust

descongelarse (dayss-koang-khay-lahr-say) v thaw

***desconocer** (dayss-koa-noa-thayr) v not to *know, fail to recognize

desconocido (dayss-koa-noa-thee-dhoa) adj unknown; unfamiliar

descontento (dayss-koan-tayn-toa) adj discontented

descorchar (dayss-koar-chahr) v uncork

descortés (dayss-koar-tayss) adj impolite

describir (dayss-kree-bheer) v describe

descripción (dayss-kreep-th^yoan) f description

descubrimiento (dayss-koo-bhree-m^yayn-toa) m discovery

descubrir (dayss-koo-bhreer) v discover, detect

descuento (dayss-kwayn-toa) m discount; ~ **bancario** bank-rate

descuidar (dayss-kwee-dhahr) v neglect; **descuidado** slovenly

descuido (dayss-kwee-dhoa) m oversight

desde (dayz-dhay) prep from; since; ~ **entonces** since; ~ **que** since

desdén (dayz-dhayn) m disdain

desdichado (dayz-dhee-chah-dhoa) adj unhappy

deseable (day-say-ah-bhlay) adj desirable

desear (day-say-ahr) v desire; wish, want

desecar (day-say-kahr) v drain

desechable (day-say-chah-bhlay) adj disposable

desechar (day-say-chahr) v discard

desecho (day-say-choa) m refuse

desembarcar (day-saym-bahr-kahr) v disembark; land

desembocadura (day-saym-boa-kah-

dhoo-rah) *f* mouth

desempaquetar (day-saym-pah-kay-*tahr*) *v* unpack

desempeñar (day-saym-pay-*ñahr*) *v* perform

desempleo (day-saym-*play*-oa) *m* unemployment

desengaño (day-sayng-*gah*-ñoa) *m* disappointment

desenvoltura (day-saym-boal-*too*-rah) *f* ease

****desenvolver** (day-saym-boal-*bhayr*) *v* unwrap

deseo (day-*say*-oa) *m* wish, desire

desertar (day-sayr-*tahr*) *v* desert

desesperación (day-sayss-pay-rah-*th*ᵞ*oan*) *f* despair

desesperado (day-sayss-pay-*rah*-dhoa) *adj* hopeless, desperate; ****estar** ~ despair

desfavorable (dayss-fah-bhoa-*rah*-bhlay) *adj* unfavourable

desfile (dayss-*fee*-lay) *m* parade

desgarrar (dayss-gah-*rrahr*) *v* *tear

desgracia (dayz-*grah*-th*ᵞ*ah) *f* misfortune

desgraciadamente (dayz-grah-th*ᵞ*ah-dhah-*mayn*-tay) *adv* unfortunately

****deshacer** (day-sah-*thayr*) *v* *undo

deshielo (day-s*ᵞ*ay-loa) *m* thaw

deshilacharse (day-see-lah-*chahr*-say) *v* fray

deshonesto (day-soa-*nayss*-toa) *adj* crooked

deshonor (day-soa-*noar*) *m* disgrace

deshonra (day-*soan*-rah) *f* shame

deshuesar (day-sway-*sahr*) *v* bone

desierto (day-s*ᵞ*ayr-toa) *adj* desert; *m* desert

designar (day-seeg-*nahr*) *v* designate; appoint

desigual (day-see-*gwahl*) *adj* unequal, uneven

desinclinado (day-seeng-klee-*nah*-dhoa) *adj* unwilling

desinfectante (day-seen-fayk-*tahn*-tay) *m* disinfectant

desinfectar (day-seen-fayk-*tahr*) *v* disinfect

desinteresado (day-seen-tay-ray-sah-*dhoa*) *adj* unselfish

desliz (dayz-*leeth*) *m* slide ; slip

deslizarse (dayz-lee-*thahr*-say) *v* *slide; slip

deslucido (dayz-loo-*thee*-dhoa) *adj* dim

deslumbrador (dayz-loom-brah-*dhoar*) *adj* glaring

desmayarse (dayz-mah-ᵞ*ahr*-say) *v* faint

desnudarse (dayz-noo-*dhahr*-say) *v* undress

desnudo (dayz-*noo*-dhoa) *adj* naked, nude, bare; *m* nude

desnutrición (dayz-noo-tree-*th*ᵞ*oan*) *f* malnutrition

desocupado (day-soa-koo-*pah*-dhoa) *adj* unoccupied; unemployed

desodorante (day-soa-dhoa-*rahn*-tay) *m* deodorant

desorden (day-*soar*-dayn) *m* disorder; mess

despachar (dayss-pah-*chahr*) *v* dispatch, despatch, *send off

despacho (dayss-*pah*-choa) *m* study

despedida (dayss-pay-*dhee*-dhah) *f* parting; departure

****despedir** (dayss-pay-*dheer*) *v* dismiss; fire; ****despedirse** *v* check out

despegar (dayss-pay-*gahr*) *v* *take off

despegue (dayss-*pay*-gay) *m* take-off

despensa (dayss-*payn*-sah) *f* larder

desperdicio (dayss-payr-*dhee*-th*ᵞ*oa) *m* litter; waste

despertador (dayss-payr-tah-*dhoar*) *m* alarm-clock

****despertar** (dayss-payr-*tahr*) *v* *wake, *awake; ****despertarse** *v* wake up

despierto (dayss-p*ᵞ*ayr-toa) *adj*

awake; vigilant

* **desplegar** (dayss-play-*gahr*) *v* unfold; expand

desplomarse (dayss-ploa-*mahr*-say) *v* collapse

despreciar (dayss-pray-*thᵞahr*) *v* scorn, despise

desprecio (dayss-*pray*-th*ᵞoa*) *m* scorn, contempt

despreocupado (dayss-pray-oa-koo-*pah*-dhoa) *adj* carefree

después (dayss-*pwayss*) *adv* afterwards; then; ~ **de** after; ~ **de que** after

destacado (dayss-tah-*kah*-dhoa) *adj* outstanding

destacarse (dayss-tah-*kahr*-say) *v* *stand out

destapar (dayss-tah-*pahr*) *v* uncover

destartalado (dayss-tahr-tah-*lah*-dhoa) *adj* ramshackle

destello (dayss-*tay*-lᵞoa) *m* glare

* **desteñirse** (dayss-tay-*ñeer*-say) *v* fade, discolour; **no destiñe** fast-dyed

destinar (dayss-tee-*nahr*) *v* destine; address

destinatario (dayss-tee-nah-tah-r*ᵞoa*) *m* addressee

destino (dayss-*tee*-noa) *m* fate, destiny, lot; destination

destornillador (dayss-toar-nee-l*ᵞah*-dhoar) *m* screw-driver

destornillar (dayss-toar-nee-l*ᵞahr*) *v* unscrew

destrucción (dayss-trook-th*ᵞoan*) *f* destruction

* **destruir** (dayss-*trweer*) *v* destroy; wreck

desvalorización (dayz-bhah-loa-ree-thah-th*ᵞoan*) *f* devaluation

desvalorizar (dayz-bhah-loa-ree-*thahr*) *v* devalue

desvelado (dayz-bhay-*lah*-dhoa) *adj* sleepless

desventaja (dayz-bhayn-*tah*-khah) *f* disadvantage

desviar (dayz-*bhᵞahr*) *v* avert; **desviarse** *v* deviate

desvío (dayz-*bhee*-oa) *m* detour; diversion

detallado (day-tah-*lᵞah*-dhoa) *adj* detailed

detalle (day-*tah*-lᵞay) *m* detail; **vender al** ~ retail

detective (day-tayk-*tee*-bhay) *m* detective

detención (day-tayn-th*ᵞoan*) *f* custody

* **detener** (day-tay-*nayr*) *v* detain

detergente (day-tayr-*khayn*-tay) *m* detergent

determinar (day-tayr-mee-*nahr*) *v* define, determine; **determinado** definite

detestar (day-tayss-*tahr*) *v* hate, dislike

detrás (day-*trahss*) *adv* behind; ~ **de** behind, after

deuda (*dayᵒᵒ*-dhah) *f* debt

* **devolver** (day-bhoal-*bhayr*) *v* *bring back; *send back

día (*dee*-ah) *m* day; ¡**buenos días!** hello!; **de** ~ by day; ~ **de trabajo** working day; ~ **laborable** weekday; **el otro** ~ recently

diabetes (d*ᵞah*-*bhay*-tayss) *f* diabetes

diabético (d*ᵞah*-*bhay*-tee-koa) *m* diabetic

diablo (*dᵞah*-bhloa) *m* devil

diabluras (d*ᵞah*-*bhloo*-rahss) *fpl* mischief

diagnosis (d*ᵞahg*-*noa*-seess) *m* diagnosis

diagnosticar (d*ᵞahg*-noass-tee-*kahr*) *v* diagnose

diagonal (d*ᵞah*-goa-*nahl*) *adj* diagonal; *f* diagonal

dialecto (d*ᵞah*-*layk*-toa) *m* dialect

diamante (d^yah-*mahn*-tay) *m* diamond

diapositiva (d^yah-poa-see-*tee*-bhah) *f* slide

diario (d^yah-r^yoa) *adj* daily; *m* daily, newspaper; diary; **a ~** per day; **~ matutino** morning paper

diarrea (d^yah-*rray*-ah) *f* diarrhoea

dibujar (dee-bhoo-*khahr*) *v* sketch, *draw

dibujo (dee-*bhoo*-khoa) *m* sketch, drawing; **dibujos animados** cartoon

diccionario (deek-th^yoa-*nah*-r^yoa) *m* dictionary

diciembre (dee-*th^yaym*-bray) December

dictado (deek-*tah*-dhoa) *m* dictation

dictador (deek-tah-*dhoar*) *m* dictator

dictadura (deek-tah-*dhoo*-rah) *f* dictatorship

dictáfono (deek-*tah*-foa-noa) *m* dictaphone

dictar (deek-*tahr*) *v* dictate

dichoso (dee-*choa*-soa) *adj* happy

diecinueve (d^yay-thee-*nway*-bhay) *num* nineteen

dieciocho (d^yay-*th^yoa*-choa) *num* eighteen

dieciséis (d^yay-thee-*sayss*) *num* sixteen

diecisiete (d^yay-thee-*s^yay*-tay) *num* seventeen

diente (d^yayn-tay) *m* tooth; **~ de león** dandelion

diesel (*dee*-sayl) *m* diesel

diestro (d^yayss-troa) *adj* skilful

diez (d^yayth) *num* ten

diferencia (dee-fay-*rayn*-th^yah) *f* difference; contrast, distinction

diferente (dee-fay-*rayn*-tay) *adj* different; unlike

*diferir (dee-fay-*reer*) *v* vary, differ; delay

difícil (dee-*fee*-theel) *adj* hard, difficult

cult

dificultad (dee-fee-kool-*tahdh*) *f* difficulty

difteria (deef-*tay*-r^yah) *f* diphtheria

difunto (dee-*foon*-toa) *adj* dead

difuso (dee-*foo*-soa) *adj* dim

digerible (dee-khayss-*tee*-bhlay) *adj* digestible

*digerir (dee-khay-*reer*) *v* digest

digestión (dee-khayss-*t^yoan*) *f* digestion

digital (dee-khee-*tahl*) *adj* digital

dignidad (deeg-nee-*dhahdh*) *f* dignity

digno de (*dee*-ñoa day) worthy of

dilación (dee-lah-*th^yoan*) *f* delay, respite

diligencia (dee-lee-*khayn*-th^yah) *f* diligence

diligente (dee-lee-*khayn*-tay) *adj* industrious

*diluir (dee-*lweer*) *v* dilute

dimensión (dee-mayn-*s^yoan*) *f* extent, size

Dinamarca (dee-nah-*mahr*-kah) *f* Denmark

dínamo (*dee*-nah-moa) *f* dynamo

dinero (dee-*nay*-roa) *m* money; **~ contante** cash

dios (d^yoass) *m* god

diosa (d^yoa-sah) *f* goddess

diploma (dee-*ploa*-mah) *m* diploma, certificate

diplomático (dee-ploa-*mah*-tee-koa) *m* diplomat

diputado (dee-poo-*tah*-dhoa) *m* deputy; Member of Parliament

dirección (dee-rayk-*th^yoan*) *f* direction; way; address; leadership, lead; **~ de escena** direction; **~ única** one-way traffic

directamente (dee-rayk-tah-*mayn*-tay) *adv* straight; straight away

directo (dee-*rayk*-toa) *adj* direct

director (dee-rayk-*toar*) *m* director,

manager; conductor; ~ **de escuela** head teacher, headmaster; principal

directorio telefónico (dee-rayk-*toa*-r^{y}oa tay-lay-*foa*-nee-koa) *Me* telephone directory

directriz (dee-rayk-*treeth*) *f* directive

dirigir (dee-ree-*kheer*) *v* head; direct

disciplina (dee-thee-*plee*-nah) *f* discipline

discípulo (deess-*thee*-poo-loa) *m* pupil

disco (*deess*-koa) *m* disc; record

disco compacto (*deess*-koa koam-*pahk*-toa) *m* compact disc; **reproductor de ~s ~s** CD player

discreto (deess-*kray*-toa) *adj* inconspicuous

disculpa (deess-*kool*-pah) *f* apology

disculpar (deess-kool-*pahr*) *v* excuse; **disculparse** *v* apologize; **¡disculpe!** sorry!

discurso (deess-*koor*-soa) *m* speech

discusión (deess-koo-s^{y}oan) *f* discussion, argument

discutir (deess-koo-*teer*) *v* discuss, deliberate, argue

*__disentir__ (dee-sayn-*teer*) *v* disagree

diseñar (dee-say-*ñahr*) *v* design

diseño (dee-say-*ñoa*) *m* design; pattern; **cuaderno de ~** sketch-book

disfraz (deess-*frahth*) *m* disguise

disfrazarse (deess-frah-*thahr*-say) *v* disguise

disfrutar (deess-froo-*tahr*) *v* enjoy

disgustar (deez-gooss-*tahr*) *v* displease

disimular (dee-see-moo-*lahr*) *v* conceal

dislocado (deez-loa-*kah*-dhoa) *adj* dislocated

dislocar (deez-loa-*kahr*) *v* wrench

disminución (deez-mee-noo-th^{y}oan) *f* decrease

*__disminuir__ (deez-mee-*nweer*) *v* reduce, lessen, decrease

*__disolver__ (dee-soal-*bhayr*) *v* dissolve

disparar (deess-pah-*rahr*) *v* fire

disparo (deess-*pah*-roa) *m* shot

dispensar (deess-payn-*sahr*) *v* exempt; ~ **de** discharge of; **¡dispense usted!** sorry!

dispensario (deess-payn-*sah*-r^{y}oa) *m* health centre

*__disponer__ (deess-poa-*nayr*) *v* sort; ~ **de** dispose of

disponible (deess-poa-*nee*-bhlay) *adj* available; spare

disposición (deess-poa-see-th^{y}oan) *f* disposal

dispuesto (deess-*pwayss*-toa) *adj* inclined, willing

disputa (deess-*poo*-tah) *f* dispute, argument, quarrel

disputar (deess-poo-*tahr*) *v* argue, quarrel; dispute

distancia (deess-*tahn*-th^{y}ah) *f* distance; space, way

distinción (deess-teen-th^{y}oan) *f* distinction, difference

distinguido (deess-teeng-*gee*-dhoa) *adj* distinguished, dignified

distinguir (deess-teeng-*geer*) *v* distinguish; **distinguirse** *v* excel

distinto (deess-*teen*-toa) *adj* distinct

distracción (deess-trahk-th^{y}oan) *f* amusement

*__distraer__ (deess-trah-*ayr*) *v* distract

distribuidor (deess-tree-bhwee-*dhoar*) *m* distributor

*__distribuir__ (deess-tree-*bhweer*) *v* distribute; issue

distrito (deess-*tree*-toa) *m* district; ~ **electoral** constituency

disturbio (deess-*toor*-bh^{y}oa) *m* disturbance

disuadir (dee-swah-*dheer*) *v* dissuade from

diván (dee-*bhahn*) *m* couch

diversión (dee-bhayr-s^{y}oan) *f* pleasure, fun; diversion, entertainment

diverso (dee-*bhayr*-soa) *adj* diverse

divertido (dee-bhayr-*tee*-dhoa) *adj* amusing, entertaining

*__divertir__ (dee-bhayr-*teer*) *v* amuse, entertain

dividir (dee-bhee-*dheer*) *v* divide

divino (dee-*bhee*-noa) *adj* divine

división (dee-bhee-s^yoan) *f* division; section

divorciar (dee-bhoar-th^yahr) *v* divorce

divorcio (dee-*bhoar*-th^yoa) *m* divorce

dobladillo (doa-bhlah-*dhee*-l^yoa) *m* hem

doblar (doa-*bhlahr*) *v* *bend; fold

doble (*doa*-bhlay) *adj* double

doce (*doa*-thay) *num* twelve

docena (doa-*thay*-nah) *f* dozen

doctor (doak-*toar*) *m* doctor

doctrina (doak-*tree*-nah) *f* doctrine

documento (doa-koo-*mayn*-toa) *m* document

*__doler__ (doa-*layr*) *v* ache

dolor (doa-*loar*) *m* ache, pain; grief; **dolores** *mpl* labour; **sin** ~ painless

dolorido (doa-loa-*ree*-dhoa) *adj* painful

doloroso (doa-loa-*roa*-soa) *adj* sore

domesticado (doa-mayss-tee-*kah*-dhoa) *adj* tame

domesticar (doa-mayss-tee-*kahr*) *v* tame

doméstico (doa-*mayss*-tee-koa) *adj* domestic; **faenas domésticas** housework

domicilio (doa-mee-*thee*-l^yoa) *m* domicile

dominación (doa-mee-nah-th^yoan) *f* domination

dominante (doa-mee-*nahn*-tay) *adj* leading

dominar (doa-mee-*nahr*) *v* master

domingo (doa-*meeng*-goa) *m* Sunday

dominio (doa-*mee*-n^yoa) *m* dominion, rule

don (doan) *m* faculty

donación (doa-nah-th^yoan) *f* donation

donante (doa-*nahn*-tay) *m* donor

donar (doa-*nahr*) *v* donate

doncella (doan-*thay*-l^yah) *f* chambermaid

donde (*doan*-day) *conj* where; **en** ~ **sea** anywhere

dónde (*doan*-day) *adv* where

dondequiera (doan-day-k^yay-rah) *adv* anywhere; ~ **que** wherever

dorado (doa-*rah*-dhoa) *adj* gilt; golden

dormido (doar-*mee*-dhoa) *adj* asleep; **quedarse** ~ *oversleep

*__dormir__ (doar-*meer*) *v* *sleep

dormitorio (doar-mee-*toa*-r^yoa) *m* bedroom; dormitory

dos (doass) *num* two; ~ **veces** twice

dosis (*doa*-seess) *f* dose

dotado (doa-*tah*-dhoa) *adj* talented

dragón (drah-*goan*) *m* dragon

drama (*drah*-mah) *m* drama

dramático (drah-*mah*-tee-koa) *adj* dramatic

dramaturgo (drah-mah-*toor*-goa) *m* playwright, dramatist

drenar (dray-*nahr*) *v* drain

droguería (droa-gay-*ree*-ah) *f* chemist's, pharmacy; drugstore *nAm*

ducha (*doo*-chah) *f* shower

duda (*doo*-dhah) *f* doubt; *__poner en__ ~ query; **sin** ~ undoubtedly, without doubt

dudar (doo-*dhahr*) *v* doubt

dudoso (doo-*dhoa*-soa) *adj* doubtful

duelo (*dway*-loa) *m* duel; grief

duende (*dwayn*-dhay) *m* elf

dueña (*dway*-ñah) *f* mistress

dueño (*dway*-ñoa) *m* landlord

dulce (*dool*-thay) *adj* sweet; smooth; *m* sweet; **dulces** cake; sweets; candy *nAm*

duna (*doo*-nah) *f* dune

duodécimo (dwoa-*day*-thee-moa) *num* twelfth

duque (*doo*-kay) *m* duke

duquesa (doo-*kay*-sah) *f* duchess

duración (doo-rah-*th*^y*oan*) *f* duration

duradero (doo-rah-*dhay*-roa) *adj* permanent, lasting

durante (doo-*rahn*-tay) *prep* for, during

durar (doo-*rahr*) *v* last; continue

duro (*doo*-roa) *adj* hard; tough

E

ébano (*ay*-bhah-noa) *m* ebony

eclipse (ay-*kleep*-say) *m* eclipse

eco (*ay*-koa) *m* echo

economía (ay-koa-noa-*mee*-ah) *f* economy

económico (ay-koa-*noa*-mee-koa) *adj* economic; thrifty, economical; cheap

economista (ay-koa-noa-*meess*-tah) *m* economist

economizar (ay-koa-noa-mee-*thahr*) *v* economize

Ecuador (ay-kwah-*dhoar*) *m* Ecuador

ecuador (ay-kwah-*dhoar*) *m* equator

ecuatoriano (ay-kwah-toa-*r*^y*ah*-noa) *m* Ecuadorian

eczema (ayk-*thay*-mah) *m* eczema

echada (ay-*chah*-dhah) *f* cast

echar (ay-*chahr*) *v* toss; ~ **al correo** post; ~ **a perder** *spoil; ~ **la culpa** blame

edad (ay-*dhahdh*) *f* age; **mayor de** ~ of age; **menor de** ~ under age

Edad Media (ay-*dhahdh* may-dh^yah) Middle Ages

edición (ay-dhee-*th*^y*oan*) *f* issue, edition; ~ **de mañana** morning edition

edificar (ay-dhee-fee-*kahr*) *v* construct

edificio (ay-dhee-*fee*-th^yoa) *m* construction, building

editor (ay-dhee-*toar*) *m* publisher

edredón (ay-dhray-*dhoan*) *m* eiderdown

educación (ay-dhoo-kah-*th*^y*oan*) *f* education

educar (ay-dhoo-*kahr*) *v* educate, *bring up, raise

efectivamente (ay-fayk-tee-bhah-*mayn*-tay) *adv* as a matter of fact, in fact

efectivo (ay-fayk-*tee*-bhoa) *m* cash; *hacer ~ cash

efecto (ay-*fayk*-toa) *m* effect

efectuar (ay-fayk-*twahr*) *v* effect; implement

efervescencia (ay-fayr-bhay-*thayn*-th^yah) *f* fizz

eficacia (ay-fee-*kah*-th^yah) *f* efficacy

eficaz (ay-fee-*kahth*) *adj* effective

eficiente (ay-fee-*th*^y*ayn*-tay) *adj* efficient

egipcio (ay-*kheep*-th^yoa) *adj* Egyptian; *m* Egyptian

Egipto (ay-*kheep*-toa) *m* Egypt

egocéntrico (ay-goa-*thayn*-tree-koa) *adj* self-centred

egoísmo (ay-goa-*eez*-moa) *m* selfishness

egoísta (ay-goa-*eess*-tah) *adj* egoistic, selfish

eje (*ay*-khay) *m* axle

ejecución (ay-khay-koo-*th*^y*oan*) *f* execution

ejecutar (ay-khay-koo-*tahr*) *v* perform, execute

ejecutivo (ay-khay-koo-*tee*-bhoa) *adj* executive; *m* executive

ejemplar (ay-khaym-*plahr*) *m* copy

ejemplo (ay-*khaym*-ploa) *m* instance, example; **por** ~ for instance, for example

ejercer (ay-khayr-*thayr*) *v* exercise

ejercicio (ay-khayr-*thee*-th^yoa) *m* exercise

ejercitar (ay-khayr-thee-*tahr*) *v* exercise

ejército (ay-*khayr*-thee-toa) *m* army

ejote (ay-*khoa*-tay) *mMe* bean

el (ayl) *art* (f la; pl los, las) the *art*

él (ayl) *pron* he

elaborar (ay-lah-boa-*rahr*) *v* elaborate

elasticidad (ay-lahss-tee-thee-*dhahdh*) *f* elasticity

elástico (ay-*lahss*-tee-koa) *adj* elastic; *m* rubber band

elección (ay-layk-th*y*oan) *f* choice, pick, selection; election

electricidad (ay-layk-tree-thee-*dhahdh*) *f* electricity

electricista (ay-layk-tree-*theess*-tah) *m* electrician

eléctrico (ay-*layk*-tree-koa) *adj* electric

electrónico (ay-layk-*troa*-nee-koa) *adj* electronic

elefante (ay-lay-*fahn*-tay) *m* elephant

elegancia (ay-lay-*gahn*-th*y*ah) *f* elegance

elegante (ay-lay-*gahn*-tay) *adj* smart, elegant

*****elegir** (ay-lay-*kheer*) *v* elect, select

elemental (ay-lay-mayn-*tahl*) *adj* primary

elemento (ay-lay-*mayn*-toa) *m* element

elevador (ay-lay-bhah-*dhoar*) *mMe* lift; elevator *nAm*

elevar (ay-lay-*bhahr*) *v* elevate

eliminar (ay-lee-mee-*nahr*) *v* eliminate

elogio (ay-*loa*-kh*y*oa) *m* praise, glory

elucidar (ay-loo-thee-*dhahr*) *v* elucidate

ella (*ay*-l*y*ah) *pron* she

ello (*ay*-l*y*oa) *pron* it

ellos (*ay*-l*y*oass) *pron* they

emancipación (ay-mahn-thee-pah-th*y*oan) *f* emancipation

embajada (aym-bah-*khah*-dhah) *f* embassy

embajador (aym-bah-khah-*dhoar*) *m* ambassador

embalaje (aym-bah-*lah*-khay) *m* packing

embalar (aym-bah-*lahr*) *v* pack

embalse (aym-*bahl*-say) *m* reservoir

embarazada (aym-bah-rah-*thah*-dhah) *adj* pregnant

embarazoso (aym-bah-rah-*thoa*-soa) *adj* embarrassing, awkward; puzzling

embarcación (aym-bahr-kah-th*y*oan) *f* vessel; embarkation

embarcar (aym-bahr-*kahr*) *v* embark

embargar (aym-bahr-*gahr*) *v* confiscate

embargo (aym-*bahr*-goa) *m* embargo; **sin ~** yet, however, though, still

emblema (aym-*blay*-mah) *m* emblem

emboscada (aym-boass-*kah*-dhah) *f* ambush

embotado (aym-boa-*tah*-dhoa) *adj* dull

embotellamiento (aym-boa-tay-l*y*ah-m*y*ayn-toa) *m* traffic jam

embrague (aym-*brah*-gay) *m* clutch

embriagado (aym-br*y*ah-*gah*-dhoa) *adj* intoxicated

embrollar (aym-broa-*l*y*ahr*) *v* muddle

embrollo (aym-*broa*-l*y*oa) *m* muddle

embromar (aym-broa-*mahr*) *v* kid

embudo (aym-*boo*-dhoa) *m* funnel

emergencia (ay-mayr-*khayn*-th*y*ah) *f* emergency

emigración (ay-mee-*grah*-th*y*oan) *f* emigration

emigrante (ay-mee-*grahn*-tay) *m* emigrant

emigrar (ay-mee-*grahr*) *v* emigrate

eminente (ay-mee-*nayn*-tay) *adj* outstanding

emisión (ay-mee-s*y*oan) *f* issue

emisor (ay-mee-*soar*) *m* transmitter

emitir (ay-mee-*teer*) *v* *broadcast; utter

emoción (ay-moa-th*y*oan) *f* emotion

empalme (aym-*pahl*-may) *m* junction

empapar (aym-pah-*pahr*) *v* soak

empaquetar (aym-pah-kay-*tahr*) *v* pack up

emparedado (aym-pah-ray-*dhah*-dhoa) *m* sandwich

emparentado (aym-pah-rayn-*tah*-dhoa) *adj* related

empaste (aym-*pahss*-tay) *m* filling

empeñar (aym-pay-*ñahr*) *v* pawn

empeño (aym-*pay*-ñoa) *m* pawn; determination

emperador (aym-pay-rah-*dhoar*) *m* emperor

emperatriz (aym-pay-rah-*treeth*) *f* empress

*empezar (aym-pay-*thahr*) *v* *begin, start

empleado (aym-play-*ah*-dhoa) *m* employee; ~ **de oficina** clerk

emplear (aym-play-*ahr*) *v* employ; engage

empleo (aym-*play*-oa) *m* job, employment

emprender (aym-prayn-*dayr*) *v* *undertake

empresa (aym-*pray*-sah) *f* undertaking, enterprise; concern, business

empujar (aym-poo-*khahr*) *v* push; press

empujón (aym-poo-*khoan*) *m* push

en (ayn) *prep* at, in; inside, to

enamorado (ay-nah-moa-*rah*-dhoa) *adj* in love

enamorarse (aynah-moa-*rahr*-say) *v* *fall in love

enano (ay-*nah*-noa) *m* dwarf

encantado (ayng-kahn-*tah*-dhoa) *adj* delighted

encantador (ayng-kahn-tah-*dhoar*) *adj* glamorous; charming, enchanting

encantar (ayng-kahn-*tahr*) *v* delight; bewitch

encanto (ayng-*kahn*-toa) *m* glamour, charm; spell

encarcelamiento (ayng-kahr-thay-lah-m^yayn-toa) *m* imprisonment

encarcelar (ayng-kahr-thay-*lahr*) *v* imprison

encargarse de (ayng-kahr-*gahr*-say) *take over, *take charge of

encargo (ayng-*kahr*-goa) *m* assignment

encariñado con (ayng-kah-ree-*ñah*-dhoa koan) attached to

encendedor (ayn-thayn-day-*dhoar*) *m* cigarette-lighter

*encender (ayn-thayn-*dayr*) *v* *light; turn on, switch on

encendido (ayn-thayn-*dee*-dhoa) *m* ignition

*encerrar (ayn-thay-*rrahr*) *v* *shut in; encircle

encía (ayn-*thee*-ah) *f* gum

enciclopedia (ayn-thee-kloa-*pay*-dh^yah) *f* encyclopaedia

encima (ayn-*thee*-mah) *adv* above; over; ~ **de** over, above, on top of

encinta (ayn-*theen*-tah) *adj* pregnant

encogerse (ayng-koa-*khayr*-say) *v* *shrink; **no encoge** shrinkproof

*encontrar (ayng-koan-*trahr*) *v* *come across, *find; ***encontrarse con** *meet, encounter, run into

encorvado (ayng-koar-*bhah*-dhoa) *adj* curved

encrucijada (ayng-kroo-thee-*khah*-dhah) *f* crossing, junction

encuentro (ayng-*kwayn*-troa) *m* meeting, encounter

encuesta (ayng-*kwayss*-tah) *f* inquiry; enquiry

encurtidos (ayng-koor-*tee*-dhoass) *mpl* pickles *pl*

enchufar (ayn-choo-*fahr*) *v* plug in

enchufe (ayn-*choo*-fay) *m* plug

endosar (ayn-doa-*sahr*) *v* endorse

endulzar (ayn-dool-*thahr*) *v* sweeten

enemigo (ay-nay-*mee*-goa) *m* enemy

energía (ay-nayr-*khee*-ah) *f* energy;

power; zest; ~ **nuclear** nuclear energy

enérgico (ay-*nayr*-khee-koa) *adj* energetic

enero (ay-*nay*-roa) January

enfadado (ayn-fah-*dhah*-dhoa) *adj* angry, cross

énfasis (*ayn*-fah-seess) *m* stress

enfatizar (ayn-fah-tee-*thahr*) *v* emphasize

enfermedad (ayn-fayr-may-*dhahdh*) *f* disease; ailment, sickness, illness; ~ **venérea** venereal disease

enfermera (ayn-fayr-*may*-rah) *f* nurse

enfermería (ayn-fayr-may-*ree*-ah) *f* infirmary

enfermizo (ayn-fayr-*mee*-thoa) *adj* unsound

enfermo (ayn-*fayr*-moa) *adj* sick, ill

enfoque (ayn-*foa*-kay) *m* approach

enfrentarse con (ayn-frayn-*tahr*-say) face

enfrente de (ayn-*frayn*-tay day) facing, opposite

engañar (ayng-gah-*ñahr*) *v* cheat, deceive; fool

engaño (ayng-*gah*-ñoa) *m* deceit

engrasar (ayng-grah-*sahr*) *v* grease

enhebrar (ay-nay-*bhrahr*) *v* thread

enigma (ay-*neeg*-mah) *m* mystery, enigma, puzzle

enjuagar (ayng-khwah-*gahr*) *v* rinse

enjuague (ayng-*khwah*-gay) *m* rinse; ~ **bucal** mouthwash

enjugar (ayng-khoo-*gahr*) *v* wipe

enlace (ayn-*lah*-thay) *m* connection, link

enlazar (ayn-lah-*thahr*) *v* link

enmaderado (ayn-mah-dhay-*rah*-dhoa) *m* panelling

enmohecido (ayn-moa-ay-*thee*-dhoa) *adj* mouldy

enojado (ay-noa-*khah*-doa) *adj* angry, cross

enojo (ay-*noa*-khoa) *m* anger

enorme (ay-*noar*-may) *adj* huge, enormous, immense

enrollar (ayn-roa-*lʸahr*) *v* *wind

ensalada (ayn-sah-*lah*-dhah) *f* salad

ensamblar (ayn-sahm-*blahr*) *v* join

ensanchar (ayn-sahn-*chahr*) *v* widen

ensayar (ayn-sah-*ʸahr*) *v* test; rehearse; **ensayarse** *v* practise

ensayo (ayn-*sah*-ʸoa) *m* test; rehearsal; essay

ensenada (ayn-say-*nah*-dhah) *f* inlet, creek

enseñanza (ayn-say-*ñahn*-thah) *f* tuition; teachings *pl*

enseñar (ayn-say-*ñahr*) *v* *teach; *show

ensueño (ayn-*sway*-ñoa) *m* day-dream

entallar (ayn-tah-*lʸahr*) *v* carve

*entender** (ayn-tayn-*dayr*) *v* conceive; *take

entendimiento (ayn-tayn-dee-*mʸayn*-toa) *m* insight; conception

enteramente (ayn-tay-rah-*mayn*-tay) *adv* completely, entirely, quite

enterar (ayn-tay-*rahr*) *v* inform

entero (ayn-*tay*-roa) *adj* whole, entire

*enterrar** (ayn-tay-*rrahr*) *v* bury

entierro (ayn-*tʸay*-rroa) *m* burial

entonces (ayn-*toan*-thayss) *adv* then; **de ~** contemporary

entrada (ayn-*trah*-dhah) *f* entry, entrance, way in; admission; appearance; entrance-fee; **prohibida la ~** no admittance

entrañas (ayn *trah* ñahss) *fpl* insides

entrar (ayn-*trahr*) *v* *go in, enter

entre (*ayn*-tray) *prep* among, amid; between

entreacto (ayn-tray-*ahk*-toa) *m* intermission

entrega (ayn-*tray*-gah) *f* delivery

entregar (ayn-tray-*gahr*) *v* *give; deliver; commit; extradite

entremeses (ayn-tray-*may*-sayss) *mpl* hors-d'œuvre

entrenador (ayn-tray-nah-*dhoar*) *m* coach

entrenamiento (ayn-tray-nah-*mᵞayn*-toa) *m* training

entrenar (ayn-tray-*nahr*) *v* train, drill

entresuelo (ayn-tray-*sway*-loa) *m* mezzanine

entretanto (ayn-tray-*tahn*-toa) *adv* meanwhile, in the meantime

***entretener** (ayn-tray-tay-*nayr*) *v* amuse, entertain

entretenido (ayn-tray-tay-nee-dhoa) *adj* entertaining

entretenimiento (ayn-tray-tay-nee-mᵞayn-toa) *m* amusement, entertainment

entrevista (ayn-tray-*bheess*-tah) *f* interview

entumecido (ayn-too-may-*thee*-dhoa) *adj* numb

entusiasmo (ayn-too-sᵞ*ahz*-moa) *m* enthusiasm

entusiasta (ayn-too-sᵞ*ahss*-tah) *adj* enthusiastic, keen

envenenar (aym-bay-nay-*nahr*) *v* poison

enviado (aym-*bᵞah*-dhoa) *m* envoy

enviar (aym-*bᵞahr*) *v* dispatch, *send

envidia (aym-*bee*-dhᵞah) *f* envy

envidiar (aym-bee-*dhᵞahr*) *v* grudge, envy

envidioso (aym-bee-*dhᵞoa*-soa) *adj* envious

envío (aym-*bee*-oa) *m* expedition, consignment

***envolver** (aym-boal-*bhayr*) *v* wrap; involve

épico (*ay*-pee-koa) *adj* epic

epidemia (ay-pee-*dhay*-mᵞah) *f* epidemic

epilepsia (ay-pee-*layp*-sᵞah) *f* epilepsy

epílogo (ay-*pee*-loa-goa) *m* epilogue

episodio (ay-pee-*soa*-dheeoa) *m* episode

época (*ay*-poa-kah) *f* period

equilibrio (ay-kee-*lee*-bhrᵞoa) *m* balance

equipaje (ay-kee-*pah*-khay) *m* baggage, luggage; ~ **de mano** hand luggage; hand baggage *Am*; **furgón de equipajes** luggage van

equipar (ay-kee-*pahr*) *v* equip

equipo (ay-*kee*-poa) *m* outfit, equipment; gang; team; crew; soccer team

equitación (ay-kee-tah-*thᵞoan*) *f* riding

equivalente (ay-kee-bhah-*layn*-tay) *adj* equivalent

equivocación (ay-kee-bhoa-kah-*thᵞoan*) *f* misunderstanding, mistake

equivocado (ay-kee-bhoa-*kah*-dhoa) *adj* mistaken

equivocarse (ay-kee-bhoa-*kahr*-say) *v* *be mistaken

equívoco (ay-*kee*-bhoa-koa) *adj* ambiguous

era (*ay*-rah) *f* era

erguido (ayr-*gee*-dhoa) *adj* erect

erigir (ay-ree-*kheer*) *v* erect

erizo (ay-*ree*-thoa) *m* hedgehog; ~ **de mar** sea-urchin

***errar** (ay-*rrahr*) *v* err; wander

erróneo (ay-*rroa*-nay-oa) *adj* wrong

error (ay-*rroar*) *m* mistake, error

erudito (ay-roo-*dhee*-toa) *m* scholar

esbelto (ayz-*bhayl*-toa) *adj* slim, slender

escala (ayss-*kah*-lah) *f* scale; ~ **de incendios** fire-escape; ~ **musical** scale

escalar (ayss-kah-*lahr*) *v* ascend

escalera (ayss-kah-*lay*-rah) *f* stairs *pl*, staircase; ~ **de mano** ladder; ~ **móvil** escalator

escalofrío (ayss-kah-loa-*free*-oa) *m* chill, shiver

escama (ayss-*kah*-mah) f scale

escándalo (ayss-*kahn*-dah-loa) m scandal; offence

Escandinavia (ayss-kahn-dee-*nah*-bhᵞah) f Scandinavia

escandinavo (ayss-kahn-dee-*nah*-bhoa) adj Scandinavian; m Scandinavian

escapar (ayss-kah-*pahr*) v escape

escaparate (ayss-kah-pah-*rah*-tay) m shop-window

escape (ayss-*kah*-pay) m exhaust; **gases de ~** exhaust gases

escaque (ayss-*kah*-kay) m check

escarabajo (ayss-kah-rah-*bhah*-khoa) m beetle, bug

escarcha (ayss-*kahr*-chah) f frost

escarcho (ayss-*kahr*-choa) m roach

escarlata (ayss-kahr-*lah*-tah) adj scarlet

escarnio (ayss-*kahr*-nᵞoa) m scorn

escasez (ayss-kah-*sayth*) f scarcity, shortage

escaso (ayss-*kah*-soa) adj scarce; minor

escena (ay-*thay*-nah) f scene; setting

escenario (ayss-thay-*nah*-rᵞoa) m stage

esclavo (ayss-*klah*-bhoa) m slave

esclusa (ayss-*kloo*-sah) f lock

escoba (ayss-*koa*-bhah) f broom

escocés (ayss-koa-*thayss*) adj Scottish, Scotch; m Scot

Escocia (ayss-*koa*-thᵞah) f Scotland

escoger (ayss-koa-*khayr*) v *choose, pick

escolta (ayss-*koal*-tah) f escort

escoltar (ayss-koal-*tahr*) v escort

escombro (ayss-*koam*-broa) m mackerel

esconder (ayss-koan-*dayr*) v *hide

escribano (ayss-kree-*bhah*-noa) m clerk

escribir (ayss-kree-*bheer*) v *write; ~ **a máquina** type; **papel de ~** notepaper; **por escrito** written, in writ-

ing

escrito (ayss-*kree*-toa) m writing

escritor (ayss-kree-*toar*) m writer

escritorio (ayss-kree-*toa*-rᵞoa) m desk, bureau

escritura (ayss-kree-*too*-rah) f handwriting

escrupuloso (ayss-kroo-poo-*loa*-soa) adj careful

escuadrilla (ayss-kwah-*dhree*-lᵞah) f squadron

escuchar (ayss-koo-*chahr*) v listen; eavesdrop

escuela (ayss-*kway*-lah) f school; **director de ~** head teacher, headmaster; **~ secundaria** secondary school

escultor (ayss-kool-*toar*) m sculptor

escultura (ayss-kool-*too*-rah) f sculpture

escupir (ayss-koo-*peer*) v *spit

escurridor (ayss-koo-rree-*dhoar*) m strainer

ese (*ay*-say) adj that; **ése** pron that

esencia (ay-*sayn*-thᵞah) f essence

esencial (ay-sayn-*thᵞahl*) adj essential; vital

esfera (ayss-*fay*-rah) f sphere; atmosphere

*** esforzarse** (ayss-foar-*thahr*-say) v try, bother

esfuerzo (ayss-*fwayr*-thoa) m effort; strain; stress

esgrimir (ayz-gree-*meer*) v fence

eslabón (ayz-lah-*bhoan*) m link

esmaltado (ayz-mahl-*tah*-dhoa) adj enamelled

esmaltar (ayz-mahl-*tahr*) v glaze

esmalte (ayz-*mahl*-tay) m enamel

esmeralda (ayz-may-*rahl*-dah) f emerald

esnórquel (ayz-*noar*-kayl) m snorkel

eso (*ay*-soa) pron that

espaciar (ayss-pah-*thᵞahr*) v space

espacio (ayss-*pah*-thᵞoa) m room;

space

espacioso (ayss-pah-*th^yoa*-soa) *adj* spacious, roomy, large

espada (ayss-*pah*-dhah) *f* sword

espalda (ayss-*pahl*-dah) *f* back; **dolor de** ~ backache

espantado (ayss-pahn-*tah*-dhoa) *adj* frightened

espantar (ayss-pahn-*tahr*) *v* frighten

espanto (ayss-*pahn*-toa) *m* fright; horror

espantoso (ayss-pahn-*toa*-soa) *adj* dreadful

España (ayss-*pah*-ñah) *f* Spain

español (ayss-pah-*ñoal*) *adj* Spanish; *m* Spaniard

esparadrapo (ayss-pah-rah-*dhrah*-poa) *m* adhesive tape, plaster

esparcir (ayss-pahr-*theer*) *v* scatter, *shed

espárrago (ayss-*pah*-rrah-goa) *m* asparagus

especia (ayss-*pay*-th^yah) *f* spice

especial (ayss-pay-*th^yahl*) *adj* special; peculiar, particular

especialidad (ayss-pay-th^yah-lee-*dhahdh*) *f* speciality

especialista (ayss-pay-th^yah-*leess*-tah) *m* specialist

especializarse (ayss-pay-th^yah-lee-*thahr*-say) *v* specialize; **especializado** skilled

especialmente (ayss-pay-th^yahl-*mayn*-tay) *adv* especially

especie (ayss-*payth^yay*) *f* species, breed

específico (ayss-pay-*thee*-fee-koa) *adj* specific

espécimen (ayss-*pay*-thee-mayn) *m* specimen

espectáculo (ayss-payk-*tah*-koo-loa) *m* spectacle, show; ~ **de variedades** floor show

espectador (ayss-payk-tah-*dhoar*) *m* spectator

espectro (ayss-*payk*-troa) *m* ghost; spectrum

especular (ayss-pay-koo-*lahr*) *v* speculate

espejo (ayss-*pay*-khoa) *m* mirror, looking-glass

espeluznante (ayss-pay-looth-*nahn*-tay) *adj* creepy

espera (ayss-*pay*-rah) *f* waiting

esperanza (ayss-pay-*rahn*-thah) *f* hope; expectation

esperanzado (ayss-pay-rahn-*thah*-dhoa) *adj* hopeful

esperar (ayss-pay-*rahr*) *v* hope; wait; expect, await

espesar (ayss-pay-*sahr*) *v* thicken

espeso (ayss-*pay*-soa) *adj* thick

espesor (ayss-pay-*soar*) *m* thickness

espetón (ayss-pay-*toan*) *m* spit

espía (ayss-*pee*-ah) *m* spy

espiar (ayss-*p^yahr*) *v* peep

espina (ayss-*pee*-nah) *f* thorn; fishbone; ~ **dorsal** backbone

espinacas (ayss-pee-*nah*-kahss) *fpl* spinach

espinazo (ayss-pee-*nah*-thoa) *m* spine

espirar (ayss-pee-*rahr*) *v* expire

espíritu (ayss-*pee*-ree-too) *m* spirit; ghost

espiritual (ayss-pee-ree-*twahl*) *adj* spiritual

espléndido (ayss-*playn*-dee-dhoa) *adj* splendid; glorious, enchanting, magnificent

esplendor (ayss-playn-*doar*) *m* splendour

esponja (ayss-*poang*-khah) *f* sponge

esposa (ayss-*poa*-sah) *f* wife; **esposas** *fpl* handcuffs *pl*

esposo (ayss-*poa*-soa) *m* husband

espuma (ayss-*poo*-mah) *f* froth, foam, lather

espumante (ayss-poo-*mahn*-tay) *adj*

sparkling

espumar (ayss-poo-*mahr*) v foam

esputo (ayss-*poo*-toa) m spit

esquela (ayss-*kay*-lah) f note

esqueleto (ayss-kay-*lay*-toa) m skeleton

esquema (ayss-*kay*-mah) m diagram; scheme

esquí (ayss-*kee*) m ski; skiing; ~ **acuático** water ski; **salto de** ~ skijump

esquiador (ayss-kᵞah-*dhoar*) m skier

esquiar (ayss-kᵞahr) v ski

esquina (ayss-*kee*-nah) f corner

esquivo (ayss-*kee*-bhoa) adj shy

estable (ayss-*tah*-bhlay) adj permanent, stable

*establecer (ayss-tah-bhlay-*thayr*) v establish

establo (ayss-*tah*-bhloa) m stable

estación (ayss-tah-*thᵞoan*) f season; station; depot nAm; ~ **central** central station; ~ **de servicio** filling station; ~ **terminal** terminal

estacionamiento (ayss-tah-thᵞoa-nah-mᵞayn-toa) m parking lot Am; **derechos de** ~ parking fee

estacionar (ayss-tah-thᵞoa-*nahr*) v park; **prohibido estacionarse** no parking

estacionario (ayss-tah-thᵞoa-*nah*-rᵞoa) adj stationary

estadio (ayss-*tah*-dhᵞoa) m stadium

estadista (ayss-tah-*dheess*-tah) m statesman

estadística (ayss-tah-*dheess*-tee-kah) f statistics pl

Estado (ayss-*tah*-doa) m state

estado (ayss-*tah*-dhoa) m state, condition

Estados Unidos (ayss-*tah*-dhoass oo-*nee*-dhoass) the States, United States

estafa (ayss-*tah*-fah) f swindle

estafador (ayss-tah-fah-*dhoar*) m swindler

estafar (ayss-tah-*fahr*) v cheat, swindle

estallar (ayss-tah-*lᵞahr*) v explode

estambre (ayss-*tahm*-bray) m/f worsted

estampa (ayss-*tahm*-pah) f engraving

estampilla (ayss-tahm-*pee*-lᵞah) fMe stamp

estancia (ayss-*tahn*-thᵞah) f stay

estanco (ayss-*tahng*-koa) m cigar shop, tobacconist's

estanque (ayss-*tahng*-kay) m pond

estanquero (ayss-tahng-*kay*-roa) m tobacconist

estante (ayss-*tahn*-tay) m shelf

estaño (ayss-*tah*-ñoa) m tin; pewter

*estar (ayss-*tahr*) v *be

estatua (ayss-*tah*-twah) f statue

estatura (ayss-tah-*too*-rah) f figure

este¹ (*ayss*-tay) m east

este² (*ayss*-tay) adj this; **éste** pron this

estera (ayss-*tay*-rah) f mat

estercolero (ayss-tayr-koa-*lay*-roa) m dunghill

estéril (ayss-*tay*-reel) adj sterile

esterilizar (ayss-tay-ree-lee-*thahr*) v sterilize

estético (ayss-*tay*-tee-koa) adj aesthetic

estilo (ayss-*tee*-loa) m style

estilográfica (ayss-tee-loa-*grah*-fee-kah) f fountain-pen

estima (ayss-*tee*-mah) f esteem

estimación (ayss-tee-mah-*thᵞoan*) f respect; estimate

estimar (ayss-tee-*mahr*) v esteem; estimate

estimulante (ayss-tee-moo-*lahn*-tay) m stimulant

estimular (ayss-tee-moo-*lahr*) v stimulate; urge

estímulo (ayss-*tee*-moo-loa) m impulse

estipulación (ayss-tee-poo-lah-*thᵞoan*)

f stipulation

estipular (ayss-tee-poo-*lahr*) *v* stipulate

estirar (ayss-tee-*rahr*) *v* stretch

estirón (ayss-tee-*roan*) *m* tug

esto (*ayss*-toa) *adj* this

estola (ayss-*toa*-lah) *f* stole

estómago (ayss-*toa*-mah-goa) *m* stomach; **dolor de ~** stomach-ache

estorbar (ayss-toar-*bhahr*) *v* disturb, embarrass

estornino (ayss-toar-*nee*-noa) *m* starling

estornudar (ayss-toar-noo-*dhahr*) *v* sneeze

estrangular (ayss-trahng-goo-*lahr*) *v* choke, strangle

estrato (ayss-*trah*-toa) *m* layer

estrechar (ayss-tray-*chahr*) *v* tighten

estrecho (ayss-*tray*-choa) *adj* narrow; tight

estrella (ayss-*tray*-l^yah) *f* star

estremecido (ayss-tray-may-*thee*-dhoa) *adj* shivery

estremecimiento (ayss-tray-may-thee-m^yayn-toa) *m* shudder

estreñido (ayss-tray-*ñee*-dhoa) *adj* constipated

estreñimiento (ayss-tray-ñee-m^yayn-toa) *m* constipation

estribo (ayss-*tree*-bhoa) *m* stirrup

estribor (ayss-tree-*bhoar*) *m* starboard

estricto (ayss-*treek*-toa) *adj* strict

estrofa (ayss-*troa*-fah) *f* stanza

estropeado (ayss-troa-pay-*ah*-dhoa) *adj* broken; crippled

estropear (ayss-troa-pay-*ahr*) *v* mess up

estructura (ayss-trook-*too*-rah) *f* structure; fabric

estuario (ayss-*twah*-r^yoa) *m* estuary

estuco (ayss-*too*-koa) *m* plaster

estuche (ayss-*too*-chay) *m* case

estudiante (ayss-too-*dh^yahn*-tay) *m* student

estudiar (ayss-too-*dh^yahr*) *v* study

estudio (ayss-*too*-dh^yoa) *m* study

estufa (ayss-*too*-fah) *f* stove; **~ de gas** gas stove

estupefaciente (ayss-too-pay-fah-th^yayn-tay) *m* drug

estupendo (ayss-too-*payn*-doa) *adj* wonderful

estúpido (ayss-*too*-pee-dhoa) *adj* stupid; dumb

etapa (ay-*tah*-pah) *f* stage

etcétera (ayt-*thay*-tay-rah) and so on, etcetera

éter (*ay*-tayr) *m* ether

eternidad (ay-tayr-nee-*dhahdh*) *f* eternity

eterno (ay-*tayr*-noa) *adj* eternal

etíope (ay-*tee*-oa-pay) *adj* Ethiopian; *m* Ethiopian

Etiopía (ay-t^yoa-p^yah) *f* Ethiopia

etiqueta (ay-tee-*kay*-tah) *f* tag

Europa (ay^{oo}-*roa*-pah) *f* Europe

europeo (ay^{oo}-roa-*pay*-oa) *adj* European; *m* European

evacuar (ay-bnah-*kwahr*) *v* evacuate

evaluar (ay-bhah-*lwahr*) *v* evaluate, estimate

evangelio (ay-bhahng-*khay*-l^yoa) *m* gospel

evaporar (ay-bhah-poa-*rahr*) *v* evaporate

evasión (ay-bhah-*s^yoan*) *f* escape

eventual (ay-bhayn-*twahl*) *adj* eventual; possible

evidente (ay-bhee-*dhayn*-tay) *adj* evident; self-evident

evidentemente (ay-bhee-dhayn-tay-*mayn*-tay) *adv* apparently

evitar (ay-bhee-*tahr*) *v* avoid

evolución (ay-bhoa-loo-*th^yoan*) *f* evolution

exactamente (ayk-sahk-tah-*mayn*-tay) *adv* exactly

exactitud (ayk-sahk-tee-*toodh*) f correctness

exacto (ayk-*sahk*-toa) adj precise, exact, accurate

exagerar (ayk-sah-khay-*rahr*) v exaggerate

examen (ayk-*sah*-mayn) m examination

examinar (ayk-sah-mee-*nahr*) v examine

excavación (ayks-kah-bhah-*th*ⁱoan) f excavation

exceder (ayk-thay-*dhayr*) v exceed

excelencia (ayk-thay-*layn*-thⁱah) f excellence

excelente (ayk-thay-*layn*-tay) adj excellent, fine

excéntrico (ayk-*thayn*-tree-koa) adj eccentric

excepción (ayk-thayp-*th*ⁱoan) f exception

excepcional (ayk-thayp-thⁱoa-*nahl*) adj exceptional

excepto (ayk-*thayp*-toa) prep except

excesivo (ayk-thay-*see*-bhoa) adj excessive

exceso (ayk-*thay*-soa) m excess; ~ **de velocidad** speeding

excitación (ayk-thee-tah-*th*ⁱoan) f excitement

excitante (ayk-thee-*tahn*-tay) adj exciting

excitar (ayk-thee-*tahr*) v excite

exclamación (ayks-klah-mah-*th*ⁱoan) f exclamation

exclamar (ayks-klah-*mahr*) v exclaim

*****excluir** (ayks-*klweer*) v exclude

exclusivamente (ayks-kloo-see-bhah-*mayn*-tay) adv exclusively, solely

exclusivo (ayks-kloo-*see*-bhoa) adj exclusive

excursión (ayks-koor-*s*ⁱoan) f trip, excursion

excusa (ayks-*koo*-sah) f apology, excuse

excusar (ayks-koo-*sahr*) v excuse

exención (ayks-sayn-*th*ⁱoan) f exemption

exento (ayk-*sayn*-toa) adj exempt; ~ **de impuestos** duty-free

exhalar (ayk-sah-*lahr*) v exhale

exhausto (ayk-*souss*-toa) adj overtired

exhibir (ayk-see-*bheer*) v exhibit, display

exigencia (ayk-see-*khayn*-thⁱah) f demand

exigente (ayk-see-*khayn*-tay) adj particular

exigir (ayk-see-*kheer*) v demand

exiliado (ayk-see-lⁱah-dhoa) m exile

exilio (ayk-*see*-lⁱoa) m exile

eximir (ayk-see-*meer*) v exempt

existencia (ayk-seess-*tayn*-thⁱah) f existence; **existencias** fpl supply, stock; *****tener** ~ stock

existir (ayk-seess-*teer*) v exist

éxito (*ayk*-see-toa) m success, luck; hit; **de** ~ successful; *****tener** ~ manage, succeed

exorbitante (ayk-soar-bhee-*tahn*-tay) adj prohibitive

exótico (ayk-*soa*-tee-koa) adj exotic

expansión (ayks-pahn-*s*ⁱoan) f expansion

expedición (ayks-pay-dhee-*th*ⁱoan) f expedition

expediente (ayks-pay-*dh*ⁱayn-tay) m file

experiencia (ayks-pay-rⁱayn-thⁱah) f experience

experimentar (ayks-pay-ree-mayn-*tahr*) v experiment; experience; **experimentado** experienced

experimento (ayks-pay-ree-*mayn*-toa) m experiment

experto (ayks-*payr*-toa) m expert

expirar (ayks-pee-*rahr*) v expire

explanada (ayks-plah-*nah*-dhah) *f* esplanade

explicable (ayks-plee-*kah*-bhlay) *adj* accountable

explicación (ayks-plee-kah-*th*ᵞoan) *f* explanation

explicar (ayks-plee-*kahr*) *v* explain; account for

explícito (ayks-*plee*-thee-toa) *adj* express, explicit

explorador (ayks-ploa-rah-*dhoar*) *m* scout, boy scout

exploradora (ayks-ploa-rah-*dhoa*-rah) *f* girl guide

explorar (ayks-ploa-*rahr*) *v* explore

explosión (ayks-ploa-*s*ᵞoan) *f* explosion, blast; outbreak

explosivo (ayks-ploa-*see*-bhoa) *adj* explosive; *m* explosive

explotar (ayks-ploa-*tahr*) *v* exploit

*****exponer** (ayks-poa-*nayr*) *v* exhibit

exportación (ayks-poar-tah-*th*ᵞoan) *f* exportation, export

exportar (ayks-poar-*tahr*) *v* export

exposición (ayks-poa-see-*th*ᵞoan) *f* exposition, exhibition, display, show; exposure; ~ **de arte** art exhibition

exposímetro (ayks-poa-*see*-may-troa) *m* exposure meter

expresar (ayks-pray-*sahr*) *v* express

expresión (ayks-pray-*s*ᵞoan) *f* expression

expresivo (ayks-pray-*see*-bhoa) *adj* expressive

expreso (ayks-*pray*-soa) *adj* explicit; express; **por** ~ special delivery

expulsar (ayks-pool-*sahr*) *v* chase; expel

exquisito (ayks-kee-*see*-toa) *adj* exquisite; delicious

éxtasis (*ayks*-tah-seess) *m* ecstasy

*****extender** (ayks-tayn-*dayr*) *v* *spread, expand

extenso (ayks-*tayn*-soa) *adj* comprehensive, extensive

extenuar (ayks-tay-*nwahr*) *v* exhaust

exterior (ayks-tay-*r*ᵞoar) *adj* external, exterior; *m* exterior, outside

externo (ayks-*tayr*-noa) *adj* outward

extinguir (ayks-teeng-*geer*) *v* extinguish

extintor (ayks-teen-*toar*) *m* fire-extinguisher

extorsión (ayks-toar-*s*ᵞoan) *f* extortion

extorsionar (ayks-toar-sᵞoa-*nahr*) *v* extort

extra (*ayks*-trah) *adj* extra

extracto (ayks-*trahk*-toa) *m* excerpt

*****extraer** (ayks-trah-*ayr*) *v* extract

extranjero (ayks-trahng-*khay*-roa) *adj* alien, foreign; *m* alien, foreigner; stranger; **en el** ~ abroad

extrañar (ayks-trah-*ñahr*) *v* amaze, surprise; banish

extraño (ayks-*trah*-ñoa) *adj* foreign, strange; peculiar, queer, funny

extraoficial (ayks-trah-oa-fee-*th*ᵞahl) *adj* unofficial

extraordinario (ayks-trah-oar-dhee-*nah*-rᵞoa) *adj* extraordinary, exceptional

extravagante (ayks-trah-bhah-*gahn*-tay) *adj* extravagant

extraviar (ayks-trah-*bh*ᵞahr) *v* *mislay

extremo (ayks-*tray*-moa) *adj* extreme; very, utmost; *m* extreme; end

exuberante (ayk-soo-bhay-*rahn*-tay) *adj* exuberant

F

fábrica (*fah*-bhree-kah) *f* factory; works *pl*, mill; ~ **de gas** gasworks

fabricante (fah-bhree-*kahn*-tay) *m* manufacturer

fabricar (fah-bhree-*kahr*) *v* manufacture

fábula (*fah*-bhoo-lah) *f* fable

fácil (*fah*-theel) *adj* easy

facilidad (fah-thee-lee-*dhahdh*) *f* ease; facility

facilitar (fah-thee-lee-*tahr*) *v* facilitate

factible (fahk-*tee*-bhlay) *adj* attainable

factor (fahk-*toar*) *m* factor

factura (fahk-*too*-rah) *f* invoice

facturar (fahk-too-*rahr*) *v* bill

facultad (fah-kool-*tahdh*) *f* faculty

fachada (fah-*chah*-dhah) *f* façade

faisán (figh-*sahn*) *m* pheasant

faja (*fah*-khah) *f* strip; girdle

falda (*fahl*-dah) *f* skirt

faldón (fahl-*doan*) *m* gable

falsificación (fahl-see-fee-kah-*th*ⁿoan) *f* fake

falsificar (fahl-see-fee-*kahr*) *v* forge, counterfeit

falso (*fahl*-soa) *adj* false; untrue

falta (*fahl*-tah) *f* error; want, lack; offence; **sin ~** without fail

faltar (fahl-*tahr*) *v* fail

fallar (fah-*l*ʸahr) *v* fail

***fallecer** (fah-lʸay-*thayr*) *v* depart

fama (*fah*-mah) *f* fame; **de ~ mundial** world-famous; **de mala ~** notorious

familia (fah-*mee*-lʸah) *f* family

familiar (fah-mee-*l*ʸahr) *adj* familiar

famoso (fah-*moa*-soa) *adj* famous

fanal (fah-*nahl*) *m* headlamp

fanático (fah-*nah*-tee-koa) *adj* fanatical

fantasía (fahn-tah-*see*-ah) *f* fantasy

fantasma (fahn-*tahz*-mah) *m* spook, phantom, ghost

fantástico (fahn-*tahss*-tee-koa) *adj* fantastic

farallón (fah-rah-*l*ʸoan) *m* cliff

fardo (*fahr*-dhoa) *m* load

farmacéutico (fahr-mah-*thay*ºº-tee-koa) *m* chemist

farmacia (fahr-*mah*-thʸah) *f* chemist's, pharmacy; drugstore *nAm*

farmacología (fahr-mah-koa-loa-*khee*-ah) *f* pharmacology

faro (*fah·*roa) *m* headlight; lighthouse

farol trasero (fah-*roal* trah-*say*-roa) taillight

farsa (*fahr*-sah) *f* farce

fascismo (fah-*theez*-moa) *m* fascism

fascista (fah-*theess*-tah) *adj* fascist; *m* fascist

fase (*fah*-say) *f* stage, phase

fastidiar (fahss-tee-*dh*ʸahr) *v* annoy, bother

fastidioso (fahss-tee-*dh*ʸoa-soa) *adj* difficult

fatal (fah-*tahl*) *adj* fatal; mortal

favor (fah-*bhoar*) *m* favour; **a ~ de** on behalf of; **por ~** please

favorable (fah-bhoa-*rah*-bhlay) *adj* favourable

***favorecer** (fah-bhoa-ray-*thayr*) *v* favour

favorecido (fah-bhoa-ray-*thee*-dhoa) *m* payee

favorito (fah-bhoa-*ree*-toa) *adj* pet; *m* favourite

fe (fay) *f* faith

febrero (fay-*bhray*-roa) February

febril (fay-*bhreel*) *adj* feverish

fecundo (fay-*koon*-doa) *adj* fertile

fecha (*fay*-chah) *f* date

federación (fay-dhay-rah-*th*ⁿoan) *f* federation

federal (fay-dhay-*rahl*) *adj* federal

felicidad (fay-lee-thee-*dhahdh*) *f* happiness

felicitación (fay-lee-thee-tah-*th*ⁿoan) *f* congratulation

felicitar (fay-lee-thee-*tahr*) *v* congratulate

feliz (fay-*leeth*) *adj* happy

femenino (fay-may-*nee*-noa) *adj* feminine; female

fenómeno (fay-*noa*-may-noa) *m* phenomenon

feo (fay-oa) *adj* ugly

feria (fay-rᵞah) *f* fair

fermentar (fayr-mayn-*tahr*) *v* ferment

feroz (fay-*roath*) *adj* wild

ferretería (fay-rray-tay-*ree*-ah) *f* hardware store

ferrocarril (fay-rroa-kah-*rreel*) *m* railway; railroad *nAm*

fértil (*fayr*-teel) *adj* fertile

fertilidad (fayr-tee-lee-*dhahdh*) *f* fertility

festival (fayss-tee-*bhahl*) *m* festival

festivo (fayss-*tee*-bhoa) *adj* festive

feudal (fay⁰⁰-*dhahl*) *adj* feudal

fiable (*fᵞah*-bhlay) *adj* reliable

fianza (*fᵞahn*-thah) *f* security; bail; deposit

fiasco (*fᵞahss*-koa) *m* failure

fibra (*fee*-bhrah) *f* fibre

ficción (feek-*thᵞoan*) *f* fiction

ficha (*fee*-chah) *f* chip, token

fiebre (*fᵞay*-bhray) *f* fever; ~ **del heno** hay fever

fiel (fᵞayl) *adj* faithful, true

fieltro (*fᵞayl*-troa) *m* felt

fiero (*fᵞay*-roa) *adj* fierce

fiesta (*fᵞayss*-tah) *f* feast; party; holiday

figura (fee-*goo*-rah) *f* figure

figurarse (fee-goo-*rahr*-say) *v* imagine

fijador (fee-khah-*dhoar*) *m* setting lotion, hair gel, hair spray

fijar (fee-*khahr*) *v* attach; **fijarse en** mind

fijo (*fee*-khoa) *adj* fixed; permanent

fila (*fee*-lah) *f* row, rank

Filipinas (fee-lee-*pee*-nahss) *fpl* Philippines *pl*

filipino (fee-lee-*pee*-noa) *adj* Philippine; *m* Filipino

filmar (feel-*mahr*) *v* film

filme (*feel*-may) *m* movie

filosofía (fee-loa-soa-*fee*-ah) *f* philos-

ophy

filosófico (fee-loa-*soa*-fee-koa) *adj* philosophical

filósofo (fee-*loa*-soa-foa) *m* philosopher

filtrar (feel-*trahr*) *v* strain

filtro (*feel*-troa) *m* filter; ~ **de aire** air-filter; ~ **del aceite** oil filter

fin (feen) *m* end; aim, purpose; **a** ~ **de** so that; **al** ~ at last

final (fee-*nahl*) *adj* eventual, final; *m* end; **al** ~ at last

financiar (fee-nahn-*thᵞahr*) *v* finance

financiero (fee-nahn-*thᵞay*-roa) *adj* financial

finanzas (fee-*nahn*-thahss) *fpl* finances *pl*

finca (*feeng*-kah) *f* premises *pl*

fingir (feeng-*kheer*) *v* pretend

finlandés (feen-lahn-*dayss*) *adj* Finnish; *m* Finn

Finlandia (feen-*lahn*-dᵞah) *f* Finland

fino (*fee*-noa) *adj* delicate, fine; sheer

firma (*feer*-mah) *f* signature; firm

firmar (feer-*mahr*) *v* sign

firme (*feer*-may) *adj* steady, firm; secure

física (*fee*-see-kah) *f* physics

físico (*fee*-see-koa) *adj* physical; *m* physicist

fisiología (fee-sᵞoa-loa-*khee*-ah) *f* physiology

flaco (*flah*-koa) *adj* thin

flamenco (flah-*mayng*-koa) *m* flamingo

flauta (*flou*-tah) *f* flute

flecha (*flay*-chah) *f* arrow

flexible (flayk-*see*-bhlay) *adj* flexible; supple, elastic

flojel (floa-*khayl*) *m* down

flojo (*floa*-khoa) *adj* weak

flor (floar) *f* flower

florista (floa-*reess*-tah) *m* florist

floristería (floa-reess-tay-*ree*-ah) *f*

flower-shop

flota (floa-tah) f fleet

flotador (floa-tah-dhoar) m float

flotar (floa-tahr) v float

fluido (floo-ee-dhoa) adj fluid; m fluid

***fluir** (flweer) v flow, stream

foca (foa-kah) f seal

foco (foa-koa) m focus; mMe light bulb

folklore (foal-kloa-ray) m folklore

folleto (foa-lʸay-toa) m brochure

fondo (foan-doa) m background; ground, bottom; mMe slip; **fondos** mpl fund

fonético (foa-nay-tee-koa) adj phonetic

forastero (foa-rahss-tay-roa) m foreigner; stranger

forma (foar-mah) f form, shape

formación (foar-mah-thʸoan) f formation

formal (foar-mahl) adj formal

formalidad (foar-mah-lee-dhahdh) f formality

formar (foar-mahr) v form, shape; educate

formato (foar-mah-toa) m size

formidable (foar-mee-dhah-bhlay) adj huge

fórmula (foar-moo-lah) f formula

formulario (foar-moo-lah-rʸoa) m form; ~ **de matriculación** registration form

forro (foa-rroa) m lining

fortaleza (foar-tah-lay-thah) f fortress, fort

fortuna (foar-too-nah) f fortune

forúnculo (foa-roong-koo-loa) m boil

***forzar** (foar-thahr) v force; strain

forzosamente (foar-thoa-sah-mayn-tay) adv by force

foso (foa-soa) m moat

foto (foa-toa) f photo

fotocopia (foa-toa-koa-pʸah) f photocopy

fotocopiar (foa-toa-koa-pʸahr) v photocopy

fotografía (foa-toa-grah-fee-ah) f photograph; photography; ~ **de pasaporte** passport photograph

fotografiar (foa-toa-grah-fʸahr) v photograph

fotógrafo (foa-toa-grah-foa) m photographer

fracasado (frah-kah-sah-dhoa) adj unsuccessful

fracaso (frah-kah-soa) m failure

fracción (frahk-thʸoan) f fraction

fractura (frahk-too-rah) f fracture, break

fracturar (frahk-too-rahr) v fracture

frágil (frah-kheel) adj fragile

fragmento (frahg-mayn-toa) m fragment, piece; extract

frambuesa (frahm-bway-sah) f raspberry

francés (frahn-thayss) adj French; m Frenchman

Francia (frahn-thʸah) f France

franco (frahng-koa) adj postage paid, post-paid

francotirador (frahng-koa-tee-rah-dhoar) m sniper

franela (frah-nay-lah) f flannel

franja (frahng-khah) f fringe

franqueo (frahng-kay-oa) m postage

frasco (frahss-koa) m flask

frase (frah-say) f sentence; phrase

fraternidad (frah-tayr-nee-dhahdh) f fraternity

fraude (frou-dhay) m fraud

frecuencia (fray-kwayn-thʸah) f frequency

frecuentar (fray-kwayn-tahr) v associate with

frecuente (fray-kwayn-tay) adj frequent

frecuentemente (fray-kwayn-tay-mayn-tay) adv frequently, often

*fregar (fray-*gahr*) v wash up; scrub

*freír (fray-*eer*) v fry

frenar (fray-*nahr*) v slow down

freno (*fray*-noa) m brake; ~ **de mano** hand-brake; ~ **de pie** foot-brake

frente (*frayn*-tay) f forehead; m front

fresa (*fray*-sah) f strawberry

fresco (*frayss*-koa) adj fresh; chilly, cool

fricción (freek-*th^yoan*) f friction

frigorífico (free-goa-*ree*-fee-koa) m fridge

frío (*free*-oa) adj cold; m cold

frontera (froan-*tay*-rah) f frontier, border; boundary, bound

frotar (froa-*tahr*) v rub

fruta (*froo*-tah) f fruit

fruto (*froo*-toa) m fruit

fuego (*fway*-goa) m fire

fuente (*fwayn*-tay) f source, fountain; dish

fuera (*fway*-rah) adv out; off, away; ~ **de** outside, out of; ~ **de lugar** misplaced; ~ **de temporada** off season

fuerte (*fwayr*-tay) adj powerful, strong; mighty; loud

fuerza (*fwayr*-thah) f force; power, might, energy; strength; ~ **de voluntad** will-power; ~ **motriz** driving force; **fuerzas armadas** military force, armed forces

fugitivo (foo-khee-*tee*-bhoa) m runaway

fumador (foo-mah-*dhoar*) m smoker; **compartimento para fumadores** smoker

fumar (foo-*mahr*) v smoke; **prohibido ~** no smoking

función (foon-*th^yoan*) f function

funcionamiento (foon-th^yoa-nah-*m^yayn*-toa) m working, operation

funcionar (foon-th^yoa-*nahr*) v work, operate

funcionario (foon-th^yoa-nah-r^yoa) m civil servant

funda (*foon*-dah) f sleeve; ~ **de almohada** pillow-case

fundación (foon-dah-*th^yoan*) f foundation

fundamentado (foon-dah-mayn-*tah*-dhoa) adj well-founded

fundamental (foon-dah-mayn-*tahl*) adj fundamental, basic

fundamento (foon-dah-*mayn*-toa) m basis, base

fundar (foon-*dahr*) v found

fundir (foon-*deer*) v melt

funerales (foo-nay-*rah*-layss) mpl funeral

furgoneta (foor-goa-*nay*-tah) f delivery van

furioso (foo-r^yoa-soa) adj furious

furor (foo-*roar*) m anger, rage

fusible (foo-*see*-bhlay) m fuse

fusil (foo-*seel*) m gun

fusión (foo-s^yoan) f merger

fútbol (*foot*-bhoal) m soccer; football

fútil (*foo*-teel) adj petty

futuro (foo-*too*-roa) adj future

G

gabinete (gah-bhee-*nay*-tay) m cabinet

gafas (*gah*-fahss) fpl goggles pl; ~ **de sol** sun-glasses pl

gaitero (gigh-*tay*-roa) adj gay

galería (gah-lay-*ree*-ah) f gallery; ~ **de arte** art gallery

galgo (*gahl*-goa) m greyhound

galope (gah-*loa*-pay) m gallop

galleta (gah-*l^yay*-tah) f biscuit

gallina (gah-*l^yee*-nah) f hen

gallo (*gah*-l^yoa) m cock; ~ **de bosque** grouse

gamba (*gahm*-bah) f prawn

gamuza (gah-*moo*-thah) *f* suede
gana (*gah*-nah) *f* fancy; appetite
ganador (gah-nah-*dhoar*) *adj* winning
ganancia (gah-*nahn*-thᵞah) *f* gain, profit
ganar (gah-*nahr*) *v* gain; *make, earn
ganas (*gah*-nahss) *fpl* desire
gancho (*gahn*-choa) *m* hook
ganga (*gahng*-gah) *f* bargain
garaje (gah-*rah*-khay) *m* garage; **dejar en ~** garage
garante (gah-*rahn*-tay) *m* guarantor
garantía (gah-rahn-*tee*-ah) *f* guarantee
garantizar (gah-rahn-tee-*thahr*) *v* guarantee
garganta (gahr-*gahn*-tah) *f* throat; **dolor de ~** sore throat
garra (*gah*-rrah) *f* claw
garrafa (gah-*rrah*-fah) *f* carafe
garrote (gah-*rroa*-tay) *m* club, cudgel
garza (*gahr*-thah) *f* heron
gas (gahss) *m* gas; **cocina de ~** gas cooker
gasa (*gah*-sah) *f* gauze
gasolina (gah-soa-*lee*-nah) *f* petrol; gasoline *nAm*, gas *nAm*; **~ sin plomo** unleaded petrol; **puesto de ~** petrol station
gastado (gahss-*tah*-dhoa) *adj* worn-out, worn, threadbare
gastar (gahss-*tahr*) *v* *spend; wear out
gasto (*gahss*-toa) *m* expense, expenditure; **gastos de viaje** fare, travelling expenses
gástrico (*gahss*-tree-koa) *adj* gastric
gastrónomo (gahss-*troa*-noa-moa) *m* gourmet
gatear (gah-tay-*ahr*) *v* *creep
gatillo (gah-*tee*-lᵞoa) *m* trigger
gato (*gah*-toa) *m* cat; jack
gaviota (gah-*bhᵞoa*-tah) *f* gull, seagull
gema (*khay*-mah) *f* gem
gemelos (khay-*may*-loass) *mpl* twins

pl; binoculars *pl*; cuff-links *pl*; **~ de campaña** field glasses
***gemir** (khay-*meer*) *v* groan, moan
generación (khay-nay-rah-*thᵞoan*) *f* generation
generador (khay-nay-rah-*dhoar*) *m* generator
general (khay-nay-*rahl*) *adj* general; universal, public, broad; *m* general; **en ~** in general
generalmente (khay-nay-rahl-*mayn*-tay) *adv* mostly, as a rule
generar (khay-nay-*rahr*) *v* generate
género (*khay*-nay-roa) *m* gender; kind
generosidad (khay-nay-roa-see-*dhahdh*) *f* generosity
generoso (khay-nay-*roa*-soa) *adj* generous, liberal
genial (khay-*nᵞahl*) *adj* genial
genio (*khay*-nᵞoa) *m* genius
genital (khay-nee-*tahl*) *adj* genital
gente (*khayn*-tay) *f* folk; people *pl*
gentil (khayn-*teel*) *adj* gentle
genuino (khay-*nwee*-noa) *adj* genuine
geografía (khay-oa-grah-*fee*-ah) *f* geography
geográfico (khay-oa-*grah*-fee-koa) *adj* geographical
geología (khay-oa-loa-*khee*-ah) *f* geology
geometría (khay-oa-may-*tree*-ah) *f* geometry
gerencial (khay-rayn-*thᵞahl*) *adj* administrative
germen (*khayr*-mayn) *m* germ
gesticular (khayss-tee-koo-*lahr*) *v* gesticulate
gestión (khayss-*tᵞoan*) *f* administration, management
gesto (*khayss*-toa) *m* sign
gigante (khee-*gahn*-tay) *m* giant
gigantesco (khee-gahn-*tayss*-koa) *adj* enormous, gigantic
gimnasia (kheem-*nah*-sᵞah) *f* gymnas-

tics *pl*

gimnasio (kheem-*nah*-sᵞoa) *m* gymnasium

gimnasta (kheem-*nahss*-tah) *m* gymnast

ginecólogo (khee-nay-*koa*-loa-goa) *m* gynaecologist

girar (khee-*rahr*) *v* turn

giro (*khee*-roa) *m* draft; ~ **postal** postal order

gitano (khee-*tah*-noa) *m* gipsy

glaciar (glah-*th*ᵞ*ahr*) *m* glacier

glándula (*glahn*-doo-lah) *f* gland

globo (*gloa*-bhoa) *m* globe; balloon

gloria (*gloa*-rᵞah) *f* glory

glorieta (gloa-*r*ᵞ*ay*-tah) *f* roundabout

glosario (gloa-*sah*-rᵞoa) *m* vocabulary

glotón (gloa-*toan*) *adj* greedy

gobernador (goa-bhayr-nah-*dhoar*) *m* governor

gobernante (goa-bhayr-*nahn*-tay) *m* ruler

*__gobernar__ (goa-bhayr-*nahr*) *v* reign, rule

gobierno (goa-*bh*ᵞ*ayr*-noa) *m* government, rule; ~ **de la casa** housekeeping

goce (*goa*-thay) *m* enjoyment

gol (goal) *m* goal

golf (goalf) *m* golf; **campo de** ~ golf-links

golfo (*goal*-foa) *m* gulf

golondrina (goa-loan-*dree*-nah) *f* swallow

golosina (goa-loa-*see*-nah) *f* delicacy; **golosinas** sweets; candy *nAm*

golpe (*goal*-pay) *m* blow; knock, bump; *__dar golpes__ bump

golpear (goal-pay-*ahr*) *v* *beat, knock, *strike; thump, tap

golpecito (goal-pay-*thee*-toa) *m* tap

gollerías (goa-lᵞay-*ree*-ahss) *fpl* delicatessen

goma (*goa*-mah) *f* gum; ~ **de borrar** eraser, rubber; ~ **de mascar** chewing-gum; ~ **espumada** foam-rubber

góndola (*goan*-doa-lah) *f* gondola

gordo (*goar*-dhoa) *adj* big; fat, stout

gorra (*goa*-rrah) *f* cap

gorrión (goa-rrᵞ*oan*) *m* sparrow

gorro (*goa*-rroa) *m* cap; ~ **de baño** bathing-cap

gota (*goa*-tah) *f* drop; gout

gotear (goa-tay-*ahr*) *v* leak

goteo (goa-*tay*-oa) *m* leak

gótico (*goa*-tee-koa) *adj* Gothic

gozar (goa-*thahr*) *v* enjoy

grabación (grah-bhah-*th*ᵞ*oan*) *f* recording

grabado (grah-*bhah*-dhoa) *m* engraving; picture, print

grabador (grah-bhah-*dhoar*) *m* engraver

grabar (grah-*bhahr*) *v* engrave

gracia (*grah*-th*ᵞah*) *f* grace; **de** ~ free, gratis

gracias (*grah*-thᵞahss) thank you

gracioso (grah-*th*ᵞ*oa*-soa) *adj* funny, humorous; graceful

grado (*grah*-dhoa) *m* degree; grade; **a tal** ~ so

gradual (grah-*dhwahl*) *adj* gradual

graduar (grah-*dhwahr*) *v* grade; **graduarse** *v* graduate

gráfico (*grah*-fee-koa) *adj* graphic; *m* graph, chart, diagram

gramática (grah-*mah*-tee-kah) *f* grammar

gramatical (grah-mah-tee-*kahl*) *adj* grammatical

gramo (*grah*-moa) *m* gram

Gran Bretaña (grahn bray-*tah*-ñah) Great Britain

grande (*grahn*-day) *adj* big; great, large, major

grandeza (grahn-*day*-thah) *f* greatness; grandness

grandioso (grahn-*d*ʸ*oa*-soa) *adj* superb, magnificent

granero (grah-*nay*-roa) *m* barn

granito (grah-*nee*-toa) *m* granite

granizo (grah-*nee*-thoa) *m* hail

granja (*grahng*-khah) *f* farm

granjera (grahng-*khay*-rah) *f* farmer's wife

granjero (grahng-*khay*-roa) *m* farmer

grano (*grah*-noa) *m* grain; corn; pimple

grapa (*grah*-pah) *f* clamp; staple

grasa (*grah*-sah) *f* fat, grease; *fMe* shoe polish

grasiento (grah-*s*ʸ*ayn*-toa) *adj* fatty, greasy

graso (*grah*-soa) *adj* fat

grasoso (grah-*soa*-soa) *adj* greasy

gratis (*grah*-teess) *adv* free of charge

gratitud (grah-tee-*toodh*) *f* gratitude

grato (*grah*-toa) *adj* enjoyable

gratuito (grah-*twee*-toa) *adj* gratis, free of charge, free

grava (*grah*-bhah) *f* gravel

grave (*grah*-bhay) *adj* grave; bad

gravedad (grah-bhay-*dhahdh*) *f* gravity

Grecia (*gray*-thʸah) *f* Greece

griego (grʸ*ay*-goa) *adj* Greek; *m* Greek

grieta (grʸ*ay*-tah) *f* cleft, chasm; cave

grifo (*gree*-foa) *m* tap; faucet *nAm*

grillo (*gree*-lʸoa) *m* cricket

gripe (*gree*-pay) *f* influenza, flu

gris (greess) *adj* grey

gritar (gree-*tahr*) *v* cry; yell, scream, shout

grito (*gree*-toa) *m* cry; yell, scream, shout

grosella (groa-*say*-lʸah) *f* currant; ~ **espinosa** gooseberry; ~ **negra** black-currant

grosero (groa-*say*-roa) *adj* gross; coarse, rude, impertinent

grotesco (groa-*tayss*-koa) *adj* ludicrous

grúa (*groo*-ah) *f* crane

gruesa (grway-sah) *f* gross

grueso (grway-soa) *adj* corpulent

grumo (*groo*-moa) *m* lump

* **gruñir** (groo-*ñeer*) *v* growl

grupo (*groo*-poa) *m* group; party, set, bunch

gruta (*groo*-tah) *f* grotto

guante (*gwahn*-tay) *m* glove

guapo (*gwah*-poa) *adj* handsome

guarda (gwahr-dhah) *m* custodian

guardabarros (gwahr-dhah-*bhah*-rroass) *m* mud-guard

guardabosques (gwahr-dhah-*bhoass*-kayss) *m* forester

guardar (gwahr-*dhahr*) *v* *keep, *put away; guard; ~ **con llave** lock up; **guardarse** *v* beware

guardarropa (gwahr-dhah-*rroa*-pah) *m* wardrobe; cloakroom; checkroom *nAm*

guardería (gwahr-dhay-*ree*-ah) *f* nursery

guardia (*gwahr*-dhʸah) *f* guard; *m* policeman; ~ **personal** bodyguard

guardián (gwahr-*dhʸahn*) *m* attendant, warden; caretaker

guateque (gwah-*tay*-kay) *m* party

guerra (*gay*-rrah) *f* war; ~ **mundial** world war

guía (*gee*-ah) *m* guide; *f* guidebook; ~ **telefónica** telephone directory; telephone book *Am*

guiar (gʸahr) *v* guide

guijarro (gee-*khah*-rroa) *m* pebble

guión (gʸoan) *m* dash; hyphen

guisante (gee-*sahn*-tay) *m* pea

guisar (gee-*sahr*) *v* cook

guiso (*gee*-soa) *m* dish

guitarra (gee-*tah*-rrah) *f* guitar

gusano (goo-*sah*-noa) *m* worm

gustar (gooss-*tahr*) *v* care for, like; fancy

gusto (*gooss*-toa) *m* taste; **con mucho ~** gladly

gustosamente (gooss-toa-sah-*mayn*-tay) *adv* willingly, gladly

H

*haber (ah-*bhayr*) *v* *have

hábil (*ah*-bheel) *adj* able, skilful, skilled

habilidad (ah-bhee-lee-*dhahdh*) *f* ability; skill, art

habitable (ah-bhee-*tah*-bhlay) *adj* inhabitable, habitable

habitación (ah-bhee-tah-*thᵞoan*) *f* room; **~ para huéspedes** guestroom

habitante (ah-bhee-*tahn*-tay) *m* inhabitant

habitar (ah-bhee-*tahr*) *v* inhabit

hábito (*ah*-bhee-toa) *m* habit

habitual (ah-bhee-*twahl*) *adj* habitual

habitualmente (ah-bhee-twahl-*mayn*-tay) *adv* usually

habla (*ah*-bhlah) *f* speech

habladuría (ah-bhlah-dhoo-*ree*-ah) *f* rubbish

hablar (ah-*bhlahr*) *v* *speak, talk

*hacer (ah-*thayr*) *v* act; *do; *have, cause to, *make; **hace** ago; ***hacerse** *v* *become; *grow, *go, *get

hacia (*ah*-thᵞah) *prep* at, towards, to; about; **~ abajo** down; **~ adelante** forward; **~ arriba** upwards, up; **~ atrás** backwards

hacienda (ah-*thᵞayn*-dah) *f* estate

hacha (*ah*-chah) *f* axe

hada (*ah*-dhah) *f* fairy; **cuento de hadas** fairytale

halcón (ahl-*koan*) *m* hawk

halibut (ah-lee-*bhoot*) *m* halibut

hallar (ah-*lᵞahr*) *v* *come across

hallazgo (ah-*lᵞahdh*-goa) *m* finding

hamaca (ah-*mah*-kah) *f* hammock

hambre (*ahm*-bray) *f* hunger

hambriento (ahm-*brᵞayn*-toa) *adj* hungry

harina (ah-*ree*-nah) *f* flour

harto de (*ahr*-toa day) fed up with, tired of

hasta (*ahss*-tah) *prep* to, till, until; **~ ahora** so far; **~ que** till

haya (*ah*-ᵞah) *f* beech

hebilla (ay-*bhee*-lᵞah) *f* buckle

hebreo (ay-*bhray*-oa) *m* Hebrew

hechizar (ay-chee-*thahr*) *v* bewitch

hecho (*ay*-choa) *m* fact

*heder (ay-*dhayr*) *v* *smell

hediondo (ay-*dhᵞoan*-doa) *adj* smelly

helado (ay-*lah*-dhoa) *adj* freezing; *m* ice-cream

*helar (ay-*lahr*) *v* *freeze

hélice (*ay*-lee-thay) *f* propeller

hemorragia (ay-moa-*rrah*-khᵞah) *f* haemorrhage; **~ nasal** nosebleed

hemorroides (ay-moa-*rroi*-dhayss) *fpl* haemorrhoids *pl*, piles *pl*

*hender (ayn-*dayr*) *v* *split

hendidura (ayn-dee-*dhoo*-rah) *f* chink, crack

heno (*ay*-noa) *m* hay

heredar (ay-ray-*dhahr*) *v* inherit

hereditario (ay-ray-dhee-*tah*-rᵞoa) *adj* hereditary

herencia (ay-*rayn*-thᵞah) *f* inheritance, legacy

herida (ay-*ree*-dhah) *f* injury, wound

*herir (ay-*reer*) *v* injure, wound

hermana (ayr-*mah*-nah) *f* sister

hermano (ayr-*mah*-noa) *m* brother

hermético (ayr-*may*-tee-koa) *adj* airtight

hermoso (ayr-*moa*-soa) *adj* beautiful

hernia (*ayr*-nᵞah) *f* hernia; **~ intervertebral** slipped disc

héroe (*ay*-roa-ay) *m* hero

heroico (ay-*roi*-koa) *adj* heroic

heroísmo (ay-roa-*eez*-moa) *m* heroism

herradura (ay-rrah-*dhoo*-rah) *f* horse-shoe

herramienta (ay-rrah-*mᵞayn*-tah) *f* tool, utensil, implement; **bolsa de herramientas** tool kit

herrería (ay-rray-*ree*-ah) *f* ironworks

herrero (ay-*rray*-roa) *m* smith, blacksmith

herrumbre (ay-*rroom*-bray) *f* rust

*hervir (ayr-*bheer*) *v* boil

heterosexual (ay-tay-roa-sayk-*swahl*) *adj* heterosexual

hidalgo (ee-*dhahl*-goa) *m* nobleman

hidrógeno (ee-*dhroa*-khay-noa) *m* hydrogen

hiedra (ᵞay-dhrah) *f* ivy

hielo (ᵞay-loa) *m* ice

hierba (ᵞayr-bhah) *f* herb; **brizna de ~** blade of grass; **mala ~** weed

hierro (ᵞay-rroa) *m* iron; **de ~** iron; **~ fundido** cast iron

hígado (*ee*-gah-dhoa) *m* liver

higiene (ee-*khᵞay*-nay) *f* hygiene

higiénico (ee-*khᵞay*-nee-koa) *adj* hygienic; **papel ~** toilet-paper

higo (*ee*-goa) *m* fig

hija (*ee*-khah) *f* daughter

hijastro (ee-*khahss*-troa) *m* stepchild

hijo (*ee*-khoa) *m* son

hilar (ee-*lahr*) *v* *spin

hilo (*ee*-loa) *m* yarn, thread; **~ de zurcir** darning wool

himno (*eem*-noa) *m* hymn; **~ nacional** national anthem

hinchar (een-*chahr*) *v* inflate; **hincharse** *v* *swell

hinchazón (een-chah-*thoan*) *f* swelling

hipo (*ee*-poa) *m* hiccup

hipocresía (ee-poa-kray-*see*-ah) *f* hypocrisy

hipócrita (ee-*poa*-kree-tah) *adj* hypocritical; *m* hypocrite

hipódromo (ee-*poa*-dhroa-moa) *m* race-course

hipoteca (ee-poa-*tay*-kah) *f* mortgage

hispanoamericano (eess-pah-noa-ah-may-ree-*kah*-noa) *adj* Spanish-American

histérico (eess-*tay*-ree-koa) *adj* hysterical

historia (eess-*toa*-rᵞah) *f* history; **~ de amor** love-story; **~ del arte** art history

historiador (eess-toa-rᵞah-*dhoar*) *m* historian

histórico (eess-*toa*-ree-koa) *adj* historical, historic

hocico (oa-*thee*-koa) *m* mouth, snout

hogar (oa-*gahr*) *m* hearth

hoja (*oa*-khah) *f* leaf; sheet; blade; **~ de afeitar** razor-blade; **~ de pedido** order-form; **hojas de oro** gold leaf

¡hola! (*oa*-lah) hello!

Holanda (oa-*lahn*-dah) *f* Holland

holandés (oa-lahn-*dayss*) *adj* Dutch; *m* Dutchman

hombre (*oam*-bray) *m* man

hombro (*oam*-broa) *m* shoulder

homenaje (oa-may-*nah*-khay) *m* tribute, homage

homosexual (oa-moa-sayk-*swahl*) *adj* homosexual

hondo (*oan*-doa) *adj* deep

honesto (oa-*nayss*-toa) *adj* honest; honourable, straight

hongo (*oang*-goa) *m* mushroom; toadstool

honor (oa-*noar*) *m* honour; glory

honorable (oa-noa-*rah*-bhlay) *adj* honourable

honorarios (oa-noa-*rah*-rᵞoass) *mpl* fee

honra (*oan*-rrah) *f* honour

honradez (oan-rah-*dhayth*) *f* honesty

honrado (oan-*rrah*-dhoa) *adj* honest

honrar (oan-*rahr*) *v* honour

hora (*oa*-rah) *f* hour; ~ **de afluencia** rush-hour; ~ **de llegada** time of arrival; ~ **de salida** time of departure; ~ **punta** peak hour; **horas de consulta** consultation hours; **horas de oficina** office hours, business hours; **horas de visita** visiting hours; **horas hábiles** business hours

horario (oa-*rah*-rᵛoa) *m* schedule; timetable; ~ **de verano** summer time

horca (*oar*-kah) *f* gallows *pl*

horizontal (oa-ree-thoan-*tahl*) *adj* horizontal

horizonte (oa-ree-*thoan*-tay) *m* horizon

hormiga (oar-*mee*-gah) *f* ant

hormigón (oar-mee-*goan*) *m* concrete

hornear (oar-nay-*ahr*) *v* bake

horno (*oar*-noa) *m* oven; furnace; ~ **de microonda** microwave oven

horquilla (oar-*kee*-lᵛah) *f* hairpin, hair-grip; bobby pin *Am*

horrible (oa-*rree*-bhlay) *adj* horrible; hideous

horror (oa-*rroar*) *m* horror

horticultura (oar-tee-kool-*too*-rah) *f* horticulture

hospedar (oass-pay-*dhahr*) *v* entertain; **hospedarse** *v* stay

hospedería (oass-pay-dhay-*ree*-ah) *f* hostel

hospicio (oass-*pee*-thᵛoa) *m* home

hospital (oass-pee-*tahl*) *m* hospital

hospitalario (oass-pee-tah-*lah*-rᵛoa) *adj* hospitable

hospitalidad (oass-pee-tah-lee-*dhahdh*) *f* hospitality

hostil (oass-*teel*) *adj* hostile

hotel (oa-*tayl*) *m* hotel

hoy (oi) *adv* today; ~ **en día** nowadays

hoyo (*oa*-ᵛoa) *m* pit

hueco (*way*-koa) *adj* hollow; *m* gap

huelga (*wayl*-gah) *f* strike; ***estar en ~ ***strike

huella (*way*-lᵛah) *f* trace

huérfano (*wayr*-fah-noa) *m* orphan

huerto (*wayr*-toa) *m* kitchen garden

hueso (*way*-soa) *m* bone; stone

huésped (*wayss*-paydh) *m* guest; lodger, boarder

hueva (*way*-bhah) *f* roe

huevera (way-*bhay*-rah) *f* egg-cup

huevo (*way*-bhoa) *m* egg; **yema de** ~ egg-yolk

*****huir** (weer) *v* escape

hule (*oo*-lay) *m*/*Me* rubber

humanidad (oo-mah-nee-*dhahdh*) *f* humanity, mankind

humano (oo-*mah*-noa) *adj* human

humedad (oo-may-*dhahdh*) *f* moisture, humidity, damp

*****humedecer** (oo-may-dhay-*thayr*) *v* moisten, damp

húmedo (*oo*-may-dhoa) *adj* moist, humid, damp; wet

humilde (oo-*meel*-day) *adj* humble

humo (*oo*-moa) *m* smoke

humor (oo-*moar*) *m* spirit, mood; humour; **de buen** ~ good-tempered, good-humoured

humorístico (oo-moa-*reess*-tee-koa) *adj* humorous

hundimiento (oon-dee-mᵛ*ayn*-toa) *m* ruination

hundirse (oon-*deer*-say) *v* ***sink

húngaro (*oong*-gah-roa) *adj* Hungarian; *m* Hungarian

Hungría (oong-*gree*-ah) *f* Hungary

huracán (oo-rah-*kahn*) *m* hurricane

hurtar (oor-*tahr*) *v* ***steal

hurto (*oor*-toa) *m* theft

husmear (oos-may-*ahr*) *v* scent, ***get wind of

I

ibérico (ee-*bay*-ree-koa) *adj* Iberian
icono (ee-*koa*-noa) *m* icon
ictericia (eek-tay-*ree*-th^yah) *f* jaundice
idea (ee-*dhay*-ah) *f* idea
ideal (ee-dhay-*ahl*) *adj* ideal; *m* ideal
idear (ee-dhay-*ahr*) *v* devise
idéntico (ee-*dhayn*-tee-koa) *adj* identical
identidad (ee-dhayn-tee-*dhahdh*) *f* identity; **carnet de ~** identity card
identificación (ee-dhayn-tee-fee-kah-th^yoan) *f* identification
identificar (ee-dhayn-tee-fee-*kahr*) *v* identify
idioma (ee-*dh^yoa*-mah) *m* language
idiomático (ee-dh^yoa-*mah*-tee-koa) *adj* idiomatic
idiota (ee-*dh^yoa*-tah) *adj* idiotic; *m* idiot, fool
ídolo (ee-dhoa-loa) *m* idol
iglesia (ee-*glay*-s^yah) *f* chapel, church
ignorancia (eeg-noa-*rahn*-th^yah) *f* ignorance
ignorante (eeg-noa-*rahn*-tay) *adj* ignorant
ignorar (eeg-noa-*rahr*) *v* ignore
igual (ee-*gwahl*) *adj* equal, alike; level, even; **sin ~** unsurpassed
igualar (ee-gwah-*lahr*) *v* level, equalize; equal
igualdad (ee-gwahl-*dahdh*) *f* equality
igualmente (ee-gwahl-*mayn*-tay) *adv* alike; equally
ilegal (ee-lay-*gahl*) *adj* illegal, unlawful
ilegible (ee-lay-*khee*-bhlay) *adj* illegible
ileso (ee-*lay*-soa) *adj* unhurt
ilimitado (ee-lee-mee-*tah*-dhoa) *adj* unlimited

iluminación (ee-loo-mee-nah-*th^yoan*) *f* illumination
iluminar (ee-loo-mee-*nahr*) *v* illuminate
ilusión (ee-loo-s^yoan) *f* illusion
ilustración (ee-looss-trah-*th^yoan*) *f* illustration; picture
ilustrar (ee-looss-*trahr*) *v* illustrate
ilustre (ee-*looss*-tray) *adj* illustrious
imagen (ee-*mah*-khayn) *f* image, picture; **~ reflejada** reflection
imaginación (ee-mah-khee-nah-*th^yoan*) *f* fancy, imagination
imaginar (ee-mah-khee-*nahr*) *v* conceive; **imaginarse** *v* fancy, imagine
imaginario (ee-mah-khee-*nah*-r^yoa) *adj* imaginary
imitación (ee-mee-tah-*th^yoan*) *f* imitation
imitar (ee-mee-*tahr*) *v* imitate, copy
impaciente (eem-pah-*th^yayn*-tay) *adj* eager, impatient
impar (eem-*pahr*) *adj* odd
imparcial (eem-pahr-*th^yahl*) *adj* impartial
impecable (eem-pay-*kah*-bhlay) *adj* faultless
impedimento (eem-pay-dhee-*mayn*-toa) *m* impediment
*__impedir__ (eem-pay-*dheer*) *v* hinder, impede; restrain, prevent
impeler (eem-pay-*layr*) *v* propel
imperdible (eem-payr-*dhee*-bhlay) *m* safety-pin
imperfección (eem-payr-fayk-*th^yoan*) *f* fault
imperfecto (eem-payr-*fayk*-toa) *adj* imperfect
imperial (eem-pay-*r^yahl*) *adj* imperial
imperio (eem-*pay*-r^yoa) *m* empire
impermeable (eem-payr-may-ah-bhlay) *adj* waterproof, rainproof; *m* raincoat, mackintosh
impersonal (eem-payr-soa-*nahl*) *adj*

impersonal

impertinencia (eem-payr-tee-*nayn*-th^yah) *f* impertinence

impertinente (eem-payr-tee-*nayn*-tay) *adj* bold, impertinent

impetuoso (eem-pay-*twoa*-soa) *adj* violent

implicar (eem-plee-*kahr*) *v* imply; **implicado** involved

imponente (eem-poa-*nayn*-tay) *adj* grand, imposing

imponible (eem-poa-*nee*-bhlay) *adj* dutiable

impopular (eem-poa-poo-*lahr*) *adj* unpopular

importación (eem-poar-tah-*th^yoan*) *f* import

importador (eem-poar-tah-*dhoar*) *m* importer

importancia (eem-poar-*tahn*-th^yah) *f* importance; ***tener ~** matter

importante (eem-poar-*tahn*-tay) *adj* important; considerable, capital, big

importar (eem-poar-*tahr*) *v* import

importuno (eem-poar-*too*-noa) *adj* annoying

imposible (eem-poa-*see*-bhlay) *adj* impossible

impotencia (eem-poa-*tayn*-th^yah) *f* impotence

impotente (eem-poa-*tayn*-tay) *adj* powerless; impotent

impresión (eem-pray-*s^yoan*) *f* impression; **~ digital** fingerprint

impresionante (eem-pray-s^yoa-*nahn*-tay) *adj* impressive; striking

impresionar (eem-pray-s^yoa-*nahr*) *v* *strike, impress

impreso (eem-*pray*-soa) *m* printed matter

imprevisto (eem-pray-*bheess*-toa) *adj* unexpected, incidental

*imprimir (eem-pree-*meer*) *v* print

improbable (eem-proa-*bhah*-bhlay) *adj* unlikely, improbable

ímprobo (*eem*-proa-bhoa) *adj* unfair, dishonest

impropio (eem-*proa*-p^yoa) *adj* improper; wrong

improvisar (eem-proa-bhee-*sahr*) *v* improvise

imprudente (eem-proo-*dhayn*-tay) *adj* unwise

impudente (eem-poo-*dhayn*-tay) *adj* impudent

impuesto (eem-*pwayss*-toa) *m* taxation, tax; Customs duty; **~ de aduana** Customs duty; **impuestos de importación** import duty; **libre de impuestos** tax-free

impulsivo (eem-pool-*see*-bhoa) *adj* impulsive

impulso (eem-*pool*-soa) *m* urge, impulse

inaccesible (ee-nahk-thay-*see*-bhlay) *adj* inaccessible

inaceptable (ee-nah-thayp-*tah*-bhlay) *adj* unacceptable

inadecuado (ee-nah-dhay-*kwah*-dhoa) *adj* inadequate; unfit, unsuitable

inapreciable (ee-nah-pray-*th^yah*-bhlay) *adj* priceless

incapaz (eeng-kah-*pahth*) *adj* unable, incapable

incendio (een-*thayn*-d^yoa) *m* fire

incidente (een-thee-*dhayn*-tay) *m* incident

incienso (een-*th^yayn*-soa) *m* incense

incierto (een-*th^yayr*-toa) *adj* uncertain

incineración (een-thee-nay-rah-*th^yoan*) *f* cremation

incinerar (een-thee-nay-*rahr*) *v* cremate

incisión (een-thee-*s^yoan*) *f* cut

incitar (een-thee-*tahr*) *v* incite

inclinación (eeng-klee-nah-*th^yoan*) *f* tendency, inclination; incline

inclinar (eeng-klee-*nahr*) v bow; **inclinado** inclined; sloping, slanting; **inclinarse** v *be inclined to; slope, slant

***incluir** (eeng-*klweer*) v include; enclose; count; **todo incluido** all in

incluso (eeng-*kloo*-soa) adj inclusive, included

incombustible (eeng-koam-booss-*tee*-bhlay) adj fireproof

incomible (eeng-koa-*mee*-bhlay) adj inedible

incomodidad (eeng-koa-moa-dhee-*dhahdh*) f inconvenience

incómodo (eeng-*koa*-moa-dhoa) adj uncomfortable

incompetente (eeng-koam-pay-*tayn*-tay) adj incompetent; unqualified

incompleto (eeng-koam-*play*-toa) adj incomplete

inconcebible (eeng-koan-thay-*bhee*-bhlay) adj inconceivable

incondicional (eeng-koan-dee-th Υoa-nahl) adj unconditional

inconsciente (eeng-koan-th Υayn-tay) adj unaware; unconscious

inconveniencia (eeng-koam-bay-n Υayn-th Υah) f inconvenience

incorrecto (eeng-koa-*rrayk*-toa) adj incorrect

increíble (eeng-kray-*ee*-bhlay) adj incredible

incrementar (eeng-kray-mayn-*tahr*) v increase

inculto (eeng-*kool*-toa) adj uncultivated; uneducated

incurable (eeng-koo-*rah*-bhlay) adj incurable

indagación (een-dah-gah-th Υoan) f inquiry

indagar (een-dah-*gahr*) v query

indecente (een-day-*thayn*-tay) adj indecent

indefenso (een-day-*fayn*-soa) adj un-

protected

indefinido (een-day-fee-*nee*-dhoa) adj indefinite

indemnización (een-daym-nee-thah-th Υoan) f compensation, indemnity

independencia (een-day-payn-*dayn*-th Υah) f independence

independiente (een-day-payn-d Υayn-tay) adj self-employed, independent

indeseable (een-day-say-*ah*-bhlay) adj undesirable

India (*een*-d Υah) f India

indicación (een-dee-kah-th Υoan) f indication

indicador (een-dee-kah-*dhoar*) m trafficator, indicator

indicar (een-dee-*kahr*) v indicate; declare

indicativo (een-dee-kah-*tee*-bhoa) m area code

índice (*een*-dee-thay) m index, table of contents; index finger

indiferencia (een-dee-fay-*rayn*-th Υah) f indifference

indiferente (een-dee-fay-*rayn*-tay) adj indifferent; careless

indígena (een-*dee*-khay-nah) m native

indigestión (een-dee-khayss-t Υoan) f indigestion

indignación (een-deeg-nah-th Υoan) f indignation

indio (*een*-d Υoa) adj Indian; m Indian

indirecto (een-dee-*rayk*-toa) adj indirect

indispensable (een-deess-payn-*sah*-bhlay) adj essential

indispuesto (een-deess-*pwayss*-toa) adj unwell

individual (een-dee-bhee-*dhwahl*) adj individual

individuo (een-dee-*bhee*-dhwoa) m individual

Indonesia (een-doa-*nay*-s Υah) f Indonesia

indonesio (een-doa-*nay*-sʸoa) *adj* Indonesian; *m* Indonesian

indudable (een-doo-*dhah*-bhlay) *adj* undoubted

indulto (een-*dool*-toa) *m* pardon

industria (een-*dooss*-trʸah) *f* industry; ingenuity

ineficiente (ee-nay-fee-*thʸayn*-tay) *adj* inefficient

inerte (ee-*nayr*-tay) *adj* limp

inesperado (ee-nayss-pay-*rah*-dhoa) *adj* unexpected

inestable (ee-nayss-*tah*-bhlay) *adj* unsteady, unstable

inevitable (ee-nay-bhee-*tah*-bhlay) *adj* unavoidable, inevitable

inexacto (ee-nayk-*sahk*-toa) *adj* incorrect, inaccurate; false

inexperto (ee-nayks-*payr*-toa) *adj* inexperienced

inexplicable (ee-nayks-plee-*kah*-bhlay) *adj* unaccountable

infancia (een-*fahn*-thʸah) *f* infancy

infantería (een-fahn-tay-*ree*-ah) *f* infantry

infantil (een-fahn-*teel*) *adj* childlike

infección (een-fayk-*thʸoan*) *f* infection

infectar (een-fayk-*tahr*) *v* infect; **infectarse** *v* *become septic

inferior (een-fay-*rʸoar*) *adj* inferior; bottom

infiel (een-*fʸayl*) *adj* unfaithful

infierno (een-*fʸayr*-noa) *m* hell

infinidad (een-fee-nee-*dhahdh*) *f* infinity

infinitivo (een-fee-nee-*tee*-bhoa) *m* infinitive

infinito (een-fee-*nee*-toa) *adj* endless, infinite

inflable (een-*flah*-bhlay) *adj* inflatable

inflación (een-flah-*thʸoan*) *f* inflation

inflamable (een-flah-*mah*-bhlay) *adj* inflammable

inflamación (een-flah-mah-*thʸoan*) *f* inflammation

influencia (een-*flwayn*-thʸah) *f* influence

***influir** (een-*flweer*) *v* influence

influjo (een-*floo*-khoa) *m* influence

influyente (een-floo-ʸayn-tay) *adj* influential

información (een-foar-mah-*thʸoan*) *f* enquiry, information; **oficina de informaciones** inquiry office

informal (een-foar-*mahl*) *adj* informal; casual

informar (een-foar-*mahr*) *v* report, inform; plead; **informarse** *v* inquire

informe (een-*foar*-may) *m* report; **informes** *mpl* information; ***pedir informes** inquire

infortunio (een-foar-*too*-nʸoa) *m* misfortune

infrarrojo (een-frah-*rroa*-khoa) *adj* infra-red

infrecuente (een-fray-*kwayn*-tay) *adj* infrequent

infringir (een-freeng-*kheer*) *v* trespass

ingeniero (eeng-khay-*nʸay*-roa) *m* engineer

ingenioso (eeng-khay-*nʸoa*-soa) *adj* ingenious

ingenuo (eeng-*khay*-nwoa) *adj* naïve; simple

Inglaterra (eeng-glah-*tay*-rrah) *f* England; Britain

ingle (*eeng*-glay) *f* groin

inglés (eeng-*glayss*) *adj* English; *m* Englishman; Briton

ingrato (eeng-*grah*-toa) *adj* ungrateful

ingrediente (eeng-gray-*dhʸayn*-tay) *m* ingredient

ingresar (eeng-gray-*sahr*) *v* deposit

ingreso (eeng*gray*-soa) *m* entry

ingresos (eeng-*gray*-soass) *mpl* revenue, earnings *pl*, income; **impuesto sobre los ~** income-tax

inhabitable (ee-nah-bhee-*tah*-bhlay) *adj* uninhabitable

inhabitado (ee-nah-bhee-*tah*-dhoa) *adj* uninhabited

inhalar (ee-nah-*lahr*) *v* inhale

inicial (ee-nee-*th*ʸ*ahl*) *adj* initial; *f* initial

iniciar (ee-nee-*th*ʸ*ahr*) *v* initiate

iniciativa (ee-nee-th*ʸ*ah-*tee*-bhah) *f* initiative

ininterrumpido (ee-neen-tay-rroom-*pee*-dhoa) *adj* continuous

injusticia (eeng-khooss-*tee*-th*ʸ*ah) *f* injustice

injusto (eeng-*khooss*-toa) *adj* unfair, unjust

inmaculado (een-mah-koo-*lah*-dhoa) *adj* stainless, spotless

inmediatamente (een-may-dh*ʸ*ah-tah-*mayn*-tay) *adv* instantly, immediately

inmediato (een-may-*dh*ʸ*ah*-toa) *adj* immediate, prompt; **de ~** immediately

inmenso (een-*mayn*-soa) *adj* immense

inmerecido (een-may-ray-*thee*-dhoa) *adj* unearned

inmigración (een-mee-grah-*th*ʸ*oan*) *f* immigration

inmigrante (een-mee-*grahn*-tay) *m* immigrant

inmigrar (een-mee-*grahr*) *v* immigrate

inmodesto (een-moa-*dhayss*-toa) *adj* immodest

inmueble (een-*mway*-bhlay) *m* house

inmundo (een-*moon*-doa) *adj* filthy

inmunidad (een-moo-nee-*dhahdh*) *f* immunity

inmunizar (een-moo-nee-*thahr*) *v* immunize

innato (een-*nah*-toa) *adj* natural

innecesario (een-nay-thay-*sah*-r*ʸ*oa) *adj* unnecessary

innumerable (een-noo-may-*rah*-bhlay) *adj* innumerable

inocencia (ee-noa-*thayn*-th*ʸ*ah) *f* innocence

inocente (ee-noa-*thayn*-tay) *adj* innocent

inoculación (ee-noa-koo-lah-*th*ʸ*oan*) *f* inoculation

inocuo (ee-*noa*-kwoa) *adj* harmless

inoportuno (ee-noa-poar-*too*-noa) *adj* inconvenient; misplaced

inquietarse (eeng-k*ʸ*ay-*tahr*-say) *v* worry

inquieto (een-*k*ʸ*ay*-toa) *adj* restless; uneasy, worried

inquietud (eeng-k*ʸ*ay-*toodh*) *f* unrest; worry

inquilino (eeng-kee-*lee*-noa) *m* tenant

insalubre (een-sah-*loo*-bhray) *adj* unhealthy

insatisfecho (een-sah-teess-*fay*-choa) *adj* dissatisfied

inscribir (eens-kree-*bheer*) *v* enter, book, list; **inscribirse** *v* register, check in

inscripción (eens-kreep-*th*ʸ*oan*) *f* inscription; registration

insecticida (een-sayk-tee-*thee*-dhah) *m* insecticide

insectífugo (een-sayk-*tee*-foo-goa) *m* insect repellent

insecto (een-*sayk*-toa) *m* insect; bug *nAm*

inseguro (een-say-*goo*-roa) *adj* unsafe; doubtful

insensato (een-sayn-*sah*-toa) *adj* senseless

insensible (een-sayn-*see*-bhlay) *adj* insensitive; heartless

insertar (een-sayr-*tahr*) *v* insert

insignificante (een-seeg-nee-fee-*kahn*-tay) *adj* unimportant, petty, insignificant

insípido (een-*see*-pee-dhoa) *adj* tasteless

insistir (een-seess-*teer*) *v* insist

insolación (een-soa-lah-*th*ᵞ*oan*) *f* sunstroke

insolencia (een-soa-*layn*-th*ᵞ*ah) *f* insolence

insolente (een-soa-*layn*-tay) *adj* insolent

insólito (een-*soa*-lee-toa) *adj* uncommon, unusual

insomnio (een-*soam*-n*ᵞ*oa) *m* insomnia

insonorizado (een-soa-noa-ree-*thah-dhoa*) *adj* soundproof

insoportable (een-soa-poar-*tah*-bhlay) *adj* intolerable

inspección (eens-payk-*th*ᵞ*oan*) *f* inspection; ~ **de pasaportes** passport control

inspeccionar (eens-payk-th*ᵞ*oa-*nahr*) *v* inspect

inspector (eens-payk-*toar*) *m* inspector

inspirar (een-spee-*rahr*) *v* inspire

instalación (eens-tah-lah-*th*ᵞ*oan*) *f* installation; plant

instalar (eens-tah-*lahr*) *v* install; furnish

instantánea (eens-tahn-*tah*-nay-ah) *f* snapshot

instantáneamente (eens-tahn-tah-nay-ah-*mayn*-tay) *adv* instantly

instante (eens-*tahn*-tay) *m* instant; second; **al** ~ instantly

instinto (een-*steen*-toa) *m* instinct

institución (eens-tee-too-*th*ᵞ*oan*) *f* institution, institute

*instituir (eens-tee-*tweer*) *v* institute

instituto (eens-tee-*too*-toa) *m* institution, institute

institutor (eens-tee-too-*toar*) *m* teacher

instrucción (eens-trook-*th*ᵞ*oan*) *f* instruction; direction

instructivo (eens-trook-*tee*-bhoa) *adj* instructive

instructor (eens-trook-*toar*) *m* instructor

*instruir (eens-*trweer*) *v* instruct

instrumento (eens-troo-*mayn*-toa) *m* instrument; ~ **músico** musical instrument

insuficiente (een-soo-fee-*th*ᵞ*ayn*-tay) *adj* insufficient

insufrible (een-soo-*free*-bhlay) *adj* unbearable

insultante (een-sool-*tahn*-tay) *adj* offensive

insultar (een-sool-*tahr*) *v* insult; scold, call names

insulto (een-*sool*-toa) *m* insult

intacto (een-*tahk*-toa) *adj* intact; unbroken, whole

integral (een-tay-*grahl*) *adj* integral

integrar (een-tay-*grahr*) *v* integrate

intelecto (een-tay-*layk*-toa) *m* intellect

intelectual (een-tay-layk-*twahl*) *adj* intellectual

inteligencia (een-tay-lee-*khayn*-th*ᵞ*ah) *f* intelligence, brain

inteligente (een-tay-lee-*khayn*-tay) *adj* intelligent; clever, smart

intención (een-tayn-*th*ᵞ*oan*) *f* intention, purpose; *tener la ~ de intend

intencionado (een-tayn-th*ᵞ*oa-*nah-dhoa*) *adj* on purpose

intencional (een-tayn-th*ᵞ*oa-*nahl*) *adj* intentional

intensidad (een-tayn-see-*dhahdh*) *f* intensity

intenso (een-*tayn*-soa) *adj* intense

intentar (een-tayn-*tahr*) *v* attempt, try; intend

intercambiar (een-tayr-kahm-*b*ᵞ*ahr*) *v* exchange

interés (een-tay-*rayss*) *m* interest

interesado (een-tay-ray-*sah-dhoa*) *adj* interested; concerned; *m* candidate

interesante (een-tay-ray-*sahn*-tay) *adj*

interesting

interesar (een-tay-ray-*sahr*) v interest

interferencia (een-tayr-fay-*rayn*-th^yah) f interference

interferir (een-tayr-fay-*reer*) v interfere

ínterin (*een*-tay-reen) m interim

interior (een-tay-r^yoar) adj inside, inner; domestic; m interior, inside

intermediario (een-tayr-may-*dh^yah*-r^yoa) m intermediary

intermedio (een-tayr-*may*-dh^yoa) m interlude

internacional (een-tayr-nah-th^yoa-*nahl*) adj international

internado (een-tayr-*nah*-dhoa) m boarding-school

interno (een-*tayr*-noa) adj internal; resident

interpretar (een-tayr-pray-*tahr*) v interpret

intérprete (een-*tayr*-pray-tay) m interpreter

interrogar (een-tay-rroa-*gahr*) v interrogate

interrogativo (een-tay-rroa-gah-*tee*-bhoa) adj interrogative

interrogatorio (een-tay-rroa-gah-*toa*-r^yoa) m interrogation, examination

interrumpir (een-tay-rroom-*peer*) v interrupt

interrupción (een-tay-rroop-*th^yoan*) f interruption

interruptor (een-tay-rroop-*toar*) m switch

intersección (een-tayr-sayk-*th^yoan*) f intersection

intervalo (een-tayr-*bhah*-loa) m interval

intervención (een-tayr-bhayn-*th^yoan*) f intervention

*intervenir (een-tayr-bhay-*neer*) v intervene

intestino (een-tayss-*tee*-noa) m intestine, gut; ~ **recto** rectum; **intesti-**

nos intestines pl, bowels pl

intimidad (een-tee-mee-*dhahdh*) f privacy

íntimo (*een*-tee-moa) adj intimate; cosy

intoxicación alimentaria (een-toak-see-kah-*th^yoan* ah-lee-mayn-tah-r^yah) food poisoning

intransitable (een-trahn-see-*tah*-bhlay) adj impassable

intriga (een-*tree*-gah) f intrigue

introducción (een-troa-dhook-*th^yoan*) f introduction

*introducir (een-troa-dhoo-*theer*) v introduce; *bring up

intruso (een-*troo*-soa) m trespasser

inundación (ee-noon-dah-*th^yoan*) f flood

inusitado (ee-noo-see-*tah*-dhoa) adj unusual

inútil (ee-*noo*-teel) adj useless

inútilmente (ee-noo-teel-*mayn*-tay) adv in vain

invadir (eem-bah-*dheer*) v invade

inválido (eem-*bah*-lee-dhoa) adj invalid, disabled; m invalid

invasión (eem-bah-s^yoan) f invasion

invención (eem-bayn-*th^yoan*) f invention

inventar (eem-bayn-*tahr*) v invent

inventario (eem-bayn-tah-r^yoa) m inventory

inventivo (eem-bayn-*tee*-bhoa) adj inventive

inventor (eem-bayn-*toar*) m inventor

invernáculo (eem-bayr-*nah* koo-loa) m greenhouse

invernadero (eem-bayr-nah-*dhay*-roa) m greenhouse

inversión (eem-bayr-s^yoan) f investment

inversionista (eem-bayr-s^yoa-*neess*-tah) m investor

inverso (eem-*bayr*-soa) adj reverse

*invertir (eem-bayr-*teer*) *v* invert; invest

investigación (eem-bayss-tee-gah-*th^yoan*) *f* research; investigation, enquiry

investigador (eem-bhayss-tee-gah-*dhoar*) *m* research worker

investigar (eem-bayss-tee-*gahr*) *v* investigate, enquire

invierno (eem-b^yayr-noa) *m* winter; **deportes de ~** winter sports

invisible (eem-bee-*see*-bhlay) *adj* invisible

invitación (eem-bee-tah-*th^yoan*) *f* invitation

invitado (eem-bee-*tah*-dhoa) *m* guest

invitar (eem-bee-*tahr*) *v* invite; ask

inyección (een-^yayk-*th^yoan*) *f* shot, injection

inyectar (een-^yayk-*tahr*) *v* inject

*ir (eer) *v* *go; **~ por** fetch; ***irse** *v* *go away

Irak (ee-*rahk*) *m* Iraq

Irán (ee-*rahn*) *m* Iran

iraní (ee-rah-*nee*) *adj* Iranian; *m* Iranian

iraquí (ee-rah-*kee*) *adj* Iraqi; *m* Iraqi

irascible (ee-rahss-*thee*-bhlay) *adj* irascible, quick-tempered

Irlanda (eer-*lahn*-dah) *f* Ireland

irlandés (eer-lahn-*dayss*) *adj* Irish; *m* Irishman

ironía (ee-roa-*nee*-ah) *f* irony

irónico (ee-*roa*-nee-koa) *adj* ironical

irrazonable (ee-rrah-thoa-*nah*-bhlay) *adj* unreasonable

irreal (ee-rray-*ahl*) *adj* unreal

irreflexivo (ee-rray-flayk-*see*-bhoa) *adj* rash

irregular (ee-rray-goo-*lahr*) *adj* irregular; uneven

irrelevante (ee-rray-lay-*bhahn*-tay) *adj* insignificant

irreparable (ee-rray-pah-*rah*-bhlay) *adj* irreparable

irrevocable (ee-rray-bhoa-*kah*-bhlay) *adj* irrevocable

irritable (ee-rree-*tah*-bhlay) *adj* irritable

irritante (ee-rree-*tahn*-tay) *adj* annoying

irritar (ee-rree-*tahr*) *v* annoy, irritate

irrompible (ee-rroam-*pee*-bhlay) *adj* unbreakable

irrupción (ee-rroop-*th^yoan*) *f* invasion, raid

isla (*eez*-lah) *f* island

islandés (eez-lahn-*dayss*) *adj* Icelandic; *m* Icelander

Islandia (eez-*lahn*-d^yah) *f* Iceland

Israel (eess-rah-*ayl*) *m* Israel

israelí (eess-rah-ay-*lee*) *adj* Israeli; *m* Israeli

istmo (*eest*-moa) *m* isthmus

Italia (ee-*tah*-l^yah) *f* Italy

italiano (ee-tah-*l^yah*-noa) *adj* Italian; *m* Italian

ítem (*ee*-taym) *m* item

itinerario (ee-tee-nay-*rah*-r^yoa) *m* itinerary

izar (ee-*thahr*) *v* hoist

izquierdo (eeth-*k^yayr*-dhoa) *adj* left; left-hand

J

jabón (khah-*bhoan*) *m* soap; **~ de afeitar** shaving-soap; **~ en polvo** soap powder, washing-powder

jade (*khah*-dhay) *m* jade

jadear (khah-dhay-*ahr*) *v* pant

jalar (khah-*lahr*) *vMe* *draw

jalea (khah-*lay*-ah) *f* jelly

jamás (khah-*mahss*) *adv* ever

jamón (khah-*moan*) *m* ham

Japón (khah-*poan*) *m* Japan

japonés (khah-poa-*nayss*) *adj* Japanese; *m* Japanese
¡jaque! (*khah*-kay) check!
jarabe (khah-*rah*-bhay) *m* syrup
jardín (khahr-*dheen*) *m* garden; ~ **de infancia** kindergarten; ~ **público** public garden; ~ **zoológico** zoological gardens, zoo
jardinero (khahr-dhee-*nay*-roa) *m* gardener
jarra (*khah*-rrah) *f* jar
jaula (*khou*-lah) *f* cage
jefe (*khay*-fay) *m* chief, manager, boss; leader; chieftain; ~ **de cocina** chef; ~ **de estación** stationmaster; ~ **de Estado** head of state; ~ **de gobierno** premier
jengibre (khayng-*khee*-bhray) *m* ginger
jerarquía (khay-rahr-*kee*-ah) *f* hierarchy
jeringa (khay-*reeng*-gah) *f* syringe
jersey (khayr-*say*) *m* jersey; jumper
jinete (khee-*nay*-tay) *m* horseman, rider
jitomate (khee-toa-*mah*-tay) *mMe* tomato
Jordania (khoar-*dhah*-nʸah) *f* Jordan
jordano (khoar-*dhah*-noa) *adj* Jordanian; *m* Jordanian
jornada (khoar-*nah*-dhah) *f* day trip
joven (*khoa*-bhayn) *adj* young; *m* lad
jovencito (khoa-bhayn-*thee*-toa) *m* teenager
jovial (khoa-*bhʸahl*) *adj* jolly
joya (*khoa*-ʸah) *f* jewel, gem
joyería (khoa-ʸay-*ree*-ah) *f* jewellery
joyero (khoa-*ʸay*-roa) *m* jeweller
jubilado (khoo-bhee-*lah*-dhoa) *adj* retired
judía (khoo-*dhee*-ah) *f* bean
judío (khoo-*dhee*-oa) *adj* Jewish; *m* Jew
juego (*khway*-goa) *m* game, play; set; ***hacer** ~ **con** match; ~ **de bolos**

bowling; ~ **de damas** draughts; ~ **de té** tea-set; ~ **electrónico** electronic game
jueves (*khway*-bhayss) *m* Thursday
juez (khwayth) *m* judge
jugada (khoo-*gah*-dhah) *f* move
jugador (khoo-gah-*dhoar*) *m* player
***jugar** (khoo-*gahr*) *v* play
juguete (khoo-*gay*-tay) *m* toy
juguetería (khoo-gay-tay-*ree*-ah) *f* toyshop
juicio (*khwee*-thʸoa) *m* sense; judgment
julio (*khoo*-lʸoa) July
junco (*khoong*-koa) *m* rush
jungla (*khoong*-glah) *f* jungle
junio (*khoo*-nʸoa) June
junquillo (khoong-*kee*-lʸoa) *m* reed
junta (*khoon*-tah) *f* meeting
juntamente (khoon-tah-*mayn*-tay) *adv* jointly
juntar (khoon-*tahr*) *v* attach; collect; join; **juntarse** *v* gather
junto a (*khoon*-toa ah) beside; next to
juntos (*khoon*-toass) *adv* together
jurado (khoo-*rah*-dhoa) *m* jury
juramento (khoo-rah-*mayn*-toa) *m* vow, oath; **prestar** ~ vow
jurar (khoo-*rahr*) *v* *swear
jurídico (khoo-*ree*-dhee-koa) *adj* legal
jurista (khoo-*reess*-tah) *m* lawyer
justamente (khooss-tah-*mayn*-tay) *adv* rightly; just
justicia (khooss-*tee*-thʸah) *f* justice
justificar (khooss-tee-fee-*kahr*) *v* justify
justo (*khooss*-toa) *adj* fair, just, righteous, right; correct, appropriate, proper
juvenil (khoo-bhay-*neel*) *adj* juvenile
juventud (khoo-bhayn-*toodh*) *f* youth
juzgar (khoodh-*gahr*) *v* judge

K

Kenya (*kay*-nᵛah) *m* Kenya
kilogramo (kee-loa-*grah*-moa) *m* kilogram
kilometraje (kee-loa-may-*trah*-khay) *m* distance in kilometres
kilómetro (kee-*loa*-may-troa) *m* kilometre

L

la (lah) *pron* her
laberinto (lah-bhay-*reen*-toa) *m* maze, labyrinth
labio (*lah*-bhᵛoa) *m* lip
labor (lah-*bhoar*) *f* labour
laboratorio (lah-bhoa-rah-*toa*-rᵛoa) *m* laboratory; ~ **de lenguas** language laboratory
laca (*lah*-kah) *f* lacquer; ~ **para el cabello** hair-spray
ladera (lah-*dhay*-rah) *f* hillside
lado (*lah*-dhoa) *m* side; way; **al** ~ next-door; **al otro** ~ across; **al otro** ~ **de** across
ladrar (lah-*dhrahr*) *v* bay, bark
ladrillo (lah-*dhree*-lᵛoa) *m* brick
ladrón (lah-*dhroan*) *m* thief, robber; burglar
lago (*lah*-goa) *m* lake
lágrima (*lah*-gree-mah) *f* tear
laguna (lah-*goo*-nah) *f* lagoon
lamentable (lah-mayn-*tah*-bhlay) *adj* lamentable
lamentar (lah-mayn-*tahr*) *v* lament; grieve
lamer (lah-*mayr*) *v* lick
lámpara (*lahm*-pah-rah) *f* lamp; ~ **para lectura** reading-lamp; ~ **sorda** hurricane lamp
lana (*lah*-nah) *f* wool; **de** ~ woollen
landa (*lahn*-dhah) *f* heath
langosta (lahng-*goass*-tah) *f* lobster
lanza (*lahn*-thah) *f* spear
lanzamiento (lahn-thah-*mᵛayn*-toa) *m* throw
lanzar (lahn-*thahr*) *v* *cast; launch
lápida (*lah*-pee-dhah) *f* gravestone, tombstone
lápiz (*lah*-peeth) *m* pencil; ~ **labial** lipstick; ~ **para las cejas** eye-pencil
largo (*lahr*-goa) *adj* long; **a lo** ~ **de** along, past; **pasar de** ~ pass by
laringitis (lah-reeng-*khee*-teess) *f* laryngitis
¡qué lástima! (kay *lahss*-tee-mah) what a pity!
lata (*lah*-tah) *f* tin, canister, can
lateralmente (lah-tay-rahl-*mayn*-tay) *adv* sideways
latín (lah-*teen*) *m* Latin
latinoamericano (lah-tee-noa-ah-may-ree-*kah*-noa) *adj* Latin-American
latitud (lah-tee-*toodh*) *f* latitude
latón (lah-*toan*) *m* brass
lavable (lah-*bhah*-bhlay) *adj* washable; fast-dyed
lavabo (lah-*bhah*-bhoa) *m* wash-stand
lavabos (lah-*bhah*-bhoass) *mpl* bathroom; ~ **para caballeros** men's room; ~ **para señoras** ladies' room
lavado (lah-*bhah*-dhoa) *m* washing
lavandería (lah-bhahn-day-*ree*-ah) *f* laundry; ~ **de autoservicio** launderette
lavar (lah-*bhahr*) *v* wash
laxante (lahk-*sahn*-tay) *m* laxative
le (lay) *pron* him; her
leal (lay-*ahl*) *adj* true, loyal
lección (layk-*thᵛoan*) *f* lesson
lectura (layk-*too*-rah) *f* reading
leche (*lay*-chay) *f* milk; **batido de** ~ milk-shake

lechería (lay-chay-*ree*-ah) *f* dairy

lechero (lay-*chay*-roa) *m* milkman

lechigada (lay-chee-*gah*-dhah) *f* litter

lechoso (lay-*choa*-soa) *adj* milky

lechuga (lay-*choo*-gah) *f* lettuce

***leer** (lay-*ayr*) *v* *read

legación (lay-gah-*th^yoan*) *f* legation

legal (lay-*gahl*) *adj* legal

legalización (lay-gah-lee-thah-*th^yoan*) *f* legalization

legible (lay-*khee*-bhlay) *adj* legible

legítimo (lay-*khee*-tee-moa) *adj* legitimate, legal

legumbre (lay-*goom*-bray) *f* vegetable

lejano (lay-*khah*-noa) *adj* remote, far, distant

lejos (*lay*-khoass) *adv* far

lema (*lay*-mah) *f* motto, slogan

lengua (*layng*-gwah) *f* tongue; language; ~ **materna** native language, mother tongue

lenguado (layng-*gwah*-dhoa) *m* sole

lenguaje (layng-*gwah*-khay) *m* speech

lente (*layn*-tay) *m/f* lens; ~ **de aumento** magnifying glass; **lentillas** *fpl* contact lenses

lento (*layn*-toa) *adj* slow; slack

león (lay-*oan*) *m* lion

lepra (*lay*-prah) *f* leprosy

lerdo (*layr*-dhoa) *adj* slow

les (layss) *pron* them

lesión (lay-*s^yoan*) *f* injury

letra (*lay*-trah) *f* letter

levadura (lay-bhah-*dhoo*-rah) *f* yeast

levantamiento (lay-bhahn-tah-*m^yayn*-toa) *m* rise; rising

levantar (lay-bhahn-*tahr*) *v* lift; *bring up; **levantarse** *v* *rise, *get up

leve (*lay*-bhay) *adj* slight

ley (lay) *f* law

leyenda (lay-*^yayn*-dah) *f* legend

liar (l^yahr) *v* bundle

libanés (lee-bhah-*nayss*) *adj* Lebanese; *m* Lebanese

Líbano (*lee*-bhah-noa) *m* Lebanon

liberación (lee-bhay-rah-*th^yoan*) *f* liberation; delivery

liberal (lee-bhay-*rahl*) *adj* liberal

liberalismo (lee-bhay-rah-*leez*-moa) *m* liberalism

Liberia (lee-*bhay*-r^yah) *f* Liberia

liberiano (lee-bhay-*r^yah*-noa) *adj* Liberian; *m* Liberian

libertad (lee-bhayr-*tahdh*) *f* liberty, freedom

libra (*lee*-bhrah) *f* pound

libranza (lee-*bhrahn*-thah) *f* money order

librar (lee-*bhrahr*) *v* deliver

libre (*lee*-bhray) *adj* free

librería (lee-bhray-*ree*-ah) *f* bookstore

librero (lee-*bhray*-roa) *m* bookseller

libro (*lee*-bhroa) *m* book; ~ **de bolsillo** paperback; ~ **de cocina** cookery-book; ~ **de reclamaciones** complaints book; ~ **de texto** text-book

licencia (lee-*thayn*-th^yah) *f* permission, licence; leave

lícito (*lee*-thee-toa) *adj* lawful

licor (lee-*koar*) *m* liqueur

líder (*lee*-dhayr) *m* leader

liebre (*l^yay*-bhray) *f* hare

liga (*lee*-gah) *f* union, league

ligero (lee-*khay*-roa) *adj* light; slight

lima (*lee*-mah) *f* file; lime; ~ **para las uñas** nail-file

limitar (lee-mee-*tahr*) *v* limit

límite (*lee*-mee-tay) *m* boundary, limit; ~ **de velocidad** speed limit

limón (lee-*moan*) *m* lemon

limonada (lee-moa-*nah*-dhah) *f* lemonade

limpiaparabrisas (leem-p^yah-pah-rah-*bhree*-sahss) *m* windscreen wiper

limpiapipas (leem-p^yah-*pee*-pahss) *m* pipe cleaner

limpiar (leem-*p^yahr*) *v* clean; ~ **en se-**

co dry-clean
limpieza (leem-*p^yay*-thah) *f* cleaning
limpio (*leem*-p^yoa) *adj* clean
lindo (*leen*-doa) *adj* sweet
línea (*lee*-nay-ah) *f* line; ~ **de navegación** shipping line; ~ **de pesca** fishing line; ~ **principal** main line
lino (*lee*-noa) *m* linen
linterna (leen-*tayr*-nah) *f* lantern; torch, flash-light
liquidación (lee-kee-dhah-*th^yoan*) *f* clearance sale
líquido (*lee*-kee-dhoa) *adj* liquid
liso (*lee*-soa) *adj* smooth
lista (*leess*-tah) *f* list; ~ **de correos** poste restante; ~ **de espera** waiting-list; ~ **de precios** price-list
listín telefónico (leess-*teen* tay-lay-*foa*-nee-koa) telephone directory; telephone book *Am*
listo (*leess*-toa) *adj* bright; clever, smart; ready
litera (lee-*tay*-rah) *f* berth
literario (lee-tay-*rah*-r^yoa) *adj* literary
literatura (lee-tay-rah-*too*-rah) *f* literature
litoral (lee-toa-*rahl*) *m* sea-coast
litro (*lee*-troa) *m* litre
lo (loa) *pron* it; ~ **que** what
lobo (*loa*-bhoa) *m* wolf
local (loa-*kahl*) *adj* local
localidad (loa-kah-lee-*dhahdh*) *f* locality; seat
localizar (loa-kah-lee-*thahr*) *v* locate
loción (loa-*th^yoan*) *f* lotion
loco (*loa*-koa) *adj* crazy; mad
locomotora (loa-koa-moa-*toa*-rah) *f* engine, locomotive
locuaz (loa-*kwahth*) *adj* talkative
locura (loa-*koo*-rah) *f* madness, lunacy
lodo (*loa*-dhoa) *m* mud
lodoso (loa-*dhoa*-soa) *adj* muddy
lógica (*loa*-khee-kah) *f* logic
lógico (*loa*-khee-koa) *adj* logical

lograr (loa-*grahr*) *v* achieve; secure
lona (*loa*-nah) *f* canvas; ~ **impermeable** tarpaulin
longitud (loang-khee-*toodh*) *f* length; longitude; ~ **de onda** wave-length
longitudinalmente (loang-khee-too-dhee-nahl-*mayn*-tay) *adv* lengthways
loro (*loa*-roa) *m* parrot
lotería (loa-tay-*ree*-ah) *f* lottery
loza (*loa*-thah) *f* earthenware; pottery, faience, crockery
lubricación (loo-bhree-kah-*th^yoan*) *f* lubrication
lubricar (loo-bhree-*kahr*) *v* lubricate
lubrificar (loo-bhree-fee-*kahr*) *v* lubricate
lucio (*loo*-th^yoa) *m* pike
*lucir (loo-*theer*) *v* *shine
lucha (*loo*-chah) *f* combat, fight; contest, strife; struggle
luchar (loo-*chahr*) *v* struggle, *fight
luego (*lway*-goa) *adv* later; ¡**hasta luego!** so long!
lugar (loo-*gahr*) *m* place; spot; **en** ~ **de** instead of; ~ **de camping** camping site; ~ **de descanso** holiday resort; ~ **de nacimiento** place of birth; ~ **de reunión** meeting-place; ***tener** ~ *take place
lúgubre (*loo*-goo-bhray) *adj* creepy
lujo (*loo*-khoa) *m* luxury
lujoso (loo-*khoa*-soa) *adj* luxurious
lumbago (loom-*bah*-goa) *m* lumbago
luminoso (loo-mee-*noa*-soa) *adj* luminous
luna (*loo*-nah) *f* moon; ~ **de miel** honeymoon
lunático (loo-*nah*-tee-koa) *adj* insane, lunatic
lunes (*loo*-nayss) *m* Monday
lúpulo (*loo*-poo-loa) *m* hop
lustroso (looss-*troa*-soa) *adj* glossy
luto (*loo*-toa) *m* mourning
luz (looth) *f* light; **luces de freno**

brake lights; ~ **de estacionamiento** parking light; ~ **de la luna** moonlight; ~ **del día** daylight; ~ **del sol** sunlight; ~ **lateral** sidelight; ~ **trasera** rear-light

LL

llaga (*lʸah*-gah) *f* sore
llama (*lʸah*-mah) *f* flame
llamada (lʸah-*mah*-dhah) *f* call; ~ **local** local call; ~ **telefónica** telephone call
llamar (lʸah-*mahr*) *v* cry, call; **así llamado** so-called; ~ **por teléfono** phone; **llamarse** *v* *be called
llano (*lʸah*-noa) *adj* flat; level, even, smooth; *m* plain
llanta (*lʸahn*-tah) *f* rim; *fMe* tire
llave (*lʸah*-bhay) *f* key; **ama de llaves** housekeeper; **guardar con** ~ lock up; ~ **de la casa** latchkey; ~ **inglesa** spanner
llegada (lʸay-*gah*-dhah) *f* arrival; coming
llegar (lʸay-*gahr*) *v* arrive; ~ **a** attain
llenar (lʸay-*nahr*) *v* fill; fill in; fill out *Am*; fill up
lleno (*lʸay*-noa) *adj* full
llevar (lʸay-*bhahr*) *v* *take; *bear, carry; *wear; **llevarse** *v* *take away
llorar (lʸoa-*rahr*) *v* cry, *weep
*llover (lʸoa-*bhayr*) *v* rain
llovizna (lʸoa-*bheeth*-nah) *f* drizzle
lluvia (*lʸoo*-bhʸah) *f* rain
lluvioso (lʸoo-bhʸoa-soa) *adj* rainy

M

macizo (mah-*thee*-thoa) *adj* solid, massive
machacar (mah-chah-*kahr*) *v* mash
macho (*mah*-choa) *adj* male
madera (mah-*dhay*-rah) *f* wood; **de** ~ wooden; ~ **de construcción** timber
madero (mah-*dhay*-roa) *m* log
madrastra (mah-*dhrahss*-trah) *f* stepmother
madre (*mah*-dhray) *f* mother
madriguera (mah-dhree-*gay*-rah) *f* den
madrugada (mah-dhroo-*gah*-dhah) *f* daybreak
madrugar (mah-dhroo-*gahr*) *v* *rise early
madurez (mah-dhoo-*rayth*) *f* maturity
maduro (mah-*dhoo*-roa) *adj* mature, ripe
maestro (mah-*ayss*-troa) *m* master; schoolteacher, schoolmaster, teacher; ~ **particular** tutor
magia (*mah*-khʸah) *f* magic
mágico (*mah*-khee-koa) *adj* magic
magistrado (mah-kheess-*trah*-dhoa) *m* magistrate
magnético (mahg-*nay*-tee-koa) *adj* magnetic
magneto (mahg-*nay*-toa) *m* magneto
magnetófono (mahg-nay-*toa*-foa-noa) *m* tape-recorder
magnífico (mahg-*nee*-fee-koa) *adj* splendid, gorgeous, magnificent, swell
magro (*mah*-groa) *adj* lean
magulladura (mah-goo-lʸah-*dhoo*-rah) *f* bruise
magullar (mah-goo-*lʸahr*) *v* bruise
maíz (mah-*eeth*) *m* maize; ~ **en la mazorca** corn on the cob
majestad (mah-khayss-*tahdh*) *f* majes-

ty

mal (mahl) *m* harm, evil; wrong; mischief

malaria (mah-*lah*-r^yah) *f* malaria

Malasia (mah-*lah*-s^yah) *f* Malaysia

malayo (mah-*lah*-^yoa) *adj* Malaysian; *m* Malay

*maldecir (mahl-day-*theer*) *v* curse

maldición (mahl-dee-*th^yoan*) *f* curse

maleta (mah-*lay*-tah) *f* suitcase, bag

maletín (mah-lay-*teen*) *m* grip *nAm*

malévolo (mah-*lay*-bhoa-loa) *adj* spiteful

malicia (mah-*lee*-th^yah) *f* mischief

malicioso (mah-lee-*th^yoa*-soa) *adj* malicious

maligno (mah-*leeg*-noa) *adj* malignant; ill

malo (*mah*-loa) *adj* bad; evil, ill

malva (*mahl*-bhah) *adj* mauve

malvado (mahl-*bhah*-dhoa) *adj* wicked, evil

malla (*mah*-l^yah) *f* mesh

mamífero (mah-*mee*-fay-roa) *m* mammal

mampara (mahm-*pah*-rah) *f* screen

mampostear (mahm-poass-tay-*ahr*) *v* *lay bricks

mamut (mah-*moot*) *m* mammoth

manada (mah-*nah*-dhah) *f* herd

manantial (mah-nahn-*t^yahl*) *m* spring

mancuernillas (mahn-kwayr-*nee*-l^yahss) *fplMe* cuff-links *pl*

mancha (*mahn*-chah) *f* stain, spot, speck; blot

manchado (mahn-*chah*-dhoa) *adj* soiled

manchar (mahn-*chahr*) *v* stain

mandar (mahn-*dahr*) *v* command; *send; ~ **a buscar** *send for

mandarina (mahn-dah-*ree*-nah) *f* mandarin, tangerine

mandato (mahn-*dah*-toa) *m* mandate; order

mandíbula (mahn-*dee*-bhoo-lah) *f* jaw

mando (*mahn*-doa) *m* command

manejable (mah-nay-*khah*-bhlay) *adj* handy; manageable

manejar (mah-nay-*khahr*) *v* handle

manejo (mah-*nay*-khoa) *m* management

manera (mah-*nay*-rah) *f* way, manner; **de otra** ~ otherwise

manga (*mahng*-gah) *f* sleeve

mango (*mahng*-goa) *m* handle

manía (mah-*nee*-ah) *f* craze

manicura (mah-nee-*koo*-rah) *f* manicure; ***hacer la** ~ manicure

manifestación (mah-nee-fayss-tah-*th^yoan*) *f* demonstration; ***hacer una** ~ demonstrate

*manifestar (mah-nee-fayss-*tahr*) *v* reveal

maniquí (mah-nee-*kee*) *m* model, mannequin

mano (*mah*-noa) *f* hand; **de segunda** ~ second-hand; **hecho a** ~ handmade

mansión (mahn-*s^yoan*) *f* mansion

manso (*mahn*-soa) *adj* tame

manta (*mahn*-tah) *f* blanket

mantel (mahn-*tayl*) *m* table-cloth

*mantener (mahn-tay-*nayr*) *v* maintain

mantenimiento (mahn-tay-nee-*m^yayn*-toa) *m* maintenance

mantequilla (mahn-tay-*kee*-l^yah) *f* butter

manual (mah-*nwahl*) *adj* manual; *m* handbook; ~ **de conversación** phrase-book

manuscrito (mah-nooss-*kree*-toa) *m* manuscript

manutención (mah-noo-tayn-*th^yoan*) *f* upkeep

manzana (mahn-*thah*-nah) *f* apple; ~ **de casas** house block *Am*

mañana (mah-*ñah*-nah) *f* morning;

adv tomorrow; **esta ~** this morning

mapa (*mah*-pah) *m* map; **~ de carreteras** road map

maquillaje (mah-kee-*lʸah*-khay) *m* make-up

máquina (*mah*-kee-nah) *f* engine, machine; **~ de afeitar** razor; **~ de billetes** ticket machine; **~ de coser** sewing-machine; **~ de escribir** typewriter; **~ de lavar** washing-machine; **~ tragamonedas** slot-machine

maquinaria (mah-kee-*nah*-rʸah) *f* machinery

mar (mahr) *m* sea; **orilla del ~** seaside, seashore

maravilla (mah-rah-*bhee*-lʸah) *f* marvel

maravillarse (mah-rah-bhee-*lʸahr*-say) *v* marvel

maravilloso (mah-rah-bhee-*lʸoa*-soa) *adj* wonderful, marvellous, fine

marca (*mahr*-kah) *f* brand; mark; **~ de fábrica** trademark

marcar (mahr-*kahr*) *v* mark; score

marco (*mahr*-koa) *m* frame

marcha (*mahr*-chah) *f* march; ***dar ~ atrás** reverse; **~ atrás** reverse

marchar (mahr-*chahr*) *v* march

marea (mah-*ray*-ah) *f* tide

mareado (mah-ray-*ah*-dhoa) *adj* dizzy, giddy; seasick

mareo (mah-*ray*-oa) *m* giddiness; seasickness

marfil (mahr-*feel*) *m* ivory

margarina (mahr-gah-*ree*-nah) *f* margarine

margen (*mahr*-khayn) *m* margin

marido (mah-*ree*-dhoa) *m* husband

marina (mah-*ree*-nah) *f* navy; seascape

marinero (mah-ree-*nay*-roa) *m* sailor

marino (mah-*ree*-noa) *m* seaman

mariposa (mah-ree-*poa*-sah) *f* butterfly

marisco (mah-*reess*-koa) *m* shellfish

marisma (mah-*reez*-mah) *f* swamp

marítimo (mah-*ree*-tee-moa) *adj* maritime

mármol (*mahr*-moal) *m* marble

marqués (mahr-*kayss*) *m* marquis

marroquí (mah-rroa-*kee*) *adj* Moroccan; *m* Moroccan

Marruecos (mah-*rway*-koass) *m* Morocco

martes (*mahr*-tayss) *m* Tuesday

martillo (mahr-*tee*-lʸoa) *m* hammer

mártir (*mahr*-teer) *m* martyr

marzo (*mahr*-thoa) March

mas (mahss) *conj* but

más (mahss) *adv* more; plus; **algo ~** some more; **el ~** most; **~ de** over

masa (*mah*-sah) *f* mass; crowd, lot; dough, batter

masaje (mah-*sah*-khay) *m* massage; ***dar ~** massage; **~ facial** face massage

masajista (mah-sah-*kheess*-tah) *m* masseur

máscara (*mahss*-kah-rah) *f* mask; **~ facial** face-pack

masculino (mahss-koo-*lee*-noa) *adj* masculine

masticar (mahss-tee-*kahr*) *v* chew

mástil (*mahss*-teel) *m* mast

matar (mah-*tahr*) *v* kill

mate (*mah*-tay) *adj* mat, dim, dull

matemáticas (mah-tay-*mah*-tee-kahss) *fpl* mathematics

matemático (mah-tay-*mah*-tee-koa) *adj* mathematical

materia (mah-*tay*-rʸah) *f* matter; **~ prima** raw material

material (mah-tay-*rʸahl*) *adj* material, substantial; *m* material

matiz (mah-*teeth*) *m* nuance

matorral (mah-toa-*rrahl*) *m* scrub, bush

matrícula (mah-*tree*-koo-lah) *f* registration number

matrimonial (mah-tree-moa-nᵞ*ahl*) *adj* matrimonial

matrimonio (mah-tree-*moa*-nᵞoa) *m* wedding, marriage; matrimony

matriz (mah-*treeth*) *f* womb

mausoleo (mou-soa-*lay*-oa) *m* mausoleum

máximo (*mahk*-see-moa) *m* maximum

mayo (*mah*-ᵞoa) May

mayor (mah-ᵞ*oar*) *adj* superior, major; main, eldest; *m* major

mayoría (mah-ᵞoa-*ree*-ah) *f* majority; bulk

mayorista (mah-ᵞoa-*reess*-tah) *m* wholesale dealer

mayúscula (mah-ᵞ*ooss*-koo-lah) *f* capital letter

mazo (*mah*-thoa) *m* mallet

me (may) *pron* me; myself

mecánico (may-*kah*-nee-koa) *adj* mechanical; *m* mechanic

mecanismo (may-kah-*neez*-moa) *m* mechanism, machinery

mecanografiar (may-kah-noa-grah-fᵞ*ahr*) *v* type

mecer (may-*thayr*) *v* rock

mecha (*may*-chah) *f* fuse

medalla (may-*dhah*-lᵞah) *f* medal

media (*may*-dhᵞah) *f* stocking; ~ **pantalón** panty-hose; **medias elásticas** support hose

mediador (may-dhᵞah-*dhoar*) *m* mediator

medianamente (may-dhᵞah-nah-*mayn*-tay) *adv* fairly

mediano (may-*dhᵞah*-noa) *adj* medium

medianoche (may-dhᵞah-*noa*-chay) *f* midnight

mediante (may-*dhᵞahn*-tay) *adv* by means of

mediar (may-*dhᵞahr*) *v* mediate

medicamento (may-dhee-kah-*mayn*-toa) *m* medicine, drug

medicina (may-dhee-*thee*-nah) *f* medicine

médico (*may*-dhee-koa) *adj* medical; *m* doctor, physician; ~ **de cabecera** general practitioner

medida (may-*dhee*-dhah) *f* measure; **hecho a la** ~ made to order, tailor-made

medidor (may-dhee-*dhoar*) *m* gauge

medieval (may-dhᵞay-*bhahl*) *adj* mediaeval

medio (*may*-dhᵞoa) *adj* half; medium; middle; *m* midst, middle; means; **en** ~ **de** amid; ~ **ambiente** milieu, environment

mediocre (may-*dhᵞoa*-kray) *adj* moderate, poor

mediodía (may-dhᵞoa-*dhee*-ah) *m* midday, noon

*medir (may-*dheer*) *v* measure

meditación (may-dhee-tah-*thᵞoan*) *f* meditation

meditar (may-dhee-*tahr*) *v* meditate

Mediterráneo (may-dhee-tay-*rrah*-nay-oa) Mediterranean

médula (*may*-dhoo-lah) *f* marrow

medusa (may-*dhoo*-sah) *f* jelly-fish

mejicano (may-khee-*kah*-noa) *adj* Mexican; *m* Mexican

Méjico (*may*-khee-koa) *m* Mexico

mejilla (may-khee-lᵞah) *f* cheek

mejillón (may-khee-*lᵞoan*) *m* mussel

mejor (may-*khoar*) *adj* better; superior

mejora (may-*khoa*-rah) *f* improvement

mejorar (may-khoa-*rahr*) *v* improve

melancolía (may-lahng-koa-*lee*-ah) *f* melancholy

melancólico (may-lahng-*koa*-lee-koa) *adj* sad

melocotón (may-loa-koa-*toan*) *m* peach

melodía (may-loa-*dhee*-ah) *f* melody

melodioso (may-loa-*dh*ᵞoa-soa) *adj* tuneful

melodrama (may-loa-*dhrah*-mah) *m* melodrama

melón (may-*loan*) *m* melon

membrana (maym-*brah*-nah) *f* diaphragm

memorable (may-moa-*rah*-bhlay) *adj* memorable

memoria (may-*moa*-rᵞah) *f* memory; **de ~** by heart

menaje (may-*nah*-khay) *m* household

mención (mayn-*th*ᵞoan) *f* mention

mencionar (mayn-th*ᵞ*oa-*nahr*) *v* mention

mendigar (mayn-dee-*gahr*) *v* beg

mendigo (mayn-*dee*-goa) *m* beggar

menor (may-*noar*) *adj* minor; junior

menos (*may*-noass) *adv* less; minus; but; **a ~ que** unless; **por lo ~** at least

menosprecio (may-noass-*pray*-thᵞoa) *m* contempt

mensaje (mayn-*sah*-khay) *m* message

mensajero (mayn-sah-*khay*-roa) *m* messenger

menstruación (mayns-trwah-*th*ᵞoan) *f* menstruation

mensual (mayn-*swahl*) *adj* monthly

menta (*mayn*-tah) *f* mint; peppermint

mental (mayn-*tahl*) *adj* mental

mente (*mayn*-tay) *f* mind

*mentir (mayn-*teer*) *v* lie

mentira (mayn-*tee*-rah) *f* lie

menú (may-*noo*) *m* menu

menudo (may-*noo*-dhoa) *adj* minute, small, tiny; **a ~** often

mercado (mayr-*kah*-dhoa) *m* market; **~ negro** black market

mercancía (mayr-kahn-*thee*-ah) *f* merchandise

mercería (mayr-thay-*ree*-ah) *f* haberdashery

mercurio (mayr-*koo*-rᵞoa) *m* mercury

*merecer (may-ray-*thayr*) *v* merit, deserve

meridional (may-ree-dhᵞoa-*nahl*) *adj* southern, southerly

merienda (may-rᵞayn-dah) *f* tea

mérito (*may*-ree-toa) *m* merit

merluza (mayr-*loo*-thah) *f* whiting

mermelada (mayr-may-*lah*-dhah) *f* jam

mes (mayss) *m* month

mesa (*may*-sah) *f* table

mesera (may-*say*-rah) *fMe* waitress

mesero (may-*say*-roa) *mMe* waiter

meseta (may-*say*-tah) *f* plateau

meta (*may*-tah) *f* goal; finish

metal (may-*tahl*) *m* metal

metálico (may-*tah*-lee-koa) *adj* metal

meter (may-*tayr*) *v* *put

meticuloso (may-tee-koo-*loa*-soa) *adj* precise

metódico (may-*toa*-dhee-koa) *adj* methodical

método (*may*-toa-dhoa) *m* method

métrico (*may*-tree-koa) *adj* metric

metro (*may*-troa) *m* metre; underground; subway *nAm*

mezcla (*mayth*-klah) *f* mixture

mezclar (mayth-*klahr*) *v* mix; **mezclarse en** interfere with

mezquino (mayth-*kee*-noa) *adj* narrow-minded, stingy; mean

mezquita (mayth-*kee*-tah) *f* mosque

mi (mee) *adj* my

micrófono (mee-*kroa*-foa-noa) *m* microphone

microscopio (mee-kroass-*koa*-pᵞoa) *m* microscope

microsurco (mee-kroa-*soor*-koa) *m* long-playing record

miedo (mᵞay-dhoa) *m* fear, fright; ***tener ~** *be afraid

miel (mᵞayl) *f* honey

miembro (mᵞaym-broa) *m* limb; member

mientras (*mᵞayn*-trahss) *conj* whilst, while

miércoles (*mᵞayr*-koa-layss) *m* Wednesday

migaja (mee-*gah*-khah) *f* crumb

migraña (mee-*grah*-ñah) *f* migraine

mil (meel) *num* thousand

milagro (mee-*lah*-groa) *m* wonder, miracle

milagroso (mee-lah-*groa*-soa) *adj* miraculous

militar (mee-lee-*tahr*) *adj* military; *m* soldier

milla (*mee*-lᵞah) *f* mile

millaje (mee-*lᵞah*-khay) *m* mileage

millón (mee-*lᵞoan*) *m* million

millonario (mee-lᵞoa-*nah*-rᵞoa) *m* millionaire

mimar (mee-*mahr*) *v* *spoil

mina (*mee*-nah) *f* mine; pit; ~ **de oro** goldmine

mineral (mee-nay-*rahl*) *m* mineral; ore

minería (mee-nay-*ree*-ah) *f* mining

minero (mee-*nay*-roa) *m* miner

miniatura (mee-nᵞah-*too*-rah) *f* miniature

mínimo (*mee*-nee-moa) *adj* least

mínimum (*mee*-nee-moom) *m* minimum

ministerio (mee-neess-*tay*-rᵞoa) *m* ministry

ministro (mee-*neess*-troa) *m* minister

minoría (mee-noa-*ree*-ah) *f* minority

minorista (mee-noa-*reess*-tah) *m* retailer

minucioso (mee-noo-*thᵞoa*-soa) *adj* thorough

minusválido (mee-nooz-*bhah*-lee-*dhoa*) *adj* disabled

minuto (mee-*noo*-toa) *m* minute

mío (*mee*-oa) *pron* mine

miope (*mᵞoa*-pay) *adj* short-sighted

mirada (mee-*rah*-dhah) *f* look

mirar (mee-*rahr*) *v* look; watch, view, look at; stare, gaze

mirlo (*meer*-loa) *m* blackbird

misa (*mee*-sah) *f* Mass

misceláneo (mee-thay-*lah*-nay-oa) *adj* miscellaneous

miserable (mee-say-*rah*-bhlay) *adj* miserable

miseria (mee-*say*-rᵞah) *f* misery

misericordia (mee-say-ree-*koar*-dᵞah) *f* mercy

misericordioso (mee-say-ree-koar-*dᵞoa*-soa) *adj* merciful

misión (mee-*sᵞoan*) *f* mission

mismo (*meez*-moa) *adj* same

misterio (meess-*tay*-rᵞoa) *m* mystery

misterioso (meess-tay-*rᵞoa*-soa) *adj* mysterious; obscure

mitad (mee-*tahdh*) *f* half; **partir por la** ~ halve

mito (*mee*-toa) *m* myth

moción (moa-*thᵞoan*) *f* motion

mochila (moa-*chee*-lah) *f* rucksack, knapsack

moda (*moa*-dhah) *f* fashion; **a la** ~ fashionable

modales (moa-*dhah*-layss) *mpl* manners *pl*

modelar (moa-dhay-*lahr*) *v* model

modelo (moa-*dhay*-loa) *m* model

moderado (moa-dhay-*rah*-dhoa) *adj* moderate

moderno (moa-*dhayr*-noa) *adj* modern

modestia (moa-*dhayss*-tᵞah) *f* modesty

modesto (moa-*dhayss*-toa) *adj* modest

modificación (moa-dhee-fee-kah-*thᵞoan*) *f* change

modificar (moa-dhee-fee-*kahr*) *v* change, modify

modismo (moa-*dheez*-moa) *m* idiom

modista (moa-*dheess*-tah) *f* dressmaker

modo (*moa*-dhoa) *m* fashion, manner; **de cualquier** ~ anyhow; **de ningún** ~ by no means; **de todos modos**

any way: at any rate; **en ~ alguno**
at all; **~ de empleo** directions for
use

mohair (moa-*ayr*) *m* mohair

moho (*moa*-oa) *m* mildew

mojado (moa-*khah*-dhoa) *adj* wet;
moist, damp

mojigato (moa-khee-*gah*-toa) *adj* hypocritical

mojón (moa-*khoan*) *m* landmark

*** moler** (moa-*layr*) *v* *grind

molestar (moa-layss-*tahr*) *v* disturb,
trouble, bother

molestia (moa-*layss*-tᵞah) *f* trouble,
nuisance, bother

molesto (moa-*layss*-toa) *adj* troublesome, inconvenient

molinero (moa-lee-*nay*-roa) *m* miller

molino (moa-*lee*-noa) *m* mill; **~ de
viento** windmill

momentáneo (moa-mayn-*tah*-nay-oa)
adj momentary

momento (moa-*mayn*-toa) *m* moment

monarca (moa-*nahr*-kah) *m* monarch,
ruler

monarquía (moa-nahr-*kee*-ah) *f* monarchy

monasterio (moa-nahss-*tay*-rᵞoa) *m*
monastery

moneda (moa-*nay*-dhah) *f* currency;
coin; change; **~ extranjera** foreign
currency

monedero (moa-nay-*dhay*-roa) *m*
purse

monetario (moa-nay-*tah*-rᵞoa) *adj*
monetary; **unidad monetaria** monetary unit

monja (*moang*-khah) *f* nun

monje (*moang*-khay) *m* monk

mono (*moa*-noa) *m* monkey; overalls
pl

monólogo (moa-*noa*-loa-goa) *m* monologue

monopolio (moa-noa-*poa*-lᵞoa) *m*

monopoly

monótono (moa-*noa*-toa-noa) *adj*
monotonous

monstruo (*moans*-trwoa) *m* monster

montaña (moan-*tah*-ñah) *f* mountain

montañismo (moan-tah-*ñeez*-moa) *m*
mountaineering

montañoso (moan-tah-*ñoa*-soa) *adj*
mountainous

montar (moan-*tahr*) *v* mount, *get on;
assemble; *ride

monte (*moan*-tay) *m* mount

montículo (moan-*tee*-koo-loa) *m*
mound

montón (moan-*toan*) *m* heap, stack,
pile

montuoso (moan-*twoa*-soa) *adj* hilly

monumento (moa-noo-*mayn*-toa) *m*
monument; memorial

mora (*moa*-rah) *f* mulberry; blackberry

morado (moa-*rah*-dhoa) *adj* violet

moral (moa-*rahl*) *adj* moral; *f* moral;
spirits

moralidad (moa-rah-lee-*dhahdh*) *f*
morality

mordaza (moar-*dhah*-thah) *f* clamp

mordedura (moar-dhay-*dhoo*-rah) *f*
bite

*** morder** (moar-*dhayr*) *v* *bite

morena (moa-ray-nah) *f* brunette

moreno (moa-*ray*-noa) *adj* brown

moretón (moa-ray-*toan*) *m* bruise

morfina (moar-*fee*-nah) *f* morphine,
morphia

*** morir** (moa-*reer*) *v* die

moro (*moa*-roa) *m* Moor

morral (moa-*rrahl*) *m* haversack

mòrro (moa-*rroa*) *m* pussy-cat

mortal (moar-*tahl*) *adj* mortal; fatal

mosaico (moa-*sigh*-koa) *m* mosaic

mosca (*moass*-kah) *f* fly

mosquitero (moass-kee-*tay*-roa) *m*
mosquito-net

mosquito (moass-*kee*-toa) m mosquito

mostaza (moass-*tah*-thah) f mustard

mostrador (moass-trah-*dhoar*) m counter

***mostrar** (moass-*trahr*) v display, *show

mote (*moa*-tay) m nickname

moteado (moa-tay-*ah*-dhoa) adj spotted

motel (moa-*tayl*) m motel

motín (moa-*teen*) m riot

motivo (moa-*tee*-bhoa) m motive; cause, occasion

motocicleta (moa-toa-thee-*klay*-tah) f motor-cycle; motorbike nAm

motoneta (moa-toa-*nay*-tah) f scooter

motor (moa-*toar*) m motor, engine; ~ **de arranque** starter motor

***mover** (moa-*bhayr*) v move; stir

movible (moa-*bhee*-bhlay) adj movable

móvil (*moa*-bheel) adj mobile

movimiento (moa-bhee-*m^yayn*-toa) m movement, motion

mozo (*moa*-thoa) m boy; porter

muchacha (moo-*chah*-chah) f girl; maid

muchacho (moo-*chah*-choa) m boy; lad

muchedumbre (moo-chay-*dhoom*-bray) f crowd

mucho (*moo*-choa) adv much; far, very; adj much; **con** ~ by far; **muchos** adj many

mudanza (moo-*dhahn*-thah) f move

mudarse (moo-*dhahr*-say) v move; change

mudo (*moo*-dhoa) adj mute, dumb

muebles (*mway*-bhlayss) mpl furniture

muela (*mway*-lah) f molar; **dolor de muelas** toothache

muelle (*mway*-l^yay) m dock, wharf, quay; pier, jetty; spring

muerte (*mwayr*-tay) f death

muerto (*mwayr*-toa) adj dead

muestra (*mwayss*-trah) f sample

mugir (moo-*kheer*) v roar

mujer (moo-*khayr*) f woman; wife

mújol (*moo*-khoal) m mullet

muleta (moo-*lay*-tah) f crutch

mulo (*moo*-loa) m mule

multa (*mool*-tah) f fine; ticket

multiplicación (mool-tee-plee-kah-*th^yoan*) f multiplication

multiplicar (mool-tee-plee-*kahr*) v multiply

multitud (mool-tee-*toodh*) f crowd

mundial (moon-*d^yahl*) adj world-wide, global

mundo (*moon*-doa) m world; **todo el** ~ everyone

municipal (moo-nee-thee-*pahl*) adj municipal

municipalidad (moo-nee-thee-pah-lee-*dhahdh*) f municipality

muñeca (moo-*ñay*-kah) f doll; wrist

muralla (moo-*rah*-l^yah) f wall

muro (*moo*-roa) m wall

músculo (*mooss*-koo-loa) m muscle

musculoso (mooss-koo-*loa*-soa) adj muscular

muselina (moo-say-*lee*-nah) f muslin

museo (moo-*say*-oa) m museum; ~ **de figuras de cera** waxworks pl

musgo (*mooz*-goa) m moss

música (*moo*-see-kah) f music

musical (moo-see-*kahl*) adj musical; **comedia** ~ musical comedy

músico (*moo*-see-koa) m musician

muslo (*mooz*-loa) m thigh

musulmán (moo-sool-*mahn*) m Muslim

mutuo (*moo*-twoa) adj mutual

muy (moo^{ee}) adv very, quite

N

nácar (*nah*-kahr) *m* mother-of-pearl

*nacer (nah-*thayr*) *v* *be born

nacido (nah-*thee*-dhoa) *adj* born

nacimiento (nah-thee-*mᵞayn*-toa) *m* birth; rise

nación (nah-*thᵞoan*) *f* nation

nacional (nah-thᵞoa-*nahl*) *adj* national

nacionalidad (nah-thᵞoa-nah-lee-*dhahdh*) *f* nationality

nacionalizar (nah-thᵞoa-nah-lee-*thahr*) *v* nationalize

nada (*nah*-dhah) nothing; nil

nadador (nah-dhah-*dhoar*) *m* swimmer

nadar (nah-*dhahr*) *v* *swim

nadie (*nah*-dh*ᵞ*ay) *pron* nobody, no one

naipe (*nigh*-pay) *m* playing-card

nalga (*nahl*-gah) *f* buttock

naranja (nah-*rahng*-khah) *f* orange

narciso (nahr-*thee*-ſoa) *m* daffodil

narcosis (nahr-*koa*-seess) *f* narcosis

narcótico (nahr-*koa*-tee-koa) *m* narcotic

nariz (nah-*reeth*) *f* nose

narración (nah-rrah-*thᵞoan*) *f* account

nata (*nah*-tah) *f* cream

natación (nah-tah-*thᵞoan*) *f* swimming

nativo (nah-*tee*-bhoa) *adj* native

natural (nah-too-*rahl*) *adj* natural; *m* nature

naturaleza (nah-too-rah-*lay*-thah) *f* nature

naturalmente (nah-too-rahl-*mayn*-tay) *adv* naturally

náusea (*nou*-say-ah) *f* nausea, sickness

navaja (nah-*bhah*-khah) *f* pocket-knife

naval (nah-*bhahl*) *adj* naval

navegable (nah-bhay-*gah*-bhlay) *adj* navigable

navegación (nah-bhay-gah-*thᵞoan*) *f* navigation

navegar (nah-bhay-*gahr*) *v* sail; navigate

Navidad (nah-bhee-*dhahdh*) *f* Xmas, Christmas

nebuloso (nay-bhoo-*loa*-soa) *adj* misty

necesario (nay-thay-*sah*-rᵞoa) *adj* necessary; requisite

neceser (nay-thay-*sayr*) *m* toilet case

necesidad (nay-thay-see-*dhahdh*) *f* need, necessity; want; misery

necesitar (nay-thay-see-*tahr*) *v* need

necio (*nay*-thᵞoa) *adj* foolish, silly

*negar (nay-*gahr*) *v* deny

negativa (nay-gah-*tee*-bhah) *f* refusal

negativo (nay-gah-*tee*-bhoa) *adj* negative; *m* negative

negligencia (nay-glee-*khayn*-thᵞah) *f* neglect

negligente (nay-glee-*khayn*-tay) *adj* neglectful, careless

negociación (nay-goa-thᵞah-*thᵞoan*) *f* negotiation

negociante (nay-goa-*thᵞahn*-tay) *m* dealer

negociar (nay-goa-*thᵞahr*) *v* negotiate

negocio (nay-*goa*-thᵞoa) *m* business; ***hacer negocios con** *deal with; **hombre de negocios** businessman; **~ fotográfico** camera shop; **viaje de negocios** business trip

negro (*nay*-groa) *adj* black; *m* Negro

neón (nay-*oan*) *m* neon

nervio (*nayr*-bhᵞoa) *m* nerve

nervioso (nayr-*bhᵞoa*-soa) *adj* nervous

neto (*nay*-toa) *adj* net

neumático (nay°°-*mah*-tee-koa) *adj* pneumatic; *m* tyre, tire; **~ de repuesto** spare tyre; **~ desinflado** flat tyre

neumonía (nay°°-moa-*nee*-ah) *f* pneumonia

neuralgia (nay°°-*rahl*-khᵞah) *f* neuralgia

neurosis (nay⁰⁰-*roa*-seess) *f* neurosis

neutral (nay⁰⁰-*trahl*) *adj* neutral

neutro (nay⁰⁰-troa) *adj* neuter

*nevar (nay-*bahr*) *v* snow

nevasca (nay-*bhahss*-kah) *f* snowstorm

nevoso (nay-*bhoa*-soa) *adj* snowy

ni ... ni (nee) neither ... nor

nicotina (nee-koa-*tee*-nah) *f* nicotine

nido (*nee*-dhoa) *m* nest

niebla (*nᵞay*-bhlah) *f* mist, fog; haze; **faro de ~** foglamp

nieta (*nᵞay*-tah) *f* granddaughter

nieto (*nᵞay*-toa) *m* grandson

nieve (*nᵞay*-bhay) *f* snow

Nigeria (nee-*khay*-rᵞah) *f* Nigeria

nigeriano (nee-khay-*rᵞah*-noa) *adj* Nigerian; *m* Nigerian

ninguno (neeng-*goo*-noa) *adj* no; *pron* none; **~ de los dos** neither

niñera (nee-*ñay*-rah) *f* nurse

niño (*nee*-ñoa) *m* child; kid

níquel (*nee*-kayl) *m* nickel

nitrógeno (nee-*troa*-khay-noa) *m* nitrogen

nivel (nee-*bhayl*) *m* level; **~ de vida** standard of living; **paso a ~** level crossing

nivelar (nee-bhay-*lahr*) *v* level

no (noa) not; no; **si ~** otherwise, else

noble (*noa*-bhlay) *adj* noble

nobleza (noa-*bhlay*-thah) *f* nobility

noción (noa-*thᵞoan*) *f* notion; idea

nocturno (noak-*toor*-noa) *adj* nightly

noche (*noa*-chay) *f* night; **de ~** overnight, by night; **esta ~** tonight

nogal (noa-*gahl*) *m* walnut

nombramiento (noam-brah-*mᵞayn*-toa) *m* appointment, nomination

nombrar (noam-*brahr*) *v* name, mention; appoint, nominate

nombre (*noam*-bray) *m* noun; name; denomination; **en ~ de** on behalf of, in the name of; **~ de pila** Chris-

tian name, first name

nominación (noa-mee-nah-*thᵞoan*) *f* nomination

nominal (noa-mee-*nahl*) *adj* nominal

nordeste (noar-*dhayss*-tay) *m* northeast

norma (*noar*-mah) *f* standard

normal (noar-*mahl*) *adj* normal; regular, standard

noroeste (noa-roa-*ayss*-tay) *m* northwest

norte (*noar*-tay) *m* north; **del ~** northerly; **polo ~** North Pole

norteño (noar-*tay*-ño) *adj* northern

Noruega (noa-*rway*-gah) *f* Norway

noruego (noa-*rway*-goa) *adj* Norwegian; *m* Norwegian

nos (noass) *pron* ourselves

nosotros (noa-*soa*-troass) *pron* we; us

nostalgia (noass-*tahl*-khᵞah) *f* homesickness

nota (*noa*-tah) *f* ticket; note; mark

notable (noa-*tah*-bhlay) *adj* considerable; remarkable, striking, noticeable

notar (noa-*tahr*) *v* notice; note

notario (noa-*tah*-rᵞoa) *m* notary

noticia (noa-*tee*-thᵞah) *f* news, notice; **noticias** *fpl* news, tidings *pl*

noticiario (noa-tee-*thᵞah*-rᵞoa) *m* news; newsreel

notificar (noa-tee-fee-*kahr*) *v* notify

notorio (noa-*toa*-rᵞoa) *adj* well-known

novedad (noa-bhay-*dhahdh*) *f* novelty

novela (noa-*bhay*-lah) *f* novel; **~ policíaca** detective story; **~ por entregas** serial

novelista (noa-bhay-*leess*-tah) *m* novelist

noveno (noa-*bhay*-noa) *num* ninth

noventa (noa-*bhayn*-tah) *num* ninety

novia (*noa*-bhᵞah) *f* fiancée; bride

noviazgo (noa-*bhᵞahth*-goa) *m* engagement

noviembre (noa-*bh*ʸ*aym*-bray) November

*hacer novillos (ah-*thayr* noa-*bhee*-lʸoass) play truant

novio (*noa*-bhʸoa) *m* fiancé; bridegroom

nube (*noo*-bhay) *f* cloud

nublado (noo-*bhlah*-dhoa) *adj* cloudy, overcast

nuca (*noo*-kah) *f* nape of the neck

nuclear (noo-klay-*ahr*) *adj* nuclear

núcleo (*noo*-klay-oa) *m* nucleus; heart, essence, core

nudillo (noo-*dhee*-lʸoa) *m* knuckle

nudo (*noo*-dhoa) *m* knot; lump; ~ **corredizo** loop

nuestro (*nwayss*-troa) *adj* our

Nueva Zelanda (*nway*-bhah thay-*lahn*-dah) New Zealand

nueve (*nway*-bhay) *num* nine

nuevo (*nway*-bhoa) *adj* new; **de ~** again

nuez (nwayth) *f* nut; ~ **moscada** nutmeg

nulo (*noo*-loa) *adj* invalid, void

numeral (noo-may-*rahl*) *m* numeral

número (*noo*-may-roa) *m* number; digit; quantity; size; act

numeroso (noo-may-*roa*-soa) *adj* numerous

nunca (*noong*-kah) *adv* never

nutritivo (noo-tree-*tee*-bhoa) *adj* nutritious, nourishing

nylon (*nigh*-loan) *m* nylon

O

o (oa) *conj* or; **o ... o** either ... or

oasis (oa-*ah*-seess) *f* oasis

*obedecer (oa-bhay-dhay-*thayr*) *v* obey

obediencia (oa-bhay-*dh*ʸ*ayn*-thʸah) *f* obedience

obediente (oa-bhay-*dh*ʸ*ayn*-tay) *adj* obedient

obertura (oa-bhayr-*too*-rah) *f* overture

obesidad (oa-bhay-see-*dhahdh*) *f* fatness

obeso (oa-*bhay*-soa) *adj* corpulent

obispo (oa-*bheess*-poa) *m* bishop

objeción (oabh-khay-*th*ʸ*oan*) *f* objection; ***hacer ~ a** mind

objetar (oabh-khay-*tahr*) *v* object

objetivo (oabh-khay-*tee*-bhoa) *adj* objective; *m* design, objective, target

objeto (oabh-*khay*-toa) *m* object; **objetos de valor** valuables *pl*; **objetos perdidos** lost and found

oblea (oa-*bhlay*-ah) *f* wafer

oblicuo (oa-*bhlee*-kwoa) *adj* slanting

obligar (oa-bhlee-*gahr*) *v* oblige; force

obligatorio (oa-bhlee-gah-*toa*-rʸoa) *adj* compulsory, obligatory

oblongo (oa-*bhloang*-goa) *adj* oblong

obra (*oa*-bhrah) *f* work; ~ **de arte** work of art; ~ **de teatro** play; ~ **hecha a mano** handwork; ~ **maestra** masterpiece

obrar (oa-*bhrahr*) *v* work; perform

obrero (oa-*bhray*-roa) *m* workman, worker, labourer; ~ **portuario** docker

obsceno (oabh-*thay*-noa) *adj* obscene

obscuridad (oabhs-koo-ree-*dhahdh*) *f* gloom

obscuro (oabhs-*koo*-roa) *adj* dark, obscure

observación (oabh-sayr-bhah-*th*ʸ*oan*) *f* observation; remark; ***hacer una ~** remark

observar (oabh-sayr-*bhahr*) *v* watch, observe, notice, note

observatorio (oabh-sayr-bhah-*toa*-rʸoa) *m* observatory

obsesión (oabh-say-*s*ʸ*oan*) *f* obsession

obstáculo (oabhs-*tah*-koo-loa) *m* obstacle

no obstante (noa oabhs-*tahn*-tay)
nevertheless

obstinado (oabhs-tee-*nah*-dhoa) *adj*
dogged, obstinate

*__obstruir__ (oabhs-*trweer*) *v* block

*__obtener__ (oabh-tay-*nayr*) *v* obtain

obtenible (oabh-tay-*nee*-bhlay) *adj*
available

obtuso (oabh-*too*-soa) *adj* blunt

obvio (*oabh*-bhᵞoa) *adj* apparent, obvious

oca (*oa*-kah) *f* goose

ocasión (oa-kah-*s*ᵞoan) *f* occasion;
chance

ocasionalmente (oa-kah-sᵞoa-nahl-
mayn-tay) *adv* occasionally

ocaso (oa-*kah*-soa) *m* sunset

occidental (oak-thee-dhayn-*tahl*) *adj*
westerly; western

occidente (oak-thee-*dhayn*-tay) *m* west

océano (oa-*thay*-ah-noa) *m* ocean;
Océano Pacífico Pacific Ocean

ocio (*oa*-thᵞoa) *m* leisure

ocioso (oa-*th*ᵞoa-soa) *adj* idle

octavo (oak-*tah*-bhoa) *num* eighth

octubre (oak-*too*-bhray) October

oculista (oa-koo-*leess*-tah) *m* oculist

ocultar (oa-kool-*tahr*) *v* *hide

ocupación (oa-koo-pah-*th*ᵞoan) *f* occupation; business

ocupante (oa-koo-*pahn*-tay) *m* occupant

ocupar (oa-koo-*pahr*) *v* occupy; *take
up; **ocupado** *adj* engaged, busy;
occupied; **ocuparse de** look after

ocurrencia (oa-koo-*rrayn*-thᵞah) *f* idea

ocurrir (oa-koo-*rreer*) *v* occur

ochenta (oa-*chayn*-tah) *num* eighty

ocho (*oa*-choa) *num* eight

odiar (oa-*dh*ᵞahr) *v* hate

odio (*oa*-dhᵞoa) *m* hatred, hate

oeste (oa-*ayss*-tay) *m* west

ofender (oa-fayn-*dayr*) *v* wound,
*hurt, offend, injure

ofensa (oa-*fayn*-sah) *f* offence

ofensivo (oa-fayn-*see*-bhoa) *adj* offensive; *m* offensive

oferta (oa-*fayr*-tah) *f* offer, supply

oficial (oa-fee-*th*ᵞahl) *adj* official; *m*
officer; ~ **de aduanas** Customs officer

oficina (oa-fee-*thee*-nah) *f* office; ~ **de
cambio** exchange office; ~ **de colocación** employment exchange; ~
de informaciones information
bureau; ~ **de objetos perdidos** lost
property office

oficinista (oa-fee-thee-*neess*-tah) *m*
clerk

oficio (oa-*fee*-thᵞoa) *m* trade

*__ofrecer__ (oa-fray-*thayr*) *v* offer

oído (oa-*ee*-dhoa) *m* hearing; **dolor
de oídos** earache

*__oír__ (oa-*eer*) *v* *hear

ojal (oa-*khahl*) *m* buttonhole

ojeada (oa-khay-*ah*-dhah) *f* glimpse,
glance; look

ojear (oa-khay-*ahr*) *v* glance

ojo (*oa*-khoa) *m* eye

ola (*oa*-lah) *f* wave

*__oler__ (oa-*layr*) *v* *smell

olmo (*oal*-moa) *m* elm

olor (oa-*loar*) *m* smell, odour

olvidadizo (oal-bhee-dhah-*dhee*-thoa)
adj forgetful

olvidar (oal-bhee-*dhahr*) *v* *forget

olla (*oa*-lᵞah) *f* pot; kettle; ~ **a presión** pressure-cooker

ombligo (oam-*blee*-goa) *m* navel

omitir (oa-mee-*teer*) *v* *leave out,
omit; fail

omnipotente (oam-nee-poa-*tayn*-tay)
adj omnipotent

once (*oan*-thay) *num* eleven

onceno (oan-*thay*-noa) *num* eleventh

onda (*oan*-dah) *f* wave

ondulación (oan-doo-lah-*th*ᵞoan) *f*

wave; **~ permanente** permanent wave

ondulado (oan-doo-*lah*-dhoa) *adj* wavy

ondulante (oan-doo-*lahn*-tay) *adj* undulating

ónix (*oa*-neeks) *m* onyx

ópalo (*oa*-pah-loa) *m* opal

opcional (oap-th^yoa-*nahl*) *adj* optional

ópera (*oa*-pay-rah) *f* opera

operación (oa-pay-rah-*th^yoan*) *f* operation, surgery

operar (oa-pay-*rahr*) *v* operate

opinar (oa-pee-*nahr*) *v* consider

opinión (oa-pee-*n^yoan*) *f* view, opinion

***oponerse** (oa-poa-*nayr*-say) *v* oppose; **~ a** object to

oportunidad (oa-poar-too-nee-*dhahdh*) *f* chance, opportunity

oportuno (oa-poar-*too*-noa) *adj* convenient

oposición (oa-poa-see-*th^yoan*) *f* opposition

oprimir (oa-pree-*meer*) *v* oppress

óptico (*oap*-tee-koa) *m* optician

optimismo (oap-tee-*meez*-moa) *m* optimism

optimista (oap-tee-*meess*-tah) *adj* optimistic; *m* optimist

óptimo (*oap*-tee-moa) *adj* best

opuesto (oa-*pwayss*-toa) *adj* opposite; averse

oración (oa-rah-*th^yoan*) *f* prayer

oral (oa-*rahl*) *adj* oral

orar (oa-*rahr*) *v* pray

orden (*oar*-dhayn) *f* command; order; *m* method; **de primer ~** first-rate; **~ del día** agenda

ordenádor (oar-dhay-nah-*dhoar*) *m* computer

ordenar (oar-dhay-*nahr*) *v* arrange; order

ordinario (oar-dhee-*nah*-r^yoa) *adj* simple, ordinary; common, vulgar

oreja (oa-*ray*-khah) *f* ear

orfebre (oar-*fay*-bhray) *m* goldsmith

orgánico (oar-*gah*-nee-koa) *adj* organic

organillo (oar-gah-*nee*-l^yoa) *m* streetorgan

organismo (oar-gah-*neez*-moa) *m* organism

organización (oar-gah-nee-thah-*th^yoan*) *f* organization

organizar (oa-gah-nee-*thahr*) *v* organize; arrange

órgano (*oar*-gah-noa) *m* organ

orgullo (oar-goo-l^yoa) *m* pride

orgulloso (oar-goo-*l^yoa*-soa) *adj* proud

orientación (oa-r^yayn-tah-*th^yoan*) *f* orientation

oriental (oa-r^yayn-*tahl*) *adj* eastern, easterly; oriental

orientarse (oa-r^yayn-*tahr*-say) *v* orientate

oriente (oa-r^yayn-tay) *m* Orient

origen (oa-*ree*-khayn) *m* origin

original (oa-ree-khee-*nahl*) *adj* original

originalmente (oa-ree-khee-nahl-*mayn*-tay) *adv* originally

originar (oa-ree-khee-*nahr*) *v* originate

orilla (oa-*ree*-l^yah) *f* bank; shore

orina (oa-*ree*-nah) *f* urine

ornamental (oar-nah-mayn-*tahl*) *adj* ornamental

oro (*oa*-roa) *m* gold

orquesta (oar-*kayss*-tah) *f* orchestra; band

ortodoxo (oar-toa-*dhoak*-soa) *adj* orthodox

os (oass) *pron* you

osar (oa-*sahr*) *v* dare

oscilar (oa-thee-*lahr*) *v* *swing

oscuridad (oass-koo-ree-*dhahdh*) *f* dark

oscuro (oass-*koo*-roa) *adj* dark, dim, obscure

oso (*oa*-soa) *m* bear

ostentación (oass-tayn-tah-*th*ʸoan) *f* fuss

ostra (*oass*-trah) *f* oyster

otoño (oa-*toa*-ño-a) *m* autumn; fall *nAm*

otro (*oa*-troa) *adj* other, different; another; ~ **más** another

ovalado (oa-bah-*lah*-dhoa) *adj* oval

oveja (oa-*bhay*-khah) *f* sheep

overol (oa-bhay-*roal*) *mMe* overalls *pl*

oxidado (oak-see-*dhah*-dhoa) *adj* rusty

oxígeno (oak-*see*-khay-noa) *m* oxygen

oyente (oa-ʸ*ayn*-tay) *m* auditor, listener

P

pabellón (pah-bhay-*l*ʸ*oan*) *m* pavilion

*****pacer** (pah-*thayr*) *v* graze

paciencia (pah-*th*ʸ*ayn*-th*ʸ*ah) *f* patience

paciente (pah-*th*ʸ*ayn*-tay) *adj* patient; *m* patient

pacifismo (pah-thee-*feez*-moa) *m* pacifism

pacifista (pah-thee-*feess*-tah) *adj* pacifist; *m* pacifist

*****padecer** (pah-dhay-*thayr*) *v* suffer

padrastro (pah-*dhrahss*-troa) *m* stepfather

padre (*pah*-dhray) *m* father

padres (*pah*-dhrayss) *mpl* parents *pl*; ~ **adoptivos** foster-parents *pl*; ~ **políticos** parents-in-law *pl*

padrino (pah-*dhree*-noa) *m* godfather

paga (*pah*-gah) *f* wages *pl*

pagar (pah-*gahr*) *v* *****pay; **pagado por adelantado** prepaid; ~ **a plazos** *****pay on account

página (*pah*-khee-nah) *f* page

pago (*pah*-goa) *m* payment; **primer** ~ down payment

painel (pigh-*nayl*) *m* panel

país (pah-*eess*) *m* country, land; ~ **natal** native country

paisaje (pigh-*sah*-khay) *m* scenery, landscape

paisano (pigh-*sah*-noa) *m* civilian

Países Bajos (pah-ee-sayss -*bah*-khoass) *mpl* the Netherlands

paja (*pah*-khah) *f* straw

pájaro (*pah*-khah-roa) *m* bird

paje (*pah*-khay) *m* page-boy

pala (*pah*-lah) *f* spade, shovel

palabra (pah-*lah*-bhrah) *f* word

palacio (pah-*lah*-th*ʸ*oa) *m* palace

palanca (pah-*lahng*-kah) *f* lever; ~ **de cambios** gear lever

palangana (pah-lahng-*gah*-nah) *f* basin; wash-basin

pálido (*pah*-lee-dhoa) *adj* pale; dull; light

palillo (pah-*lee*-l*ʸ*oa) *m* toothpick

palma (*pahl*-mah) *f* palm

palo (*pah*-loa) *m* stick; ~ **de golf** golf-club

paloma (pah-*loa*-mah) *f* pigeon

palpable (pahl-*pah*-bhlay) *adj* palpable

palpar (pahl-*pahr*) *v* *****feel

palpitación (pahl-pee-tah-*th*ʸ*oan*) *f* palpitation

pan (pahn) *m* bread, loaf; ~ **integral** wholemeal bread; ~ **tostado** toast

pana (*pah*-nah) *f* corduroy, velveteen

panadería (pah-nah-dhay-*ree*-ah) *f* bakery

panadero (pah-nah-*dhay*-roa) *m* baker

panecillo (pah-nay-*thee*-l*ʸ*oa) *m* roll

pánico (*pah*-nee-koa) *m* panic

pantalones (pahn-tah-*loa*-nayss) *mpl* trousers *pl*; slacks *pl*; pants *plAm*; ~ **cortos** shorts *pl*; ~ **de esquí** ski pants *pl*; ~ **de gimnasia** trunks *pl*

pantalla (pahn-tah-*l*ʸ*ah*) *f* lampshade;

screen

pantano (pahn-*tah*-noa) *m* marsh, bog

pantanoso (pahn-tah-*noa*-soa) *adj* marshy

pantorrilla (pahn-toa-*rree*-lᵞah) *f* calf

pañal (pah-*ñahl*) *m* nappy; diaper *nAm*

pañería (pah-ñay-*ree*-ah) *f* drapery

pañero (*pah*-ñay-roa) *m* draper

paño (*pah*-ñoa) *m* cloth; ~ **higiénico** sanitary towel

pañuelo (pah-*ñway*-loa) *m* handkerchief; ~ **de papel** tissue, Kleenex®

Papa (*pah*-pah) *m* pope

papa (*pah*-pah) *fMe* potato

papá (pah-*pah*) *m* dad

papaíto (pah-pah-*ee*-toa) *m* daddy

papel (pah-*payl*) *m* paper; **de** ~ **pa-per**; ~ **carbón** carbon paper; ~ **de envolver** wrapping paper; ~ **de escribir** writing-paper; ~ **de estaño** tinfoil; ~ **de lija** sandpaper; ~ **higiénico** toilet-paper; ~ **para cartas** notepaper; ~ **para mecanografiar** typing paper; ~ **pintado** wallpaper; ~ **secante** blotting paper

papelería (pah-pay-lay-*ree*-ah) *f* stationery; stationer's

paperas (pah-*pay*-rahss) *fpl* mumps

paquete (pah-*kay*-tay) *m* packet, package, parcel; bundle

Paquistán (pah-keess-*tahn*) *m* Pakistan

paquistaní (pah-keess-tah-*nee*) *adj* Pakistani; *m* Pakistani

par (pahr) *adj* even; *m* pair

para (*pah*-rah) *prep* to, for; to, in order to; ~ **con** towards; ~ **que** what for

parabrisas (pah-rah-*bree*-sahss) *m* windscreen; windshield *nAm*

parachoques (pah-rah-*choa*-kayss) *m* fender, bumper

parada (pah-*rah*-dhah) *f* parade; stop;

~ **de taxis** taxi rank; taxi stand *Am*

parado (pah-*rah*-dhoa) *adjMe* erect

parador (pah-rah-*dhoar*) *m* roadhouse

parafina (pah-rah-*fee*-nah) *f* paraffin

paraguas (pah-*rah*-gwahss) *m* umbrella

paraíso (pah-rah-*ee*-soa) *m* paradise

paralelo (pah-rah-*lay*-loa) *adj* parallel; *m* parallel

paralítico (pah-rah-*lee*-tee-koa) *adj* lame

paralizar (pah-rah-lee-*thahr*) *v* paralise

pararse (pah-*rahr*-say) *v* halt; pull up

parcela (pahr-*thay*-lah) *f* plot

parcial (pahr-*thᵞahl*) *adj* partial

parecer (pah-ray-*thayr*) *m* view, opinion

*****parecer** (pah-ray-*thayr*) *v* appear, seem, look

parecido (pah-ray-*thee*-dhoa) *adj* alike; **bien** ~ good-looking

pared (pah-*raydh*) *f* wall

pareja (pah-*ray*-khah) *f* couple; partner

pariente (pah-*rᵞayn*-tay) *m* relative, relation

parlamentario (pahr-lah-mayn-*tah*-rᵞoa) *adj* parliamentary

parlamento (pahr-lah-*mayn*-toa) *m* parliament

párpado (*pahr*-pah-dhoa) *m* eyelid

parque (*pahr*-kay) *m* park; ~ **de estacionamiento** car park; ~ **de reserva zoológica** game reserve; ~ **nacional** national park

parquímetro (pahr-*kee*-may-troa) *m* parking meter

párrafo (*pah*-rrah-foa) *m* paragraph

parrilla (pah-*ree*-lᵞah) *f* grill; grill-room; **asar en** ~ grill

parroquia (pah-*rroa*-kᵞah) *f* parish

parsimonioso (pahr-see-moa-*nᵞoa*-soa) *adj* economical

parte (*pahr*-tay) *f* part; share; **en al-**

guna ~ somewhere; **en ninguna** ~ nowhere; **en** ~ partly; **otra** ~ elsewhere; ~ **posterior** rear; ~ **superior** top, top side; **por otra** ~ besides; **por todas partes** everywhere, throughout

participante (pahr-tee-thee-*pahn*-tay) *m* participant

participar (pahr-tee-thee-*pahr*) *v* participate

particular (pahr-tee-koo-*lahr*) *adj* private; particular; **en** ~ specially, in particular

particularidad (pahr-tee-koo-lah-ree-*dhahdh*) *f* detail; peculiarity

partida (pahr-*tee*-dhah) *f* departure

partido (pahr-*tee*-dhoa) *m* side, party; match; ~ **de fútbol** football match

partir (pahr-*teer*) *v* *leave, depart, pull out, *set out; **a** ~ **de** as from; from

parto (*pahr*-toa) *m* childbirth, delivery

párvulo (*pahr*-bhoo-loa) *m* toddler; **escuela de párvulos** kindergarten

pasa (*pah*-sah) *f* raisin; ~ **de Corinto** currant

pasado (pah-*sah*-dhoa) *adj* past; *m* past

pasaje (pah-*sah*-khay) *m* passage

pasajero (pah-sah-*khay*-roa) *m* passenger

pasaporte (pah-sah-*poar*-tay) *m* passport

pasar (pah-*sahr*) *v* happen; *go through; pass; *spend; ~ **por alto** overlook; **pasarse sin** spare

pasarela (pah-sah-*ray*-lah) *f* gangway

Pascua (*pahss*-kwah) *f* Easter

paseante (pah-say-*ahn*-tay) *m* walker

pasear (pah-say-*ahr*) *v* walk, stroll

paseo (pah-*say*-oa) *m* stroll; ride; promenade

pasillo (pah-*see*-lʸoa) *m* corridor; aisle

pasión (pah-sʸoan) *f* passion

pasivo (pah-*see*-bhoa) *adj* passive

paso (*pah*-soa) *m* step, pace; move, gait; crossing; mountain pass; **de** ~ casual; ~ **a nivel** crossing; **prioridad de** ~ right of way; **prohibido el** ~ no entry

pasta (*pahss*-tah) *f* paste; ~ **dentífrica** toothpaste

pastel (pahss-*tayl*) *m* cake

pastelería (pahss-tay-lay-*ree*-ah) *f* pastry, cake; pastry shop

pastilla (pahss-*tee*-lʸah) *f* tablet

pastor (pahss-*toar*) *m* shepherd; clergyman, parson, rector

pata (*pah*-tah) *f* paw; leg

patada (pah-*tah*-dhah) *f* kick

patata (pah-*tah*-tah) *f* potato; **patatas fritas** chips

patear (pah-tay-*ahr*) *v* kick; stamp

patente (pah-*tayn*-tay) *f* patent

patillas (pah-*tee*-lʸahss) *fpl* whiskers *pl*, sideburns *pl*

patín (pah-*teen*) *m* skate; scooter

patinaje (pah-tee-*nah*-khay) *m* skating

patinar (pah-tee-*nahr*) *v* skate; skid

pato (*pah*-toa) *m* duck

patria (*pah*-trʸah) *f* native country, fatherland

patriota (pah-*trʸoa*-tah) *m* patriot

patrón (pah-*troan*) *m* boss, master; employer; landlord

patrona (pah-*troa*-nah) *f* landlady

patrulla (pah-*troo*-lʸah) *f* patrol

patrullar (pah-troo-*lʸahr*) *v* patrol

paulatinamente (pou-lah-tee-nah-*mayn*-tay) *adv* gradually

pausa (*pou*-sah) *f* pause; *hacer una ~ pause

pavimentar (pah-bhee-mayn-*tahr*) *v* pave

pavimento (pah-bhee-*mayn*-toa) *m* pavement

pavo (*pah*-bhoa) *m* peacock; turkey

payaso (pah-ʸah-soa) *m* clown

paz (pahth) *f* peace; quiet

peaje (pay-*ah*-khay) *m* toll

peatón (pay-ah-*toan*) *m* pedestrian; **prohibido para los peatones** no pedestrians

pecado (pay-*kah*-dhoa) *m* sin

pecio (*pay*-th*ʸ*oa) *m* wreck

peculiar (pay-koo-l*ʸahr*) *adj* peculiar

pecho (*pay*-choa) *m* chest; bosom

pedal (pay-*dhahl*) *m* pedal

pedazo (pay-*dhah*-thoa) *m* piece; scrap

pedernal (pay-dhayr-*nahl*) *m* flint

pedicuro (pay-dhee-*koo*-roa) *m* chiropodist, pedicure

pedido (pay-*dhee*-dhoa) *m* order

*** pedir** (pay-*dheer*) *v* beg; order; charge

pegajoso (pay-gah-*khoa*-soa) *adj* sticky

pegar (pay-*gahr*) *v* smack, slap, *hit; *stick, paste; **pegarse** *v* *burn

peinado (pay-*nah*-dhoa) *m* hair-do

peinar (pay-*nahr*) *v* comb

peine (*pay*-nay) *m* comb; ~ **de bolsillo** pocket-comb

pelar (pay-*lahr*) *v* peel

peldaño (payl-*dah*-ñoa) *m* step

pelea (pay-*lay*-ah) *f* battle

peletero (pay-lay-*tay*-roa) *m* furrier

pelícano (pay-*lee*-kah-noa) *m* pelican

película (pay-*lee*-koo-lah) *f* film; ~ **en colores** colour film

peligro (pay-*lee*-groa) *m* danger; peril, risk; distress

peligroso (pay-lee-*groa*-soa) *adj* dangerous; perilous

pelmazo (payl-*mah*-thoa) *m* bore

pelota (pay-*loa*-tah) *f* ball

peluca (pay-*loo*-kah) *f* wig

peluquero (pay-loo-*kay*-roa) *m* hairdresser

pelvis (*payl*-bheess) *m* pelvis

pellizcar (pay-l*ʸ*eeth-*kahr*) *v* pinch

pena (*pay*-nah) *f* sorrow; pains; penalty; ~ **de muerte** death penalty

pendiente (payn-d*ʸ*ayn-tay) *adj* slanting; *m* earring, pendant; *f* gradient, slope

penetrar (pay-nay-*trahr*) *v* penetrate

penicilina (pay-nee-thee-*lee*-nah) *f* penicillin

península (pay-*neen*-soo-lah) *f* peninsula

pensador (payn-sah-*dhoar*) *m* thinker

pensamiento (payn-sah-m*ʸ*ayn-toa) *m* idea, thought

*** pensar** (payn-*sahr*) *v* *think; ~ **en** *think of

pensativo (payn-sah-*tee*-bhoa) *adj* thoughtful

pensión (payn-s*ʸoan*) *f* guest-house, pension, boarding-house; board; ~ **alimenticia** alimony; ~ **completa** full board, board and lodging

Pentecostés (payn-tay-koass-*tayss*) *m* Whitsun

peña (*pay*-ñah) *f* boulder

peón (pay-*oan*) *m* pawn

peor (pay-*oar*) *adj* worse; *adv* worse

pepino (pay-*pee*-noa) *m* cucumber

pepita (pay-*pee*-tah) *f* pip

pequeño (pay-*kay*-ñoa) *adj* small, little; petty, minor

pera (*pay*-rah) *f* pear

perca (*payr*-kah) *f* perch, bass

percepción (payr-thayp-*th*ʸ*oan*) *f* perception

perceptible (payr-thayp-*tee*-bhlay) *adj* perceptible, noticeable

percibir (payr-thee-*bheer*) *v* perceive

percha (*payr*-chah) *f* hanger, coat-hanger, peg; hat rack

*** perder** (payr-*dhayr*) *v* *lose; miss; waste

pérdida (*payr*-dhee-dhah) *f* loss

perdiz (payr-*dheeth*) *f* partridge

perdón (payr-*dhoan*) *m* pardon;

grace; ¡perdón! sorry!

perdonar (payr-dhoa-*nahr*) v *forgive

perecedero (pay-ray-thay-*dhay*-roa) adj perishable

* **perecer** (pay-ray-*thayr*) v perish

peregrinación (pay-ray-gree-nah-th^yoan) f pilgrimage

peregrino (pay-ray-*gree*-noa) m pilgrim

perejil (pay-ray-*kheel*) m parsley

perezoso (pay-ray-*thoa*-soa) adj lazy

perfección (payr-fayk-*th*^yoan) f perfection

perfecto (payr-*fayk*-toa) adj perfect; faultless

perfil (payr-*feel*) m profile

perfume (payr-*foo*-may) m perfume; scent

periódico (pay-r^yoa-dhee-koa) adj periodical; m periodical, paper; **vendedor de periódicos** newsagent

periodismo (pay-r^yoa-*deez*-moa) m journalism

periodista (pay-r^yoa-*dheess*-tah) m journalist

período (pay-*ree*-oa-dhoa) m period, term

perito (pay-*ree*-toa) m expert, connoisseur

perjudicar (payr-khoo-dhee-*kahr*) v harm

perjudicial (payr-khoo-dhee-*th*^y*ahl*) adj harmful, hurtful

perjuicio (payr-*khwee*-th^yoa) m harm, damage

perjurio (payr-*khoo*-r^yoa) m perjury

perla (*payr*-lah) f pearl

* **permanecer** (payr-mah-nay-*thayr*) v remain

permanente (payr-mah-*nayn*-tay) adj permanent; **planchado ~** permanent press

permiso (payr-*mee*-soa) m permission, authorization; permit, licence; **~ de**

conducir driving licence; **~ de pesca** fishing licence; **~ de residencia** residence permit; **~ de trabajo** work permit; labor permit *Am*

permitir (payr-mee-*teer*) v permit, allow; enable; **permitirse** v afford

perno (*payr*-noa) m bolt

pero (*pay*-roa) conj yet, only, but

peróxido (pay-*roak*-see-dhoa) m peroxide

perpendicular (payr-payn-dee-koo-*lahr*) adj perpendicular

perpetuo (payr-*pay*-twoa) adj perpetual

perra (*pay*-rrah) f bitch

perrera (pay-*rray*-rah) f kennel

perro (*pay*-rroa) m dog; **~ lazarillo** guide-dog

persa (*payr*-sah) adj Persian; m Persian

* **perseguir** (payr-say-*geer*) v pursue

perseverar (payr-say-bhay-*rahr*) v *keep up

Persia (*payr*-s^yah) f Persia

persiana (payr-s^yah-nah) f shutter, blind

persistir (payr-seess-*teer*) v insist

persona (payr-*soa*-nah) f person; **por ~** per person

personal (payr-soa-*nahl*) adj personal, private; m personnel, staff

personalidad (payr-soa-nah-lee-*dhahdh*) f personality

perspectiva (payrs-payk-*tee*-bhah) f perspective; prospect

persuadir (payr-swah-*dheer*) v persuade

* **pertenecer** (payr-tay-nay-*thayr*) v belong

pertenencias (payr-tay-*nayn*-th^yahss) fpl belongings pl

pertinaz (payr-tee-*nahth*) adj obstinate

pesado (pay-*sah*-dhoa) adj heavy

pesadumbre (pay-sah-*dhoom*-bray) f

grief

pesar (pay-*sahr*) v weigh; **a ~ de** despite, in spite of

pesca (*payss*-kah) f fishing; fishing industry

pescadería (payss-kah-dhay-*ree*-ah) f fish shop

pescador (payss-kah-*dhoar*) m fisherman

pescar (payss-*kahr*) v fish; **~ con caña** angle

pesebre (pay-*say*-bhray) m manger

pesimismo (pay-see-*meez*-moa) m pessimism

pesimista (pay-see-*meess*-tah) adj pessimistic; m pessimist

pésimo (*pay*-see-moa) adj worst; terrible

peso (*pay*-soa) m weight; burden

pestaña (payss-*tah*-ñah) f eyelash

petaca (pay-*tah*-kah) f pouch; tobacco pouch

pétalo (*pay*-tah-loa) m petal

petición (pay-tee-th^y*oan*) f petition

petirrojo (pay-tee-*rroa*-khoa) m robin

petróleo (pay-*troa*-lay-oa) m petroleum, oil; **~ lampante** kerosene; **pozo de ~** oil-well; **refinería de ~** oil-refinery

pez (payth) m fish

piadoso (p^yah-*dhoa*-soa) adj pious

pianista (p^yah-*neess*-tah) m pianist

piano (p^yah-noa) m piano; **~ de cola** grand piano

picadero (pee-kah-*dhay*-roa) m riding-school

picadura (pee-kah-*dhoo*-rah) f sting, bite; cigarette tobacco

picante (pee-*kahn*-tay) adj spicy, savoury

picar (pee-*kahr*) v itch; mince; *sting

pícaro (*pee*-kah-roa) m rascal

picazón (pee-kah-*thoan*) f itch

pico (*pee*-koa) m beak; peak; pick-

axe

pie (p^yay) m foot; **a ~** on foot; walking; **de ~** upright; *estar de ~ *stand; **~ de cabra** crowbar

piedad (p^yay-*dhahdh*) f pity; *tener ~ de pity

piedra (p^yay-dhrah) f stone; **de ~** stone; **~ miliar** milestone; **~ pómez** pumice stone; **~ preciosa** stone

piel (p^yayl) f skin; fur, hide; peel; **de ~** leather; **~ de cerdo** pigskin

pierna (p^yayr-nah) f leg

pieza (p^yay-thah) f part; **de dos piezas** two-piece; **~ de repuesto** spare part; **~ en un acto** one-act play

pijama (pee-*khah*-mah) m pyjamas pl

pilar (pee-*lahr*) m pillar

píldora (*peel*-doa-rah) f pill

pileta (pee-*lay*-tah) f sink

piloto (pee-*loa*-toa) m pilot

pillo (*pee*-l^yoa) m rascal

pimienta (pee-m^y*ayn*-tah) f pepper

pincel (peen-*thayl*) m paint-brush

pinchado (peen-*chah*-dhoa) adj punctured

pinchar (peen-*chahr*) v prick

pinchazo (peen-*chah*-thoa) m puncture

pingüino (peeng-*gwee*-noa) m penguin

pino (*pee*-noa) m fir-tree

pintar (peen-*tahr*) v paint

pintor (peen-*toar*) m painter

pintoresco (peen-toa-*rayss*-koa) adj picturesque, scenic

pintura (peen-*too*-rah) f paint; painting; **~ al óleo** oil-painting

pinzas (*peen*-thahss) fpl tweezers pl

pinzón (peen-*thoan*) m finch

piña (*pee*-ñah) f pineapple

pío (*pee*-oa) adj pious

piojo (p^yoa-khoa) m louse

pionero (p^yoa-*nay*-roa) m pioneer

pipa (*pee*-pah) f pipe

pirata (pee-*rah*-tah) m pirate

pisar (pee-*sahr*) v step

piscina (pee-*thee*-nah) f swimming pool

piso (*pee*-soa) m storey, floor; flat; apartment *nAm*; ~ **bajo** ground floor

pista (*peess*-tah) f ring; track; lane; ~ **de aterrizaje** runway; ~ **de patinaje** skating-rink; ~ **para carreras** race-course

pistola (peess-*toa*-lah) f pistol

pistón (peess-*toan*) m piston

pitillera (pee-tee-*l*Yay-rah) f cigarette-case

pizarra (pee-*thah*-rrah) f slate; blackboard

placa (*plah*-kah) f registration plate

placer (plah-*thayr*) m pleasure

*pl**acer** (plah-*thayr*) v please

plaga (*plah*-gah) f plague

plan (plahn) m plan, project

plancha (*plahn*-chah) f iron; **no precisa** ~ wash and wear, drip-dry

planchar (plahn-*chahr*) v iron; press

planeador (plah-nay-ah-*dhoar*) m glider

planear (plah-nay-*ahr*) v plan

planeta (plah-*nay*-tah) m planet

planetario (plah-nay-tah-r*Y*oa) m planetarium

plano (*plah*-noa) adj level, even, plane; m plan, map; **primer** ~ foreground

planta (*plahn*-tah) f plant

plantación (plahn-tah-th*Y*oan) f plantation

plantar (plahn-*tahr*) v plant

plantear (plahn-tay-*ahr*) v *put

plástico (*plahss*-tee-koa) m plastic; **de** ~ plastic

plata (*plah*-tah) f silver; **de** ~ silver; ~ **labrada** silverware

plátano (*plah*-tah-noa) m banana

platero (plah-*tay*-roa) m silversmith

platija (plah-*tee*-khah) f plaice

platillo (plah-*tee*-l*Y*oa) m saucer

platino (plah-*tee*-noa) m platinum

plato (*plah*-toa) m dish, plate; course; ~ **para sopa** soup-plate

playa (*plah*-Yah) f beach; ~ **de veraneo** seaside resort; ~ **para nudistas** nudist beach

plaza (*plah*-thah) f square; ~ **de mercado** market-place; ~ **de toros** bullring; ~ **fuerte** stronghold

plazo (*plah*-thoa) m term; instalment; **compra a plazos** hire-purchase

pleamar (play-ah-*mahr*) f high tide

*pl**egar** (play-*gahr*) v crease

pliegue (pl*Y*ay-gay) m crease, fold

plomero (ploa-*may*-roa) m plumber

plomo (*ploa*-moa) m lead

pluma (*ploo*-mah) f feather; pen

plural (ploo-*rahl*) m plural

población (poa-bhlah-th*Y*oan) f population

pobre (*poa*-bhray) adj poor

pobreza (poa-*bhray*-thah) f poverty

poco (*poa*-koa) adj little; m bit; **dentro de** ~ presently; **pocos** adj few; **un** ~ some

poder (poa-*dhayr*) m power; authority

*p**oder** (poa-*dhayr*) v *be able to, *can; *might, *may

poderoso (poa-dhay-*roa*-soa) adj powerful

podrido (poa-*dhree*-dhoa) adj rotten

poema (poa-*ay*-mah) m poem; ~ **épico** epic

poesía (poa-ay-*see*-ah) f poetry

poeta (poa-ay-tah) m poet

poético (poa-*ay*-tee-koa) adj poetic

polaco (poa-*lah*-koa) adj Polish; m Pole

polea (poa-*lay*-ah) f pulley

policía (poa-lee-*thee*-ah) f police pl

polifacético (poa-lee-fah-*thay*-tee-koa) adj all-round

polilla (poa-*lee*-l^yah) f moth
polio (*poa*-l^yoa) f polio
poliomielitis (poa-l^yoa-m^yay-*lee*-teess) f polio
política (poa-*lee*-tee-kah) f policy; politics
político (poa-*lee*-tee-koa) adj political; m politician
póliza (*poa*-lee-thah) f policy
Polonia (poa-*loa*-n^yah) f Poland
polución (poa-loo-*th^yoan*) f pollution
polvera (poal-*bhay*-rah) f powder compact
polvo (*poal*-bhoa) m dust; powder; grit; ~ **facial** face-powder; ~ **para los dientes** toothpowder; ~ **para los pies** foot powder
pólvora (*poal*-bhoa-rah) f gunpowder
polvoriento (poal-bhoa-*r^yayn*-toa) adj dusty
pollero (poa-*l^yay*-roa) m poulterer
pollo (*poa*-l^yoa) m chicken
pomelo (poa-*may*-loa) m grapefruit
pómulo (*poa*-moo-loa) m cheek-bone
ponderado (poan-day-*rah*-dhoa) adj sober
* poner (poa-*nayr*) v place, *lay, *put, *set; *** ponerse** v *put on
pony (*poa*-nee) m pony
popelín (poa-pay-*leen*) m poplin
popular (poa-poo-*lahr*) adj popular; vulgar; **canción** ~ folk song; **danza** ~ folk-dance
populoso (poa-poo-*loa*-soa) adj populous
por (poar) prep by; for; via; times
porcelana (poar-thay-*lah*-nah) f china, porcelain
porcentaje (poar-thayn-*tah*-khay) m percentage
porción (poar-*th^yoan*) f portion, helping
porque (*poar*-kay) conj because, for, as; **por qué** why

porra (*poa*-rrah) f club
portabagajes (poar-tah-bah-*khah*-gayss) m luggage rack
portador (poar-tah-*dhoar*) m bearer
portaequipajes (poar-tah-ay-kee-*pah*-khayss) m boot; trunk nAm
portafolio (poar-tah-*foa*-l^yoa) m attaché case, briefcase
portaligas (poar-tah-*lee*-gahss) m suspender belt
portátil (poar-*tah*-teel) adj portable
portero (poar-*tay*-roa) m doorman, door-keeper, porter; goalkeeper
pórtico (*poar*-tee-koa) m arcade
portilla (poar-*tee*-l^yah) f porthole
portón (poar-*toan*) m gate
Portugal (poar-too-*gahl*) m Portugal
portugués (poar-too-*gayss*) adj Portuguese; m Portuguese
porvenir (poar-bhay-*neer*) m future
posada (poa-*sah*-dhah) f inn
posadero (poa-sah-*dhay*-roa) m innkeeper
* poseer (poa-say-*ayr*) v own, possess
posesión (poa-say-*s^yoan*) f possession
posibilidad (poa-see-bhee-lee-*dhahdh*) f possibility
posible (poa-*see*-bhlay) adj possible
posición (poa-see-*th^yoan*) f position
positiva (poa-see-*tee*-bhah) f positive, print
positivo (poa-see-*tee*-bhoa) adj positive
postal ilustrada (poass-*tahl* ee-looss-*trah*-dhah) picture postcard
poste (*poass*-tay) m post, pole; ~ **de farol** lamp-post; ~ **de indicador** signpost
posterior (poass-tay-*r^yoar*) adj subsequent
postizo (poass-*tee*-thoa) m hair piece
postre (*poass*-tray) m dessert
potable (poa-*tah*-bhlay) adj for drinking

potencia (poa-*tayn*-th^yah) f capacity; power

pozo (*poa*-thoa) m well; ~ **de petróleo** oil-well

práctica (*prahk*-tee-kah) f practice

prácticamente (*prahk*-tee-kah-mayn-tay) adv practically

practicar (prahk-tee-*kahr*) v practise

práctico (*prahk*-tee-koa) adj practical; business-like; m pilot

prado (*prah*-dhoa) m meadow, pasture

precario (pray-kah-r^yoa) adj critical, precarious

precaución (pray-kou-*th^yoan*) f precaution

precaverse (pray-kah-*bhayr*-say) v beware

precedente (pray-thay-*dhayn*-tay) adj previous, preceding, last

preceder (pray-thay-*dhayr*) v precede

precio (*pray*-th^yoa) m price; charge, cost, rate; ~ **de compra** purchase price; ~ **del billete** fare

precioso (pray-*th^yoa*-soa) adj precious; lovely

precipicio (pray-thee-*pee*-th^yoa) m precipice

precipitación (pray-thee-pee-tah-*th^yoan*) f precipitation

precipitarse (pray-thee-pee-*tahr*-say) v rush; crash; **precipitado** adj rash

preciso (pray-*thee*-soa) adj precise; very

predecesor (pray-dhay-thay-*soar*) m predecessor

***predecir** (pray-dhay-*theer*) v predict

predicar (pray-dhee-*kahr*) v preach

preferencia (pray-fay-*rayn*-th^yah) f preference

preferible (pray-fay-*ree*-bhlay) adj preferable

***preferir** (pray-fay-*reer*) v prefer; **preferido** adj favourite

prefijo (pray-*fee*-khoa) m prefix

pregunta (pray-*goon*-tah) f question; query, inquiry

preguntar (pray-goon-*tahr*) v ask; enquire; **preguntarse** v wonder

prejuicio (pray-*khwee*-th^yoa) m prejudice

preliminar (pray-lee-mee-*nahr*) adj preliminary

prematuro (pray-mah-*too*-roa) adj premature

premio (*pray*-m^yoa) m award, prize; ~ **de consolación** consolation prize

prender (prayn-*dayr*) v attach

prensa (*prayn*-sah) f press; **conferencia de** ~ press conference

preocupación (pray-oa-koo-pah-*th^yoan*) f concern, anxiety, worry; trouble

preocupado (pray-oa-koo-*pah*-dhoa) adj concerned, anxious

preocuparse de (pray-oa-koo-*pahr*-say) care about

preparación (pray-pah-rah-*th^yoan*) f preparation

preparado (pray-pah-*rah*-dhoa) adj prepared, ready

preparar (pray-pah-*rahr*) v prepare; cook

preposición (pray-poa-see-*th^yoan*) f preposition

presa (*pray*-sah) f dam

prescindir (pray-theen-*deer*) v omit; disregard; **prescindiendo de** apart from

prescribir (prayss-kree-*bheer*) v prescribe

prescripción (prayss-kreep-*th^yoan*) f prescription

presencia (pray-*sayn*-th^yah) f presence

presenciar (pray-sayn-*th^yahr*) v witness

presentación (pray-sayn-tah-*th^yoan*) f introduction

presentar (pray-sayn-*tahr*) v introduce,

present; offer; **presentarse** v report

presente (pray-*sayn*-tay) adj present; m present

preservativo (pray-sayr-bhah-*tee*-bhoa) m condom

preservar (pray-sayr-*bhahr*) v preserve

presidente (pray-see-*dhayn*-tay) m president, chairman

presidir (pray-see-*dheer*) v preside at

presión (pray-*s*ⁱoan) f pressure; ~ **atmosférica** atmospheric pressure; ~ **del aceite** oil pressure; ~ **del neumático** tyre pressure

preso (*pray*-soa) m prisoner; **coger** ~ capture

prestamista (prayss-tah-*meess*-tah) m pawnbroker

préstamo (*prayss*-tah-moa) m loan

prestar (prayss-*tahr*) v *lend; ~ **atención a** attend to, *pay attention to; **tomar prestado** borrow

prestigio (prayss-tee-kh²oa) m prestige

presumible (pray-soo-*mee*-bhlay) adj presumable

presumido (pray-soo-mee-dhoa) adj presumptuous

presumir (pray-soo-*meer*) v assume; boast

presuntuoso (pray-soon-*twoa*-soa) adj conceited; presumptuous

presupuesto (pray-soo-*pwayss*-toa) m budget

pretender (pray-tayn-*dayr*) v claim

pretensión (pray-tayn-*s*ⁱoan) f claim

pretexto (pray-*tayks*-toa) m pretext, pretence

*prevenir (pray-bhay-*neer*) v anticipate, prevent

preventivo (pray-bhayn-*tee*-bhoa) adj preventive

*prever (pray-*bhayr*) v anticipate

previo (*pray*-bh²oa) adj previous

previsión (pray-bhee-*s*ⁱoan) f outlook, forecast

prima (*pree*-mah) f cousin; premium

primario (pree-*mah*-rⁱoa) adj primary

primavera (pree-mah-*bhay*-rah) f springtime, spring

primero (pree-*may*-roa) num first; adj foremost; primary

primitivo (pree-mee-*tee*-bhoa) adj primitive

primo (*pree*-moa) m cousin

primordial (pree-moar-*dh*ⁱahl) adj primary

princesa (preen-*thay*-sah) f princess

principal (preen-thee-*pahl*) adj principal; chief, main, cardinal; m principal

principalmente (preen-thee-pahl-*mayn*-tay) adv mainly

príncipe (*preen*-thee-pay) m prince

principiante (preen-thee-*p*ⁱahn-tay) m beginner, learner

principio (preen-*thee*-pⁱoa) m principle; **al** ~ at first

prioridad (prⁱoa-ree-*dhahdh*) f priority

prisa (*pree*-sah) f haste, speed, hurry; ***dar** ~ *speed; ***darse** ~ hurry; **de** ~ in a hurry

prisión (pree-*s*ⁱoan) f prison

prisionero (pree-sⁱoa-*nay*-roa) m prisoner; ~ **de guerra** prisoner of war

prismáticos (preez-mah-tee-koass) mpl binoculars pl

privado (pree-*bhah*-dhoa) adj private

privar de (pree-*bhahr*) deprive of

privilegio (pree-bhee-*lay*-kh²oa) m privilege

probable (proa-*bhah*-bhlay) adj probable; likely

probablemente (proa-bhah-bhlay-*mayn*-tay) adv probably

probador (proa-bhah-*dhoar*) m fitting room

*probar (proa-*bhahr*) v attempt; test; taste; ***probarse** v try on

problema (proa-*bhlay*-mah) *m* problem, question

procedencia (proa-thay-*dhayn*-thᵞah) *f* origin

proceder (proa-thay-*dhayr*) *v* proceed

procedimiento (proa-thay-dhee-*mᵞayn*-toa) *m* procedure; process

procesión (proa-thay-*sᵞoan*) *f* procession

proceso (proa-*thay*-soa) *m* process, trial, lawsuit

proclamar (proa-klah-*mahr*) *v* proclaim

procurador (proa-koo-rah-*dhoar*) *m* solicitor

procurar (proa-koo-*rahr*) *v* furnish

pródigo (*proa*-dhee-goa) *adj* lavish

producción (proa-dhook-*thᵞoan*) *f* production, output; ~ **en serie** mass production

*****producir** (proa-dhoo-*theer*) *v* produce

producto (proa-*dhook*-toa) *m* product, produce

productor (proa-dhook-*toar*) *m* producer

profano (proa-*fah*-noa) *m* layman

profesar (proa-fay-*sahr*) *v* confess

profesión (proa-fay-*sᵞoan*) *f* profession

profesional (proa-fay-sᵞoa-*nahl*) *adj* professional

profesor (proa-fay-*soar*) *m* master, teacher; professor

profesora (proa-fay-*soa*-rah) *f* teacher

profeta (proa-*fay*-tah) *m* prophet

profundidad (proa-foon-dee-*dhahdh*) *f* depth

profundo (proa-*foon*-doa) *adj* low; profound

programa (proa-*grah*-mah) *m* programme

progresista (proa-gray-*seess*-tah) *adj* progressive

progresivo (proa-gray-*see*-bhoa) *adj* progressive

progreso (proa-*gray*-soa) *m* progress

prohibición (proa-ee-bhee-*thᵞoan*) *f* prohibition

prohibido (proa-ee-bhee-dhoa) *adj* prohibited

prohibir (proa-ee-*bheer*) *v* prohibit, *forbid

prolongación (proa-loang-gah-*thᵞoan*) *f* prolongation

prolongar (proa-loang-*gahr*) *v* extend

promedio (proa-*may*-dhᵞoa) *adj* average; *m* average, mean; **en** ~ on the average

promesa (proa-*may*-sah) *f* promise

prometer (proa-may-*tayr*) *v* promise

prometido (proa-may-*tee*-dhoa) *adj* engaged

promoción (proa-moa-*thᵞoan*) *f* promotion

promontorio (proa-moan-toa-rᵞoa) *m* headland

*****promover** (proa-moa-*bhayr*) *v* promote

pronombre (proa-*noam*-bray) *m* pronoun

pronosticar (proa-noass-tee-*kahr*) *v* forecast

pronto (*proan*-toa) *adj* prompt; *adv* soon, shortly; **tan** ~ **como** as soon as

pronunciación (proa-noon-thᵞah-*thᵞoan*) *f* pronunciation

pronunciar (proa-noon-*thᵞahr*) *v* pronounce

propaganda (proa-pah-*gahn*-dah) *f* propaganda

propicio (proa-*pee*-thᵞoa) *adj* favourable; well-disposed

propiedad (proa-pᵞay-*dhahdh*) *f* property; estate

propietario (proa-pᵞay-tah-rᵞoa) *m* owner, proprietor; landlord

propina (proa-*pee*-nah) *f* gratuity, tip

propio (*proa*-pᵞoa) *adj* own

*proponer (proa-poa-*nayr*) v propose

proporción (proa-poar-*th*ʸ*oan*) f proportion

proporcional (proa-poar-th*ʸ*oa-*nahl*) adj proportional

proporcionar (proa-poar-th*ʸ*oa-*nahr*) v adjust; procure

propósito (proa-*poa*-see-toa) m purpose; **a ~** by the way

propuesta (proa-*pwayss*-tah) f proposition, proposal

prórroga (*proa*-rroa-gah) f extension

prosa (*proa*-sah) f prose

*proseguir (proa-say-*geer*) v proceed, continue, carry on

prospecto (proass-*payk*-toa) m prospectus

prosperidad (proass-pay-ree-*dhahdh*) f prosperity

próspero (*proass*-pay-roa) adj prosperous

prostituta (proass-tee-*too*-tah) f prostitute

protección (proa-tayk-*th*ʸ*oan*) f protection

proteger (proa-tay-*khayr*) v protect

proteína (proa-tay-*ee*-nah) f protein

protesta (proa-*tayss*-tah) f protest

protestante (proa-tayss-*tahn*-tay) adj Protestant

protestar (proa-tayss-*tahr*) v protest

provechoso (proa-bhay-*choa*-soa) adj profitable

*proveer (proa-bhay-*ayr*) v provide; **~ de** furnish with

proverbio (proa-*bhayr*-bh*ʸ*oa) m proverb

provincia (proa-*bheen*-th*ʸ*ah) f province

provincial (proa-bheen-*th*ʸ*ahl*) adj provincial

provisional (proa-bhee-s*ʸ*oa-*nahl*) adj provisional, temporary

provisiones (proa-bhee-s*ʸ*oa-nayss) fpl

provisions pl

provocar (proa-bhoa-*kahr*) v cause

próximamente (*proak*-see-mah-mayn-tay) adv shortly

próximo (*proak*-see-moa) adj next

proyectar (proa-ʸayk-*tahr*) v project

proyecto (proa-ʸ*ayk*-toa) m project, scheme

proyector (proa-ʸayk-*toar*) m spotlight

prudente (proo-*dhayn*-tay) adj cautious, wary, gentle

prueba (*prway*-bhah) f experiment, trial, test; proof, token, evidence; **a ~ on** approval

prurito (proo-*ree*-toa) m itch

psicoanalista (see-koa-ah-nah-*leess*-tah) m analyst, psychoanalyst

psicología (see-koa-loa-*khee*-ah) f psychology

psicológico (see-koa-*loa*-khee-koa) adj psychological

psicólogo (see-*koa*-loa-goa) m psychologist

psiquiatra (see-*k*ʸ*ah*-trah) m psychiatrist

psíquico (*see*-kee-koa) adj psychic

publicación (poo-bhlee-kah-*th*ʸ*oan*) f publication

publicar (poo-bhlee-*kahr*) v publish

publicidad (poo-bhlee-thee-*dhahdh*) f advertising, publicity

público (*poo*-bhlee-koa) adj public; m public

pueblo (*pway*-bhloa) m nation, people; village

puente (*pwayn*-tay) m bridge; **~ colgante** suspension bridge; **~ levadizo** drawbridge; **~ superior** main deck

puerta (*pwayr*-tah) f door; **~ corrediza** sliding door; **~ giratoria** revolving door

puerto (*pwayr*-toa) m harbour, port; **~ de mar** seaport

pues (pwayss) *conj* since

puesta (*pwayss*-tah) *f* bet

puesto (loo-*gahr*) *m* spot; job, post, position; stand, stall, booth; ~ **de gasolina** service station; gas station *Am*; ~ **de libros** bookstand

puesto que (*pwayss*-toa kay) because, since

pulcro (*pool*-kroa) *adj* neat

pulgar (pool-*gahr*) *m* thumb

pulir (poo-*leer*) *v* polish

pulmón (pool-*moan*) *m* lung

pulóver (poo-*loa*-bhayr) *m* pullover

púlpito (*pool*-pee-toa) *m* pulpit

pulpo (*pool*-poa) *m* octopus

pulsera (pool-*say*-rah) *f* bracelet, bangle

pulso (*pool*-soa) *m* pulse

pulverizador (pool-bhay-ree-thah-*dhoar*) *m* atomizer

punta (*poon*-tah) *f* tip, point

puntiagudo (poon-tYah-*goo*-dhoa) *adj* pointed

puntilla (poon-*tee*-lYah) *f* lace

punto (*poon*-toa) *m* point; item, issue; period, full stop; stitch; **géneros de** ~ hosiery; **hacer** ~ *knit; ~ **de congelación** freezing-point; ~ **de partida** starting-point; ~ **de vista** point of view; ~ **y coma** semi-colon

puntual (poon-*twahl*) *adj* punctual

punzada (poon-*thah*-dhah) *f* stitch

punzar (poon-*thahr*) *v* pierce

puñado (poo-*ñah*-dhoa) *m* handful

puñetazo (poo-ñay-*tah*-thoa) *m* punch; ***dar puñetazos** punch

puño (*poo*-ñoa) *m* fist; cuff

pupitre (poo-*pee*-tray) *m* desk

purasangre (poo-rah-*sahng*-gray) *adj* thoroughbred

puro (*poo*-roa) *adj* pure; clean, neat, sheer; *m* cigar

purpúreo (poor-*poo*-ray-oa) *adj* purple

pus (pooss) *f* pus

Q

que (kay) *pron* who, which, that; *conj* that; as, than

qué (kay) *pron* what; *adv* how

quebradizo (kay-bhrah-*dhee*-thoa) *adj* crisp

quebrantar (kay-bhrahn-*tahr*) *v* *break

***quebrar** (kay-*bhrahr*) *v* crack, *break, *burst

quedar (kay-*dhahr*) *v* remain; **quedarse** *v* remain, stay

queja (*kay*-khah) *f* complaint

quejarse (kay-*khahr*-say) *v* complain

quemadura (kay-mah-*dhoo*-rah) *f* burn; ~ **del sol** sunburn

quemar (kay-*mahr*) *v* *burn

***querer** (kay-*rayr*) *v* *will, want; like, *be fond of

querida (kay-*ree*-dhah) *f* sweetheart; mistress

querido (kay-*ree*-dhoa) *adj* beloved, dear; precious; *m* darling

queso (*kay*-soa) *m* cheese

quien (kYayn) *pron* who; **a** ~ whom

quienquiera (kYayng-*kYay*-rah) *pron* whoever

quieto (kYay-toa) *adj* still, quiet; ***estarse** ~ *keep quiet

quilate (kee-*lah*-tay) *m* carat

quilla (*kee*-lYah) *f* keel

química (*kee*-mee-kah) *f* chemistry

químico (*kee*-mee-koa) *adj* chemical

quincalla (keeng-*kah*-lYah) *f* hardware

quince (*keen*-thay) *num* fifteen

quincena (keen-*thay*-nah) *f* fortnight

quinceno (keen-*thay*-noa) *num* fifteenth

quinina (kee-*nee*-nah) *f* quinine

quinta (*keen*-tah) *f* country house

quinto¹ (*keen*-toa) *num* fifth

quinto² (*keen*-toa) *m* conscript

quiosco (*kᵞoass*-koa) *m* kiosk; ~ **de periódicos** newsstand

quitamanchas (kee-tah-*mahn*-chahss) *m* cleaning fluid, stain remover

quitar (kee-*tahr*) *v* *take away

quitasol (kee-tah-*soal*) *m* sunshade

quizás (kee-*thahss*) *adv* maybe, perhaps

R

rábano (*rah*-bhah-noa) *m* radish; ~ **picante** horseradish

rabia (*rah*-bhᵞah) *f* rage; rabies

rabiar (rah-*bhᵞahr*) *v* rage

rabioso (rah-*bhᵞoa*-soa) *adj* mad

racial (rah-*thᵞahl*) *adj* racial

ración (rah-*thᵞoan*) *f* ration

radiador (rah-dhᵞah-*dhoar*) *m* radiator

radical (rah-dhee-*kahl*) *adj* radical

radio (*rah*-dhᵞoa) *m* radius; spoke; *f* wireless, radio

radiografía (rah-dhᵞoa-grah-*fee*-ah) *f* X-ray

radiografiar (rah-dhᵞoa-grah-*fᵞahr*) *v* X-ray

raedura (rah-ay-*dhoo*-rah) *f* scratch; *hacer raeduras** scratch

ráfaga (*rah*-fah-gah) *f* gust, blow

raíz (rah-*eeth*) *f* root

rallar (rah-*lᵞahr*) *v* grate

rama (*rah*-mah) *f* branch, bough

ramita (rah-*mee*-tah) *f* twig

ramo (*rah*-moa) *m* bouquet, bunch

rampa (*rahm*-pah) *f* ramp

rana (*rah*-nah) *f* frog

rancio (*rahn*-thᵞoa) *adj* rancid

rancho (*rahn*-choa) *mMe* farmhouse

rango (*rahng*-goa) *m* rank

ranura (rah-*noo*-rah) *f* slot

rápidamente (rah-pee-dah-mayn-tay) *adv* soon

rapidez (rah-pee-*dhayth*) *f* speed

rápido (*rah*-pee-dhoa) *adj* fast, rapid, quick; **rápidos de río** rapids *pl*

raqueta (rah-*kay*-tah) *f* racquet

raro (*rah*-roa) *adj* uncommon, rare; strange, odd; **raras veces** rarely

rascacielos (rahss-kah-*thᵞay*-loass) *m* skyscraper

rascar (rahss-*kahr*) *v* scratch

rasgar (rahz-*gahr*) *v* rip

rasgo (*rahz*-goa) *m* trait; feature; ~ **característico** characteristic

rasgón (rahz-*goan*) *m* tear

rasguño (rahz-*goo*-ño-a) *m* scratch

raso (*rah*-soa) *adj* bare; *m* satin

raspar (rahss-*pahr*) *v* scrape

rastrear (rahss-tray-*ahr*) *v* trace

rastrillo (rahss-*tree*-lᵞoa) *m* rake

rastro (*rahss*-troa) *m* trail

rasurarse (rah-soo-*rahr*-say) *v* shave

rata (*rah*-tah) *f* rat

rato (*rah*-toa) *m* while

ratón (rah-*toan*) *m* mouse

raya (*rah*-ᵞah) *f* line, stripe; crease; parting

rayado (rah-ᵞah-dhoa) *adj* striped

rayador (rah-ᵞah-*dhoar*) *m* grater

rayo (*rah*-ᵞoa) *m* beam, ray

rayón (rah-ᵞoan) *m* rayon

raza (*rah*-thah) *f* race; breed

razón (rah-*thoan*) *f* wits *pl*, sense, reason; **no *tener ~** *be wrong; ***tener ~** * be right

razonable (rah-thoa-*nah*-bhlay) *adj* reasonable

razonar (rah-thoa-*nahr*) *v* reason

reacción (ray-ahk-*thᵞoan*) *f* reaction

reaccionar (ray-ahk-th ᵞoa-*nahr*) *v* react

real (ray-*ahl*) *adj* factual, true, substantial; royal

realidad (ray-ah-lee-*dhahdh*) *f* reality;

en ~ actually, as a matter of fact

realizable (ray-ah-lee-*thah*-bhlay) *adj* feasible, realizable

realización (ray-ah-lee-thah-*th^yoan*) *f* achievement

realizar (ray-ah-lee-*thahr*) *v* realize; carry out

rebaja (ray-*bhah*-khah) *f* reduction, rebate; **rebajas** *fpl* sales

rebajar (ray-bhah-*khahr*) *v* lower, reduce

rebaño (ray-*bhah*-ñoa) *m* flock

rebelde (ray-*bhayl*-day) *m* rebel

rebelión (ray-bhay-*l^yoan*) *f* revolt, rebellion

recado (ray-*kah*-dhoa) *m* errand

recambio (ray-*kahm*-b^yoa) *m* spare part

recepción (ray-thayp-*th^yoan*) *f* reception

recepcionista (ray-thayp-th^yoa-*neess*-tah) *f* receptionist

receptáculo (ray-thayp-*tah*-koo-loa) *m* container

receptor (ray-thayp-*toar*) *m* receiver

receta (ray-*thay*-tah) *f* recipe

recibir (ray-thee-*bheer*) *v* receive

recibo (ray-*thee*-bhoa) *m* voucher, receipt; **oficina de ~** reception office

reciclable (ray-thee-*clah*-bhlay) *adj* recyclable

reciclar (ray-thee-*clahr*) *v* recycle

recién (ray-*th^yayn*) *adv* recently

reciente (ray-*th^yayn*-tay) *adj* recent

recientemente (ray-th^yayn-tay-*mayn*-tay) *adv* lately, recently

recíproco (ray-*thee*-proa-koa) *adj* mutual

recital (ray-thee-*tahl*) *m* recital

reclamar (ray-klah-*mahr*) *v* claim

recluta (ray-*kloo*-tah) *m* recruit

recoger (ray-koa-*khayr*) *v* pick up, pick; collect, gather; *overtake

recogida (ray-koa-*khee*-dhah) *f* collec-

tion

recomendación (ray-koa-mayn-dah-*th^yoan*) *f* recommendation

*****recomendar** (ray-koa-mayn-*dahr*) *v* recommend

*****recomenzar** (ray-koa-mayn-*thahr*) *v* recommence

recompensa (ray-koam-*payn*-sah) *f* prize, reward

recompensar (ray-koam-payn-*sahr*) *v* reward

reconciliación (ray-koan-thee-l^yah-*th^yoan*) *f* reconciliation

*****reconocer** (ray-koa-noa-*thayr*) *v* recognize; admit, confess, acknowledge; realize

reconocimiento (ray-koa-noa-thee-*m^yayn*-toa) *m* recognition; check-up

récord (*ray*-koardh) *m* record

*****recordar** (ray-koar-*dhahr*) *v* remind; *think of

recorrer (ray-koa-*rrayr*) *v* cross

recortar (ray-koar-*tahr*) *v* trim

recreación (ray-kray-ah-*th^yoan*) *f* recreation

recreo (ray-*kray*-oa) *m* recreation; **patio de ~** playground

recriar (ray-*kr^yahr*) *v* *breed

rectangular (rayk-tahng-goo-*lahr*) *adj* rectangular

rectángulo (rayk-*tahng*-goo-loa) *m* oblong, rectangle

rectificación (rayk-tee-fee-kah-*th^yoan*) *f* correction

recto (*rayk*-toa) *adj* erect

rector (rayk-*toar*) *m* rector

rectoría (rayk-toa-*ree*-ah) *f* rectory

recuerdo (ray-*kwayr*-dhoa) *m* remembrance, memory; souvenir

recuperación (ray-koo-pay-rah-*th^yoan*) *f* revival

recuperar (ray-koo-pay-*rahr*) *v* recover

rechazar (ray-chah-*thahr*) *v* reject, turn down

red (raydh) f net; network; ~ **de carreteras** road system; ~ **de pescar** fishing net

redacción (ray-dhahk-th^{y}oan) f wording; editorial staff

redactar (ray-dhahk-tahr) v *make up; *draw up

redactor (ray-dhahk-toar) m editor

redecilla (ray-dhay-thee-l^{y}ah) f hairnet

redimir (ray-dhee-meer) v redeem

rédito (ray-dhee-toa) m interest

redondeado (ray-dhoan-day-ah-dhoa) adj rounded

redondo (ray-dhoan-doa) adj round

reducción (ray-dhook-th^{y}oan) f reduction, rebate

*reducir (ray-dhoo-theer) v *cut, decrease, reduce

reembolsar (ray-aym-boal-sahr) v reimburse

reemplazar (ray-aym-plah-thahr) v replace

reemprender (ray-aym-prayn-dayr) v resume

reexpedir (ray-ayks-pay-dheer) v forward

referencia (ray-fay-rayn-th^{y}ah) f reference; **punto de** ~ landmark

*referir (ray-fay-reer) v refer; narrate

refinería (ray-fee-nay-ree-ah) f refinery

reflector (ray-flayk-toar) m reflector; searchlight

reflejar (ray-flay-khahr) v reflect

reflejo (ray-flay-khoa) m reflection

reflexionar (ray-flayk-s^{y}oa-nahr) v *think

Reforma (ray-foar-mah) f reformation

refractario (ray-frahk-tah-r^{y}oa) adj fireproof

refrenar (ray-fray-nahr) v curb

refrescar (ray-frayss-kahr) v refresh

refresco (ray-frayss-koa) m refreshment

refrigerador (ray-free-khay-rah-dhoar) m fridge, refrigerator

refugio (ray-foo-kh^{y}oa) m cover, shelter

refunfuñar (ray-foon-foo-ñahr) v grumble

regalar (ray-gah-lahr) v present

regaliz (ray-gah-leeth) m liquorice

regalo (ray-gah-loa) m present, gift

regata (ray-gah-tah) f regatta

regatear (ray-gah-tay-ahr) v bargain

régimen (ray-khee-mayn) m (pl regímenes) régime; government, rule; diet

regimiento (ray-khee-m^{y}ayn-toa) m regiment

región (ray-kh^{y}oan) f region; zone, country, area

regional (ray-kh^{y}oa-nahl) adj regional

*regir (ray-kheer) v govern, rule

registrar (ray-kheess-trahr) v book, record

registro (ray-kheess-troa) m record

regla (ray-glah) f rule; regulation; ruler; **en** ~ in order; **por** ~ **general** as a rule

reglamento (ray-glah-mayn-toa) m regulation

regocijo (ray-goa-thee-khoa) m joy

regordete (ray-goar-dhay-tay) adj plump

regresar (ray-gray-sahr) v *go back, *get back

regreso (ray-gray-soa) m return; **viaje de** ~ return journey; **vuelo de** ~ return flight

regulación (ray-goo-lah-th^{y}oan) f regulation

regular (ray-goo-lahr) v regulate; adj regular

rehabilitación (ray-ah-bhee-lee-tah-th^{y}oan) f rehabilitation

rehén (ray-ayn) m hostage

rehusar (ray^{oo}-sahr) v refuse; reject

reina (*ray*-nah) f queen

reinado (ray-*nah*-dhoa) m reign

reino (*ray*-noa) m kingdom

reintegrar (rayn-tay-*grahr*) v *repay, refund

reintegro (rayn-*tay*-groa) m repayment, refund

***reír** (ray-*eer*) v laugh

reivindicación (ray-bheen-dee-kah-*th*ʸ*oan*) f claim

reivindicar (ray-bheen-dee-*kahr*) v claim

reja (*ray*-khah) f grate; fence, gate

rejilla (ray-*khee*-lʸah) f luggage rack

relación (ray-lah-*th*ʸ*oan*) f connection, relation; reference; report

relacionar (ray-lah-thʸoa-*nahr*) v relate

relajación (ray-lah-khah-*th*ʸ*oan*) f relaxation

relajado (ray-lah-*khah*-dhoa) adj easygoing

relámpago (ray-*lahm*-pah-goa) m lightning; flash

relatar (ray-lah-*tahr*) v report

relativo (ray-lah-*tee*-bhoa) adj comparative, relative; ~ **a** regarding

relato (ray-*lah*-toa) m tale

relevar (ray-lay-*bhahr*) v relieve

relieve (ray-*l*ʸ*ay*-bhay) m relief

religión (ray-lee-*kh*ʸ*oan*) f religion

religioso (ray-lee-*kh*ʸ*oa*-soa) adj religious

reliquia (ray-*lee*-kʸah) f relic

reloj (ray-*loakh*) m clock; watch; ~ **de bolsillo** pocket-watch; ~ **de pulsera** wrist-watch

relojero (ray-loa-*khay*-roa) m watchmaker

reluciente (ray-loo-*th*ʸ*ayn*-tay) adj bright

***relucir** (ray-loo-*theer*) v *shine

rellenado (ray-lʸay-*nah*-doa) adj stuffed

relleno (ray-*l*ʸ*ay*-noa) m stuffing; filling

remanente (ray-mah-*nayn*-tay) m remnant

remar (ray-*mahr*) v row

remedio (ray-*may*-dhʸoa) m remedy

***remendar** (ray-mayn-*dahr*) v mend; patch

remesa (ray-*may*-sah) f remittance

remitir (ray-mee-*teer*) v remit; ~ **a** refer to

remo (*ray*-moa) m paddle, oar

remoción (ray-moa-*th*ʸ*oan*) f removal

remojar (ray-moa-*khahr*) v soak

remolacha (ray-moa-*lah*-chah) f beetroot, beet

remolcador (ray-moal-kah-*dhoar*) m tug

remolcar (ray-moal-*kahr*) v tug, tow

remolque (ray-*moal*-kay) m trailer

remoto (ray-*moa*-toa) adj remote, faraway, far-off

***remover** (ray-moa-*bhayr*) v remove

remuneración (ray-moo-nay-rah-*th*ʸ*oan*) f remuneration

remunerar (ray-moo-nay-*rahr*) v remunerate

Renacimiento (ray-nah-thee-*m*ʸ*ayn*-toa) m Renaissance

rendición (rayn-dee-*th*ʸ*oan*) f surrender

***rendir** (rayn-*deer*) v *pay; ~ **homenaje** honour; ***rendirse** v surrender

renglón (rayng-*gloan*) m line

reno (*ray*-noa) m reindeer

renombre (ray-*noam*-bray) m reputation

***renovar** (ray-noa-*bhahr*) v renew

renta (*rayn*-tah) f revenue

rentable (rayn-*tah*-bhlay) adj paying

renunciar (ray-noon-*th*ʸ*ahr*) v *give up

***reñir** (ray-*ñeer*) v dispute, quarrel

reparación (ray-pah-rah-*th*ʸ*oan*) f reparation; repair

reparar (ray-pah-*rahr*) v repair, mend

repartir (ray-pahr-*teer*) v divide, deal, share out

reparto (ray-*pahr*-toa) m delivery; **camioneta de** ~ pick-up van

repelente (ray-pay-*layn*-tay) adj repellent, revolting

repentinamente (ray-payn-tee-nah-*mayn*-tay) adv suddenly

repertorio (ray-payr-toa-r^yoa) m repertory

repetición (ray-pay-tee-*th^yoan*) f repetition

repetidamente (ray-pay-tee-dhah-*mayn*-tay) adv again and again

*repetir (ray-pay-*teer*) v repeat

repleto (ray-*play*-toa) adj crowded

reportero (ray-poar-*tay*-roa) m reporter

reposado (ray-poa-*sah*-dhoa) adj restful

reposo (ray-*poa*-soa) m rest

reprender (ray-prayn-*dayr*) v reprimand, scold

representación (ray-pray-sayn-tah-*th^yoan*) f representation; show, performance

representante (ray-pray-sayn-*tahn*-tay) m agent

representar (ray-pray-sayn-*tahr*) v represent

representativo (ray-pray-sayn-tah-tee-bhoa) adj representative

reprimir (ray-pree-*meer*) v suppress

*reprobar (ray-proa-*bhahr*) v reject

reprochar (ray-proa-*chahr*) v reproach

reproche (ray-*proa*-chay) m reproach, blame

reproducción (ray-proa-dhook-*th^yoan*) f reproduction

*reproducir (ray-proa-dhoo-*theer*) v reproduce

reptil (rayp-*teel*) m reptile

república (ray-*poo*-bhlee-kah) f republic

republicano (ray-poo-bhlee-*kah*-noa) adj republican

repuesto (ray-*pwayss*-toa) m store; refill

repugnancia (ray-poog-*nahn*-th^yah) f dislike

repugnante (ray-poog-*nahn*-tay) adj repellent, disgusting, revolting

repulsivo (ray-pool-*see*-bhoa) adj repulsive

reputación (ray-poo-tah-*th^yoan*) f reputation, fame

requerimiento (ray-kay-ree-*m^yayn*-toa) m requirement

*requerir (ray-kay-*reer*) v require, demand

resaca (ray-*sah*-kah) f undercurrent; hangover

resbaladizo (rayz-bhah-lah-*dhee*-thoa) adj slippery

resbalar (rayz-bhah-*lahr*) v slip, glide

rescatar (rayss-kah-*tahr*) v rescue

rescate (rayss-*kah*-tay) m rescue; ransom

*resentirse por (ray-sayn-*teer*-say) resent

reseña (ray-*say*-ñah) f review

reserva (ray-*sayr*-bhah) f qualification; reserve; booking; **de** ~ spare

reservación (ray-sayr-bhah-*th^yoan*) f reservation, booking

reservar (ray-sayr-*bhahr*) v engage; reserve, book

resfriado (rayss-fr^yah-dhoa) m cold

resfriarse (rayss-fr^yahr-say) v catch a cold

residencia (ray-see-*dhayn*-th^yah) f residence

residente (ray-see-*dhayn*-tay) adj resident; m resident

residir (ray-see-*dheer*) v reside

residuo (ray-*see*-dhwoa) m remnant

resignación (ray-seeg-nah-*th^yoan*) f resignation

resignar (ray-seeg-*nahr*) v resign

resina (ray-*see*-nah) f resin

resistencia (ray-seess-*tayn*-th^yah) f resistance

resistir (ray-seess-*teer*) v resist

resolución (ray-soa-loo-*th^yoan*) f resolution

*****resolver** (ray-soal-*bhayr*) v solve

*****resonar** (ray-soa-*nahr*) v sound

respectivo (rayss-payk-*tee*-bhoa) adj respective

respecto a (rayss-*payk*-toa ah) about, regarding

respetable (rayss-pay-*tah*-bhlay) adj respectable

respetar (rayss-pay-*tahr*) v respect

respeto (rayss-*pay*-toa) m respect, esteem, regard

respetuoso (rayss-pay-*twoa*-soa) adj respectful

respiración (rayss-pee-rah-*th^yoan*) f respiration, breathing

respirar (rayss-pee-*rahr*) v breathe

*****resplandecer** (rayss-plahn-day-*thayr*) v *shine

resplandor (rayss-plahn-*doar*) m glare

responder (rayss-poan-*dayr*) v reply, answer

responsabilidad (rayss-poan-sah-bhee-lee-*dhahdh*) f responsibility; liability

responsable (rayss-poan-*sah*-bhlay) adj responsible; liable

respuesta (rayss-*pwayss*-tah) f reply, answer

*****restablecerse** (rayss-tah-bhlay-*thayr*-say) v recover

restablecimiento (rayss-tah-bhlay-thee-*m^yayn*-toa) m recovery

restante (rayss-*tahn*-tay) adj remaining

restar (rayss-*tahr*) v subtract

restaurante (rayss-tou-*rahn*-tay) m restaurant; ~ de autoservicio self-service restaurant

resto (*rayss*-toa) m rest; remnant, remainder

restricción (rayss-treek-*th^yoan*) f restriction; qualification

resuelto (ray-*swayl*-toa) adj resolute, determined

resultado (ray-sool-*tah*-dhoa) m result; issue, outcome, effect

resultar (ray-sool-*tahr*) v result; prove

resumen (ray-*soo*-mayn) m résumé, survey, summary

retardar (ray-tahr-*dhahr*) v delay

*****retener** (ray-tay-*nayr*) v *hold

retina (ray-*tee*-nah) f retina

retirar (ray-tee-*rahr*) v *withdraw

reto (*ray*-toa) m challenge

retrasado (ray-trah-*sah*-dhoa) adj late

retraso (ray-*trah*-soa) m delay

retrato (ray-*trah*-toa) m portrait

retrete (ray-*tray*-tay) m toilet

retroceso (ray-troa-*thay*-soa) m recession

retumbo (ray-*toom*-boa) m roar

reumatismo (ray^{oo}-mah-*teez*-moa) m rheumatism

reunión (ray^{oo}-n^y*oan*) f meeting, assembly, rally

reunir (ray^{oo}-*neer*) v join, assemble; reunite

revelación (ray-bhay-lah-*th^yoan*) f revelation

revelar (ray-bhay-*lahr*) v reveal; *give away; develop

revendedor (ray-bhayn-day-*dhoar*) m retailer

*****reventar** (ray-bhayn-*tahr*) v crack, *burst

reventón (ray-bhayn-*toan*) m blow-out

reverencia (ray-bhay-*rayn*-th^yah) f respect

reverso (ray-*bhayr*-soa) m reverse

revés (ray-*bhayss*) m reverse; **al ~** the other way round; upside-down; inside out

revisar (ray-bhee-*sahr*) v revise, overhaul

revisión (ray-bhee-s^{y}oan) f revision

revisor (ray-bhee-*soar*) m ticket collector

revista (ray-*bheess*-tah) f journal; review, magazine; revue; ~ **mensual** monthly magazine

revocar (ray-bhoa-*kahr*) v recall

revolución (ray-bhoa-loo-th^{y}oan) f revolution

revolucionar (ray-bhoa-loo-th^{y}oa-*nahr*) v rebel

revolucionario (ray-bhoa-loo-th^{y}oa-nah-r^{y}oa) adj revolutionary

***revolver** (ray-bhoal-*bhayr*) v stir

revólver (ray-*bhoal*-bhayr) m revolver, gun

revuelta (ray-*bhwayl*-tah) f revolt

rey (ray) m king

rezar (ray-*thahr*) v pray

riada (r^{y}ah-dhah) f flood

ribera (ree-*bhay*-rah) f riverside, river bank, shore

rico (*ree*-koa) adj rich; wealthy; nice, enjoyable, tasty

ridiculizar (ree-dhee-koo-lee-*thahr*) v ridicule

ridículo (ree-*dhee*-koo-loa) adj ridiculous, ludicrous

riesgo (r^{y}ayz-goa) m hazard, chance, risk

rigoroso (ree-goa-*roa*-soa) adj severe

riguroso (ree-goo-*roa*-soa) adj bleak

rima (*ree*-mah) f rhyme

rímel (*ree*-mayl) m mascara

rincón (reeng-*koan*) m angle

rinoceronte (ree-noa-thay-*roan*-tay) m rhinoceros

riña (*ree*-ñah) f dispute

riñón (ree-*ñoan*) m kidney

río (*ree*-oa) m river; ~ **abajo** downstream; ~ **arriba** upstream

riqueza (*ree-kay*-thah) f riches pl, wealth

risa (*ree*-sah) f laughter, laugh

ritmo (*reet*-moa) m rhythm; pace

rival (ree-*bhahl*) m rival

rivalidad (ree-bhah-lee-*dhahdh*) f rivalry

rivalizar (ree-bhah-lee-*thahr*) v rival

rizador (ree-thah-*dhoar*) m curling-tongs pl; **rizadores** mpl hair rollers

rizar (ree-*thahr*) v curl

rizo (*ree*-thoa) m curl

robar (roa-*bhahr*) v rob; burgle

roble (*roa*-bhlay) m oak

robo (*roa*-bhoa) m robbery, theft

robusto (roa-*bhooss*-toa) adj solid, robust

roca (*roa*-kah) f rock

rocío (roa-*thee*-oa) m dew

rocoso (roa-*koa*-soa) adj rocky

rodaballo (roa-dhah-*bhah*-l^{y}oa) m brill

***rodar** (roa-*dhahr*) v roll

rodear (roa-dhay-*ahr*) v circle, surround; by-pass

rodilla (roa-*dhee*-l^{y}ah) f knee

***rogar** (roa-*gahr*) v ask

rojo (*roa*-khoa) adj red

rollo (*roa*-l^{y}oa) m roll

romano (roa-*mah*-noa) adj Roman

Romanticismo (roa-mahn-tee-*theez*-moa) m Romanticism

romántico (roa-*mahn*-tee-koa) adj romantic

rompecabezas (roam-pay-kah-*bhay*-thahss) m puzzle; jigsaw puzzle

romper (roam-*payr*) v *break

roncar (roang-*kahr*) v snore

ronco (*roang*-koa) adj hoarse

ropa (*roa*-pah) f clothes pl; ~ **blanca** linen; ~ **de cama** bedding; ~ **interior** underwear; ~ **interior de mujer** lingerie; ~ **sucia** washing, laundry

rosa (*roa*-sah) f rose; adj rose

rosado (roa-*sah*-dhoa) adj pink

rosario (roa-*sah*-r^yoa) *m* beads *pl*, rosary

rostro (*roas*-troa) *m* face

rota (*roa*-tah) *f* rattan

roto (*roa*-toa) *adj* broken

rótula (*roa*-too-lah) *f* kneecap

rotular (roa-too-*lahr*) *v* label

rótulo (*roa*-too-loa) *m* label

rozadura (roa-thah-*dhoo*-rah) *f* graze

rubí (roo-*bhee*) *m* ruby

rubia (*roo*-bh^yah) *f* blonde

rubio (*roo*-bh^yoa) *adj* fair

ruborizarse (roo-bhoa-ree-*thahr*-say) blush

rubricar (roo-bhree-*kahr*) *v* initial

rueda (*rway*-dhah) *f* wheel; **patinaje de ruedas** roller-skating; ~ **de repuesto** spare wheel

ruego (*rway*-goa) *m* request

rugido (roo-*khee*-dhoa) *m* roar

rugir (roo-*kheer*) *v* roar

ruibarbo (rwee-*bhahr*-bhoa) *m* rhubarb

ruido (*rwee*-dhoa) *m* noise

ruidoso (rwee-*dhoa*-soa) *adj* noisy

ruina (*rwee*-nah) *f* ruins; ruin, destruction

ruinoso (rwee-*noa*-soa) *adj* dilapidated

ruiseñor (rwee-say-*ñoar*) *m* nightingale

ruleta (roo-*lay*-tah) *f* roulette

rulo (*roo*-loa) *m* curler

Rumania (roo-*mah*-n^yah) *f* Rumania

rumano (roo-*mah*-noa) *adj* Rumanian; *m* Rumanian

rumbo (*room*-boa) *m* course

rumor (roo-*moar*) *m* rumour

rural (roo-*rahl*) *adj* rural

Rusia (*roo*-s^yah) *f* Russia

ruso (*roo*-soa) *adj* Russian; *m* Russian

rústico (*rooss*-tee-koa) *adj* rustic

ruta (*roo*-tah) *f* route; ~ **principal** thoroughfare

rutina (roo-*tee*-nah) *f* routine

S

sábado (*sah*-bhah-dhoa) *m* Saturday

sábana (*sah*-bhah-nah) *f* sheet

sabañón (sah-bhah-*ñoan*) *m* chilblain

*****saber** (sah-*bhayr*) *v* *know; *be able to; **a** ~ namely; ~ **a** taste

sabiduría (sah-bhee-dhoo-*ree*-ah) *f* wisdom

sabio (*sah*-bh^yoa) *adj* wise

sabor (sah-*bhoar*) *m* flavour

sabroso (sah-*bhroa*-soa) *adj* savoury, tasty

sacacorchos (sah-kah-*koar*-choass) *mpl* corkscrew

sacapuntas (sah-kah-*poon*-tahss) *m* pencil-sharpener

sacar (sah-*kahr*) *v* *take out; *draw; ~ **brillo** brush

sacarina (sah-kah-*ree*-nah) *f* saccharin

sacerdote (sah-thayr-*dhoa*-tay) *m* priest

saco (*sah*-koa) *m* sack; *mMe* jacket; ~ **de compras** shopping bag; ~ **de dormir** sleeping-bag

sacrificar (sah-kree-fee-*kahr*) *v* sacrifice

sacrificio (sah-kree-*fee*-th^yoa) *m* sacrifice

sacrilegio (sah-kree-*lay*-kh^yoa) *m* sacrilege

sacristán (sah-kreess-*tahn*) *m* sexton

sacudir (sah-koo-*dheer*) *v* *shake

sagrado (sah-*grah*-dhoa) *adj* sacred

sainete (sigh-*nay*-tay) *m* farce

sal (sahl) *f* salt; **sales de baño** bath salts

sala (*sah*-lah) *f* hall; ~ **de conciertos** concert hall; ~ **de espera** waiting-room; ~ **de estar** sitting-room, living-room; ~ **de lectura** reading-room; ~ **para fumar** smoking-room

salado (sah-*lah*-dhoa) *adj* salty

salario (sah-*lah*-r^yoa) *m* pay

salchicha (sahl-*chee*-chah) *f* sausage

saldo (*sahl*-doa) *m* balance

salero (sah-*lay*-roa) *m* salt-cellar

salida (sah-*lee*-dhah) *f* issue, exit, way out; ~ **de emergencia** emergency exit

* **salir** (sah-*leer*) *v* *go out; appear

saliva (sah-*lee*-bhah) *f* spit

salmón (sahl-*moan*) *m* salmon

salón (sah-*loan*) *m* salon, lounge, drawing-room; ~ **de baile** ball-room; ~ **de belleza** beauty parlour; ~ **de demostraciones** showroom; ~ **de té** tea-shop

salpicadera (sahl-pee-kah-*dhay*-rah) *fMe* mud-guard

salpicar (sahl-pee-*kahr*) *v* splash

salsa (*sahl*-sah) *f* sauce; gravy

saltamontes (sahl-tah-*moan*-tayss) *m* grasshopper

saltar (sahl-*tahr*) *v* jump, *leap; skip

salto (*sahl*-toa) *m* jump, leap, hop

salud (sah-*loodh*) *f* health

saludable (sah-loo-*dhah*-bhlay) *adj* wholesome

saludar (sah-loo-*dhahr*) *v* greet; salute

saludo (sah-*loo*-dhoa) *m* greeting

salvador (sahl-bhah-*dhoar*) *m* saviour

salvaje (sahl-*bhah*-khay) *adj* wild, savage; fierce; desert

salvar (sahl-*bhahr*) *v* save

sanatorio (sah-nah-*toa*-r^yoa) *m* sanatorium

sandalia (sahn-*dah*-l^yah) *f* sandal; **sandalias de gimnasia** gym shoes

sandía (sahn-*dee*-ah) *f* watermelon

sangrar (sahng-*grahr*) *v* *bleed

sangre (*sahng*-gray) *f* blood

sangriento (sahng-*gr^yayn*-toa) *adj* bloody

sanitario (sah-nee-*tah*-r^yoa) *adj* sanitary

sano (*sah*-noa) *adj* healthy, well

santo (*sahn*-toa) *adj* holy; *m* saint; ~ **y seña** password

santuario (sahn-*twah*-r^yoa) *m* shrine

sapo (*sah*-poa) *m* toad

sarampión (sah-rahm-*p^yoan*) *m* measles

sardina (sahr-*dhee*-nah) *f* sardine

sartén (sahr-*tayn*) *f* pan; frying-pan

satélite (sah-*tay*-lee-tay) *m* satellite

satisfacción (sah-teess-fahk-*th^yoan*) *f* satisfaction

* **satisfacer** (sah-teess-fah-*thayr*) *v* satisfy; **satisfecho** satisfied

saudí (sou-*dhee*) *adj* Saudi Arabian

sauna (*sou*-nah) *f* sauna

sazonar (sah-thoa-*nahr*) *v* flavour

se (say) *pron* himself; herself; yourselves; themselves

secadora (say-kah-*dhoa*-rah) *f* dryer

secar (say-*kahr*) *v* dry

sección (sayk-*th^yoan*) *f* section; agency

seco (*say*-koa) *adj* dry

secretaria (say-kray-*tah*-r^yah) *f* secretary

secretario (say-kray-*tah*-r^yoa) *m* secretary; clerk

secreto (say-*kray*-toa) *adj* secret; *m* secret

sector (sayk-*toar*) *m* sector

secuencia (say-*kwayn*-th^yah) *f* shot

secuestrador (say-kwayss-trah-*dhoar*) *m* hijacker

secundario (say-koon-*dah*-r^yoa) *adj* secondary; minor

sed (saydh) *f* thirst

seda (*say*-dhah) *f* silk

sede (*say*-dhay) *f* seat

sediento (say-*dh^yayn*-toa) *adj* thirsty

sedoso (say-*dhoa*-soa) *adj* silken

* seducir (say-dhoo-*theer*) v seduce

en seguida (ayn say-*gee*-dhah) straight away, at once, presently

* seguir (say-*geer*) v follow; **~ el paso** *keep up with; **todo seguido** straight on, straight ahead

según (say-*goon*) prep according to

segundo (say-*goon*-doa) num second; m second

seguramente (say-goo-rah-*mayn*-tay) adv surely

seguridad (say-goo-ree-*dhahdh*) f security, safety; **cinturón de ~** safety-belt

seguro (say-*goo*-roa) adj safe; sure; m insurance; **póliza de ~** insurance policy; **~ de viaje** travel insurance; **~ de vida** life insurance

seis (sayss) num six

selección (say-layk-thʸ*oan*) f selection; choice

seleccionado (say-layk-thʸoa-*nah*-dhoa) adj select

seleccionar (say-layk-thʸoa-*nahr*) v select

selecto (say-*layk*-toa) adj select

selva (*sayl*-bhah) f jungle, forest

selvoso (sayl-*bhoa*-soa) adj wooded

sellar (say-*lʸahr*) v stamp

sello (*say*-lʸoa) m stamp; seal

semáforo (say-*mah*-foa-roa) m traffic light

semana (say-*mah*-nah) f week; **fin de ~** weekend

semanal (say-mah-*nahl*) adj weekly

* sembrar (saym-*brahr*) v *sow

semejante (say-may-*khahn*-tay) adj like

semejanza (say-may-*khahn*-thah) f resemblance, similarity

semi- (*say*-mee) semi-

semicírculo (say-mee-*theer*-koo-loa) m semicircle

semilla (say-*mee*-lʸah) f seed

senado (say-*nah*-dhoa) m senate

senador (say-nah-*dhoar*) m senator

sencillo (sayn-*thee*-lʸoa) adj plain

senda (*sayn*-dah) f footpath

sendero (sayn-*day*-roa) m trail

senil (say-*neel*) adj senile

seno (*say*-noa) m bosom; breast

sensación (sayn-sah-*thʸoan*) f sensation; feeling

sensacional (sayn-sah-thʸoa-*nahl*) adj sensational

sensato (sayn-*sah*-toa) adj sensible; down-to-earth

sensibilidad (sayn-see-bhee-lee-*dhahdh*) f sensibility

sensible (sayn-*see*-bhlay) adj sensitive; perceptible

sensitivo (sayn-see-tee-*bhoa*) adj sensitive

* sentarse (sayn-*tahr*-say) v *sit down; *** estar sentado** *sit; *** sentar bien** *become

sentencia (sayn-*tayn*-thʸah) f sentence, verdict

sentenciar (sayn-tayn-*thʸahr*) v sentence

sentido (sayn-*tee*-dhoa) m sense; reason; **~ del honor** sense of honour; **sin ~** meaningless

sentimental (sayn-tee-mayn-*tahl*) adj sentimental

sentimiento (sayn-tee-*mʸayn*-toa) m sentiment

* sentir (sayn-*teer*) v *feel, sense; regret

seña (*say*-ñah) f sign; **señas personales** description

señal (say-*ñahl*) f signal, sign, indication; m token, tick; *** hacer señales** signal; wave; **~ de alarma** distress signal

señalar (say-ñah-*lahr*) v tick off, indicate

señor (say-*ñoar*) m mister; sir

señora (say-_ñoa_-rah) f lady; mistress; madam

señorita (say-ñoa-_ree_-tah) f miss

separación (say-pah-rah-_thᵞoan_) f division

separadamente (say-pah-rah-dhah-_mayn_-tay) adv apart

separado (say-pah-_rah_-dhoa) adj separate; **por ~** apart, separately

separar (say-pah-_rahr_) v separate, part; divide; detach

septentrional (sayp-tayn-trᵞoa-_nahl_) adj north

septicemia (sayp-tee-_thay_-mᵞah) f blood-poisoning

séptico (_sayp_-tee-koa) adj septic

septiembre (sayp-_tᵞaym_-bray) September

séptimo (_sayp_-tee-moa) num seventh

sepulcro (say-_pool_-kroa) m sepulchre

sepultura (say-pool-_too_-rah) f grave

sequía (say-_kee_-ah) f drought

ser (sayr) m being, creature; **~ humano** human being

*** ser** (sayr) v *be

sereno (say-_ray_-noa) adj serene

serie (_say_-rᵞay) f series; sequence

seriedad (say-rᵞay-_dhahdh_) f seriousness, gravity

serio (_say_-rᵞoa) adj serious

sermón (sayr-_moan_) m sermon

serpentear (sayr-payn-tay-_ahr_) v *wind

serrín (say-_rreen_) m sawdust

servicial (sayr-bhee-_thᵞahl_) adj helpful

servicio (sayr-_bhee_-thᵞoa) m service; service charge; **~ de habitación** room service; **~ de mesa** dinner-service; **~ postal** postal service

servilleta (sayr-bhee-_lᵞay_-tah) f napkin, serviette; **~ de papel** paper napkin

*** servir** (sayr-_bheer_) v serve; attend on, wait on; *be of use

sesenta (say-_sayn_-tah) num sixty

sesión (say-s_ᵞoan_) f session

seta (_say_-tah) f mushroom

setenta (say-_tayn_-tah) num seventy

seto (_say_-toa) m hedge

severo (say-_bhay_-roa) adj harsh, strict, severe

sexo (_sayk_-soa) m sex

sexto (_sayks_-toa) num sixth

sexual (sayk-_swahl_) adj sexual

sexualidad (sayk-swah-lee-_dhahdh_) f sexuality; sex

si (see) conj if; in case; whether; **si ... o** whether ... or; **~ bien** though

sí (see) yes

siamés (sᵞah-_mayss_) adj Siamese; m Siamese

SIDA (_see_-dhah) m AIDS

siempre (_sᵞaym_-pray) adv ever, always

sien (sᵞayn) f temple

sierra (_sᵞay_-rrah) f saw

siesta (_sᵞayss_-tah) f nap

siete (_sᵞay_-tay) num seven

sifón (see-_foan_) m siphon, syphon

siglo (_see_-gloa) m century

significado (seeg-nee-fee-_kah_-dhoa) m meaning

significar (seeg-nee-fee-_kahr_) v *mean

significativo (seeg-nee-fee-kah-_tee_-bhoa) adj significant

signo (_seeg_-noa) m sign; **~ de interrogación** question mark

siguiente (see-_gᵞayn_-tay) adj following

sílaba (_see_-lah-bhah) f syllable

silbar (seel-_bhahr_) v whistle

silbato (seel-_bhah_-toa) m whistle

silenciador (see-layn-thᵞah-_dhoar_) m silencer

silencio (see-_layn_-thᵞoa) m stillness, quiet, silence

silencioso (see-layn-_thᵞoa_-soa) adj silent

silla (_see_-lᵞah) f chair; saddle; **~ de ruedas** wheelchair; **~ de tijera**

deck chair

sillón (see-*lʸoan*) *m* armchair

simbólico (seem-*boa*-lee-koa) *adj* symbolic

símbolo (*seem*-boa-loa) *m* symbol

similar (see-mee-*lahr*) *adj* similar

simpatía (seem-pah-*tee*-ah) *f* sympathy

simpático (seem-*pah*-tee-koa) *adj* nice, pleasant; obliging

simple (*seem*-play) *adj* simple

simular (see-moo-*lahr*) *v* simulate

simultáneo (see-mool-*tah*-nay-oa) *adj* simultaneous

sin (seen) *prep* without

sinagoga (see-nah-*goa*-gah) *f* synagogue

sincero (seen-*thay*-roa) *adj* sincere; open, honest

sindicato (seen-dee-*kah*-toa) *m* trade-union

sinfonía (seen-foa-*nee*-ah) *f* symphony

singular (seeng-goo-*lahr*) *adj* singular, queer; *m* singular

siniestro (see-*nʸayss*-troa) *adj* ominous, sinister

sino (*see*-noa) *conj* but

sinónimo (see-*noa*-nee-moa) *m* synonym

sintético (seen-*tay*-tee-koa) *adj* synthetic

síntoma (*seen*-toa-mah) *m* symptom

sintonizar (seen-toa-nee-*thahr*) *v* tune in

siquiera (see-*kʸay*-rah) *adv* at least; *conj* even though

sirena (see-*ray*-nah) *f* siren; mermaid

Siria (*see*-rʸah) *f* Syria

sirio (*see*-rʸoa) *adj* Syrian; *m* Syrian

sirviente (seer-*bhʸayn*-tay) *m* domestic; boy

sistema (seess-*tay*-mah) *m* system; ~ **decimal** decimal system; ~ **de lubricación** lubrication system; ~ **de**

refrigeración cooling system

sistemático (seess-tay-*mah*-tee-koa) *adj* systematic

sitio (*see*-tʸoa) *m* site; seat, room; siege

situación (see-twah-*thʸoan*) *f* situation

situado (see-*twah*-dhoa) *adj* situated

situar (see-*twahr*) *v* locate

slogan (*sloa*-gahn) *m* slogan

smoking (*smoa*-keeng) *m* dinner-jacket; tuxedo *nAm*

soberano (soa-bhay-*rah*-noa) *m* sovereign

soberbio (soa-*bhayr*-bhʸoa) *adj* superb

sobornar (soa-bhoar-*nahr*) *v* bribe

soborno (soa-*bhoar*-noa) *m* bribery

sobra (*soa*-bhrah) *f* surplus

sobrar (soa-*bhrahr*) *v* *be left over; *be in plenty

sobre (*soa*-bhray) *prep* on, upon; *m* envelope

sobrecubierta (soa-bhray-koo-*bhʸayr*-tah) *f* jacket

sobreexcitado (soa-bhray-ayk-thee-*tah*-dhoa) *adj* overstrung

sobrepeso (soa-bhray-*pay*-soa) *m* overweight

sobretasa (soa-bhray-*tah*-sah) *f* surcharge

sobretodo (soa-bhray-*toa*-dhoa) *m* coat, topcoat

sobrevivir (soa-bhray-bhee-*bheer*) *v* survive

sobrina (soa-*bhree*-nah) *f* niece

sobrino (soa-*bhree*-noa) *m* nephew

sobrio (*soa*-bhrʸoa) *adj* sober

social (soa-*thʸahl*) *adj* social

socialismo (soa-thʸah-*leez*-moa) *m* socialism

socialista (soa-thʸah-*leess*-tah) *adj* socialist; *m* socialist

sociedad (soa-thʸay-*dhahdh*) *f* community, society; company

socio (*soa*-thʸoa) *m* associate; partner

socorro (soa-*koa*-rroa) *m* aid; **puesto de** ~ first-aid post

soda (*soa*-dhah) *f* soda-water

sofá (soa-*fah*) *m* sofa

sofocante (soa-foa-*kahn*-tay) *adj* stuffy

sofocarse (soa-foa-*kahr*-say) *v* choke

soga (*soa*-gah) *f* rope

sol (soal) *m* sun; **tomar el** ~ sunbathe

solamente (soa-lah-*mayn*-tay) *adv* merely, only

solapa (soa-*lah*-pah) *f* lapel

soldado (soal-*dah*-dhoa) *m* soldier

soldador (soal-dah-*dhoar*) *m* soldering-iron

soldadura (soal-dah-*dhoo*-rah) *f* joint

***soldar** (soal-*dahr*) *v* solder; weld

soleado (soa-lay-*ah*-dhoa) *adj* sunny

soledad (soa-lay-*dhahdh*) *f* solitude

solemne (soa-*laym*-nay) *adj* solemn

***soler** (soa-*layr*) *v* would

solicitar (soa-lee-thee-*tahr*) *v* request; ~ **un puesto** apply

solicitud (soa-lee-thee-*toodh*) *f* application

sólido (*soa*-lee-dhoa) *adj* solid, firm; *m* solid

solitario (soa-lee-*tah*-rʸoa) *adj* lonely

solo (*soa*-loa) *adj* only, single

sólo (*soa*-loa) *adv* alone; only

***soltar** (soal-*tahr*) *v* loosen

soltero (soal-*tay*-roa) *adj* single; *m* bachelor

solterona (soal-tay-*roa*-nah) *f* spinster

soluble (soa-*loo*-bhlay) *adj* soluble

solución (soa-loo-thʸoan) *f* solution

sombra (*soam*-brah) *f* shade; shadow; ~ **para los ojos** eye-shadow

sombreado (soam-bray-*ah*-dhoa) *adj* shady

sombrerera (soam-bray-*ray*-rah) *f* milliner

sombrero (soam-*bray*-roa) *m* hat

sombrío (soam-*bree*-oa) *adj* sombre, gloomy

someter (soa-may-*tayr*) *v* subject; **someterse** *v* submit

somnífero (soam-*nee*-fay-roa) *m* sleeping-pill

***sonar** (soa-*nahr*) *v* sound; *ring

sonido (soa-*nee*-dhoa) *m* sound

sonreír (soan-ray-*eer*) *v* smile

sonrisa (soan-*ree*-sah) *f* smile

***soñar** (soa-*ñahr*) *v* *dream

soñoliento (soa-ñoa-lʸayn-toa) *adj* sleepy

sopa (*soa*-pah) *f* soup

soplar (soa-*plahr*) *v* *blow

soportar (soa-poar-*tahr*) *v* *bear, endure, sustain; support

sorbo (*soar*-bhoa) *m* sip

sórdido (*soar*-dhee-dhoa) *adj* filthy

sordo (*soar*-dhoa) *adj* deaf

sorprender (soar-prayn-*dayr*) *v* surprise; *catch

sorpresa (soar-*pray*-sah) *f* surprise; astonishment

sorteo (soar-*tay*-oa) *m* draw

sosegado (soa-say-*gah*-dhoa) *adj* sedate

soso (*soa*-soa) *adj* dull, boring; tasteless

sospecha (soass-*pay*-chah) *f* suspicion

sospechar (soass-pay-*chahr*) *v* suspect

sospechoso (soass-pay-*choa*-soa) *adj* suspicious; **persona sospechosa** suspect

sostén (soass-*tayn*) *m* brassiere, bra

***sostener** (soass-tay-*nayr*) *v* support, *hold up

sota (*soa*-tah) *f* knave

sótano (*soa*-tah-noa) *m* basement; cellar

soto (*soa*-toa) *m* grove

starter (*stahr*-tayr) *m* choke

su (soo) *adj* his; her; their

suahili (swah-*ee*-lee) *m* Swahili

suave (*swah*-bhay) *adj* mild, mellow; gentle

subacuático (soo-bhah-*kwah*-tee-koa) *adj* underwater

subalterno (soo-bhahl-*tayr*-noa) *adj* subordinate

subasta (soo-*bhahss*-tah) *f* auction

súbdito (*soobh*-dhee-toa) *m* subject

subestimar (soo-bhayss-tee-*mahr*) *v* underestimate

subida (soo-*bhee*-dhah) *f* climb, rise, ascent

subir (soo-*bheer*) *v* *rise, ascend; *get on

súbito (*soo*-bhee-toa) *adj* sudden

sublevación (soo-bhlay-bhah-*thᵞoan*) *f* rebellion

sublevarse (soo-bhlay-*bhahr*-say) *v* revolt

subordinado (soo-bhoar-dhee-*nah*-dhoa) *adj* subordinate

subrayar (soobh-rah-ᵞ*ahr*) *v* underline

subsidio (soobh-*see*-dhᵞoa) *m* subsidy

substancia (soobhs-*tahn*-thᵞah) *f* substance

substantivo (soobh-stahn-*tee*-bhoa) *m* noun

*substituir (soobhs-tee-*tweer*) *v* replace

subterráneo (soobh-tay-*rrah*-nay-oa) *adj* underground

subtítulo (soobh-*tee*-too-loa) *m* subtitle

suburbano (soo-bhoor-*bhah*-noa) *adj* suburban; *m* commuter

suburbio (soo-*bhoor*-bhᵞoa) *m* suburb

subvención (soobh-bhayn-*thᵞoan*) *f* grant

subyugar (soobh-ᵞoo-*gahr*) *v* overwhelm

suceder (soo-thay-*dhayr*) *v* happen, occur; succeed

sucesión (soo-thay-*sᵞoan*) *f* sequence

suceso (soo-*thay*-soa) *m* event

suciedad (soo-thᵞay-*dhahdh*) *f* dirt; muck

sucio (*soo*-thᵞoa) *adj* dirty; unclean, foul

sucumbir (soo-koom-*beer*) *v* succumb

sucursal (soo-koor-*sahl*) *f* branch

sudar (soo-*dhahr*) *v* perspire, sweat

sudeste (soo-*dhayss*-tay) *m* south-east

sudoeste (soo-dhoa-*ayss*-tay) *m* south-west

sudor (soo-*dhoar*) *m* perspiration, sweat

Suecia (*sway*-thᵞah) *f* Sweden

sueco (*sway*-koa) *adj* Swedish; *m* Swede

suegra (*sway*-grah) *f* mother-in-law

suegro (*sway*-groa) *m* father-in-law

suela (*sway*-lah) *f* sole

sueldo (*swayl*-doa) *m* salary, pay; **aumento de** ~ rise; raise *nAm*

suelo (*sway*-loa) *m* soil, earth; floor

suelto (*swayl*-toa) *adj* loose

sueño (*sway*-ñoa) *m* sleep; dream

suero (*sway*-roa) *m* serum

suerte (*swayr*-tay) *f* luck; fortune, lot; chance; **mala** ~ bad luck

suéter (*sway*-tayr) *m* sweater

suficiente (soo-fee-*thᵞayn*-tay) *adj* enough, sufficient; ***ser** ~ *do

sufragio (soo-*frah*-khᵞoa) *m* suffrage

sufrimiento (soo-free-*mᵞayn*-toa) *m* affliction, sorrow, suffering

sufrir (soo-*freer*) *v* suffer

*sugerir (soo-khay-*reer*) *v* suggest

sugestión (soo-khayss-*tᵞoan*) *f* suggestion

suicidio (swee-*thee*-dhᵞoa) *m* suicide

Suiza (*swee*-thah) *f* Switzerland

suizo (*swee*-thoa) *adj* Swiss; *m* Swiss

sujetador (soo-khay-tah-*dhoar*) *m* brassiere, bra

sujeto (soo-*khay*-toa) *m* subject; theme

sujeto a (soo-*khay*-toa ah) liable to,

subject to

suma (*soo*-mah) f amount, sum

sumar (soo-*mahr*) v add; amount to

sumario (soo-mah-r^yoa) m summary

suministrar (soo-mee-neess-*trahr*) v furnish, supply

suministro (soo-mee-*neess*-troa) m supply

a lo sumo (*soo*-moa) at most

superar (soo-pay-*rahr*) v exceed, *outdo

superficial (soo-payr-fee-th^yahl) adj superficial

superficie (soo-payr-*fee*-th^yay) f surface; area

superfluo (soo-*payr*-flwoa) adj superfluous, redundant

superior (soo-pay-r^yoar) adj superior, upper; top

superlativo (soo-payr-lah-*tee*-bhoa) adj superlative; m superlative

supermercado (soo-payr-mayr-*kah*-dhoa) m supermarket

superstición (soo-payrs-tee-th^yoan) f superstition

supervisar (soo-payr-bhee-*sahr*) v supervise

supervisión (soo-payr-bhee-s^yoan) f supervision

supervisor (soo-payr-bhee-*soar*) m supervisor

supervivencia (soo-payr-bhee-*bhayn*-th^yah) f survival

suplemento (soo-play-*mayn*-toa) m supplement

suplicar (soo-plee-*kahr*) v beg

*****suponer** (soo-poa-*nayr*) v assume, suppose

supositorio (soo-poa-see-*toa*-r^yoa) m suppository

supremo (soo-*pray*-moa) adj supreme

suprimir (soo-pree-*meer*) v discontinue

por supuesto (poar soo-*pwayss*-toa)

naturally, of course

sur (soor) m south; **polo ~** South Pole

surco (*soor*-koa) m groove

surgir (soor-*kheer*) v *arise

surtido (soor-*tee*-dhoa) m assortment

suscribir (sooss-kree-*bheer*) v sign

suscripción (sooss-kreep-th^yoan) f subscription

suscrito (sooss-*kree*-toa) m undersigned

suspender (sooss-payn-*dayr*) v suspend; *****ser suspendido** fail

suspensión (sooss-payn-s^yoan) f suspension

suspicacia (sooss-pee-*kah*-th^yah) f suspicion

suspicaz (sooss-pee-*kahth*) adj suspicious

sustancia (sooss-*tahn*-th^yah) f substance

sustancial (sooss-tahn-*th^yahl*) adj substantial

sustento (sooss-*tayn*-toa) m livelihood

*****sustituir** (sooss-tee-*tweer*) v substitute

sustituto (sooss-tee-*too*-toa) m deputy, substitute

susto (*sooss*-toa) m scare

susurrar (soo-soo-*rrahr*) v whisper

susurro (soo-*soo*-rroa) m whisper

sutil (soo-*teel*) adj subtle

sutura (soo-*too*-rah) f stitch; *****hacer una ~** sew up

suyo (*soo*-^yoa) pron his

T

tabaco (tah-*bhah*-koa) m tobacco; **~ de pipa** pipe tobacco

taberna (tah-*bhayr*-nah) f public house, pub; tavern; **moza de ~**

barmaid

tabique (tah-*bhee*-kay) *m* partition

tabla (*tah*-bhlah) *f* board; chart, table; ~ **de conversión** conversion chart; ~ **para surf** surf-board

tablero (tah-*bhlay*-roa) *m* board; ~ **de ajedrez** checkerboard *nAm*; ~ **de damas** draught-board; ~ **de instrumentos** dashboard

tablón (tah-*bhloan*) *m* plank

tabú (tah-*bhoo*) *m* taboo

tacón (tah-*koan*) *m* heel

táctica (*tahk*-tee-kah) *f* tactics *pl*

tacto (*tahk*-toa) *m* touch

tailandés (tigh-lahn-*dayss*) *adj* Thai; *m* Thai

Tailandia (tigh-*lahn*-d^yah) *f* Thailand

tajada (tah-*khah*-dhah) *f* slice

tajar (tah-*khahr*) *v* chop

tal (tahl) *adj* such; **con** ~ **que** provided that; ~ **como** such as

taladrar (tah-lah-*dhrahr*) drill, bore

taladro (tah-*lah*-dhroa) *m* drill

talco (*tahl*-koa) *m* talc powder

talento (tah-*layn*-toa) *m* gift, talent

talentoso (tah-layn-*toa*-soa) *adj* gifted

talismán (tah-leez-*mahn*) *m* lucky charm

talón (tah-*loan*) *m* heel; counterfoil, stub

talonario (tah-loa-*nah*-r^yoa) *m* cheque-book; check-book *nAm*

talla (*tah*-l^yah) *f* wood-carving, carving

tallar (tah-*l^yahr*) *v* carve

taller (tah-*l^yayr*) *m* workshop

tallo (*tah*-l^yoa) *m* stem

tamaño (tah-*mah*-ñoa) *m* size; ~ **extraordinario** outsize

también (tahm-*b^yayn*) *adv* too, also, as well; **así** ~ likewise

tambor (tahm-*boar*) *m* drum; ~ **del freno** brake drum

tamiz (tah-*meeth*) *m* sieve

tamizar (tah-mee-*thahr*) *v* sift, sieve

tampoco (tahm-*poa*-koa) *adv* not ... either

tan (tahn) *adv* so, such

tangible (tahng-*khee*-bhlay) *adj* tangible

tanque (*tahng*-kay) *m* tank

tanteo (tahn-*tay*-oa) *m* score

tanto (*tahn*-toa) *adv* as much; as; **por lo** ~ therefore; **por** ~ so; **tanto ... como** both ... and

tapa (*tah*-pah) *f* lid, top, cover; appetizer

tapiz (tah-*peeth*) *m* tapestry

tapizar (tah-pee-*thahr*) *v* upholster

tapón (tah-*poan*) *m* stopper, cork; tampon

taquigrafía (tah-kee-grah-*fee*-ah) *f* shorthand

taquígrafo (tah-*kee*-grah-foa) *m* stenographer

taquilla (tah-*kee*-l^yah) *f* box-office

tararear (tah-rah-ray-*ahr*) *v* hum

tardanza (tahr-*dhahn*-thah) *f* delay

tarde (*tahr*-dhay) *f* afternoon; evening

tardío (tahr-*dhee*-oa) *adj* late

tarea (tah-*ray*-ah) *f* duty, task; job

tarifa (tah-*ree*-fah) *f* rate; ~ **nocturna** night rate

tarjeta (tahr-*khay*-tah) *f* card; ~ **de crédito** credit card; charge plate *Am*; ~ **de temporada** season-ticket; ~ **de visita** visiting-card; ~ **postal** postcard, card; ~ **postal ilustrada** picture postcard; ~ **verde** green card

tarta (*tahr*-tah) *f* cake

taxi (*tahk*-see) *m* cab, taxi

taxímetro (tahk-*see*-may-troa) *m* taximeter

taxista (tahk-*seess*-tah) *m* cab-driver, taxi-driver

taza (*tah*-thah) *f* cup; mug; ~ **de té** teacup

tazón (tah-*thoan*) *m* bowl, basin

te (tay) *pron* yourself

té (tay) *m* tea

teatro (tay-*ah*-troa) *m* drama; theatre; ~ **de la ópera** opera house; ~ **de variedades** music-hall, variety theatre; ~ **guiñol** puppet-show

tebeo (tay-*bhay*-oa) *m* comics *pl*

técnica (*tayk*-nee-kah) *f* technique

técnico (*tayk*-nee-koa) *adj* technical; *m* technician

tecnología (tayk-noa-loa-*khee*-ah) *f* technology

techo (*tay*-choa) *m* roof; ~ **de paja** thatched roof

teja (*tay*-khah) *f* tile

tejedor (tay-khay-*dhoar*) *m* weaver

tejer (tay-*khayr*) *v* *weave

tejido (tay-*khee*-dhoa) *m* fabric, tissue, material

tela (*tay*-lah) *f* cloth; ~ **para toallas** towelling

telaraña (tay-lah-*rah*-ñah) *f* spider's web

telefax (tay-lay-*fahks*) *m* fax; **mandar un** ~ send a fax

telefonear (tay-lay-foa-nay-*ahr*) *v* phone; call up *Am*

telefonista (tay-lay-foa-*neess*-tah) *f* telephonist, telephone operator

teléfono (tay-*lay*-foa-noa) *m* phone, telephone; **llamar por** ~ ring up

telegrafiar (tay-lay-grah-*fʸahr*) *v* telegraph

teleobjetivo (tay-lay-oabh-khay-*tee*-bhoa) *m* telephoto lens

telepatía (tay-lay-pah-*tee*-ah) *f* telepathy

telesilla (tay-lay-*see*-lʸah) *m* ski-lift

televisión (tay-lay-bhee-*sʸoan*) *f* television; ~ **por cable** cable television; ~ **por satélite** satellite television

televisor (tay-lay-bhee-*soar*) *m* television set

télex (*tay*-layks) *m* telex

telón (tay-*loan*) *m* curtain

tema (*tay*-mah) *m* theme

***temblar** (taym-*bhlahr*) *v* tremble, shiver

temer (tay-*mayr*) *v* fear, dread

temor (tay-*moar*) *m* fear, dread

temperamento (taym-pay-rah-*mayn*-toa) *m* temperament

temperatura (taym-pay-rah-*too*-rah) *f* temperature; ~ **ambiente** room temperature

tempestad (taym-payss-*tahdh*) *f* tempest

tempestuoso (taym-payss-*twoa*-soa) *adj* stormy

templo (*taym*-ploa) *m* temple

temporada (taym-poa-*rah*-dhah) *f* season; **apogeo de la** ~ high season; ~ **baja** low season

temporal (taym-poa-*rahl*) *adj* temporary

temprano (taym-*prah*-noa) *adj* early

tenazas (tay-*nah*-thahss) *f* tongs *pl*, pincers *pl*

tendencia (tayn-*dayn*-thʸah) *f* tendency

***tender a** (tayn-*dayr*) tend; ***tenderse** *v* *lie down

tendero (tayn-*day*-roa) *m* shopkeeper; tradesman

tendón (tayn-*doan*) *m* sinew, tendon

tenedor (tay-nay-*dhoar*) *m* fork

***tener** (tay-*nayr*) *v* *have; *keep, *hold; ~ **que** *must; *ought to, *should, *shall; *be obliged to; **tenga usted** here you are

teniente (tay-*nʸayn*-tay) *m* lieutenant

tenis (*tay*-neess) *m* tennis; ~ **de mesa** ping-pong, table tennis

tensión (tayn-*sʸoan*) *f* strain, pressure, tension; ~ **arterial** blood pressure

tenso (*tayn*-soa) *adj* tense

tentación (tayn-tah-*thᵞoan*) *f* temptation

* **tentar** (tayn-*tahr*) *v* tempt

tentativa (tayn-tah-*tee*-bhah) *f* attempt, try

tentempié (tayn-taym-*pᵞay*) *m* snack

* **teñir** (tay-*ñeer*) *v* dye

teología (tay-oa-loa-*khee*-ah) *f* theology

teoría (tay-oa-*ree*-ah) *f* theory

teórico (tay-*oa*-ree-koa) *adj* theoretical

terapia (tay-*rah*-pᵞah) *f* therapy

tercero (tayr-*thay*-roa) *num* third

terciopelo (tayr-thᵞoa-*pay*-loa) *m* velvet

terilene (tay-ree-*lay*-nay) *m* terylene

terminación (tayr-mee-nah-*thᵞoan*) *f* finish

terminar (tayr-mee-*nahr*) *v* end, finish; accomplish; **terminarse** *v* expire, end

término (*tayr*-mee-noa) *m* term; issue

termo (*tayr*-moa) *m* vacuum flask, thermos flask

termómetro (tayr-*moa*-may-troa) *m* thermometer

termostato (tayr-moass-*tah*-toa) *m* thermostat

ternero (tayr-*nay*-roa) *m* calf

ternura (tayr-*noo*-rah) *f* tenderness

terraplén (tay-rrah-*playn*) *m* embankment

terraza (tay-*rrah*-thah) *f* terrace

terremoto (tay-rray-*moa*-toa) *m* earthquake

terreno (tay-*rray*-noa) *m* terrain; field, grounds

terrible (tay-*rree*-bhlay) *adj* frightful; awful, horrible, terrible, dreadful

territorio (tay-rree-*toa*-rᵞoa) *m* territory

terrón (tay-*rroan*) *m* lump

terror (tay-*rroar*) *m* terror; terrorism

terrorismo (tay-rroa-*reez*-moa) *m* terrorism

terrorista (tay-rroa-*reess*-tah) *m* terrorist

tesis (*tay*-seess) *f* thesis

Tesorería (tay-soa-ray-*ree*-ah) *f* treasury

tesorero (tay-soa-*ray*-roa) *m* treasurer

tesoro (tay-*soa*-roa) *m* treasure

testamento (tayss-tah-*mayn*-toa) *m* will

testarudo (tayss-tah-*roo*-dhoa) *adj* pigheaded, stubborn

testigo (tayss-*tee*-goa) *m* witness; ~ **de vista** eye-witness

testimoniar (tayss-tee-moa-*nᵞahr*) *v* testify

testimonio (tayss-tee-*moa*-nᵞoa) *m* testimony

tetera (tay-*tay*-rah) *f* teapot

textil (tayks-*teel*) *m* textile

texto (*tayks*-toa) *m* text

textura (tayks-*too*-rah) *f* texture

tez (tayth) *f* complexion

ti (tee) *pron* you

tía (*tee*-ah) *f* aunt

tibio (*tee*-bhᵞoa) *adj* tepid, lukewarm

tiburón (tee-bhoo-*roan*) *m* shark

tiempo (*tᵞaym*-poa) *m* time; weather; **a ~** in time; ~ **libre** spare time

tienda (*tᵞayn*-dah) *f* shop; tent

tierno (*tᵞayr*-noa) *adj* gentle, tender

tierra (*tᵞay*-rrah) *f* earth; ground, soil; land; **en ~** ashore; ~ **baja** lowlands *pl*; ~ **firme** mainland

tieso (*tᵞay*-soa) *adj* stiff

tifus (*tee*-fooss) *m* typhoid

tigre (*tee*-gray) *m* tiger

tijeras (tee-*khay*-rahss) *fpl* scissors *pl*; ~ **para las uñas** nail-scissors *pl*

tilo (*tee*-loa) *m* limetree, lime

timbre (*teem*-bray) *m* tone; bell; doorbell; *mMe* postage stamp

timidez (tee-mee-*dhayth*) *f* timidity, shyness

tímido (tee-mee-dhoa) *adj* timid, embarrassed, shy

timón (tee-*moan*) *m* helm, rudder

timonel (tee-moa-*nayl*) *m* steersman

timonero (tee-moa-*nay*-roa) *m* helmsman

tímpano (*teem*-pah-noa) *m* ear-drum

tinta (*teen*-tah) *f* ink

tintorería (teen-toa-ray-*ree*-ah) *f* drycleaner's

tintura (teen-*too*-rah) *f* dye

tío (*tee*-oa) *m* uncle

típico (*tee*-pee-koa) *adj* typical, characteristic

tipo (*tee*-poa) *m* type; fellow, guy

tirada (tee-*rah*-dhah) *f* issue

tirano (tee-*rah*-noa) *m* tyrant

tirantes (tee-*rahn*-tayss) *mpl* braces *pl*; suspenders *plAm*

tirar (tee-*rahr*) *v* pull; *throw; *shoot

tiritar (tee-ree-*tahr*) *v* shiver

tiro (*tee*-roa) *m* shot

tirón (tee-*roan*) *m* wrench

titular (tee-too-*lahr*) *m* headline

título (*tee*-too-loa) *m* heading, title; degree

toalla (toa-*ah*-l^yah) *f* towel; ~ **de baño** bath towel

tobera (toa-*bhay*-rah) *f* nozzle

tobillo (toa-*bhee*-l^yoa) *m* ankle

tobogán (toa-bhoa-*gahn*) *m* slide

tocadiscos (toa-kah-*deess*-koass) *m* record-player

tocador (toa-kah-*dhoar*) *m* dressing-table; powder-room; **artículos de** ~ toiletry

tocante a (toa-*kahn*-tay ah) regarding

tocar (toa-*kahr*) *v* touch, *hit, play; **no** ~ *keep off

tocino (toa-*thee*-noa) *m* bacon

todavía (toa-dhah-*bhee*-ah) *adv* still, however

todo (*toa*-dhoa) *adj* all; entire; *pron* everything; **sobre** ~ most of all, essentially, especially; **todos** *pron* everybody

toldo (*toal*-doa) *m* awning

tolerable (toa-lay-*rah*-bhlay) *adj* tolerable

tomar (toa-*mahr*) *v* *catch; *take; ~ **el pelo** tease

tomate (toa-*mah*-tay) *m* tomato

tomillo (toa-*mee*-l^yoa) *m* thyme

tomo (*toa*-moa) *m* volume

tonada (toa-*nah*-dhah) *f* tune

tonel (toa-*nayl*) *m* barrel, cask

tonelada (toa-nay-*lah*-dhah) *f* ton

tónico (*toa*-nee-koa) *m* tonic; ~ **para el cabello** hair tonic

tono (*toa*-noa) *m* tone; note; shade

tontería (toan-tay-*ree*-ah) *f* nonsense, rubbish; *decir tonterías talk rubbish

tonto (*toan*-toa) *adj* foolish; *m* fool

topetar (toa-pay-*tahr*) *v* bump

topetón (toa-pay-*toan*) *m* bump

toque (*toa*-kay) *m* touch

torcedura (toar-thay-*dhoo*-rah) *f* sprain

*torcer** (toar-*thayr*) *v* twist; *torcerse *v* sprain

tordo (*toar*-dhoa) *m* thrush

tormenta (toar-*mayn*-tah) *f* storm

tormento (toar-*mayn*-toa) *m* torment

tormentoso (toar-mayn-*toa*-soa) *adj* thundery

tornar (toar-*nahr*) *v* return

torneo (toar-*nay*-oa) *m* tournament

tornillo (toar-*nee*-l^yoa) *m* screw

en torno (ayn *toar*-noa) about, around

en torno de (ayn *toar*-noa day) round, around

toro (*toa*-roa) *m* bull

toronja (toa-*roan*-khah) *fMe* grapefruit

torpe (*toar*-pay) *adj* clumsy, awkward

torre (*toa*-rray) *f* tower

torsión (toar-s^yoan) *f* twist

tortilla (toar-*tee*-l^yah) *f* omelette

tortuga (toar-*too*-gah) *f* turtle

tortuoso (toar-*twoa*-soa) *adj* winding

tortura (toar-*too*-rah) *f* torture

torturar (toar-too-*rahr*) *v* torture

tos (toass) *f* cough

toser (toa-*sayr*) *v* cough

tostado (toass-*tah*-dhoa) *adj* tanned

total (toa-*tahl*) *adj* total; overall, utter; *m* total; whole; **en ~** altogether

totalitario (toa-tah-lee-*tah*-rᵛoa) *adj* totalitarian

totalizador (toa-tah-lee-thah-*dhoar*) *m* totalizator

totalmente (toa-tahl-*mayn*-tay) *adv* completely, altogether, wholly

tóxico (*toak*-see-koa) *adj* toxic

trabajar (trah-bhah-*khahr*) *v* work

trabajo (trah-*bhah*-khoa) *m* work, labour; difficulty; **~ manual** handicraft

tractor (trahk-*toar*) *m* tractor

tradición (trah-dhee-*th*ᵛ*oan*) *f* tradition

tradicional (trah-dhee-th*ᵛ*oa-*nahl*) *adj* traditional

traducción (trah-dhook-*th*ᵛ*oan*) *f* translation

*****traducir** (trah-dhoo-*theer*) *v* translate

traductor (trah-dhook-*toar*) *m* translator

*****traer** (trah-*ayr*) *v* *bring

tragar (trah-*gahr*) *v* swallow

tragedia (trah-*khay*-dhᵛah) *f* drama, tragedy

trágico (*trah*-khee-koa) *adj* tragic

traición (trigh-*th*ᵛ*oan*) *f* treason

traicionar (trigh-th*ᵛ*oa-*nahr*) *v* betray

traidor (trigh-*dhoar*) *m* traitor

traílla (trah-ee-*l*ᵛah) *f* lead

traje (*trah*-khay) *m* suit; gown; robe; **~ de baño** bathing-suit; **~ de etiqueta** evening dress; **~ del país** national dress; **~ de malla** tights *pl*; **~ pantalón** pant-suit

trama (*trah*-mah) *f* plot

trampa (*trahm*-pah) *f* trap; hatch

tranquilidad (trahng-kee-lee-*dhahdh*) *f* tranquillity

tranquilizar (trahng-kee-lee-*thahr*) *v* reassure

tranquilo (trahng-*kee*-loa) *adj* tranquil, quiet, calm; peaceful

transacción (trahn-sahk-*th*ᵛ*oan*) *f* transaction, deal; **volumen de transacciones** turnover

transatlántico (trahn-saht-*lahn*-tee-koa) *adj* transatlantic

transbordador (trahnz-bhoar-dhah-*dhoar*) *m* ferry-boat; **~ de trenes** train ferry

transcurrir (trahns-koo-*rrer*) *v* pass

transeúnte (trahn-say-*oon*-tay) *m* passer-by

*****transferir** (trahns-fay-*reer*) *v* transfer

transformador (trahns-foar-mah-*dhoar*) *m* transformer

transformar (trahns-foar-*mahr*) *v* transform

transgredir (trahnz-gray-*deer*) *v* offend

transición (trahn-see-*th*ᵛ*oan*) *f* transition

tránsito (*trahn*-see-toa) *m* traffic

transmisión (trahnz-mee-*s*ᵛ*oan*) *f* transmission, broadcast

transmitir (trahnz-mee-*teer*) *v* transmit

transparente (trahns-pah-*rayn*-tay) *adj* transparent

transpiración (trahns-pee-rah-*th*ᵛ*oan*) *f* perspiration

transpirar (trahns-pee-*rahr*) *v* perspire

transportar (trahns-poar-*tahr*) *v* transport; ship

transporte (trahns-*poar*-tay) *m* transportation, transport

tranvía (trahm-*bee*-ah) *m* tram; streetcar *nAm*

trapo (*trah*-poa) *m* rag; **~ de cocina** tea-cloth

tras (trahss) *prep* behind

*hacer trasbordo (ah-*thayr* trahz-*bhoar*-dhoa) change

trasero (trah-*say*-roa) *m* bottom

trasladar (trahz-lah-*dhahr*) *v* move

traslúcido (trahz-*loo*-thee-dhoa) *adj* sheer

trastornado (trahss-toar-*nah*-dhoa) *adj* upset

trastornar (trahss-toar-*nahr*) *v* upset

trastos (*trahss*-toass) *mpl* litter

tratado (trah-*tah*-dhoa) *m* essay; treaty

tratamiento (trah-tah-*mᵞayn*-toa) *m* treatment; ~ **de belleza** beauty treatment

tratar (trah-*tahr*) *v* handle, treat; ~ **con *deal** with

trato (*trah*-toa) *m* intercourse

a través de (ah trah-*bhayss day*) across, through

travesía (trah-bhay-*see*-ah) *f* crossing, passage

travieso (trah-*bhᵞay*-soa) *adj* naughty, bad; mischievous

trazar (trah-*thahr*) *v* sketch

trébol (*tray*-bhoal) *m* clover, shamrock

trece (*tray*-thay) *num* thirteen

treceno (tray-*thay*-noa) *num* thirteenth

trecho (*tray*-choa) *m* stretch

treinta (*trayn*-tah) *num* thirty

treintavo (trayn-*tah*-bhoa) *num* thirtieth

tremendo (tray-*mayn*-doa) *adj* awful, terrible; tremendous, terrific

trementina (tray-mayn-*tee*-nah) *f* turpentine

tren (trayn) *m* train; ~ **de cercanías** stopping train; ~ **de mercancías** goods train; ~ **de pasajeros** passenger train; ~ **directo** through train; ~ **expreso** express train; ~ **nocturno** night train; ~ **ómnibus** local train

trenza (*trayn*-thah) *f* twine

trepar (tray-*pahr*) *v* climb

tres (trayss) *num* three

triangular (trᵞahng-goo-*lahr*) *adj* triangular

triángulo (*trᵞahng*-goo-loa) *m* triangle

tribu (*tree*-bhoo) *m* tribe

tribuna (tree-*bhoo*-nah) *f* stand

tribunal (tree-bhoo-*nahl*) *m* court, law court

trigal (tree-*gahl*) *m* cornfield

trigo (*tree*-goa) *m* grain, corn; wheat

trimestral (tree-mayss-*trahl*) *adj* quarterly

trimestre (tree-*mayss*-tray) *m* quarter

trinchar (treen-*chahr*) *v* carve

trineo (tree-*nay*-oa) *m* sleigh, sledge

triste (*treess*-tay) *adj* sad

tristeza (treess-*tay*-thah) *f* sorrow, sadness

triturar (tree-too-*rahr*) *v* *grind

triunfante (trᵞoon-*fahn*-tay) *adj* triumphant

triunfar (trᵞoon-*fahr*) *v* triumph

triunfo (trᵞoon-foa) *m* triumph

*trocar (troa-*kahr*) *v* swap

trolebús (troa-lay-*bhooss*) *m* trolley-bus

trompeta (troam-*pay*-tah) *f* trumpet

tronada (troa-*nah*-dhah) *f* thunderstorm

*tronar (troa-*nahr*) *v* thunder

tronco (*troang*-koa) *m* trunk

trono (*troa*noa) *m* throne

tropas (*troa*-pahss) *fpl* troops *pl*

*tropezarse (troa-pay-*thahr*-say) *v* stumble

tropical (troa-pee-*kahl*) *adj* tropical

trópicos (*troa*-pee-koass) *mpl* tropics *pl*

trozo (*troa*-thoa) *m* chunk, morsel, bit; fragment, passage

truco (*troo*-koa) *m* trick

trucha (*troo*-chah) *f* trout

trueno (*trway*-noa) *m* thunder
tu (too) *adj* your
tú (too) *pron* you
tuberculosis (too-bhayr-koo-*loa*-seess) *f* tuberculosis
tubo (*too*-bhoa) *m* tube
tuerca (*twayr*-kah) *f* nut
tulipán (too-lee-*pahn*) *m* tulip
tumba (*toom*-bah) *f* tomb
tumor (too-*moar*) *m* growth, tumour
tunecino (too-nay-*thee*-noa) *adj* Tunisian; *m* Tunisian
túnel (*too*-nayl) *m* tunnel
Túnez (*too*-nayth) *m* Tunisia
túnica (*too*-nee-kah) *f* tunic
turbar (toor-*bhahr*) *v* embarrass
turbera (toor-*bhay*-rah) *f* moor
turbina (toor-*bhee*-nah) *f* turbine
turco (*toor*-koa) *adj* Turkish; *m* Turk
turismo (too-*reez*-moa) *m* tourism
turista (too-*reess*-tah) *m* tourist; **oficina para turistas** tourist office
turno (*toor*-noa) *m* turn; shift
Turquía (toor-*kee*-ah) *f* Turkey
turrón (too-*rroan*) *m* nougat
tutela (too-*tay*-lah) *f* custody
tutor (too-*toar*) *m* tutor; guardian
tuyos (*too*-Yoass) *adj* your

U

ubicación (oo-bhee-kah-*th*Yoan) *f* situation, location
ujier (oo-*kh*Yayr) *m* bailiff
úlcera (*ool*-thay-rah) *f* ulcer, sore; ~ **gástrica** gastric ulcer
ulterior (ool-tay-*r*Yoar) *adj* further
últimamente (*ool*-tee-mah-mayn-tay) *adv* lately
último (*ool*-tee-moa) *adj* ultimate; last
ul*raje (ool-*trah*-khay) *m* outrage
.ramar (ool-trah-*mahr*) *adv* overseas

ultravioleta (ool-trah-bhYoa-*lay*-tah) *adj* ultraviolet
umbral (oom-*brahl*) *m* threshold
un (oon) *art* a
unánime (oo-*nah*-nee-may) *adj* like-minded, unanimous
ungüento (oong-*gwayn*-toa) *m* ointment, salve
únicamente (*oo*-nee-kah-mayn-tay) *adv* exclusively
único (*oo*-nee-koa) *adj* unique, sole
unidad (oo-nee-*dhahdh*) *f* unity; unit
unido (oo-*nee*-dhoa) *adj* joint
uniforme (oo-nee-*foar*-may) *adj* uniform; *m* uniform
unilateral (oo-nee-lah-tay-*rahl*) *adj* one-sided
unión (oo-*n*Yoan) *f* union
Unión Europea (oo-nYoan ay⁰⁰-roa-*pay*-ah) European Union
unir (oo-*neer*) *v* unite; combine; **unirse a** join
universal (oo-nee-bhayr-*sahl*) *adj* universal
universidad (oo-nee-bhayr-see-*dhahdh*) *f* university
universo (oo-nee-*bhayr*-soa) *m* universe
uno (*oo*-noa) *num* one; *pron* one; **unos** *adj* some; *pron* some
uña (*oo*-ñah) *f* nail
urbano (oor-*bhah*-noa) *adj* urban
urgencia (oor-*khayn*-thYah) *f* urgency; emergency; **botiquín de** ~ first-aid kit
urgente (oor-*khayn*-tay) *adj* pressing, urgent
urraca (oo-*rrah*-kah) *f* magpie
Uruguay (oo-roo-*gwigh*) *m* Uruguay
uruguayo (oo-roo-*gwah*-Yoa) *adj* Uruguayan; *m* Uruguayan
usar (oo-*sahr*) *v* use
uso (*oo*-soa) *m* use, usage
usted (ooss-*taydh*) *pron* you; **a** ~

you; **de** ~ your

usual (oo-*swahl*) *adj* common, customary, usual

usuario (oo-*swah*-r^yoa) *m* user

utensilio (oo-tayn-*see*-l^yoa) *m* utensil

útil (*oo*-teel) *adj* useful

utilidad (oo-tee-lee-*dhahdh*) *f* utility, use

utilizable (oo-tee-lee-*thah*-bhlay) *adj* usable

utilizar (oo-tee-lee-*thahr*) *v* utilize

uvas (*oo*-bhahss) *fpl* grapes *pl*

V

vaca (*bah*-kah) *f* cow

vacaciones (bah-kah-*th^yoa*-nayss) *fpl* holiday, vacation; **de** ~ on holiday

vacante (bah-*kahn*-tay) *adj* vacant; *f* vacancy

vaciar (bah-*th^yahr*) *v* empty; vacate

vacilante (bah-thee-lahn-tay) *adj* unsteady, shaky

vacilar (bah-thee-*lahr*) *v* hesitate; falter

vacío (bah-*thee*-oa) *adj* empty; *m* vacuum

vacunación (bah-koo-nah-*th^yoan*) *f* vaccination

vacunar (bah-koo-*nahr*) *v* vaccinate, inoculate

vadear (bah-dhay-*ahr*) *v* wade

vado (*bah*-dhoa) *m* ford

vagabundear (bah-gah-bhoon-day-*ahr*) *v* tramp, roam

vagabundo (bah-gah-*bhoon*-doa) *m* tramp

vagancia (bah-*gahn*-th^yah) *f* vagrancy

vagar (bah-*gahr*) *v* wander

vago (*bah*-goa) *adj* vague; faint, dim; idle

vagón (bah-*goan*) *m* waggon, carriage; coach

vainilla (bigh-*nee*-l^yah) *f* vanilla

vale (*bah*-lay) *m* banknote

*valer (bah-*layr*) *v* *be worth; ~ **la pena** *be worth-while

valiente (bah-*l^yayn*-tay) *adj* courageous, plucky, brave

valija (bah-*lee*-khah) *f* case

valioso (bah-*l^yoa*-soa) *adj* valuable

valor (bah-*loar*) *m* worth, value; courage; **bolsa de valores** stock exchange; **sin** ~ worthless

vals (bahls) *m* waltz

valuar (bah-*lwahr*) *v* value; appreciate

válvula (*bahl*-bhoo-lah) *f* valve

valle (*bah*-l^yay) *m* valley

vanidoso (bah-nee-*dhoa*-soa) *adj* vain

vano (*bah*-noa) *adj* idle, vain; **en** ~ in vain

vapor (bah-*poar*) *m* steam, vapour; steamer; ~ **de línea** liner

vaporizador (bah-poa-ree-thah-*dhoar*) *m* atomizer

vaqueros (bah-*kay*-roass) *mpl* jeans *pl*

variable (bah-*r^yah*-bhlay) *adj* variable

variación (bah-r^yah-*th^yoan*) *f* variation

variado (bah-*r^yah*-dhoa) *adj* varied

variar (bah-*r^yahr*) *v* vary

varice (*bah*-ree-thay) *f* varicose vein

varicela (bah-ree-*thay*-lah) *f* chickenpox

variedad (bah-r^yay-*dhahdh*) *f* variety; **espectáculo de variedades** variety show

varios (*bah*-r^yoass) *adj* various, several

vaselina (bah-say-*lee*-nah) *f* vaseline

vasija (bah-*see*-khah) *f* vessel

vaso (*bah*-soa) *m* glass; mug, tumbler; vase; ~ **sanguíneo** bloodvessel

vasto (*bahss*-toa) *adj* wide, vast; extensive

vatio (*bah*-t^yoa) *m* watt

vecindad (bay-theen-*dahdh*) f neighbourhood, vicinity

vecindario (bay-theen-*dah*-rYoa) m community

vecino (bay-*thee*-noa) adj neighbouring; m neighbour

vegetación (bay-khay-tah-*thYoan*) f vegetation

vegetariano (bay-khay-tah-*rYah*-noa) m vegetarian

vehículo (bay-ee-koo-loa) m vehicle

veinte (*bayn*-tay) num twenty

vejez (bay-*khayth*) f old age

vejiga (bay-*khee*-gah) f bladder

vela (*bay*-lah) f sail; **deporte de ~** yachting

velo (*bay*-loa) m veil

velocidad (bay-loa-thee-*dhahdh*) f speed; rate; gear; **límite de ~** speed limit; **~ de cruce** cruising speed

velocímetro (bay-loa-*thee*-may-troa) m speedometer

veloz (bay-*loath*) adj swift

vena (*bay*-nah) f vein

vencedor (bayn-thay-*dhoar*) m winner

vencer (bayn-*thayr*) v *overcome, conquer; *win

vencimiento (bayn-thee-*mYayn*-toa) m expiry

vendaje (bayn-*dah*-khay) m bandage

vendar (bayn-*dahr*) v dress

vendedor (bayn-day-*dhoar*) m salesman

vendedora (bayn-day-*dhoa*-rah) f salesgirl

vender (bayn-*dayr*) v *sell; **~ al detalle** retail

vendible (bayn-*dee*-bhlay) adj saleable

vendimia (bayn-*dee*-mYah) f vintage

veneno (bay-*nay*-noa) m poison

venenoso (bay-nay-*noa*-soa) adj poisonous

venerable (bay-nay-*rah*-bhlay) adj venerable

venerar (bay-nay-*rahr*) v worship

venezolano (bay-nay-thoa-*lah*-noa) adj Venezuelan; m Venezuelan

Venezuela (bay-nay-*thway*-lah) f Venezuela

venganza (bayng-*gahn*-thah) f revenge

venidero (bay-nee-*dhay*-roa) adj oncoming

*venir (bay-*neer*) v *come

venta (*bayn*-tah) f sale; **de ~** for sale; **~ al por mayor** wholesale

ventaja (bayn-*tah*-khah) f benefit, advantage; profit; lead

ventajoso (bayn-tah-*khoa*-soa) adj advantageous

ventana (bayn-*tah*-nah) f window; **~ de la nariz** nostril

ventarrón (bayn-tah-*rroan*) m gale

ventilación (bayn-tee-lah-*thYoan*) f ventilation

ventilador (bayn-tee-lah-*dhoar*) m fan, ventilator

ventilar (bayn-tee-*lahr*) v ventilate

ventisca (bhayn-*teess*-kah) f blizzard

ventoso (bayn-*toa*-soa) adj windy

*ver (bayr) v *see, notice

veranda (bay-rahn-dah) f veranda

verano (bay-*rah*-noa) m summer; **pleno ~** midsummer

verbal (bayr-*bhahl*) adj verbal

verbo (*bayr*-bhoa) m verb

verdad (bayr-*dhahdh*) f truth

verdaderamente (bayr-dhah-dhay-rah-*mayn*-tay) adv really

verdadero (bayr-dhah-*dhay*-roa) adj true; real, very; actual

verde (*bayr*-dhay) adj green

verdulero (bayr-dhoo-*lay*-roa) m greengrocer

veredicto (bay-ray-*dheek*-toa) m verdict

vergel (*bayr*-gayl) m orchard

vergüenza (bayr-*gwayn*-thah) f shame;

¡qué **vergüenza!** shame!
verídico (bay-*ree*-dhee-koa) *adj* truthful
verificar (bay-ree-fee-*kahr*) *v* check, verify
verosímil (bay-roa-*see*-meel) *adj* credible
versión (bayr-*sᵞoan*) *f* version
verso (*bayr*-soa) *m* verse
*verter (bayr-*tayr*) *v* pour; *spill
vertical (bayr-tee-*kahl*) *adj* vertical
vértigo (*bayr*-tee-goa) *m* dizziness, vertigo
vestíbulo (bayss-*tee*-bhoo-loa) *m* hall, lobby; foyer
vestido (bayss-*tee*-dhoa) *m* frock, dress; **vestidos** *mpl* clothes *pl*
*vestir (bayss-*teer*) *v* dress; ***vestirse** *v* dress
vestuario (bayss-*twah*-rᵞoa) *m* wardrobe; dressing-room
veterinario (bay-tay-ree-*nah*-rᵞoa) *m* veterinary surgeon
vez (bayth) *f* time; **alguna ~** some time; **a veces** sometimes; **de ~ en cuando** occasionally, now and then; **otra ~** again, once more; **pocas veces** seldom; **una ~** once
vía (*bee*-ah) *f* track; **~ del tren** railroad *nAm*; **~ navegable** waterway
viaducto (bᵞah-*dhook*-toa) *m* viaduct
viajar (bᵞah-*khahr*) *v* travel
viaje (*bᵞah*-khay) *m* journey; trip, voyage
viajero (bᵞah-*khay*-roa) *m* traveller
vibración (bee-bhrah-*thᵞoan*) *f* vibration
vibrar (bee-*bhrahr*) *v* tremble, vibrate
vicario (bee-*kah*-rᵞoa) *m* vicar
vicepresidente (bee-thay-pray-see-*dhayn*-tay) *m* vice-president
vicioso (bee-*thᵞoa*-soa) *adj* vicious
víctima (*beek*-tee-mah) *f* casualty, victim

victoria (beek-*toa*-rᵞah) *f* victory
vida (*bee*-dhah) *f* life; lifetime; **en ~** alive; **~ privada** privacy
videocámara (bee-dhay-oa-*kah*-mah-rah) *f* video camera
videocasete (bee-dhay-oa-kah-*say*-tay) *m* video cassette
videograbadora (bee-dhay-oa-grah-bhah-*dhoa*-rah) *f* video recorder
vidrio (*bee*-dhrᵞoa) *m* glass; **de ~ glass; ~ de color** stained glass
viejo (*bᵞay*-khoa) *adj* old; ancient, aged; stale
viento (*bᵞayn*-toa) *m* wind
vientre (*bᵞayn*-tray) *m* belly
viernes (*bᵞayr*-nayss) *m* Friday
vigente (bee-*khayn*-tay) *adj* valid
vigésimo (bee-*khay*-see-moa) *num* twentieth
vigilar (bee-khee-*lahr*) *v* watch, patrol
vigor (bee-*goar*) *m* strength; stamina
villa (*bee*-lᵞah) *f* villa
villano (bee-*lᵞah*-noa) *m* villain
vinagre (bee-*nah*-gray) *m* vinegar
vino (*bee*-noa) *m* wine
viña (*bee*-ñah) *f* vineyard
violación (bᵞoa-lah-*thᵞoan*) *f* violation
violar (bᵞoa-*lahr*) *v* assault, rape
violencia (bᵞoa-*layn*-thᵞah) *f* violence
violento (bᵞoa-*layn*-toa) *adj* violent; fierce, severe
violeta (bᵞoa-*lay*-tah) *f* violet
violín (bᵞoa-*leen*) *m* violin
virgen (*beer*-khayn) *f* virgin
virtud (beer-*toodh*) *f* virtue
visado (bee-*sah*-dhoa) *m* visa
visar (bee-*sahr*) *v* endorse
visibilidad (bee-see-bhee-lee-*dhahdh*) *f* visibility
visible (bee-*see*-bhlay) *adj* visible
visión (bee-*sᵞoan*) *f* vision
visita (bee-*see*-tah) *f* visit, call
visitante (bee-see-*tahn*-tay) *m* visitor
visitar (bee-see-*tahr*) *v* visit, call on

vislumbrar (beez-loom-*brahr*) *v* glimpse

vislumbre (beez-*loom*-bray) *m* glimpse

visón (bee-*soan*) *m* mink

visor (bee-*soar*) *m* view-finder

vista (*beess*-tah) *f* sight; view; **punto de ~** outlook

vistoso (beess-*toa*-soa) *adj* striking

vital (bee-*tahl*) *adj* vital

vitamina (bee-tah-*mee*-nah) *f* vitamin

vitrina (bee-*tree*-nah) *f* show-case

viuda (b^yoo-dhah) *f* widow

viudo (b^yoo-dhoa) *m* widower

vivaz (bee-*bhahth*) *adj* active

vivero (bee-*bhay*-roa) *m* nursery

vivienda (bee-*bh^yayn*-dah) *f* house

vivir (bee-*bheer*) *v* live; experience

vivo (*bee*-bhoa) *adj* alive, live; brisk, vivid, lively

vocabulario (boa-kah-bhoo-*lah*-r^yoa) *m* vocabulary

vocación (boa-kah-*th^yoan*) *f* vocation

vocal (boa-*kahl*) *f* vowel; *adj* vocal

vocalista (boa-kah-*leess*-tah) *m* vocalist

volante (boa-*lahn*-tay) *m* steering-wheel

*****volar** (boa-*lahr*) *v* *fly

volatería (boa-lah-tay-*ree*-ah) *f* fowl

volcán (boal-*kahn*) *m* volcano

voltaje (boal-*tah*-khay) *m* voltage

voltio (*boal*-t^yoa) *m* volt

volumen (boa-*loo*-mayn) *m* volume

voluminoso (boa-loo-mee-*noa*-soa) *adj* bulky; big

voluntad (boa-loon-*tahdh*) *f* will; **buena ~** goodwill

voluntario (boa-loon-*tah*-r^yoa) *adj* voluntary; *m* volunteer

*****volver** (boal-*bhayr*) *v* return, turn back; turn over, turn, turn round; **~ a casa** *go home; *****volverse** *v* turn round

vomitar (boa-mee-*tahr*) *v* vomit

vosotros (boa-*soa*-troass) *pron* you

votación (boa-tah-*th^yoan*) *f* vote

votar (boa-*tahr*) *v* vote

voto (*boa*-toa) *m* vote; vow

voz (boath) *f* voice; cry; **en ~ alta** aloud

vuelo (*bway*-loa) *m* flight; **~ fletado** charter flight; **~ nocturno** night flight

vuelta (*bwayl*-tah) *f* return journey, way back; tour; turning, turn; round; **ida y ~** round trip *Am*

vuestro (*bwayss*-troa) *adj* your

vulgar (bool-*gahr*) *adj* vulgar

vulnerable (bool-nay-*rah*-bhlay) *adj* vulnerable

Y

y (ee) *conj* and

ya (^yah) *adv* already; **~ no** no longer; **~ que** as

*****yacer** (^yah-*thayr*) *v* *lie

yacimiento (^yah-thee-*m^yayn*-toa) *m* deposit

yate (^yah-tay) *m* yacht

yegua (^yay-gwah) *f* mare

yema (^yay-mah) *f* yolk

yerno (^yayr-noa) *m* son-in-law

yeso (^yay-soa) *m* plaster

yo (^yoa) *pron* I

yodo (^yoa-dhoa) *m* iodine

yugo (^yoo-goa) *m* yoke

Z

zafiro (thah-*fee*-roa) *m* sapphire

zanahoria (thah-nah-*oa*-rʸah) *f* carrot

zanja (*thahng*-khah) *f* ditch

zapatería (thah-pah-tay-*ree*-ah) *f* shoe-shop

zapatero (thah-pah-*tay*-roa) *m* shoemaker

zapatilla (thah-pah-*tee*-lʸah) *f* slipper

zapato (thah-*pah*-toa) *m* shoe; **zapatos de gimnasia** plimsolls *pl*; sneakers *plAm*; **zapatos de tenis** tennis shoes

zatara (thah-*tah*-rah) *f* raft

zodíaco (thoa-*dhee*-ah-koa) *m* zodiac

zona (*thoa*-nah) *f* zone; area; ~ **industrial** industrial area

zoología (thoa-oa-loa-*khee*-ah) *f* zoology

zorro (*thoa*-rroa) *m* fox

zueco (*thway*-koa) *m* wooden shoe

zumo (*thoo*-moa) *m* juice; squash

zumoso (thoo-*moa*-soa) *adj* juicy

zurcir (thoor-*theer*) *v* darn

zurdo (*thoor*-dhoa) *adj* left-handed

zurra (*thoo*-rrah) *f* spanking

Menu Reader

Food

a caballo steak topped with two eggs
acedera sorrel
aceite oil
aceituna olive
achicoria endive (US chicory)
(al) adobo marinated
aguacate avocado (pear)
ahumado smoked
ajiaceite garlic mayonnaise
ajiaco bogotano chicken soup with potatoes
(al) ajillo cooked in garlic and oil
ajo garlic
al, a la in the style of, with
albahaca basil
albaricoque apricot
albóndiga spiced meat- or fishball
alcachofa artichoke
alcaparra caper
aliñado seasoned
alioli garlic mayonnaise
almeja clam, cockle
almejas a la marinera cooked in hot, pimento sauce
almendra almond
    ~ **garrapiñada** sugared almond
almíbar syrup
almuerzo lunch
alubia bean

anchoa anchovy
anguila eel
angula baby eel
anticucho beef heart grilled on a skewer with green peppers
apio celery
a punto medium (done)
arenque herring
    ~ **en escabeche** marinated, pickled herring
arepa flapjack made of maize (corn)
arroz rice
    ~ **blanco** boiled, steamed
    ~ **escarlata** with tomatoes and prawns
    ~ **a la española** with chicken liver, pork, tomatoes, fish stock
    ~ **con leche** rice pudding
    ~ **primavera** with spring vegetables
    ~ **a la valenciana** with vegetables, chicken, shellfish (and sometimes eel)
asado roast
    ~ **antiguo a la venezolana mechado** roast beef stuffed with capers
asturias a strong, fermented cheese with a sharp flavour

atún tunny (US tuna)

avellana hazelnut

azafrán saffron

azúcar sugar

bacalao cod

  ~ **a la vizcaína** with green peppers, potatoes, tomato sauce

barbo barbel (fish)

batata sweet potato, yam

becada woodcock

berberecho cockle

berenjena aubergine (US eggplant)

berraza parsnip

berro cress

berza cabbage

besugo sea bream

bien hecho well-done

biftec, bistec beef steak

bizcocho sponge cake, sponge finger (US ladyfinger)

  ~ **borracho** cake steeped in rum (or wine) and syrup

bizcotela glazed biscuit (US cookie)

blando soft

bocadillo 1) sandwich 2) sweet (Colombia)

bollito, bollo roll, bun

bonito a kind of tunny (US tuna)

boquerón 1) anchovy 2) whitebait

(en) brocheta (on a) skewer

budín blancmange, custard

buey ox

buñuelo 1) doughnut 2) fritter with ham, mussels and prawns (sometimes flavoured with brandy)

burgos a popular soft, creamy cheese named after the Spanish province of its origin

butifarra spiced sausage

caballa fish of the mackerel family

cabeza de ternera calf's head

cabra goat

cabrales blue-veined goat's-milk cheese

cabrito kid

cacahuete peanut

cachelos diced potatoes boiled with cabbage, paprika, garlic, bacon, *chorizo* sausage

calabacín vegetable marrow, courgette (US zucchini)

calabaza pumpkin

calamar squid

calamares a la romana squids fried in batter

caldillo de congrio conger-eel soup with tomatoes and potatoes

caldo consommé

  ~ **gallego** meat and vegetable broth

callos tripe (often served in pimento sauce)

  ~ **a la madrileña** in piquant sauce with *chorizo* sausage and tomatoes

camarón shrimp

canela cinnamon

cangrejo de mar crab

cangrejo de río crayfish

cantarela chanterelle mushroom

caracol snail

carbonada criolla baked pumpkin stuffed with diced beef

carne meat

  ~ **asada al horno** roast meat

  ~ **molida** minced beef

  ~ **a la parrilla** charcoal-grilled steak

  ~ **picada** minced beef

carnero mutton

carpa carp

casero home made

castaña chestnut

castañola sea perch

(a la) catalana with onions, parsley, tomatoes and herbs

caza game

(a la) cazadora with mushrooms, spring onions, herbs in wine

cazuela de cordero lamb stew with vegetables

cebolla onion

cebolleta chive

cebrero blue-veined cheese of creamy texture with a pale, yellow rind; sharp taste

cena dinner, supper

centolla spider-crab, served cold

cerdo pork

cereza cherry

ceviche fish marinated in lemon and lime juice

cigala Dublin Bay prawn

cincho a hard cheese made from sheep's milk

ciruela plum

  ~ **pasa** prune

cocido 1) cooked, boiled 2) stew of beef with ham, fowl, chick peas, potatoes and vegetables (the broth is eaten first)

cochifrito de cordero highly seasoned stew of lamb or kid

codorniz quail

col cabbage

  ~ **de Bruselas** brussels sprout

coliflor cauliflower

comida meal

compota stewed fruit

conejo rabbit

confitura jam

congrio conger eel

consomé al jerez chicken broth with sherry

copa nuria egg-yolk and egg-white, whipped and served with jam

corazón de alcachofa artichoke heart

corazonada heart stewed in sauce

cordero lamb

  ~ **recental** spring lamb

cortadillo small pancake with lemon

corzo deer

costilla chop

crema 1) cream or mousse

  ~ **batida** whipped cream

  ~ **española** dessert of milk, eggs, fruit jelly

  ~ **nieve** frothy egg-yolk, sugar, rum (or wine)

crema 2) soup

criadillas (de toro) glands (of bull)

(a la) criolla with green peppers, spices and tomatoes

croqueta croquette, fish or meat dumpling

crudo raw

cubierto cover charge

cuenta bill (US check)

curanto dish consisting of seafood, vegetables and suck(l)ing pig, all cooked in an earthen well, lined with charcoal

chabacano apricot

chalote shallot

champiñón mushroom

chancho adobado pork braised with sweet potatoes, orange and lemon juice

chanfaina goat's liver and kidney stew, served in a thick sauce

chanquete whitebait

chile chili pepper

chiles en nogada green peppers stuffed with whipped cream and nut sauce

chimichurri hot parsley sauce

chipirón small squid

chopa a kind of sea bream

chorizo pork sausage, highly seasoned with garlic and paprika

chuleta cutlet

chupe de mariscos scallops served with a creamy sauce and gratinéed with cheese

churro sugared tubular fritter

damasco variety of apricot

dátil date

desayuno breakfast

dorada gilt-head

dulce sweet

~ **de naranja** marmalade

durazno peach

embuchado stuffed with meat

embutido spicy sausage

empanada pie or tart with meat or fish filling

~ **de horno** dough filled with minced meat, similar to ravioli

empanadilla small patty stuffed with seasoned meat or fish

empanado breaded

emperador swordfish

encurtido pickle

enchilada a maizeflour (US cornmeal) pancake *(tortilla)* stuffed and usually served with vegetable garnish and sauce

~ **roja** sausage-filled maizeflour pancake dipped into a red sweet-pepper sauce

~ **verde** maizeflour pancake stuffed with meat or fowl and braised in a green-tomato sauce

endibia chicory (US endive)

eneldo dill

ensalada salad

~ **común** green

~ **de frutas** fruit salad

~ **(a la) primavera** spring

~ **valenciana** with green peppers, lettuce and oranges

ensaladilla rusa diced cold vegetables with mayonnaise

entremés appetizer, hors-d'oeuvre

erizo de mar sea urchin

(en) escabeche marinated, pickled

~ **de gallina** chicken marinated in vinegar

escarcho red gurnard (fish)

escarola endive (US chicory)

espalda shoulder

(a la) española with tomatoes

espárrago asparagus

especia spice

especialidad de la casa chef's speciality

espinaca spinach

esqueixada mixed fish salad

(al) estilo de in the style of

estofado stew(ed)

estragón tarragon

fabada (asturiana) stew of pork, beans, bacon and sausage

faisán pheasant

fiambres cold meat (US cold cuts)

fideo thin noodle

filete steak

~ **de lomo** fillet steak (US tenderloin)

~ **de res** beef steak

~ **de lenguado empanado** breaded fillet of sole

(a la) flamenca with onions, peas, green peppers, tomatoes and spiced sausage

flan caramel mould, custard

frambuesa raspberry

(a la) francesa sautéed in butter

fresa strawberry

~ **de bosque** wild

fresco fresh, chilled

fresón large strawberry

fricandó veal bird, thin slice of meat rolled in bacon and braised

frijol bean

frijoles refritos fried mashed beans

frío cold

frito 1) fried 2) fry

~ **de patata** deep-fried potato croquette

fritura fry

~ **mixta** meat, fish or vegetables deep-fried in batter

fruta fruit

~ **escarchada** crystallized (US candied) fruit

galleta salted or sweet biscuit (US cracker or cookie)

~ **de nata** cream biscuit (US sandwich cookie)

gallina hen

~ **de Guinea** guinea fowl

gallo cockerel

gamba shrimp

~ **grande** prawn

gambas con mayonesa shrimp cocktail

ganso goose

garbanzo chick pea

gazpacho seasoned broth made of raw onions, garlic, tomatoes, cucumber and green pepper; served chilled

(a la) gitanilla with garlic

gordo fatty, rich (of food)

granada pomegranate

grande large

(al) gratin gratinéed

gratinado gratinéed

grelo turnip greens

grosella currant

~ **espinosa** gooseberry

~ **negra** blackcurrant

~ **roja** redcurrant

guacamole a purée of avocado and spices used as a dip, in a salad, for a *tortilla* filling or as a garnish

guarnición garnish, trimming

guayaba guava (fruit)

guinda sour cherry

guindilla chili pepper

guisado stew(ed)

guisante green pea

haba broad bean

habichuela verde French bean (US green bean)

hamburguesa hamburger

hayaca central maizeflour (US cornmeal) pancake, usually with a minced-meat filling

helado ice-cream, ice

hervido 1) boiled 2) stew of beef and vegetables (Latin America)

hielo ice

hierba herb

hierbas finas finely chopped mixture of herbs

hígado liver

higo fig

hinojo fennel

hongo mushroom

(al) horno baked

hortaliza greens

hueso bone

huevo egg

~ **cocido** boiled

~ **duro** hard-boiled

~ **escalfado** poached

~ **a la española** stuffed with tomatoes and served with cheese sauce

~ **a la flamenca** baked with asparagus, peas, peppers, onions, tomatoes and sausage

~ **frito** fried

~ **al nido** egg-yolk placed into small, soft roll, fried, then covered with egg-white

~ **pasado por agua** soft-boiled

~ **revuelto** scrambled

~ **con tocino** bacon and egg

humita boiled maize (US corn) with tomatoes, green peppers, onions and cheese

(a la) inglesa 1) underdone (of meat) 2) boiled 3) served with boiled vegetables

jabalí wild boar

jalea jelly

jamón ham

~ **cocido** boiled (often referred to as *jamón de York*)

~ **en dulce** boiled and served cold

~ **gallego** smoked and cut thinly

~ **serrano** cured and cut thinly

(a la) jardinera with carrots, peas and other vegetables

jengibre ginger

(al) jerez braised in sherry

judía bean

~ **verde** French bean (US green bean)

jugo gravy, meat juice

en su ~ in its own juice

juliana with shredded vegetables

jurel variety of mackerel

lacón shoulder of pork

~ **curado** salted pork

lamprea lamprey

langosta spiny lobster

langostino Norway lobster, Dublin Bay prawn

laurel bay leaf

lechón suck(l)ing pig

lechuga lettuce

legumbre vegetable

lengua tongue

lenguado sole, flounder

~ **frito** fried fillet of sole on bed of vegetables

lenteja lentil

liebre hare

~ **estofada** jugged hare

lima 1) lime 2) sweet lime (Latin America)

limón lemon

lista de platos menu

lista de vinos wine list

lobarro a variety of bass

lombarda red cabbage

lomo loin

longaniza long, highly seasoned sausage

lonja slice of meat

lubina bass

macarrones macaroni

(a la) madrileña with *chorizo* sausage, tomatoes and paprika

magras al estilo de Aragón cured ham in tomato sauce

maíz maize (US corn)

(a la) mallorquina usually refers to highly seasoned fish and shellfish

manchego hard cheese from La Mancha, made from sheep's milk, white or golden-yellow in colour

maní peanut

mantecado 1) small butter cake 2) custard ice-cream

mantequilla butter

manzana apple

~ **en dulce** in honey

(a la) marinera usually with mussels, onions, tomatoes, herbs and wine

marisco seafood

matambre rolled beef stuffed with vegetables

mayonesa mayonnaise

mazapán marzipan, almond paste

mejillón mussel

mejorana marjoram

melaza treacle, molasses

melocotón peach

membrillo quince

menestra boiled green vegetable soup

~ **de pollo** chicken and vegetable soup

menta mint

menú menu

~ **del día** set menu

~ **turístico** tourist menu

menudillos giblets

merengue meringue

merienda snack

merluza hake

mermelada jam

mezclado mixed

miel honey

(a la) milanesa with cheese, generally baked

minuta menu

mixto mixed

mole poblano chicken served with a sauce of chili peppers, spices and chocolate

molusco mollusc (snail, mussel, clam)

molleja sweetbread

mora mulberry

morcilla black pudding (US blood sausage)

morilla morel mushroom

moros y cristianos rice and black beans with diced ham, garlic, green peppers and herbs

mostaza mustard

mújol mullet

nabo turnip

naranja orange

nata cream

~ **batida** whipped cream

natillas custard

~ **al limón** lemon cream

níspola medlar (fruit)

nopalito young cactus leaf served with salad dressing

nuez nut

~ **moscada** nutmeg

olla stew

~ **gitana** vegetable stew

~ **podrida** stew made of vegetables, meat, fowl and ham

ostra oyster

oveja ewe

pabellón criollo beef in tomato sauce garnished with beans, rice and bananas

paella consists basically of saffron rice with assorted seafood and sometimes meat

~ **alicantina** with green peppers, onions, tomatoes, artichokes and fish

~ **catalana** with sausages, pork, squid, tomatoes, red sweet peppers and peas

~ **marinera** with fish, shellfish and meat

~ **(a la) valenciana** with chicken, shrimps, peas, tomatoes, mussels and garlic

palmito palm heart

palta avocado (pear)

pan bread

panecillo roll

papa potato

papas a la huancaína with cheese and green peppers

(a la) parrilla grilled

parrillada mixta mixed grill

pasado done, cooked

bien ~ well-done

poco ~ underdone (US rare)

pastas noodles, macaroni, spaghetti

pastel cake, pie

~ **de choclo** maize with minced beef, chicken, raisins and olives

pastelillo small tart

pata trotter (US foot)

patatas potatoes
~ **fritas** fried; usually chips (US french fries)
~ **(a la) leonesa** with onions
~ **nuevas** new
pato duck, duckling
pavo turkey
pechuga breast (of fowl)
pepinillo gherkin (US pickle)
pepino cucumber
(en) pepitoria stewed with onions, green peppers and tomatoes
pera pear
perca perch
percebe barnacle (shellfish)
perdiz partridge
~ **en escabeche** cooked in oil with vinegar, onions, parsley, carrots and green pepper; served cold
~ **estofada** stewed and served with a white-wine sauce
perejil parsley
perifollo chervil
perilla a firm, bland cheese
pescadilla whiting
pescado fish
pez espada swordfish
picadillo minced meat, hash
picado minced
picante sharp, spicy, highly seasoned
picatoste deep-fried slice of bread
pichoncillo young pigeon (US squab)
pierna leg
pimentón chili pepper
pimienta pepper
pimiento sweet pepper
~ **morrón** red (sweet) pepper
pincho moruno grilled meat (often kidneys) on a skewer, sometimes served with spicy sauces
pintada guinea fowl

piña pineapple
pisto diced and sautéed vegetables: mainly aubergines, green peppers and tomatoes; served cold
(a la) plancha grilled on a girdle
plátano banana
plato plate, dish, portion
~ **típico de la región** regional speciality
pollito spring chicken
pollo chicken
~ **pibil** simmered in fruit juice and spices
polvorón hazelnut biscuit (US cookie)
pomelo grapefruit
porción portion
porotos granados shelled beans served with pumpkin and maize (US corn)
postre dessert, sweet
potaje vegetable soup
puchero stew
puerro leek
pulpo octopus
punta de espárrago asparagus tip
punto de nieve dessert of whipped cream with beaten egg-whites
puré de patatas mashed potatoes
queso cheese
quisquilla shrimp
rábano radish
~ **picante** horse-radish
raja slice or portion
rallado grated
rape angler fish
ravioles ravioli
raya skate, ray
rebanada slice
rebozado breaded or fried in batter
recargo extra charge
rehogada sautéed

relleno stuffed

remolacha beetroot

repollo cabbage

requesón a fresh-curd cheese

riñón kidney

róbalo haddock

rodaballo turbot, flounder

(a la) romana dipped in batter and fried

romero rosemary

roncal cheese made from sheep's milk; close grained and hard in texture with a few small holes; piquant flavour

ropa vieja cooked, left-over meat and vegetables, covered with tomatoes and green peppers

rosbif roast beef

rosquilla doughnut

rubio red mullet

ruibarbo rhubarb

sal salt

salado salted, salty

salchicha small pork sausage for frying

salchichón salami

salmón salmon

salmonete red mullet

salsa sauce

  ~ **blanca** white

  ~ **española** brown sauce with herbs, spices and wine

  ~ **mayordoma** butter and parsley

  ~ **picante** hot pepper

  ~ **romana** bacon or ham, egg, cream (sometimes flavoured with nutmeg)

  ~ **tártara** tartar

  ~ **verde** parsley

salsifí salsify

salteado sauté(ed)

salvia sage

san simón a firm, bland cheese

resembling *perilla*; shiny yellow rind

sandia watermelon

sardina sardine, pilchard

sémola semolina

sencillo plain

sepia cuttlefish

servicio service

  ~ **(no) incluido** (not) included

sesos brains

seta mushroom

sobrasada salami

solomillo fillet steak (US tenderloin)

sopa soup

  ~ **(de) cola de buey** oxtail

  ~ **sevillana** a highly spiced fish soup

suave soft

suflé soufflé

suizo bun

surtido assorted

taco wheat or maizeflour (US cornmeal) pancake usually with a meat filling and garnished with a spicy sauce

tajada slice

tallarín noodle

tamal a pastry dough of coarsely ground maizeflour with meat or fruit filling, steamed in maizehusks (US corn husks)

tapa appetizer, snack

tarta cake, tart

  ~ **helada** ice-cream tart

ternera veal

tocino bacon

  ~ **de cielo** 1) caramel mould 2) custard-filled cake

tomate tomato

tomillo thyme

tordo thrush

toronja variety of grapefruit

tortilla 1) omelet 2) a type of

pancake made with maizeflour (US cornmeal)

~ de chorizo with pieces of a spicy sausage

~ a la española with onions, potatoes and seasoning

~ a la francesa plain

~ gallega potatoes with ham, red sweet peppers and peas

~ a la jardinera with mixed, diced vegetables

~ al ron rum

tortita waffle

tortuga turtle

tostada toast

tripas tripe

trucha trout

~ frita a la asturiana floured and fried in butter, garnished with lemon

trufa truffle

turrón nougat

ulloa a soft cheese from Galicia, rather like a mature camembert

uva grape

~ pasa raisin

vaca salada corned beef

vainilla vanilla

(a la) valenciana with rice, toma-toes and garlic

variado varied, assorted

varios sundries

venado venison

venera scallop, coquille St. Jacques

verdura greens

vieira scallop

villalón a cheese from sheep's milk

vinagre vinegar

vinagreta a piquant vinegar dressing (vinaigrette) to accompany salads

(a la) ~ marinated in oil and vinegar or lemon juice with mixed herbs

(a la) vizcaína with green peppers, tomatoes, garlic and paprika

yema egg-yolk

yemas a dessert of whipped egg-yolks and sugar

zanahoria carrot

zarzamora blackberry

zarzuela savoury stew of assorted fish and shellfish

~ de mariscos seafood stew

~ de pescado selection of fish served with a highly seasoned sauce

~ de verduras vegetable stew

Drinks

abocado sherry made from a blend of sweet and dry wines

agua water

aguardiente spirits

Alicante this region to the south of Valencia produces a large quantity of red table wine and some good rosé, particularly from Yecla

Amontillado medium-dry sherry,

light amber in colour, with a nutty flavour

Andalucía a drink of dry sherry and orange juice

Angélica a Basque herb liqueur similar to yellow Chartreuse

anís aniseed liqueur

Anís del Mono a Calatonian aniseed liqueur

anis seco aniseed brandy

anisado an aniseed-based soft drink which may be slightly alcoholic

batido milk shake

bebida drink

Bobadilla Gran Reserva a wine-distilled brandy

botella bottle

media ~ half bottle

café coffee

~ cortado small cup of strong coffee with a dash of milk or cream

~ descafeinado coffeine-free

~ exprés espresso

~ granizado iced (white)

~ con leche white

~ negro/solo black

Calisay a quinine-flavoured liqueur

Carlos I a wine-distilled brandy

Cataluña Catalonia; this region southwest of Barcelona is known for its *xampañ*, bearing little resemblance to the famed French sparkling wine

Cazalla an aniseed liqueur

cerveza beer

~ de barril draught (US draft)

~ dorada light

~ negra dark

cola de mono a blend of coffee, milk, rum and *pisco*

coñac 1) French Cognac 2) term

applied to any Spanish wine-distilled brandy

Cordoníu a brand-name of Catalonian sparkling wine locally referred to as *xampañ* (champagne)

cosecha harvest; indicates the vintage of wine

crema de cacao cocoa liqueur, crème de cacao

Cuarenta y Tres an egg liqueur

Cuba libre rum and Coke

champán, champaña 1) French Champagne 2) term applied to any Spanish sparkling wine

chicha de manzana apple brandy

Chinchón an aniseed liqueur

chocolate chocolate drink

~ con leche hot chocolate with milk

Dulce dessert wine

Fino dry sherry wine, very pale and straw-coloured

Fundador a wine-distilled brandy

Galicia this Atlantic coastal region has good table wines

gaseosa fizzy (US carbonated) water

ginebra gin

gran vino term found on Chilean wine labels to indicate a wine of exceptional quality

granadina pomegranate syrup mixed with wine or brandy

horchata de almendra (or de chufa) drink made from ground almonds (or Jerusalem artichoke)

Jerez 1) sherry 2) the Spanish region near the Portuguese border, internationally renowned for its *Jerez*

jugo fruit juice

leche milk

limonada lemonade, lemon

squash

Málaga 1) dessert wine 2) the region in the south of Spain, is particularly noted for its dessert wine

Manzanilla dry sherry, very pale and straw-coloured

margarita *tequila* with lime juice

Montilla a dessert wine from near Cordoba, often drunk as an aperitif

Moscatel fruity dessert wine

naranjada orangeade

Oloroso sweet, dark sherry, drunk as dessert wine, resembles brown cream sherry

Oporto port (wine)

pisco grape brandy

ponche crema egg-nog liquor

Priorato the region south of Barcelona produces good quality red and white wine but also a dessert wine, usually called *Priorato* but renamed *Tarragona* when it is exported

refresco a soft drink

reservado term found on Chilean wine labels to indicate a wine of exceptional quality

Rioja the northern region near the French border is considered to produce Spain's best wines—especially red; some of the finest Rioja wines resemble good Bordeaux wines

ron rum

sangría a mixture of red wine, ice, orange, lemon, brandy and sugar

sangrita *tequila* with tomato, orange and lime juices

sidra cider

sol y sombra a blend of wine-distilled brandy and aniseed liqueur

sorbete (iced) fruit drink

té tea

tequila brandy made from agave (US aloe)

tinto 1) red wine 2) black coffee with sugar (Colombia)

Tío Pepe a brand-name sherry

Triple Seco an orange liqueur

Valdepeñas the region south of Madrid is an important wine-producing area

vermú vermouth

Veterano Osborne a wine-distilled brandy

vino wine

~ **blanco** white

~ **clarete** rosé

~ **común** table wine

~ **dulce** dessert

~ **espumoso** sparkling

~ **de mesa** table wine

~ **del país** local wine

~ **rosado** rosé

~ **seco** dry

~ **suave** sweet

~ **tinto** red

xampañ Catalonian sparkling wine

Yerba mate South American holly tea

zumo juice

Mini-Grammar

Articles

Nouns in Spanish are either masculine or feminine. Articles agree in gender and number with the noun.

1. Definite article (the):

	singular		plural
masc.	**el tren**	the train	**los trenes**
fem.	**la casa**	the house	**las casas**

2. Indefinite article (a/an):

masc.	**un lápiz**	a pencil	**unos lápices**
fem.	**una carta**	a letter	**unas cartas**

Nouns

1. Most nouns which end in **o** are masculine. Those ending in **a** are generally feminine.

2. Normally, nouns which end in a vowel add **s** to form the plural; nouns ending in a consonant add **es**.

3. To show possession, use the preposition **de** (of).

el fin de la fiesta	the end of the party
el principio del* mes	the beginning of the month
las maletas de los viajeros	the travellers' suitcases
los ojos de las niñas	the girls' eyes
la habitación de Roberto	Robert's room

Adjectives

1. Adjectives agree with the noun in gender and number. If the masculine form ends in **o** the feminine ends in **a**. As a rule, the adjective comes after the noun.

el niño pequeño	the small boy
la niña pequeña	the small girl

If the masculine form ends in **e** or with a consonant, the feminine keeps in general the same form.

el muro/la casa grande	the big wall/house
el mar/la flor azul	the blue sea/flower

2. Most adjectives form their plurals in the same way as nouns.

un coche inglés	an English car
dos coches ingleses	two English cars

3. Possessive adjectives: They agree with the thing possessed, not with the possessor.

---

*(**del** is the contraction of **de** + **el**)

	sing.	plur.
my	**mi**	**mis**
your (fam.)	**tu**	**tus**
your (polite form)	**su**	**sus**
his/her/its	**su**	**sus**
our	**nuestro(a)**	**nuestros(as)**
your	**vuestro(a)**	**vuestros(as)**
their	**su**	**sus**

su hijo	*his* or *her* son
su habitación	*his* or *her* or *their* room
sus maletas	*his* or *her* or *their* suitcases

4. Comparative and superlative: These are formed by adding **más** (more) or **menos** (less) and **lo más** or **lo menos,** respectively, before the adjective.

alto	high	**más alto**	**lo más alto**

Adverbs

These are generally formed by adding **-mente** to the feminine form of the adjective (if it differs from the masculine); otherwise to the masculine.

cierto(a)	sure	**fácil**	easy
ciertamente	surely	**fácilmente**	easily

Possessive pronouns

	sing.	plur.
mine	**mío(a)**	**míos(as)**
yours (fam. sing.)	**tuyo(a)**	**tuyos(as)**
yours (polite form)	**suyo(a)**	**suyos(as)**
his/hers/its	**suyo(a)**	**suyos(as)**
ours	**nuestro(a)**	**nuestros(as)**
yours (fam. pl.)	**vuestro(a)**	**vuestros(as)**
theirs	**suyo(a)**	**suyos(as)**

Demonstrative pronouns

	masc.	fem.	neut.
this	**éste**	**ésta**	**esto**
these	**éstos**	**éstas**	**estos**
that	**ése/aquél**	**ésa/aquélla**	**eso/aquello**
those	**ésos/aquéllos**	**ésas/aquéllas**	**esos/aquellos**

The above masculine and feminine forms are also used as demonstrative adjectives, but accents are dropped. The two forms for "that" designate difference in place; **ése** means "that one", **aquél** "that one over there".

Esos libros no me gustan.	I don't like those books.
Eso no me gusta.	I don't like that.

Personal pronouns

	subject	direct object	indirect object
I	**yo**	**me**	**me**
you	**tú**	**te**	**te**
you	**usted**	**lo**	**le**
he	**él**	**lo**	**le**
she	**ella**	**la**	**le**
it	**él/ella**	**lo/la**	**le**
we	**nosotros(as)**	**nos**	**nos**
you	**vosotros(as)**	**os**	**os**
	ustedes	**los**	**les**
they	**ellos(as)**	**los**	**les**

Subject pronouns are generally omitted, except in the polite form (**usted, ustedes**) which corresponds to "you". **Tú** (sing.) and **vosotros** (plur.) are used when talking to relatives, close friends and children and between young people; **usted** and the plural **ustedes** (often abbreviated to **Vd./Vds.**) are used in all other cases.

Negatives

Negatives are formed by placing **no** before the verb.

Es nuevo.	It's new.	**No es nuevo.**	It's not new.

Questions

In Spanish, questions are often formed by changing the intonation of your voice. Very often, the personal pronoun is left out, both in affirmative sentences and in questions.

Hablo español.	I speak Spanish.
¿Habla español?	Do you speak Spanish?

Note the double question mark used in Spanish.
The same is true of exclamation marks.

¡Qué tarde se hace!	How late it's getting!

Verbs

Below are some examples of Spanish verbs in the three regular conjugations, grouped by families according to their infinitive endings, *-ar, -er* and *-ir*. Verbs which do not follow the conjugations below are considered irregular (see irregular verb list). Note that there are some verbs which follow the regular conjugation of the category they belong to, but present some minor changes in spelling. Examples: *tocar, toque; cargar, cargue.* The personal pronoun is not generally expressed, since the verb endings clearly indicate the person.

		1st conj.	2nd conj.	3rd conj.
		am ar	**tem er**	**viv ir**
Infinitive		*(to love)*	*(to fear)*	*(to live)*
Present	(yo)	am **o**	tem **o**	viv **o**
	(tú)	am **as**	tem **es**	viv **es**
	(él)	am **a**	tem **e**	viv **e**
	(nosotros)	am **amos**	tem **emos**	viv **imos**
	(vosotros)	am **áis**	tem **éis**	viv **ís**
	(ellos)	am **an**	tem **en**	viv **en**
Imperfect	(yo)	am **aba**	tem **ía**	viv **ía**
	(tú)	am **abas**	tem **ías**	viv **ías**
	(él)	am **aba**	tem **ía**	viv **ía**
	(nosotros)	am **ábamos**	tem **íamos**	viv **íamos**
	(vosotros)	am **abais**	tem **íais**	viv **íais**
	(ellos)	am **aban**	tem **ían**	viv **ían**
Past. def.	(yo)	am **é**	tem **í**	viv **í**
	(tú)	am **aste**	tem **iste**	viv **iste**
	(él)	am **ó**	tem **ió**	viv **ió**
	(nosotros)	am **amos**	tem **imos**	viv **imos**
	(vosotros)	am **asteis**	tem **isteis**	viv **isteis**
	(ellos)	am **aron**	tem **ieron**	viv **ieron**
Future	(yo)	am **aré**	tem **eré**	viv **iré**
	(tú)	am **arás**	tem **erás**	viv **irás**
	(él)	am **ará**	tem **erá**	viv **irá**
	(nosotros)	am **aremos**	tem **eremos**	viv **iremos**
	(vosotros)	am **aréis**	tem **eréis**	viv **iréis**
	(ellos)	am **arán**	tem **erán**	viv **irán**
Conditional	(yo)	am **aría**	tem **ería**	viv **iría**
	(tú)	am **arías**	tem **erías**	viv **irías**
	(él)	am **aría**	tem **ería**	viv **iría**
	(nosotros)	am **aríamos**	tem **eríamos**	viv **iríamos**
	(vosotros)	am **aríais**	tem **eríais**	viv **iríais**
	(ellos)	am **arían**	tem **erían**	viv **irían**
Subj. Pres.	(yo)	am **e**	tem **a**	viv **a**
	(tú)	am **es**	tem **as**	viv **as**
	(él)	am **e**	tem **a**	viv **a**
	(nosotros)	am **emos**	tem **amos**	viv **amos**
	(vosotros)	am **éis**	tem **áis**	viv **áis**
	(ellos)	am **en**	tem **an**	viv **an**

Pres. Part./Gerund	am **ando**	tem **iendo**	viv **iendo**
Past. Part.	am **ado**	tem **ido**	viv **ido**

Auxiliary verbs

The verb **to have** is translated either by *haber* or by *tener*. *Haber* is the auxiliary (e.g. he has gone) and *tener* (see list of irregular verbs) is a transitive verb, which conveys the idea of possession (e.g. she has a house).

The verb **to be** is translated either by *ser* or *estar*. *Ser* is used as an auxiliary verb to form the passive (e.g. they are understood) and to express an intrinsic quality of a fundamental characteristic (e.g. man is mortal). *Estar* (see list of irregular verbs) expresses a state or an attitude, whether lasting or not, of a thing or a person (e.g. she is hungry).

	haber *(to have)*		**ser** *(to be)*	
	Present	*Imperfect*	*Present*	*Imperfect*
(yo)	he	había	soy	era
(tú)	has	habías	eres	eras
(él)	ha	había	es	era
(nosotros)	hemos	habíamos	somos	éramos
(vosotros)	habéis	habíais	sois	erais
(ellos)	han	habían	son	eran
	Future	*Conditional*	*Future*	*Conditional*
(yo)	habré	habría	seré	sería
(tú)	habrás	habrías	serás	serías
(él)	habrá	habría	será	sería
(nosotros)	habremos	habríamos	seremos	seríamos
(vosotros)	habréis	habríais	seréis	seríais
(ellos)	habrán	habrían	serán	serían
	Present subjunctive	*Present perfect*	*Present subjunctive*	*Present perfect*
(yo)	haya	he habido	sea	he sido
(tú)	hayas	has habido	seas	has sido
(él)	haya	ha habido	sea	ha sido
(nosotros)	hayamos	hemos habido	seamos	hemos sido
(vosotros)	hayáis	habéis habido	seáis	habéis sido
(ellos)	hayan	han habido	sean	han sido
	Present participle	*Past participle*	*Present participle*	*Past participle*
	habiendo	habido	siendo	sido

Irregular verbs

Below is a list of the verbs and tenses commonly used in spoken Spanish. In the listing, a) stands for the present tense, b) for the imperfect, c) for the past def., d) for the future, e) for the present participle and f) for the past participle. The only forms given below are the irregular ones commonly used. There can be other irregular forms, but they are considered rare. In tenses other than present, all persons can be regularly formed from the first person. Unless otherwise indicated, verbs with prefixes (*ad-*, *ante-*, *com-*, *con-*, *de-*, *des-*, *dis-*, *en-*, *ex-*, *im-*, *pos-*, *pre-*, *pro-*, *re-*, *sobre-*, *sub-*, *tras-*, etc.) are conjugated like the stem verb.

abstenerse *refrain*	→tener
acertar *guess*	→cerrar
acontecer *happen*	→agradecer
acordar *agree; decide*	→contar
acostarse *lie down*	→contar
acrecentar *increase; advance*	→cerrar
adormecer *put to sleep*	→agradecer
adquirir *acquire*	a) adquiero, adquieres, adquiere, adquirimos, adquirís, adquieren; b) adquiría; c) adquirí; d) adquiriré; e) adquiriendo; f) adquirido
advertir *notice*	→sentir
agradecer *thank*	a) agradezco, agradeces, agradece, agradecemos, agradecéis, agradecen; b) agradecía; c) agradecí; d) agradeceré; e) agradeciendo; f) agradecido
alentar *encourage*	→cerrar
almorzar *have lunch*	→contar
amanecer *dawn*	→agradecer
andar *walk*	a) ando, andas, anda, andamos, andáis, andan; b) andaba; c) anduve; d) andaré; e) andando; f) andado
anochecer *begin to get dark*	→agradecer
apetecer *want*	→agradecer
apostar *bet*	→contar
apretar *tighten, squeeze*	→cerrar

arrendar   →cerrar
let, lease, rent

arrepentirse   →sentir
repent, regret

ascender   →perder
climb, reach

atenerse   →tener
obey; rely on

atravesar   →cerrar
cross, pierce

atribuir   →instruir
attribute

aventar   →cerrar
fan, air

avergonzar   →contar
put to shame,
embarrass

bendecir   →decir
bless

caber   a) quepo, cabes, cabe, cabemos, cabéis, caben;
contain; fit   b) cabía; c) cupe; d) cabré; e) cabiendo; f) cabido

caer   a) caigo, caes, cae, caemos, caéis, caen; b) caía;
fall   c) caí; d) caeré; e) cayendo; f) caído

calentar   →cerrar
heat

carecer   →agradecer
lack

cegar   →cerrar
blind

cerrar   a) cierro, cierras, cierra, cerramos, cerráis, cierran;
close   b) cerraba; c) cerré; d) cerraré; e) cerrando; f) cerrado

cocer   a) cuezo, cueces, cuece, cocemos, cocéis, cuecen;
boil   b) cocía; c) cocí; d) coceré; e) cociendo; f) cocido

colar   →contar
strain; filter

colgar   →contar
hang

comenzar   →cerrar
begin

competir   →pedir
compete

concebir   →pedir
conceive

concernir *concern*	→sentir
concluir *conclude, finish*	→instruir
concordar *agree, reconcile*	→contar
conducir *drive*	→traducir
conferir *confer*	→sentir
confesar *confess*	→cerrar
conocer *know*	a) conozco, conoces, conoce, conocemos, conocéis, conocen; b) conocía; c) conocí; d) conoceré; e) conociendo; f) conocido
consolar *console, comfort*	→contar
constituir *constitute, be*	→instruir
construir *build, erect*	→instruir
contar *count, bear in mind*	a) cuento, cuentas, cuenta, contamos, contáis, cuentan; b) contaba; c) conté; d) contaré; e) contando; f) contado
contribuir *contribute*	→instruir
convertir *convert*	→sentir
corregir *correct*	→pedir
costar *cost*	→contar
crecer *grow, rise*	→agradecer
dar *give*	a) doy, das, da, damos, dais, dan; b) daba; c) di; d) daré; e) dando; f) dado
decir *say*	a) digo, dices, dice, decimos, decís, dicen; b) decía; c) dije; d) diré e) diciendo; f) dicho
deducir *deduce*	→traducir
defender *defend*	→perder
derretir *melt*	→pedir

descender *descend, let down*	→perder
descollar *be outstanding*	→contar
desconcertar *damage; upset*	→cerrar
despertar *awaken, revive*	→cerrar
desterrar *banish*	→cerrar
destituir *deprive, dismiss*	→instruir
destruir *destroy*	→instruir
desvanecer *make disappear,* *take out*	→agradecer
diferir *defer*	→sentir
digerir *digest*	→sentir
diluir *dilute*	→instruir
discernir *discern*	→sentir
disminuir *diminish*	→instruir
disolver *dissolve*	→morder
distribuir *distribute*	→instruir
divertir *entertain, distract*	→sentir
doler *hurt*	→morder
dormir *sleep*	a) duermo, duermes, duerme, dormimos, dormís duermen; b) dormía; c) dormí; d) dormiré; e) durmiendo; f) dormido
elegir *elect, choose*	→pedir
embestir *assault*	→pedir
empezar *begin, start*	→cerrar

enaltecer *exalt, praise*	→agradecer
enardecer *excite ; inflame*	→agradecer
encender *light, ignite*	→perder
encomendar *entrust*	→cerrar
encontrar *find*	→contar
engrandecer *enlarge, exaggerate*	→agradecer
enloquecer *madden*	→agradecer
enmendar *emend, correct*	→cerrar
enmudecer *silence*	→agradecer
enorgullecer *fill with pride*	→agradecer
enriquecer *enrich*	→agradecer
ensangrentar *stain with blood*	→cerrar
ensoberbecer *make proud*	→agradecer
ensordecer *deafen*	→agradecer
enternecer *soften ; affect*	→agradecer
enterrar *bury*	→cerrar
entristecer *sadden*	→agradecer
envejecer *age*	→agradecer
errar *miss ; wander*	→cerrar
escarmentar *chastise, punish*	→cerrar
escarnecer *scoff*	→agradecer
establecer *establish*	→agradecer

estar *be*	a) estoy, estás, está, estamos, estáis, están; b) estaba; c) estuve; d) estaré; e) estando; f) estado
estremecer *shake*	→agradecer
excluir *exclude*	→instruir
fallecer *die*	→agradecer
favorecer *favour*	→agradecer
florecer *blossom*	→agradecer
fluir *flow*	→instruir
fortalecer *strengthen*	→agradecer
forzar *compel, force*	→contar
fregar *wash up; scrub*	→cerrar
freír *fry*	→reír
gemir *groan*	→pedir
gobernar *govern*	→cerrar
gruñir *grunt*	a) gruño, gruñes, gruñe, gruñimos, gruñís, gruñen; b) gruñía; c) gruñí; d) gruñiré; e) gruñendo; f) gruñido
haber *have*	a) he, has, ha, hemos, habéis, han; b) había; c) hube; d) habré; e) habiendo; f) habido
hacer *make*	a) hago, haces, hace, hacemos, hacéis, hacen; b) hacía; c) hice; d) haré; e) haciendo; f) hecho
heder *stink*	→perder
helar *freeze*	→cerrar
hender *crack*	→perder
herir *injure*	→sentir
hervir *boil*	→sentir
huir *escape*	→instruir

humedecer
humidify
→agradecer

incluir
include
→instruir

inducir
induce
→traducir

ingerir
swallow; consume
→sentir

instituir
institute
→instruir

instruir
instruct
a) instruyo, instruyes, instruye, instruimos, instruís, instruyen; b) instruía; c) instruí; d) instruiré; e) instruyendo; f) instruido

introducir
introduce
→traducir

invertir
invest
→sentir

ir
go
a) voy, vas, va, vamos, vais, van; b) iba; c) fui; d) iré; e) yendo; f) ido

jugar
play
a) juego, juegas, juega, jugamos, jugáis, juegan; b) jugaba; c) jugué; d) jugaré; e) jugando; f) jugado

lucir
shine
a) luzco, luces, luce, lucimos, lucís, lucen; b) lucía; c) lucí; d) luciré; e) luciendo; f) lucido

llover
rain
a) llueve; b) llovía; c) llovió; d) lloverá; e) lloviendo; f) llovido

manifestar
manifest
→cerrar

mantener
maintain
→tener

medir
measure
→pedir

mentir
tell a lie
→sentir

merecer
deserve
→agradecer

merendar
have tea, snack
→cerrar

moler
grind
→morder

morder
bite
a) muerdo, muerdes, muerde, mordemos, mordéis, muerden; b) mordía; c) mordí; d) morderé; e) mordiendo; f) mordido

morir
die
→dormir

mostrar *show*	→contar
mover *move*	→morder
nacer *be born*	a) nazco, naces, nace, nacemos, nacéis, nacen; b) nacía; c) nací; d) naceré; e) naciendo; f) nacido
negar *deny*	→cerrar
nevar *snow*	a) nieva; b) nevaba; c) nevó; d) nevará; e) nevando; f) nevado
obedecer *obey*	→agradecer
obscurecer *darken*	→agradecer
obstruir *obstruct*	→instruir
obtener *obtain*	→tener
ofrecer, *offer*	→agradecer
oir *hear, listen*	a) oigo, oyes, oye, oímos, oís, oyen; b) oía; c) oí; d) oiré; e) oyendo; f) oído
oler *smell*	→morder
pacer *graze*	→nacer
padecer *suffer*	→agradecer
parecer *seem*	→agradecer
pedir *ask for, request*	a) pido, pides, pide, pedimos, pedís, piden; b) pedía; c) pedí; d) pediré; e) pidiendo; f) pedido
pensar *think*	→cerrar
perder *lose*	a) pierdo, pierdes, pierde, perdemos, perdéis, pierden; b) perdía; c) perdí; d) perderé; e) perdiendo; f) perdido
perecer *perish*	→agradecer
permanecer *stay*	→agradecer
pertenecer *belong to*	→agradecer
pervertir *pervert*	→sentir

placer	a) plazco, places, place, placemos, placéis, placen;
please	b) placía; c) plací; d) placeré; e) placiendo; f) placido
plegar	→cerrar
fold	
poblar	→contar
populate	
poder	a) puedo, puedes, puede, podemos, podéis, pueden;
can, be able	b) podía; c) pude; d) podré; e) pudiendo; f) podido
poner	a) pongo, pones, pone, ponemos, ponéis, ponen;
put	b) ponía; c) puse; d) pondré; e) poniendo; f) puesto
preferir	→sentir
prefer	
probar	→contar
try	
producir	→traducir
produce	
proferir	→sentir
utter	
quebrar	→cerrar
break	
querer	a) quiero, quieres, quiere, queremos, queréis, quieren;
want, wish	b) quería; c) quise; d) querré; e) queriendo; f) querido
recomendar	→cerrar
recommend	
recordar	→contar
remember	
reducir	→traducir
reduce	
referir	→sentir
refer, relate	
regar	→cerrar
water	
regir	→pedir
govern	
reir	a) río, ríes, ríe, reímos, reís, ríen; b) reía; c) reí; d) reiré;
laugh	e) riendo; f) reído
remendar	→cerrar
mend	
rendir	→pedir
produce ; overcome	
renovar	→contar
renew	
reñir	→teñir
scold ; quarrel	

repetir	→pedir
repeat	
requerir	→sentir
request	
resolver	→morder
resolve	
resplandecer	→agradecer
shine	
restituir	→instruir
restore, return	
retribuir	→instruir
pay ; reward	
reventar	→cerrar
burst	
robustecer	→agradecer
strengthen	
rodar	→contar
drive ; roll	
rogar	→contar
beg, plead	
saber	a) sé, sabes, sabe, sabemos, sabéis, saben ;)b sabía ;
know	c) supe ; d) sabré ; e) sabiendo ; f) sabido
salir	a) salgo, sales, sale, salimos, salís, salen ; b) salía ;
go out	c) salí ; d) saldré ; e) saliendo ; f) salido
satisfacer	→hacer
satisfy	
seducir	→traducir
seduce	
seguir	→pedir
follow	
sembrar	→cerrar
sow	
sentar	→cerrar
sit, seat	
sentir	a) siento, sientes, siente, sentimos, sentís, sienten ;
feel	b) sentía ; c) sentí ; d) sentiré ; e) sintiendo ; f) sentido
ser .	a) soy, eres, es, somos, sois, son ; b) era c) fui ; d) seré ;
be	e) siendo ; f) sido
servir	→pedir
serve	
soldar	→contar
solder ; join	
soler	a) suelo, sueles, suele, solemos, soléis, suelen ; b) solía ;
be used to	c) solí ; e) soliendo ; f) solido

soltar *release ; loosen*	→contar
sonar *ring, sound*	→contar
soñar *dream*	→contar
sugerir *suggest*	→sentir
sustituir *substitute*	→instruir
temblar *tremble*	→cerrar
tender *stretch, extend*	→perder
tener *have (got)*	a) tengo, tienes, tiene, tenemos, tenéis, tienen; b) tenía; c) tuve; d) tendré; e) teniendo; f) tenido
tentar *touch ; try*	→cerrar
teñir *dye*	a) tiño, tiñes, tiñe, teñimos, teñís, tiñen; b) teñía; c) teñí; d) teñiré; e) tiñiendo; f) teñido
torcer *twist*	→cocer
tostar *roast*	→contar
traducir *translate*	a) traduzco, traduces, traduce, traducimos, traducís, traducen; b) traducía; c) traduje; d) traduciré; e) traduciendo; f) traducido
traer *bring*	a) traigo, traes, trae, traemos, traéis, traen; b) traía; c) traje; d) traeré; e) trayendo; f) traído
transferir *transfer*	→sentir
trocar *(ex)change*	→contar
tronar *thunder*	a) trueno, truenas, truena, tronamos, tronáis, truenan; b) tronaba; c) troné; d) tronaré; e) tronando; f) tronado
tropezar *stumble*	→cerrar
valer *protect ; be worth*	a) valgo, vales, vale, valemos, valéis, valen; b) valía; c) valí; d) valdré; e) valiendo; f) valido
venir *come*	a) vengo, vienes, viene, venimos, venís, vienen; b) venía; c) vine; d) vendré; e) viniendo; f) venido
ver *see*	a) veo, ves, ve, vemos, veis, ven; b) veía; c) vi; d) veré; e) viendo; f) visto

verter
pour ; spill
→perder

vestir
dress
→pedir

volar
fly
→contar

volcar
tip over
→contar

volver
(re)turn
→morder

yacer
lie, rest
→nacer

zambullir
plunge
a) zambullo, zambulles, zambulle, zambullimos, zambullís, zambullen; b) zambullía; c) zambullí; d) zambulliré; e) zambullendo; f) zambullido

Spanish Abbreviations

a.C.	*antes de Cristo*	B.C.
A.C.	*año de Cristo*	A.D.
admón.	*administración*	administration
A.L.A.L.C.	*Asociación Latino-Americana de Libre Comercio*	Latin American Free Trade Association
apdo.	*apartado de correos*	P.O. Box
Av./Avda.	*Avenida*	avenue
Barna.	*Barcelona*	Barcelona
C/	*Calle*	street, road
c/c.	*cuenta corriente*	current account
Cía.	*Compañía*	company
ct(s).	*céntimo(s)*	1/100 of a peseta
cta.	*cuenta*	account; bill
cte.	*corriente*	inst., of this month
CV.	*caballos de vapor*	horsepower
D.	*Don*	courtesy title for gentlemen, only used together with the Christian name
D.ª	*Doña*	courtesy title for ladies, only used together with the Christian name
dcha.	*derecha*	right (direction)
D.N.I.	*Documento Nacional de Identidad*	identity card
d.v.	*días de visita*	open days
EE.UU.	*Estados Unidos*	USA
Exc.ª	*Excelencia*	Your Excellency
f.c.	*ferrocarril*	railway
G.C.	*Guardia Civil*	Spanish police force
gral.	*general*	general
h.	*hora*	hour
hab.	*habitantes*	inhabitants, population
hnos.	*hermanos*	brothers (in firms)
íd.	*ídem*	ditto
igla.	*iglesia*	church
izq./izqda.	*izquierda*	left (direction)
lic.	*licenciado*	licentiate; lawyer
M.I.T.	*Ministerio de Información y Turismo*	Spanish Ministry of Information and Tourism
Mons.	*Monseñor*	Roman Catholic title (approx. Your Grace)

N.ª S.ª	*Nuestra Señora*	Our Lady, Virgin Mary
n.º/núm.	*número*	number
O.E.A.	*Organización de Estados Americanos*	Organization of American States
P.	*Padre*	Father (ecclesiastical title)
pág.	*página*	page
P.D.	*posdata*	P.S.
p.ej.	*por ejemplo*	e.g.
P.P.	*porte pagado*	postage paid
pta(s).	*peseta(s)*	peseta(s)
P.V.P.	*precio de venta al público*	retail price
R.A.C.E.	*Real Automóvil Club de España*	Royal Automobile Association of Spain
R.A.E.	*Real Academia Española*	Royal Academy of the Spanish Language
R.C.	*Real Club...*	Royal... Association
RENFE	*Red Nacional de los Ferrocarriles Españoles*	Spanish National Railways
R.M.	*Reverenda Madre*	Mother Superior, abbess
R.P.	*Reverendo Padre*	Reverend Father (title for Catholic priests and abbots)
Rte.	*Remite, Remitente*	sender (of a letter)
RTVE	*Radio Televisión Española*	Spanish Radio and Television Corporation
S./Sto./ Sta.	*San/Santo/Santa*	saint
S.A.	*Sociedad Anónima*	Ltd., Inc.
S.A.R.	*Su Alteza Real*	His/Her Royal Highness
s.a.s.s.	*su atento y seguro servidor*	approx. Yours faithfully
S.E.	*Su Excelencia*	His Excellency
sgte.	*siguiente*	following
S.M.	*Su Majestad*	His/Her Majesty
Sr.	*Señor*	Mr.
Sra.	*Señora*	Mrs.
S.R.C.	*se ruega contestación*	please reply
Sres./Srs.	*Señores*	Sirs, Gentlemen
Srta.	*Señorita*	Miss
S.S.	*Su Santidad*	His Holiness
Ud./Vd.	*Usted*	you (singular)
Uds./Vds.	*Ustedes*	you (plural)
Vda.	*viuda*	widow
v.g./v.gr.	*verbigracia*	e.g.

Numerals

Cardinal numbers		Ordinal numbers	
0	cero	1.°	primero
1	uno	2.°	segundo
2	dos	3.°	tercero
3	tres	4.°	cuarto
4	cuatro	5.°	quinto
5	cinco	6.°	sexto
6	seis	7.°	séptimo
7	siete	8.°	octavo
8	ocho	9.°	noveno (nono)
9	nueve	10.°	décimo
10	diez	11.°	undécimo
11	once	12.°	duodécimo
12	doce	13.°	decimotercero
13	trece	14.°	decimocuarto
14	catorce	15.°	decimoquinto
15	quince	16.°	decimosexto
16	dieciséis	17.°	decimoséptimo
17	diecisiete	18.°	decimoctavo
18	dieciocho	19.°	decimonoveno
19	diecinueve	20.°	vigésimo
20	veinte	21.°	vigésimo primero
21	veintiuno	22.°	vigésimo segundo
30	treinta	30.°	trigésimo
31	treinta y uno	40.°	cuadragésimo
40	cuarenta	50.°	quincuagésimo
50	cincuenta	60.°	sexagésimo
60	sesenta	70.°	septuagésimo
70	setenta	80.°	octogésimo
80	ochenta	90.°	nonagésimo
90	noventa	100.°	centésimo
100	ciento (cien)	230.°	ducentésimo trigésimo
101	ciento uno	300.°	tricentésimo
230	doscientos treinta	400.°	cuadringentésimo
500	quinientos	500.°	quingentésimo
700	setecientos	600.°	sexcentésimo
900	novecientos	700.°	septingentésimo
1.000	mil	800.°	octingentésimo
100.000	cien mil	900.°	noningentésimo
1.000.000	un millón	1.000.°	milésimo

Time

Although official time in Spain is based on the 24-hour clock, the 12-hour system is used in conversation.

In some Latin American countries you can specify *a.m.* or *p.m.* as in English, but it is far more common to add *de la mañana, de la tarde* or *de la noche* as in Spain.

Thus:

las ocho de la mañana	8 a.m.
las una de la tarde	1 p.m.
las ocho de la noche	8 p.m.

Days of the Week

domingo	Sunday	*jueves*	Thursday
lunes	Monday	*viernes*	Friday
martes	Tuesday	*sábado*	Saturday
miércoles	Wednesday		

Some Basic Phrases	**Algunas expresiones útiles**
Please.	Por favor.
Thank you very much.	Muchas gracias.
Don't mention it.	No hay de qué.
Good morning.	Buenos días.
Good afternoon.	Buenas tardes.
Good evening.	Buenas noches.
Good night.	Buenas noches (despedida).
Good-bye.	Adiós.
See you later.	Hasta luego.
Where is/Where are…?	¿Dónde está/Dónde están…?
What do you call this?	¿Cómo se llama esto?
What does that mean?	¿Qué quiere decir eso?
Do you speak English?	¿Habla usted inglés?
Do you speak German?	¿Habla usted alemán?
Do you speak French?	¿Habla usted francés?
Do you speak Spanish?	¿Habla usted español?
Do you speak Italian?	¿Habla usted italiano?
Could you speak more slowly, please?	¿Puede usted hablar más despacio, por favor?
I don't understand.	No comprendo.
Can I have…?	¿Puede darme…?
Can you show me…?	¿Puede usted enseñarme…?
Can you tell me…?	¿Puede usted decirme…?
Can you help me, please?	¿Puede usted ayudarme, por favor?
I'd like…	Quisiera…
We'd like…	Quisiéramos…
Please give me…	Por favor, déme…
Please bring me…	Por favor, tráigame…
I'm hungry.	Tengo hambre.
I'm thirsty.	Tengo sed.
I'm lost.	Me he perdido.
Hurry up!	¡Dése prisa!

There is/There are…

Hay…

There isn't/There aren't…

No hay…

Arrival

Llegada

Your passport, please.

Su pasaporte, por favor.

Have you anything to declare?

¿Tiene usted algo que declarar?

No, nothing at all.

No, nada en absoluto.

Can you help me with my luggage, please?

¿Puede usted ayudarme con mi equipaje, por favor?

Where's the bus to the centre of town, please?

¿Dónde está el autobús que va al centro, por favor?

This way, please.

Por aquí, por favor.

Where can I get a taxi?

¿Dónde puedo coger un taxi?

What's the fare to…?

¿Cuánto es la tarifa a…?

Take me to this address, please.

Lléveme a esta dirección, por favor.

I'm in a hurry.

Tengo mucha prisa.

Hotel

Hotel

My name is…

Me llamo…

Have you a reservation?

¿Ha hecho usted una reserva?

I'd like a room with a bath.

Quisiera una habitación con baño.

What's the price per night?

¿Cuánto cuesta por noche?

May I see the room?

¿Puedo ver la habitación?

What's my room number, please?

¿Cuál es el número de mi habitación, por favor?

There's no hot water.

No hay agua caliente.

May I see the manager, please?

¿Puedo ver al director, por favor?

Did anyone telephone me?

¿Me ha llamado alguien?

Is there any mail for me?

¿Hay correo para mí?

May I have my bill (check), please?

¿Puede darme mi cuenta, por favor?

Eating out	**Restaurante**
Do you have a fixed-price menu?	¿Tiene usted un menú de precio fijo?
May I see the menu?	¿Puedo ver la carta?
May we have an ashtray, please?	¿Nos puede traer un cenicero, por favor?
Where's the toilet, please?	¿Dónde están los servicios, por favor?
I'd like an hors d'œuvre (starter).	Quisiera un entremés.
Have you any soup?	¿Tiene usted sopa?
I'd like some fish.	Quisiera pescado.
What kind of fish do you have?	¿Qué clases de pescado tiene usted?
I'd like a steak.	Quisiera un bistec.
What vegetables have you got?	¿Qué verduras tiene usted?
Nothing more, thanks.	Nada más, gracias.
What would you like to drink?	¿Qué le gustaría beber?
I'll have a beer, please.	Tomaré una cerveza, por favor.
I'd like a bottle of wine.	Quisiera una botella de vino.
May I have the bill (check), please?	¿Podría darme la cuenta, por favor?
Is service included?	¿Está incluido el servicio?
Thank you, that was a very good meal.	Gracias. Ha sido una comida muy buena.

Travelling	**Viajes**
Where's the railway station, please?	¿Dónde está la estación de ferrocarril, por favor?
Where's the ticket office, please?	¿Dónde está la taquilla, por favor?
I'd like a ticket to...	Quisiera un billete para...
First or second class?	¿Primera o segunda clase?
First class, please.	Primera clase, por favor.
Single or return (one way or roundtrip)?	¿Ida, o ida y vuelta?

Do I have to change trains?	¿Tengo que transbordar?
What platform does the train for… leave from?	¿De qué andén sale el tren para…?
Where's the nearest underground (subway) station?	¿Dónde está la próxima estación de Metro?
Where's the bus station, please?	¿Dónde está la estación de auto-buses, por favor?
When's the first bus to…?	¿Cuándo sale el primer autobús para…?
Please let me off at the next stop.	Por favor, deténgase en la próxima parada.

Relaxing	**Diversiones**
What's on at the cinema (movies)?	¿Qué dan en el cine?
What time does the film begin?	¿A qué hora empieza la película?
Are there any tickets for tonight?	¿Quedan entradas para esta noche?
Where can we go dancing?	¿Dónde se puede ir a bailar?

Meeting people	**Presentaciones – Citas**
How do you do.	Buenos días Señora/ Señorita/Señor.
How are you?	¿Cómo está usted?
Very well, thank you. And you?	Muy bien, gracias. ¿Y usted?
May I introduce…?	¿Me permite presentarle a…?
My name is…	Me llamo…
I'm very pleased to meet you.	Tanto gusto (en conocerle).
How long have you been here?	¿Cuánto tiempo lleva usted aquí?
It was nice meeting you.	Ha sido un placer conocerle.
Do you mind if I smoke?	¿Le molesta si fumo?
Do you have a light, please?	¿Tiene usted fuego, por favor?
May I get you a drink?	¿Me permite invitarle a una bebida (una copa)?
May I invite you for dinner tonight?	¿Me permite invitarle a cenar esta noche?
Where shall we meet?	¿Dónde quedamos citados?

Shops, stores and services

Where's the nearest bank, please?

Where can I cash some travellers' cheques?

Can you give me some small change, please?

Where's the nearest chemist's (pharmacy)?

How do I get there?

Is it within walking distance?

Can you help me, please?

How much is this? And that?

It's not quite what I want.

I like it.

Can you recommend something for sunburn?

I'd like a haircut, please.

I'd like a manicure, please.

Comercios y servicios

Dónde está el banco más cercano, por favor?

¿Dónde puedo cambiar unos cheques de viaje?

¿Puede usted darme algún dinero suelto, por favor?

¿Dónde está la farmacia más cercana?

¿Cómo podría ir hasta allí?

¿Se puede ir andando?

¿Puede usted atenderme, por favor?

¿Cuánto cuesta éste? ¿Y ése?

No es exactamente lo que quiero.

Me gusta.

¿Podría recomendarme algo para las quemaduras del sol?

Quisiera cortarme el pelo, por favor.

Quisiera una manicura, por favor.

Street directions

Can you show me on the map where I am?

You are on the wrong road.

Go/Walk straight ahead.

It's on the left/on the right.

Direcciones

¿Puede enseñarme en el mapa dónde estoy?

Está usted equivocado de camino.

Siga todo derecho.

Está a la izquierda/a la derecha.

Emergencies

Call a doctor quickly.

Call an ambulance.

Please call the police.

Urgencias

Llame a un médico rápidamente.

Llame a una ambulancia.

Llame a la policía, por favor.

inglés-español

---

english-spanish

Abreviaturas

adj	adjetivo	*n*	nombre (sustantivo)
adv	adverbio		
Am	inglés americano	*nAm*	nombre (inglés americano)
art	artículo		
conj	conjunción	*num*	numeral
f	femenino	*p*	tiempo pasado
fMe	femenino (mexicano)	*pl*	plural
fpl	femenino plural	*plAm*	plural (inglés americano)
fplMe	femenino plural (mexicano)	*pp*	participio pasado
		pr	tiempo presente
m	masculino	*pref*	prefijo
Me	mexicano	*prep*	preposición
mMe	masculino (mexicano)	*pron*	pronombre
mpl	masculino plural	*v*	verbo
mplMe	masculino plural (mexicano)	*vAm*	verbo (inglés americano)
		vMe	verbo (mexicano)

Introducción

Este diccionario ha sido concebido para resolver de la mejor manera posible sus problemas prácticos de lenguaje. Se han suprimido las informaciones lingüísticas innecesarias. Los vocablos se suceden en un estricto orden alfabético, sin tener en cuenta si la palabra es simple o compuesta, o si se trata de una expresión formada por dos o más términos separados. Como única excepción, algunas expresiones idiomáticas están colocadas en orden alfabético, considerando para ello la palabra más característica. Cuando un término principal va seguido de otras palabras, expresiones o locuciones, éstas se hallan anotadas también en orden alfabético.

Cada palabra va seguida de una transcripción fonética (véase la guía de pronunciación). Después de la transcripción fonética se encuentra una indicación de la parte de la oración a la que pertenece el vocablo. Cuando una palabra puede desempeñar distintos oficios en la oración, las diferentes traducciones se dan una a continuación de la otra, precedidas de la indicación correspondiente.

Se indica el plural de los nombres cuando son irregulares y en algunos otros casos dudosos.

Cuando haya que repetir una palabra para formar el plural irregular o en las series de palabras se usa la tilde (~) para representar el vocablo principal.

En los plurales irregulares de las palabras compuestas sólo se escribe la parte que cambia, mientras que la parte invariable se representa por un guión (-).

Un asterisco (*) colocado antes de un verbo indica que dicho verbo es irregular. Para más detalles puede consultar la lista de los verbos irregulares.

Las palabras de este diccionario están escritas en su forma inglesa. La forma y significado americanos están señalados como tales (véase la lista de abreviaturas empleadas en el texto).

Guía de pronunciación

Cada vocablo principal de esta parte del diccionario va acompañado de una transcripción fonética destinada a indicar la pronunciación. Esta representación fonética debe leerse como si se tratara del idioma español hablado en Castilla. A continuación figuran tan solo las letras y los símbolos ambiguos o particularmente difíciles de comprender.

Cada sílaba está separada por un guión y la que lleva el acento está impresa en letra *bastardilla*.

Por supuesto, los sonidos de dos lenguas rara vez coinciden exactamente, pero siguiendo con atención nuestras explicaciones, el lector de habla española llegará a pronunciar las palabras extranjeras de manera que pueda ser comprendido. A fin de facilitar su tarea, algunas veces nuestras transcripciones simplifican ligeramente el sistema fonético del idioma, sin dejar por ello de reflejar las diferencias de sonido esenciales.

Consonantes

b	como en **b**ueno
d	como en **d**ía
ð	como **d** en rui**d**o
dʒ	como la **ll** argentina, precedida por una **d**
gh	como **g** en **g**ato
h	sonido que es una espiración suave
ng	como **n** en bla**n**co
r	ponga la lengua en la misma posición que para pronunciar ʒ (véase más abajo), luego abra ligeramente la boca y baje la lengua
s	sonido siempre suave y sonoro como en mi**s**mo
ʃ	como **ch** en mu**ch**o, pero sin la **t** inicial que compone el sonido
v	más o menos como en la**v**a; sonido que se obtiene colocando los dientes incisivos superiores sobre el labio inferior y expulsando suavemente el aire
ʒ	como la **ll** argentina

Vocales y diptongos

æ	sonido que combina el de la **a** en c**a**so con el de la **e** en sab**e**r
ê	como **e** en sab**e**r
o	como **o** en p**o**r
ö	vocal neutra; sonido parecido al de la **a** española, pero con los labios extendidos

1) Las vocales largas están impresas a doble.

2) Las letras situadas más arriba que las otras (por ej.: **ᵘi, uᵒ**) deben pronunciarse con menor intensidad y rápidamente.

3) Algunas palabras inglesas toman del francés las vocales nasales, que están indicadas con un símbolo de vocal mas **ng** (por ej.: **ang**). Este signo ~~ng~~ *no* se debe pronunciar y sólo sirve para indicar la nasalidad de la vocal precedente. Las vocales nasales se pronuncian con la boca y la nariz simultáneamente.

Pronunciación americana

Nuestra transcripción representa la pronunciación de Gran Bretaña. Aunque existen notables variaciones regionales en la lengua americana, ésta presenta en general algunas diferencias importantes respecto al inglés de Gran Bretaña.

He aquí algunos ejemplos:

1) La **r**, delante de una consonante o al final de una palabra, siempre se pronuncia, lo cual es contrario a la costumbre inglesa.

2) En muchas palabras (por ej.: *ask, castle, laugh,* etc.) la **aa** se transforma en **ææ**.

3) El sonido inglés **o** se pronuncia **a** o también **oo**.

4) En palabras como *duty, tune, new,* etc., el sonido **y** se omite a menudo antes de **uu**.

5) Por último, el acento tónico de algunas palabras puede variar considerablemente.

A

a (ei,ö) *art* (an) un *art*

abbey (æ-bi) *n* abadía *f*

abbreviation (ö-brii-vi-*ei*-ʃön) *n* abreviatura *f*

aberration (æ-bö-*rei*-ʃön) *n* anomalía *f*

ability (ö-*bi*-lö-ti) *n* habilidad *f*

able (*ei*-böl) *adj* capaz; hábil; *be ~ to *ser capaz de; *saber, *poder

abnormal (æb-*noo*-möl) *adj* anormal

aboard (ö-*bood*) *adv* a bordo

abolish (ö-*bo*-liʃ) *v* abolir

abortion (ö-*boo*-ʃön) *n* aborto *m*

about (ö-*baut*) *prep* acerca de; respecto a; alrededor de; *adv* hacia, aproximadamente; en torno

above (ö-*bav*) *prep* encima de; *adv* encima

abroad (ö-*brood*) *adv* en el extranjero

abscess (æb-ssèss) *n* absceso *m*

absence (æb-ssönss) *n* ausencia *f*

absent (æb-ssönt) *adj* ausente

absolutely (æb-ssö-*luut*-li) *adv* absolutamente

abstain from (öb-*sstein*) *abstenerse de

abstract (æb-ssträkt) *adj* abstracto

absurd (öb-*ssööd*) *adj* absurdo

abundance (ö-*ban*-dönss) *n* abundancia *f*

abundant (ö-*ban*-dönt) *adj* abundante

abuse (ö-*byuuss*) *n* abuso *m*

abyss (ö-*biss*) *n* abismo *m*

academy (ö-*kæ*-dö-mi) *n* academia *f*

accelerate (ök-*ssê*-lö-reit) *v* acelerar

accelerator (ök-*ssê*-lö-rei-tö) *n* acelerador *m*

accent (æk-ssönt) *n* acento *m*

accept (ök-*ssêpt*) *v* aceptar

access (æk-ssèss) *n* acceso *m*

accessary (ök-*ssê*-ssö-ri) *n* cómplice *m*

accessible (ök-*ssê*-ssö-böl) *adj* accesible

accessories (ök-*ssê*-ssö-ris) *pl* accesorios *mpl*

accident (æk-ssi-dönt) *n* accidente *m*

accidental (æk-ssi-*dên*-töl) *adj* accidental

accommodate (ö-*ko*-mö-deit) *v* acomodar

accommodation (ö-ko-mö-*dei*-ʃön) *n* acomodación *f*, alojamiento *m*

accompany (ö-*kam*-pö-ni) *v* acompañar

accomplish (ö-*kam*-pliʃ) *v* terminar; cumplir

in accordance with (in ö-*koo*-dönss ᵘið) con arreglo a

according to (ö-*koo*-ding tuu) según; conforme a

account (ö-*kaunt*) *n* cuenta *f*; narración f; ~ **for** explicar; **on** ~ **of** a causa de

accountable (ö-*kaun*-tö-böl) *adj* explicable

accurate (æ-kyu-röt) *adj* exacto

accuse (ö-*kyuus*) v acusar

accused (ö-*kyuusd*) *n* acusado *m*

accustom (ö-*ka*-sstöm) v acostumbrar; **accustomed** acostumbrado

ache (eik) v *doler; *n* dolor *m*

achieve (ö-*chiiv*) v alcanzar; lograr

achievement (ö-*chiiv*-mönt) *n* realización f

acid (æ-ssid) *n* ácido *m*

acknowledge (ök-*no*-lidʒ) v *reconocer; admitir; confirmar

acne (æk-ni) *n* acné *m*

acorn (*ei*-koon) *n* bellota f

acquaintance (ö-*kᵘein*-tönss) *n* conocido *m*

acquire (ö-*kᵘaiᵒ*) v *adquirir

acquisition (æ-kᵘi-*si*-ʃön) *n* adquisición f

acquittal (ö-*kᵘi*-töl) *n* absolución f

across (ö-*kross*) *prep* a través de; al otro lado de; *adv* al otro lado

act (ækt) *n* acto *m*; número *m*; v actuar, *hacer; comportarse

action (æk-ʃön) *n* acción f

active (æk-tiv) *adj* activo; vivaz

activity (æk-*ti*-vö-ti) *n* actividad f

actor (æk-tö) *n* actor *m*

actress (æk-triss) *n* actriz f

actual (æk-chu-öl) *adj* verdadero

actually (æk-chu-ö-li) *adv* en realidad

acute (ö-*kyuut*) *adj* agudo

adapt (ö-*dæpt*) v adaptar

adaptor (ö-*dæpt*-tö) *n* adaptador *m*

add (æd) v sumar, adicionar; añadir

addition (ö-*di*-ʃön) *n* adición f

additional (ö-*di*-ʃö-nöl) *adj* adicional; accesorio

address (ö-*drêss*) *n* dirección f; v

destinar; dirigirse a

addressee (æ-drê-*ssii*) *n* destinatario *m*

adequate (æ-di-kᵘöt) *adj* adecuado; conveniente

adjective (æ-dʒik-tiv) *n* adjetivo *m*

adjourn (ö-*dʒöön*) v aplazar

adjust (ö-*dʒasst*) v ajustar

administer (öd-*mi*-ni-sstö) v administrar

administration (öd-mi-ni-*sstrei*-ʃön) *n* administración f; gestión f

administrative (öd-*mi*-ni-sströ-tiv) *adj* gerencial; administrativo; ~ **law** derecho administrativo

admiral (æd-mö-röl) *n* almirante *m*

admiration (æd-mö-*rei*-ʃön) *n* admiración f

admire (öd-*maiᵒ*) v admirar

admission (öd-*mi*-ʃön) *n* entrada f; admisión f

admit (öd-*mit*) v admitir; *reconocer

admittance (öd-*mi*-tönss) *n* admisión f; **no** ~ prohibida la entrada

adopt (ö-*dopt*) v adoptar

adorable (ö-*doo*-rö-böl) *adj* adorable

adult (æ-dalt) *n* adulto *m*; *adj* adulto

advance (öd-*vaanss*) *n* adelanto *m*; anticipo *m*; v avanzar; anticipar; **in** ~ por adelantado

advanced (öd-*vaansst*) *adj* avanzado

advantage (öd-*vaan*-tidʒ) *n* ventaja f

advantageous (æd-vön-*tei*-dʒöss) *adj* ventajoso

adventure (öd-*vên*-chö) *n* aventura f

adverb (æd-vööb) *n* adverbio *m*

advertisement (öd-*vöö*-tiss-mönt) *n* anuncio *m*

advertising (æd-vö-tai-sing) *n* publicidad f

advice (öd-*vaiss*) *n* consejo *m*

advise (öd-*vais*) v aconsejar

advocate (æd-vö-köt) *n* abogado *m*

aerial (êᵒ-ri-öl) *n* antena f

aeroplane ($ê^o$-rö-plein) *n* avión *m*

affair (ö-*fêᵒ*) *n* asunto *m*; amorío *m*

affect (ö-*fékt*) *v* afectar

affected (ö-*fék*-tid) *adj* afectado

affection (ö-*fék*-Jön) *n* afección *f*; cariño *m*

affectionate (ö-*fék*-Jö-nit) *adj* cariñoso

affiliated (ö-*fi*-li-ei-tid) *adj* afiliado

affirmative (ö-*fööᵒ*-mö-tiv) *adj* afirmativo

affliction (ö-*flik*-Jön) *n* sufrimiento *m*

afford (ö-*food*) *v* permitirse

afraid (ö-*freid*) *adj* angustioso, asustado; *be* ~ *tener miedo

Africa (*æ*-fri-kö) África *f*

African (*æ*-fri-kön) *adj* africano

after (*aaf*-tö) *prep* después de; detrás de; *conj* después de que

afternoon (aaf-tö-*nuun*) *n* tarde *f*

afterwards (*aaf*-tö-*wöds*) *adv* después

again (ö-*ghên*) *adv* otra vez; de nuevo; ~ **and again** repetidamente

against (ö-*ghênsst*) *prep* contra

age (eid3) *n* edad *f*; vejez *f*; **of** ~ mayor de edad; **under** ~ menor de edad

aged (*ei*-d3id) *adj* viejo; anciano

agency (*ei*-d3ön-ssi) *n* agencia *f*; sección *f*

agenda (ö-*d3ên*-dö) *n* orden del día

agent (*ei*-d3önt) *n* agente *m*, representante *m*

aggressive (ö-*ghrê*-ssiv) *adj* agresivo

ago (ö-*ghou*) *adv* hace

agrarian (ö-*ghrêᵒ*-ri-ön) *adj* agrario, agrícola

agree (ö-*ghrii*) *v* *convenir, *concordar; *consentir; *acordar

agreeable (ö-*ghrii*-ö-böl) *adj* agradable

agreement (ö-*ghrii*-mönt) *n* contrato *m*; acuerdo *m*; conformidad *f*

agriculture (*æ*-ghri-kal-chö) *n* agricul-

tura *f*

ahead (ö-*hêd*) *adv* adelante; ~ **of** delante de; *go ~ continuar; **straight** ~ todo seguido

aid (eid) *n* socorro *m*; *v* asistir, ayudar

AIDS (eids) *n* SIDA *m*

ailment (*eil*-mönt) *n* enfermedad *f*

aim (eim) *n* fin *m*; ~ **at** apuntar; aspirar a

air (êᵒ) *n* aire *m*; *v* airear

air-conditioning ($ê^o$-kön-di-Jö-ning) *n* aire acondicionado; **air-conditioned** *adj* climatizado

aircraft ($ê^o$-kraaft) *n* (pl ~) avión *m*

airfield ($ê^o$-fiild) *n* campo de aviación

airline ($ê^o$-lain) *n* aerolínea *f*

airmail ($ê^o$-meil) *n* correo aéreo

airplane ($ê^o$-plein) *nAm* avión *m*

airport ($ê^o$-poot) *n* aeropuerto *m*

air-sickness ($ê^o$-ssik-nöss) *n* mal de las alturas

airtight ($ê^o$-tait) *adj* hermético

airy ($ê^o$-ri) *adj* airoso

aisle (ail) *n* nave lateral; pasillo *m*

alarm (ö-*laam*) *n* alarma *f*; *v* alarmar

alarm-clock (ö-*laam*-klok) *n* despertador *m*

album (*æl*-böm) *n* álbum *m*

alcohol (*æl*-kö-hol) *n* alcohol *m*

alcoholic (*æl*-kö-*ho*-lik) *adj* alcohólico

ale (eil) *n* cerveza *f*

algebra (*æl*-d3i-brö) *n* álgebra *f*

Algeria (*æl*-*d3iᵒ*-ri-ö) Argelia *f*

Algerian (*æl*-*d3iᵒ*-ri-ön) *adj* argelino

alien (*ei*-li-ön) *n* extranjero *m*; *adj* extranjero

alike (ö-*laik*) *adj* igual, parecido; *adv* igualmente

alimony (*æ*-li-mö-ni) *n* pensión alimenticia

alive (ö-*laiv*) *adj* en vida, vivo

all (ool) *adj* todo; ~ **in** todo incluido; ~ **right!** ¡bien!; **at** ~ en modo alguno

allergy (æ-lö-dʒi) *n* alergia *f*

alley (æ-li) *n* callejón *m*

alliance (ö-*lai*-önss) *n* alianza *f*

allot (ö-*lot*) *v* asignar

allow (ö-*lau*) *v* permitir, autorizar; ∼ **to** autorizar a; ***be allowed** *estar autorizado

allowance (ö-*lau*-önss) *n* asignación *f*

all-round (ool-*raund*) *adj* polifacético

almanac (*ool*-mö-næk) *n* almanaque *m*

almond (aa-mönd) *n* almendra *f*

almost (*ool*-mousst) *adv* casi; cerca de

alone (ö-*loun*) *adv* sólo

along (ö-*long*) *prep* a lo largo de

aloud (ö-*laud*) *adv* en voz alta

alphabet (æl-fö-bêt) *n* abecedario *m*

already (ool-*rê*-di) *adv* ya

also (*ool*-ssou) *adv* también; asimismo

altar (*ool*-tö) *n* altar *m*

alter (*ool*-tö) *v* cambiar, alterar

alteration (ool-tö-*rei*-ʃön) *n* cambio *m*, alteración *f*

alternate (ool-*töö*-nöt) *adj* alternativo

alternative (ool-*töö*-nö-tiv) *n* alternativa *f*

although (ool-ðou) *conj* aunque

altitude (æl-ti-tyuud) *n* altitud *f*

alto (æl-tou) *n* (pl ∼s) contralto *m*

altogether (ool-tö-*ghê*-ðö) *adv* totalmente; en total

always (*ool*-ᵘeis) *adv* siempre

am (æm) *v* (pr be)

amaze (ö-*meis*) *v* extrañar, asombrar

amazement (ö-*meis*-mönt) *n* asombro *m*

ambassador (æm-bæ-ssö-dö) *n* embajador *m*

amber (æm-bö) *n* ámbar *m*

ambiguous (æm-*bi*-ghyu-öss) *adj* ambiguo; equívoco

ambition (æm-bi-ʃön) *n* ambición *f*

ambitious (æm-*bi*-ʃöss) *adj* ambicioso

ambulance (æm-byu-lönss) *n* ambulancia *f*

ambush (æm-buʃ) *n* emboscada *f*

America (ö-*mê*-ri-kö) América *f*

American (ö-*mê*-ri-kön) *adj* americano

amethyst (æ-mi-zisst) *n* amatista *f*

amid (ö-*mid*) *prep* entre; en medio de

ammonia (ö-*mou*-ni-ö) *n* amoníaco *m*

amnesty (æm-ni-ssti) *n* amnistía *f*

among (ö-*mang*) *prep* entre; ∼ **other things** entre otras cosas

amount (ö-*maunt*) *n* cantidad *f*; suma *f*; ∼ **to** sumar

amuse (ö-*myuus*) *v* *divertir, *entretener

amusement (ö-*myuus*-mönt) *n* distracción *f*, entretenimiento *m*

amusing (ö-*myuu*-sing) *adj* divertido

anaemia (ö-*nii*-mi-ö) *n* anemia *f*

anaesthesia (æ-niss-*zii*-si-ö) *n* anestesia *f*

anaesthetic (æ-niss-*zê*-tik) *n* anestésico *m*

analyse (æ-nö-lais) *v* analizar

analysis (ö-*næ*-lö-ssiss) *n* (pl -ses) análisis *f*

analyst (æ-nö-lisst) *n* analista *m*; psicoanalista *m*

anarchy (æ-nö-ki) *n* anarquía *f*

anatomy (ö-*næ*-tö-mi) *n* anatomía *f*

ancestor (æn-ssê-sstö) *n* antepasado *m*

anchor (æng-kö) *n* ancla *f*

anchovy (æn-chö-vi) *n* anchoa *f*

ancient (*ein*-ʃönt) *adj* viejo, antiguo; anticuado

and (ænd, önd) *conj* y

angel (*ein*-dʒöl) *n* ángel *m*

anger (æng-ghö) *n* cólera *f*, enojo *m*; furor *m*

angle (æng-ghöl) *v* pescar con caña; *n* ángulo *m*

angry (æng-ghri) *adj* enfadado, enojado

animal (æ-ni-möl) *n* animal *m*

ankle (æng-köl) *n* tobillo *m*

annex[1] (æ-nêkss) *n* anexo *m*

annex[2] (ö-nékss) *v* anexar

anniversary (æ-ni-vöö-ssö-ri) *n* aniversario *m*

announce (ö-naunss) *v* anunciar

announcement (ö-naunss-mönt) *n* anuncio *m*

annoy (ö-noi) *v* irritar, fastidiar; aburrir

annoyance (ö-noi-önss) *n* aburrimiento *m*

annoying (ö-noi-ing) *adj* irritante, importuno

annual (æ-nyu-öl) *adj* anual; *n* anuario *m*

per annum (pör æ-nöm) al año

anonymous (ö-no-ni-möss) *adj* anónimo

another (ö-na-ðö) *adj* otro más; otro

answer (aan-ssö) *v* responder a; *n* respuesta *f*

ant (ænt) *n* hormiga *f*

anthology (æn-zo-lö-dʒi) *n* antología *f*

antibiotic (æn-ti-bai-o-tik) *n* antibiótico *m*

anticipate (æn-ti-ssi-peit) *v* *prever; *prevenir

antifreeze (æn-ti-friis) *n* anticongelante *m*

antipathy (æn-ti-pö-zi) *n* antipatía *f*

antique (æn-tiik) *adj* antiguo; *n* antigualla *f*; ~ **dealer** anticuario *m*

antiquity (æn-ti-kʷö-ti) *n* Antigüedad *f*; **antiquities** *pl* antigüedades *fpl*

antiseptic (æn-ti-ssêp-tik) *n* antiséptico *m*

antlers (ænt-lös) *pl* cornamenta *f*

anxiety (æng-sai-ö-ti) *n* preocupación *f*

anxious (ængk-ʃöss) *adj* ansioso; preocupado

any (ê-ni) *adj* alguno

anybody (ê-ni-bo-di) *pron* cualquiera

anyhow (ê-ni-hau) *adv* de cualquier modo

anyone (ê-ni-ᵘan) *pron* cualquiera

anything (ê-ni-zing) *pron* cualquier cosa

anyway (ê-ni-ᵘei) *adv* en todo caso

anywhere (ê-ni-ᵘê̂ô) *adv* en donde sea; dondequiera

apart (ö-paat) *adv* por separado, separadamente; ~ **from** prescindiendo de

apartment (ö-paat-mönt) *nAm* apartamento *m*; piso *m*; ~ **house** *Am* casa de pisos

aperitif (ö-pé-rö-tiv) *n* aperitivo *m*

apologize (ö-po-lö-dʒais) *v* disculparse

apology (ö-po-lö-dʒi) *n* excusa *f*, disculpa *f*

apparatus (æ-pö-rei-töss) *n* aparato *m*

apparent (ö-pæ-rönt) *adj* aparente; obvio

apparently (ö-pæ-rönt-li) *adv* por lo visto; evidentemente

apparition (æ-pö-ri-ʃön) *n* aparición *f*

appeal (ö-piil) *n* apelación *f*

appear (ö-piô) *v* *parecer; *salir; *aparecer

appearance (ö-piô-rönss) *n* apariencia *f*; aspecto *m*; entrada *f*

appendicitis (ö-pên-di-ssai-tiss) *n* apendicitis *f*

appendix (ö-pên-dikss) *n* (pl -dices, -dixes) apéndice *m*

appetite (æ-pö-tait) *n* apetito *m*

appetizer (æ-pö-tai-sö) *n* tapa *f*

appetizing (æ-pö-tai-sing) *adj* apetitoso

applause (ö-ploos) *n* aplauso *m*

apple (æ-pöl) *n* manzana *f*

appliance (ö-*plai*-önss) *n* aparato *m*

application (æ-pli-*kei*-ʃön) *n* aplicación *f*; demanda *f*; solicitud *f*

apply (ö-*plai*) *v* aplicar; solicitar un puesto; aplicarse a

appoint (ö-*point*) *v* designar, nombrar

appointment (ö-*point*-mönt) *n* cita *f*; nombramiento *m*

appreciate (ö-*prii*-ʃi-eit) *v* valuar; apreciar

appreciation (ö-prii-ʃi-*ei*-ʃön) *n* aprecio *m*

approach (ö-*prouch*) *v* acercarse; *n* enfoque *m*; acceso *m*

appropriate (ö-*prou*-pri-öt) *adj* justo, apropiado, adecuado

approval (ö-*pruu*-völ) *n* aprobación *f*; consentimiento *m*, acuerdo *m*; **on ~ a prueba**

approve (ö-*pruuv*) *v* *aprobar; **~ of** *estar de acuerdo con

approximate (ö-*prok*-ssi-möt) *adj* aproximado

approximately (ö-*prok*-ssi-möt-li) *adv* aproximadamente

apricot (*ei*-pri-kot) *n* albaricoque *m*; chabacano *mMe*

April (*ei*-pröl) abril

apron (*ei*-prön) *n* delantal *m*

Arab (*æ*-röb) *adj* árabe

arbitrary (*aa*-bi-trö-ri) *adj* arbitrario

arcade (aa-*keid*) *n* pórtico *m*, arcada *f*

arch (aach) *n* arco *m*; bóveda *f*

archaeologist (aa-ki-*o*-lö-dʒisst) *n* arqueólogo *m*

archaeology (aa-ki-*o*-lö-dʒi) *n* arqueología *f*

archbishop (aach-*bi*-ʃöp) *n* arzobispo *m*

arched (aacht) *adj* arqueado

architect (*aa*-ki-tékt) *n* arquitecto *m*

architecture (*aa*-ki-têk-chö) *n* arquitectura *f*

archives (*aa*-kaivs) *pl* archivo *m*

are (aa) *v* (pr be)

area (*ê*^ö-ri-ö) *n* región *f*; zona *f*; superficie *f*; **~ code** indicativo *m*

Argentina (aa-dʒön-*tii*-nö) Argentina *f*

Argentinian (aa-dʒön-*ti*-ni-ön) *adj* argentino

argue (*aa*-ghyuu) *v* argumentar, discutir; disputar

argument (*aa*-ghyu-mönt) *n* argumento *m*; discusión *f*; disputa *f*

arid (*æ*-rid) *adj* árido

***arise** (ö-*rais*) *v* surgir

arithmetic (ö-*riz*-mö-tik) *n* aritmética *f*

arm (aam) *n* brazo *m*; arma *f*; *v* armar

armchair (*aam*-chê^ö) *n* butaca *f*, sillón *m*

armed (aamd) *adj* armado; **~ forces** fuerzas armadas

armour (*aa*-mö) *n* armadura *f*

army (*aa*-mi) *n* ejército *m*

aroma (ö-*rou*-mö) *n* aroma *m*

around (ö-*raund*) *prep* alrededor de, en torno de; *adv* en torno

arrange (ö-*reindʒ*) *v* clasificar, ordenar; organizar

arrangement (ö-*reindʒ*-mönt) *n* arreglo *m*

arrest (ö-*rêsst*) *v* arrestar; *n* arresto *m*

arrival (ö-*rai*-völ) *n* llegada *f*

arrive (ö-*raiv*) *v* llegar

arrow (*æ*-rou) *n* flecha *f*

art (aat) *n* arte *m/f*; habilidad *f*; **~ collection** colección de arte; **~ exhibition** exposición de arte; **~ gallery** galería de arte; **~ history** historia del arte; **arts and crafts** artes industriales; **~ school** academia de bellas artes

artery (*aa*-tö-ri) *n* arteria *f*

artichoke (*aa*-ti-chouk) *n* alcachofa *f*

article (*aa*-ti-köl) *n* artículo *m*

artifice (aa-ti-fiss) n artificio m
artificial (aa-ti-fi-föl) adj artificial
artist (aa-tisst) n artista m/f
artistic (aa-ti-sstik) adj artístico
as (æs) conj como; tanto; que; ya que, porque; ~ **from** a partir de; ~ **if** como si
asbestos (æs-bê-sstoss) n asbesto m
ascend (ö-ssênd) v subir; escalar
ascent (ö-ssênt) n subida f
ascertain (æ-ssö-tein) v *comprobar; asegurarse de
ash (æʃ) n ceniza f
ashamed (ö-feimd) adj avergonzado; *be ~ *avergonzarse
ashore (ö-foo) adv en tierra
ashtray (æf-trei) n cenicero m
Asia (ei-fö) Asia f
Asian (ei-fön) adj asiático
aside (ö-ssaid) adv aparte
ask (aassk) v preguntar; *rogar; invitar
asleep (ö-ssliip) adj dormido
asparagus (ö-sspæ-rö-ghöss) n espárrago m
aspect (æ-sspêkt) n aspecto m
asphalt (æss-fælt) n asfalto m
aspire (ö-sspaiᵒ) v aspirar
aspirin (æ-sspö-rin) n aspirina f
ass (æss) n burro m
assassination (ö-ssæ-ssi-nei-fön) n asesinato m
assault (ö-ssoolt) v atacar; violar
assemble (ö-ssêm-böl) v reunir; montar
assembly (ö-ssêm-bli) n reunión f, asamblea f
assignment (ö-ssain-mönt) n encargo m
assign to (ö-ssain) asignar a; *atribuir a
assist (ö-ssisst) v asistir
assistance (ö-ssi-sstönss) n auxilio m; apoyo m, asistencia f

assistant (ö-ssi-sstönt) n asistente m
associate[1] (ö-ssou-fi-öt) n compañero m, asociado m; aliado m; socio m
associate[2] (ö-ssou-fi-eit) v asociar; ~ **with** frecuentar
association (ö-ssou-ssi-ei-fön) n asociación f
assort (ö-ssoot) v clasificar
assortment (ö-ssoot-mönt) n surtido m
assume (ö-ssyuum) v *suponer, presumir
assure (ö-fuᵒ) v asegurar
asthma (æss-mö) n asma f
astonish (ö-ssto-nif) v asombrar
astonishing (ö-ssto-ni-fing) adj asombroso
astonishment (ö-ssto-nif-mönt) n sorpresa f
astronomy (ö-sstro-nö-mi) n astronomía f
asylum (ö-ssai-löm) n asilo m
at (æt) prep en, a; hacia
ate (êt) v (p eat)
atheist (ei-zi-isst) n ateo m
athlete (æz-liit) n atleta m
athletics (æz-lê-tikss) pl atletismo m
Atlantic (öt-læn-tik) Atlántico m
atmosphere (æt-möss-fiᵒ) n atmósfera f; esfera f, ambiente m
atom (æ-töm) n átomo m
atomic (ö-to-mik) adj atómico
atomizer (æ-tö-mai-sö) n vaporizador m; aerosol m, pulverizador m
attach (ö-tæch) v prender; fijar; juntar; **attached to** encariñado con
attack (ö-tæk) v atacar; n ataque m
attain (ö-tein) v llegar a
attainable (ö-tei-nö-böl) adj factible; alcanzable
attempt (ö-têmpt) v intentar; *probar; n tentativa f
attend (ö-tênd) v asistir a; ~ **on** *servir; ~ **to** cuidar de, *atender a;

prestar atención a
attendance (ö-*tên*-dönss) *n* asistencia
f

attendant (ö-*tên*-dönt) *n* guardián *m*
attention (ö-*tên*-ʃön) *n* atención *f*;
*pay ~ prestar atención
attentive (ö-*tên*-tiv) *adj* atento
attic (*æ*-tik) *n* buhardilla *f*
attitude (*æ*-ti-tyuud) *n* actitud *f*
attorney (ö-*töö*-ni) *n* abogado *m*
attract (ö-*trækt*) *v* *atraer
attraction (ö-*træk*-ʃön) *n* atracción *f*
attractive (ö-*træk*-tiv) *adj* atractivo
auburn (*oo*-bön) *adj* castaño
auction (*ook*-ʃön) *n* subasta *f*
audible (*oo*-di-böl) *adj* audible
audience (*oo*-di-önss) *n* auditorio *m*
auditor (*oo*-di-tö) *n* oyente *m*
auditorium (oo-di-*too*-ri-öm) *n* aula *f*
August (*oo*-ghösst) agosto
aunt (aant) *n* tía *f*
Australia (o-*sstrei*-li-ö) Australia *f*
Australian (o-*sstrei*-li-ön) *adj* australiano
Austria (*o*-sstri-ö) Austria *f*
Austrian (*o*-sstri-ön) *adj* austríaco
authentic (oo-*zên*-tik) *adj* auténtico
author (*oo*-zö) *n* autor *m*
authoritarian (oo-zo-ri-*têö*-ri-ön) *adj*
autoritario
authority (oo-*zo*-rö-ti) *n* autoridad *f*;
poder *m*
authorization (oo-zö-rai-*sei*-ʃön) *n* autorización *f*; permiso *m*
automatic (oo-tö-*mæ*-tik) *adj* automático; ~ **teller** cajero automático
automation (oo-tö-*mei*-ʃön) *n* automatización *f*
automobile (*oo*-tö-mö-biil) *n* automóvil *m*; ~ **club** automóvil club
autonomous (oo-*to*-nö-möss) *adj* autónomo
autopsy (*oo*-to-pssi) *n* autopsia *f*
autumn (*oo*-töm) *n* otoño *m*

available (ö-*vei*-lö-böl) *adj* adquirible,
obtenible, disponible
avalanche (*æ*-vö-laanʃ) *n* avalancha *f*
avaricious (*æ*-vö-*ri*-ʃöss) *adj* avaro
avenue (*æ*-vö-nyuu) *n* avenida *f*
average (*æ*-vö-ridʒ) *adj* promedio; *n*
promedio *m*; **on the** ~ en promedio
averse (ö-*vööss*) *adj* opuesto
aversion (ö-*vöö*-ʃön) *n* aversión *f*
avert (ö-*vööt*) *v* desviar
avoid (ö-*void*) *v* evitar
await (ö-ᵘ*eit*) *v* esperar
awake (ö-ᵘ*eik*) *adj* despierto
*awake (ö-ᵘ*eik*) *v* *despertar
award (ö-ᵘ*ood*) *n* premio *m*; *v* conceder
aware (ö-ᵘ*êö*) *adj* consciente
away (ö-ᵘ*ei*) *adv* fuera; *go ~ *irse
awful (*oo*-föl) *adj* terrible, tremendo
awkward (*oo*-kᵘöd) *adj* embarazoso;
torpe
awning (*oo*-ning) *n* toldo *m*
axe (ækss) *n* hacha *f*
axle (*æk*-ssöl) *n* eje *m*

B

baby (*bei*-bi) *n* bebé *m*; ~ **carriage**
Am cochecillo *m*
babysitter (*bei*-bi-ssi-tö) *n* babysitter
m
bachelor (*bæ*-chö-lö) *n* soltero *m*
back (bæk) *n* espalda *f*; *adv* atrás;
*go ~ regresar
backache (*bæ*-keik) *n* dolor de espalda
backbone (*bæk*-boun) *n* espina dorsal
background (*bæk*-ghraund) *n* fondo
m; antecedentes *mpl*
backwards (*bæk*-ᵘöds) *adv* hacia
atrás

bacon (*bei*-kön) *n* tocino *m*

bacterium (bæk-*tii*-ri-öm) *n* (pl -ria) bacteria *f*

bad (bæd) *adj* malo; grave; travieso

bag (bægh) *n* bolsa *f*; bolso *m*, cartera *f*; maleta *f*

baggage (*bæ*-ghidʒ) *n* equipaje *m*; **hand ~** *Am* equipaje de mano

bail (beil) *n* fianza *f*

bailiff (*bei*-lif) *n* ujier *m*

bait (beit) *n* cebo *m*

bake (beik) *v* hornear

baker (*bei*-kö) *n* panadero *m*

bakery (*bei*-kö-ri) *n* panadería *f*

balance (*bæ*-lönss) *n* equilibrio *m*; balance *m*; saldo *m*

balcony (*bæl*-kö-ni) *n* balcón *m*

bald (boold) *adj* calvo

ball (bool) *n* pelota *f*; baile *m*

ballet (*bæ*-lei) *n* ballet *m*

balloon (bö-*luun*) *n* globo *m*

ballpoint-pen (*bool*-point-pên) *n* bolígrafo *m*

ballroom (*bool*-ruum) *n* salón de baile

bamboo (bæm-*buu*) *n* (pl ~s) bambú *m*

banana (bö-*naa*-nö) *n* plátano *m*

band (bænd) *n* orquesta *f*; banda *f*

bandage (*bæn*-didʒ) *n* vendaje *m*

bandit (*bæn*-dit) *n* bandido *m*

bangle (*bæng*-ghöl) *n* pulsera *f*

banisters (*bæ*-ni-sstöss) *pl* baranda *f*

bank (bængk) *n* orilla *f*; banco *m*; *v* depositar; **~ account** cuenta de banco

banknote (*bængk*-nout) *n* vale *m*, billete de banco

bank-rate (*bængk*-reit) *n* descuento bancario

bankrupt (*bængk*-rapt) *adj* en quiebra

banner (*bæ*-nö) *n* bandera *f*

banquet (*bæng*-kᵘit) *n* banquete *m*

banqueting-hall (*bæng*-kᵘi-ting-hool) *n* comedor de gala

baptism (*bæp*-ti-söm) *n* bautismo *m*, bautizo *m*

baptize (bæp-*tais*) *v* bautizar

bar (baa) *n* bar *m*; barra *f*; barrote *m*

barber (*baa*-bö) *n* barbero *m*

bare (bêᵒ) *adj* desnudo; raso

barely (*bêᵒ*-li) *adv* apenas

bargain (*baa*-ghin) *n* ganga *f*; *v* regatear

baritone (*bæ*-ri-toun) *n* barítono *m*

bark (baak) *n* corteza *f*; *v* ladrar

barley (*baa*-li) *n* cebada *f*

barmaid (*baa*-meid) *n* moza de taberna

barman (*baa*-mön) *n* (pl -men) barman *m*

barn (baan) *n* granero *m*

barometer (bö-*ro*-mi-tö) *n* barómetro *m*

baroque (bö-*rok*) *adj* barroco

barracks (*bæ*-rökss) *pl* cuartel *m*

barrel (*bæ*-röl) *n* tonel *m*, barril *m*

barrier (*bæ*-ri-ö) *n* barrera *f*

barrister (*bæ*-ri-sstö) *n* abogado *m*

bartender (*baa*-tên-dö) *n* barman *m*

base (beiss) *n* base *f*; fundamento *m*; *v* basar

baseball (*beiss*-bool) *n* béisbol *m*

basement (*beiss*-mönt) *n* sótano *m*

basic (*bei*-ssik) *adj* fundamental

basilica (bö-*si*-li-kö) *n* basílica *f*

basin (*bei*-ssön) *n* tazón *m*, palangana *f*

basis (*bei*-ssiss) *n* (pl bases) fundamento *m*, base *f*

basket (*baa*-sskit) *n* cesta *f*

bass[1] (beiss) *n* bajo *m*

bass[2] (bæss) *n* (pl ~) perca *f*

bastard (*baa*-sstöd) *n* bastardo *m*; descarado *m*

batch (bæch) *n* carga *f*

bath (baaz) *n* baño *m*; **~ salts** sales de baño; **~ towel** toalla de baño

bathe (beið) *v* bañarse
bathing-cap (*bei*-ðing-kæp) *n* gorro de baño
bathing-suit (*bei*-ðing-ssuut) *n* traje de baño
bathing-trunks (*bei*-ðing-trangkss) *n* bañador *m*
bathrobe (*baaz*-roub) *n* bata de baño
bathroom (*baaz*-ruum) *n* cuarto de baño; lavabos *mpl*; baño *mMe*
batter (bæ-tö) *n* masa *f*
battery (bæ-tö-ri) *n* batería *f*; acumulador *m*
battle (bæ-töl) *n* batalla *f*; pelea *f*, combate *m*; *v* combatir
bay (bei) *n* bahía *f*; *v* ladrar
***be** (bii) *v* *estar, *ser
beach (biich) *n* playa *f*; **nudist ~** playa para nudistas
bead (biid) *n* cuenta *f*; **beads** *pl* collar *m*; rosario *m*
beak (biik) *n* pico *m*
beam (biim) *n* rayo *m*; viga *f*
bean (biin) *n* judía *f*; ejote *mMe*
bear (bêⁿ) *n* oso *m*
***bear** (bêⁿ) *v* llevar; aguantar; soportar
beard (biⁿd) *n* barba *f*
bearer (bêⁿ-rö) *n* portador *m*
beast (biisst) *n* animal *m*; **~ of prey** animal de presa
***beat** (biit) *v* batir, golpear
beautiful (byuu-ti-föl) *adj* hermoso
beauty (byuu-ti) *n* belleza *f*; **~ parlour** salón de belleza; **~ salon** salón de belleza; **~ treatment** tratamiento de belleza
beaver (bii-vö) *n* castor *m*
because (bi-kos) *conj* porque; puesto que; **~ of** a causa de
***become** (bi-kam) *v* *hacerse; *sentar bien
bed (bêd) *n* cama *f*; **~ and board** pensión completa; **~ and breakfast**

cama y desayuno
bedding (bê-ding) *n* ropa de cama
bedroom (bêd-ruum) *n* dormitorio *m*
bee (bii) *n* abeja *f*
beech (bii-ch) *n* haya *f*
beef (biif) *n* carne de vaca
beehive (bii-haiv) *n* colmena *f*
been (biin) *v* (pp be)
beer (biⁿ) *n* cerveza *f*
beet (biit) *n* remolacha *f*
beetle (bii-töl) *n* escarabajo *m*
beetroot (biit-ruut) *n* remolacha *f*
before (bi-*foo*) *prep* antes de; delante de; *conj* antes de que; *adv* antes
beg (bêgh) *v* mendigar; suplicar; *pedir
beggar (bê-ghö) *n* mendigo *m*
***begin** (bi-*ghin*) *v* *empezar; *comenzar
beginner (bi-*ghi*-nö) *n* principiante *m*
beginning (bi-*ghi*-ning) *n* comienzo *m*
on behalf of (on bi-*haaf* ov) en nombre de; a favor de
behave (bi-*heiv*) *v* comportarse
behaviour (bi-*hei*-vyö) *n* conducta *f*
behind (bi-*haind*) *prep* detrás de; *adv* detrás
beige (beiʒ) *adj* beige
being (*bii*-ing) *n* ser *m*
Belgian (*bêl*-dʒön) *adj* belga
Belgium (*bêl*-dʒöm) Bélgica *f*
belief (bi-*liif*) *n* creencia *f*
believe (bi-*liiv*) *v* *creer
bell (bêl) *n* campana *f*; timbre *m*
bellboy (*bêl*-boi) *n* botones *mpl*
belly (*bê*-li) *n* vientre *m*
belong (bi-*long*) *v* *pertenecer
belongings (bi-*long*-ings) *pl* pertenencias *fpl*
beloved (bi-*lavd*) *adj* querido
below (bi-*lou*) *prep* debajo de; bajo; *adv* debajo
belt (bêlt) *n* cinturón *m*
bench (bênch) *n* banco *m*

bend (bênd) n comba f, curva f

*__bend__ (bênd) v doblar; ~ **down** bajarse

beneath (bi-niiz) prep debajo de; adv debajo

benefit (bê-ni-fit) n beneficio m; ventaja f; v aprovechar

bent (bênt) adj (pp bend) curvo

beret (bê-rei) n boina f

berry (bê-ri) n baya f

berth (bööz) n litera f

beside (bi-ssaid) prep junto a

besides (bi-ssaids) adv además; por otra parte; prep además de

best (bêsst) adj óptimo

bet (bêt) n apuesta f; puesta f

*__bet__ (bêt) v *apostar

betray (bi-trei) v traicionar

better (bê-tö) adj mejor

between (bi-tᵘiin) prep entre

beverage (bê-vö-ridʒ) n bebida f

beware (bi-ᵘêö) v precaverse, guardarse

bewitch (bi-ᵘich) v hechizar, encantar

beyond (bi-yond) prep más allá de; además de; adv más allá

bible (bai-böl) n biblia f

bicycle (bai-ssi-köl) n bicicleta f; biciclo m

big (bigh) adj grande; voluminoso; gordo; importante

bile (bail) n bilis f

bilingual (bai-ling-ghᵘöl) adj bilingüe

bill (bil) n cuenta f; v facturar

billiards (bil-yöds) pl billar m

*__bind__ (baind) v atar

binding (bain-ding) n atadura f

binoculars (bi-no-kyö-lös) pl prismáticos mpl; gemelos mpl

biology (bai-o-lö-dʒi) n biología f

birch (bööch) n abedul m

bird (bööd) n pájaro m

Biro (bai-rou) n bolígrafo m

birth (bööz) n nacimiento m

birthday (bööz-dei) n cumpleaños m

biscuit (biss-kit) n galleta f

bishop (bi-ʃöp) n obispo m

bit (bit) n trozo m; poco m

bitch (bich) n perra f

bite (bait) n bocado m; mordedura f; picadura f

*__bite__ (bait) v *morder

bitter (bi-tö) adj amargo

black (blæk) adj negro; ~ **market** mercado negro

blackberry (blæk-bö-ri) n mora f

blackbird (blæk-bööd) n mirlo m

blackboard (blæk-bood) n pizarra f

black-currant (blæk-ka-rönt) n grosella negra

blackmail (blæk-meil) n chantaje m; v *hacer chantaje

blacksmith (blæk-ssmiz) n herrero m

bladder (blæ-dö) n vejiga f

blade (bleid) n hoja f; ~ **of grass** brizna de hierba

blame (bleim) n culpa f; reproche m; v echar la culpa, culpar

blank (blængk) adj blanco

blanket (blæng-kit) n manta f

blast (blaasst) n explosión f

blazer (blei-sö) n chaqueta de sport, chaqueta ligera

bleach (bliich) v blanquear

bleak (bliik) adj riguroso

*__bleed__ (bliid) v sangrar; chupar la sangre

bless (blêss) v *bendecir

blessing (blê-ssing) n bendición f

blind (blaind) n persiana f; adj ciego; v *cegar

blister (bli-sstö) n ampolla f

blizzard (bli-söd) n ventisca f

block (blok) v *obstruir, bloquear; n bloque m; ~ **of flats** casa de pisos

blonde (blond) n rubia f

blood (blad) n sangre f; ~ **pressure** tensión arterial

blood-poisoning (*blad*-poi-sö-ning) *n* septicemia *f*

blood-vessel (*blad*-vê-ssöl) *n* vaso sanguíneo

blot (blot) *n* borrón *m*; mancha *f*; **blotting paper** papel secante

blouse (blaus) *n* blusa *f*

blow (blou) *n* golpe *m*; ráfaga *f*

* **blow** (blou) *v* soplar

blow-out (*blou*-aut) *n* reventón *m*

blue (bluu) *adj* azul; deprimido

blunt (blant) *adj* desafilado; obtuso

blush (blaʃ) *v* ruborizarse

board (bood) *n* tabla *f*; tablero *m*; pensión *f*; consejo *m*; ~ **and lodging** pensión completa

boarder (*boo*-dö) *n* huésped *m*

boarding-house (*boo*-ding-hauss) *n* pensión *f*

boarding-school (*boo*-ding-sskuul) *n* internado *m*

boast (bousst) *v* presumir

boat (bout) *n* barco *m*, barca *f*

body (*bo*-di) *n* cuerpo *m*

bodyguard (*bo*-di-ghaad) *n* guardia personal

bog (bogh) *n* pantano *m*

boil (boil) *v* *hervir; *n* forúnculo *m*

bold (bould) *adj* audaz; impertinente, descarado

Bolivia (bö-*li*-vi-ö) Bolivia *f*

Bolivian (bö-*li*-vi-ön) *adj* boliviano

bolt (boult) *n* cerrojo *m*; perno *m*

bomb (bom) *n* bomba *f*; *v* bombardear

bond (bond) *n* obligación *f*

bone (boun) *n* hueso *m*; espina *f*; *v* deshuesar

bonnet (*bo*-nit) *n* capó *m*

book (buk) *n* libro *m*; *v* reservar; inscribir, registrar

booking (*bu*-king) *n* reservación *f*, reserva *f*

bookmaker (*buk*-mei-kö) *n* corredor *m*

bookseller (*buk*-ssê-lö) *n* librero *m*

bookstand (*buk*-sstænd) *n* puesto de libros

bookstore (*buk*-sstoo) *n* librería *f*

boot (buut) *n* bota *f*; portaequipajes *m*

booth (buuð) *n* puesto *m*; cabina *f*

border (*boo*-dö) *n* frontera *f*; borde *m*

bore¹ (boo) *v* aburrir; taladrar; *n* pelmazo *m*

bore² (boo) *v* (p bear)

boring (*boo*-ring) *adj* aburrido

born (boon) *adj* nacido

borrow (*bo*-rou) *v* tomar prestado; tomar

bosom (*bu*-söm) *n* pecho *m*; seno *m*

boss (boss) *n* jefe *m*, patrón *m*

botany (*bo*-tö-ni) *n* botánica *f*

both (bouz) *adj* ambos; **both ... and** tanto ... como

bother (*bo*-ðö) *v* fastidiar, molestar; *esforzarse; *n* molestia *f*

bottle (*bo*-töl) *n* botella *f*; ~ **opener** destapador de botellas; **hot-water** ~ calorífero *m*

bottleneck (*bo*-töl-nêk) *n* cuello de botella

bottom (*bo*-töm) *n* fondo *m*; trasero *m*; *adj* inferior

bough (bau) *n* rama *f*

bought (boot) *v* (p, pp buy)

boulder (*boul*-dö) *n* peña *f*

bound (baund) *n* frontera *f*; *be ~ to** deber de; ~ **for** camino de

boundary (*baun*-dö-ri) *n* límite *m*; frontera *f*

bouquet (bu-*kei*) *n* ramo *m*

bourgeois (buᵒ-ʒ*uа*) *adj* burgués

boutique (bu-*tiik*) *n* boutique *f*

bow¹ (bau) *v* inclinar

bow² (bou) *n* arco *m*; ~ **tie** corbata de lazo, corbatín *m* bowels (bauⁿls) pl intestinos mpl

bowl (boul) n tazón m

bowling (bou-ling) n bowling m, juego de bolos; ~ alley bolera f

box¹ (bokss) v boxear; boxing match combate de boxeo

box² (bokss) n caja f

box-office (bokss-o-fiss) n taquilla f

boy (boi) n muchacho m; chico m, mozo m; sirviente m; ~ scout explorador m

bra (braa) n sujetador m, sostén m

bracelet (breiss-lit) n pulsera f

braces (brei-ssis) pl tirantes mpl

brain (brein) n cerebro m; inteligencia f

brain-wave (brein-ᵘeiv) n ocurrencia f

brake (breik) n freno m; ~ drum tambor del freno; ~ lights luces de freno

branch (braanch) n rama f; sucursal f

brand (brænd) n marca f

brand-new (brænd-nyuu) adj flamante

brass (braass) n latón m; cobre m, cobre amarillo; ~ band n charanga f

brassiere (bræ-siⁿ) n sujetador m, sostén m

brassware (braass-ᵘêⁿ) n cobres mpl

brave (breiv) adj valiente

Brazil (brö-sil) Brasil m

Brazilian (brö-sil-yön) adj brasileño

breach (briich) n brecha f

bread (brêd) n pan m; wholemeal ~ pan integral

breadth (brêdz) n ancho m

break (breik) n fractura f; descanso m

*break (breik) v *quebrar, quebrantar; ~ down averiarse; analizar

breakdown (breik-daun) n avería f; descompostura fMe

breakfast (brêk-fösst) n desayuno m

bream (briim) n (pl ~) brema f

breast (brêsst) n seno m

breaststroke (brêsst-sstrouk) n braza f

breath (brêz) n aliento m; aire m

breathe (briið) v respirar

breathing (brii-ðing) n respiración f

breed (briid) n raza f; especie f

*breed (briid) v recriar

breeze (briis) n brisa f

brew (bruu) v fabricar cerveza

brewery (bruu-ö-ri) n cervecería f

bribe (braib) v sobornar

bribery (brai-bö-ri) n soborno m

brick (brik) n ladrillo m

bricklayer (brik-leiⁿ) n albañil m

bride (braid) n novia f

bridegroom (braid-ghruum) n novio m

bridge (bridӡ) n puente m; bridge m

brief (briif) adj breve

briefcase (briif-keiss) n portafolio m

briefs (briifss) pl braga f, calzoncillos mpl

bright (brait) adj claro; reluciente; listo

brill (bril) n rodaballo m

brilliant (bril-yönt) adj brillante

brim (brim) n borde m

*bring (bring) v *traer; ~ back *devolver; ~ up educar; *introducir, levantar

brisk (brissk) adj vivo

Britain (bri-tön) Inglaterra f

British (bri-tiʃ) adj británico

Briton (bri-tön) n británico m; inglés m

broad (brood) adj ancho; amplio; general

broadcast (brood-kaasst) n transmisión f

*broadcast (brood-kaasst) v emitir

brochure (brou-ʃuⁿ) n folleto m

broke¹ (brouk) v (p break)

broke² (brouk) adj arruinado

broken (brou-kön) adj (pp break) estropeado, roto

broker (*brou*-kö) n corredor m

bronchitis (brong-*kai*-tiss) n bronquitis f

bronze (brons) n bronce m; adj de bronce

brooch (brouch) n broche m

brook (bruk) n arroyo m

broom (bruum) n escoba f

brothel (*bro*-zöl) n burdel m

brother (*bra*-ðö) n hermano m

brother-in-law (*bra*-ðö-rin-loo) n (pl brothers-) cuñado m

brought (broot) v (p, pp bring)

brown (braun) adj moreno

bruise (bruus) n moretón m, magulladura f; v magullar

brunette (bruu-*nêt*) n morena f

brush (braʃ) n cepillo m; brocha f; v sacar brillo, cepillar

brutal (*bruu*-töl) adj brutal

bubble (*ba*-böl) n burbuja f

bucket (*ba*-kit) n balde m

buckle (*ba*-köl) n hebilla f

bud (bad) n capullo m

budget (*ba*-dʒit) n presupuesto m

buffet (*bu*-fei) n buffet m

bug (bagh) n chinche f; escarabajo m; nAm insecto m

*build (bild) v *construir

building (*bil*-ding) n edificio m

bulb (balb) n bulbo m; **light** ~ bombilla f; **foco** mMe

Bulgaria (bal-*ghê*ö-ri-ö) Bulgaria f

Bulgarian (bal-*ghê*ö-ri-ön) adj búlgaro

bulk (balk) n bulto m; mayoría f

bulky (*bal*-ki) adj voluminoso

bull (bul) n toro m

bullet (*bu*-lit) n bala f

bullfight (*bul*-fait) n corrida de toros

bullring (*bul*-ring) n plaza de toros

bump (bamp) v topetar; chocar; *dar golpes; n golpe m, topetón m

bumper (*bam*-pö) n parachoques m

bumpy (*bam*-pi) adj lleno de baches

bun (ban) n bollo m

bunch (banch) n ramo m; grupo m

bundle (*ban*-döl) n paquete m; v atar, liar

bunk (bangk) n camastro m

buoy (boi) n boya f

burden (*böö*-dön) n peso m

bureau (byu*ö*-rou) n (pl ~x, ~s) escritorio m; nAm cómoda f

bureaucracy (byu*ö*-*ro*-krö-ssi) n burocracia f

burglar (*böö*-ghlö) n ladrón m

burgle (*böö*-ghöl) v robar

burial (*bê*-ri-öl) n entierro m

burn (böön) n quemadura f

*burn (böön) v quemar; pegarse

*burst (böösst) v *reventar; *quebrar

bury (*bê*-ri) v *enterrar

bus (bass) n autobús m

bush (buʃ) n matorral m

business (*bis*-nöss) n negocios mpl, comercio m; empresa f, negocio m; ocupación f; asunto m; ~ **hours** horas hábiles, horas de oficina; ~ **trip** viaje de negocios; **on** ~ por asuntos de negocio

business-like (*bis*-niss-laik) adj práctico

businessman (*bis*-nöss-mön) n (pl -men) hombre de negocios

bust (basst) n busto m

bustle (*ba*-ssöl) n agitación f

busy (*bi*-si) adj ocupado; concurrido, atareado

but (bat) conj mas; pero; prep menos

butcher (*bu* chö) n carnicero m

butter (*ba*-tö) n mantequilla f

butterfly (*ba*-tö-flai) n mariposa f; ~ **stroke** braza de mariposa

buttock (*ba*-tök) n nalga m

button (*ba*-tön) n botón m; v abrochar

buttonhole (*ba*-tön-houl) n ojal m

*buy (bai) v comprar; *adquirir

buyer (*bai*-ö) *n* comprador *m*
by (bai) *prep* por; con; cerca de
by-pass (*bai*-paass) *n* cinturón *m*; *v* rodear

C

cab (kæb) *n* taxi *m*
cabaret (*kæ*-bö-rei) *n* cabaret *m*
cabbage (*kæ*-bidʒ) *n* col *m*
cab-driver (*kæb*-drai-vö) *n* taxista *m*
cabin (*kæ*-bin) *n* cabina *f*; cabaña *f*
cabinet (*kæ*-bi-nöt) *n* gabinete *m*
cable (*kei*-böl) *n* cable *m*; cablegrama *m*; *v* cablegrafiar
café (*kæ*-fei) *n* bar *m*
cafeteria (kæ-fö-*ti*ö-ri-ö) *n* cafetería *f*
caffeine (*kæ*-fiin) *n* cafeína *f*
cage (keidʒ) *n* jaula *f*
cake (keik) *n* pastel *m*; pastelería *f*, tarta *f*, dulces
calamity (kö-*læ*-mö-ti) *n* desastre *m*, catástrofe *f*
calcium (*kæl*-ssi-öm) *n* calcio *m*
calculate (*kæl*-kyu-leit) *v* calcular
calculation (kæl-kyu-*lei*-ʃön) *n* cálculo *m*
calculator (*kæl*-kyu-lei-tö) *n* calculadora *f*
calendar (*kæ*-lön-dö) *n* calendario *m*
calf (kaaf) *n* (pl calves) ternero *m*; pantorrilla *f*; ~ **skin** becerro *m*
call (kool) *v* llamar; *n* llamada *f*; visita *f*; *be called* llamarse; ~ **names** insultar; ~ **on** visitar; ~ **up** *Am* telefonear
callus (*kæ*-löss) *n* callo *m*
calm (kaam) *adj* tranquilo; ~ **down** calmar
calorie (*kæ*-lö-ri) *n* caloría *f*
Calvinism (*kæl*-vi-ni-söm) *n* calvinismo *m*
came (keim) *v* (p come)

camel (*kæ*-möl) *n* camello *m*
cameo (*kæ*-mi-ou) *n* (pl ~s) camafeo *m*
camera (*kæ*-mö-rö) *n* cámara fotográfica; cámara *f*; ~ **shop** negocio fotográfico
camp (kæmp) *n* campamento *m*; *v* acampar
campaign (kæm-*pein*) *n* campaña *f*
camp-bed (kæmp-*bêd*) *n* catre de campaña, cama de tijera
camper (*kæm*-pö) *n* acampador *m*
camping (*kæm*-ping) *n* camping *m*; ~ **site** camping, lugar de camping
camshaft (*kæm*-ʃaaft) *n* árbol de levas
can (kæn) *n* lata *f*; ~ **opener** abrelatas *m*
can (kæn) *v* *poder
Canada (*kæ*-nö-dö) Canadá *m*
Canadian (kö-*nei*-di-ön) *adj* canadiense
canal (kö-*næl*) *n* canal *m*
canary (kö-*nê*ö-ri) *n* canario *m*
cancel (*kæn*-ssöl) *v* cancelar; anular
cancellation (kæn-ssö-*lei*-ʃön) *n* cancelación *f*
cancer (*kæn*-ssö) *n* cáncer *m*
candelabrum (kæn-dö-*laa*-bröm) *n* (pl -bra) candelabro *m*
candidate (*kæn*-di-döt) *n* candidato *m*, interesado *m*
candle (*kæn*-döl) *n* candela *f*
candy (*kæn*-di) *n Am* bombón *m*; dulces, golosinas
cane (kein) *n* caña *f*; bastón *m*
canister (*kæ*-ni-sstö) *n* caja metálica, lata *f*
canoe (kö-*nuu*) *n* canoa *f*
canteen (kæn-*tiin*) *n* cantina *f*
canvas (kæn-vöss) *n* lona *f*
cap (kæp) *n* gorra *f*, gorro *m*
capable (*kei*-pö-böl) *adj* capaz
capacity (kö-*pæ*-ssö-ti) *n* capacidad

f; potencia *f*; competencia *f*

cape (keip) *n* capa *f*; cabo *m*

capital (*kæ*-pi-töl) *n* capital *f*; capital *m*; *adj* importante, capital, ~ **letter** mayúscula *f*

capitalism (*kæ*-pi-tö-li-söm) *n* capitalismo *m*

capitulation (kö-pi-tyu-*lei*-ʃön) *n* capitulación *f*

capsule (*kæp*-ssyuul) *n* cápsula *f*

captain (*kæp*-tin) *n* capitán *m*; comandante *m*

capture (*kæp*-chö) *v* coger preso, capturar; conquistar; *n* captura *f*; conquista *f*

car (kaa) *n* coche *m*; carro *mMe*; ~ **hire** alquiler de coches; ~ **park** parque de estacionamiento

carafe (kö-*ræf*) *n* garrafa *f*

caramel (*kæ*-rö-möl) *n* caramelo *m*

carat (*kæ*-röt) *n* quilate *m*

caravan (*kæ*-rö-væn) *n* caravana *f*; carro de gitanos

carburettor (kaa-byu-*rê*-tö) *n* carburador *m*

card (kaad) *n* tarjeta *f*; tarjeta postal

cardboard (*kaad*-bood) *n* cartón *m*; *adj* de cartón

cardigan (*kaa*-di-ghön) *n* chaqueta *f*

cardinal (*kaa*-di-nöl) *n* cardenal *m*; *adj* cardinal, principal

care (kê⁰) *n* cuidado *m*; ~ **about** preocuparse de; ~ **for** gustar; *take ~ of cuidar de

career (kö-*ri⁰*) *n* carrera *f*

carefree (*kê⁰*-frii) *adj* despreocupado

careful (*kê⁰*-fol) *adj* cuidadoso; escrupuloso

careless (*kê⁰*-löss) *adj* indiferente, negligente

caretaker (*kê⁰*-tei-kö) *n* guardián *m*

cargo (*kaa*-ghou) *n* (pl ~es) carga *f*

carnival (*kaa*-ni-völ) *n* carnaval *m*

carp (kaap) *n* (pl ~) carpa *f*

carpenter (*kaa*-pin-tö) *n* carpintero *m*

carpet (*kaa*-pit) *n* alfombra *f*

carriage (*kæ*-ridʒ) *n* vagón *m*; coche *m*, carruaje *m*

carriageway (*kæ*-ridʒ-ᵘei) *n* calzada *f*

carrot (*kæ*-röt) *n* zanahoria *f*

carry (*kæ*-ri) *v* llevar; *conducir; ~ **on** continuar; *proseguir; ~ **out** realizar

carry-cot (*kæ*-ri-kot) *n* cuna de viaje

cart (kaat) *n* carro *m*

cartilage (*kaa*-ti-lidʒ) *n* cartílago *m*

carton (*kaa*-tön) *n* caja de cartón; cartón *m*

cartoon (kaa-*tuun*) *n* dibujos animados

cartridge (*kaa*-tridʒ) *n* cartucho *m*

carve (kaav) *v* trinchar; entallar, tallar

carving (*kaa*-ving) *n* talla *f*

case (keiss) *n* caso *m*; causa *f*; valija *f*; estuche *m*; **attaché** ~ portafolio *m*; **in** ~ si; **in** ~ **of** en caso de

cash (kæʃ) *n* dinero contante, efectivo *m*; *v* cobrar,*hacer efectivo; ~ **dispenser** cajero automático

cashier (kæ-*ʃi⁰*) *n* cajero *m*; cajera *f*

cashmere (*kæʃ*-mi⁰) *n* casimir *m*

casino (kö-*ssii*-nou) *n* casino *m*

cask (kaassk) *n* barril *m*, tonel *m*

cast (kaasst) *n* echada *f*

*cast** (kaasst) *v* lanzar; **cast iron** hierro fundido

castle (*kaa*-ssöl) *n* castillo *m*

casual (*kæ*-ʒu-öl) *adj* informal; de paso, por casualidad

casualty (*kæ*-ʒu-öl-ti) *n* víctima *f*

cat (kæt) *n* gato *m*

catacomb (*kæ*-tö-koum) *n* catacumba *f*

catalogue (*kæ*-tö-logh) *n* catálogo *m*

catarrh (kö-*taa*) *n* catarro *m*

catastrophe (kö-*tæ*-sströ-fi) *n* catástrofe *f*

*catch (kæch) v coger; sorprender

category (*kæ*-ti-ghö-ri) n categoría f

cathedral (kö-*zii*-dröl) n catedral f

catholic (*kæ*-zö-lik) adj católico

cattle (*kæ*-töl) pl ganado m

caught (koot) (p, pp catch)

cauliflower (*ko*-li-flauᵒ) n coliflor f

cause (koos) v causar; provocar; n causa f; motivo m; ~ **to** *hacer

causeway (*koos*-ᵘei) n calzada f

caution (*koo*-∫ön) n cautela f; v *advertir

cautious (*koo*-∫öss) adj prudente

cave (keiv) n cueva f; grieta f

cavern (*kæ*-vön) n cueva f

caviar (*kæ*-vi-aa) n caviar m

cavity (*kæ*-vö-ti) n cavidad f

cease (ssiiss) v cesar

ceiling (*ssii*-ling) n cielo raso

celebrate (*ssê*-li-breit) v celebrar

celebration (ssê-li-*brei*-∫ön) n celebración f

celebrity (ssi-*lê*-brö-ti) n celebridad f

celery (*ssê*-lö-ri) n apio m

celibacy (*ssê*-li-bö-ssi) n celibato m

cell (ssêl) n celda f

cellar (*ssê*-lö) n sótano m

cellophane (*ssê*-lö-fein) n celofán m

cement (ssi-*mênt*) n cemento m

cemetery (*ssê*-mi-tri) n cementerio m

censorship (*ssên*-ssö-∫ip) n censura f

centigrade (*ssên*-ti-ghreid) adj centígrado

centimetre (*ssên*-ti-mii-tö) n centímetro m

central (*ssên*-tröl) adj central; ~ **heating** calefacción central; ~ **station** estación central

centralize (*ssên*-trö-lais) v centralizar

centre (*ssên*-tö) n centro m

century (*ssên*-chö-ri) n siglo m

ceramics (ssi-*ræ*-mikss) pl cerámica f

ceremony (*ssê*-rö-mö-ni) n ceremonia f

certain (*ssöö*-tön) adj cierto

certificate (ssö-*ti*-fi-köt) n certificado m; certificación f, acta f, diploma m

chain (chein) n cadena f

chair (chêᵒ) n silla f

chairman (*chêᵒ*-mön) n (pl -men) presidente m

chalet (∫æ-lei) n chalet m

chalk (chook) n creta f

challenge (*chæ*-löndʒ) v desafiar; n reto m

chamber (*cheim*-bö) n cuarto m

chambermaid (*cheim*-bö-meid) n doncella f

champagne (∫æm-*pein*) n champán m

champion (*chæm*-pyön) n campeón m; defensor m

chance (chaanss) n azar m; oportunidad f, ocasión f; riesgo m; suerte f; **by** ~ por casualidad

change (cheindʒ) v modificar, cambiar; mudarse; *hacer trasbordo; n modificación f, cambio m; moneda f

channel (*chæ*-nöl) n canal m; **English Channel** Canal de la Mancha

chaos (*kei*-oss) n caos m

chaotic (kei-o-tik) adj caótico

chap (chæp) n hombre m

chapel (*chæ*-pöl) n iglesia f, capilla f

chaplain (*chæ*-plin) n capellán m

character (*kæ*-rök-tö) n carácter m

characteristic (kæ-rök-tö-*ri*-sstik) adj típico, característico; n característica f; rasgo característico

characterize (*kæ*-rök-tö-rais) v caracterizar

charcoal (*chaa*-koul) n carbón de leña

charge (chaadʒ) v *pedir; cargar; acusar; n precio m; carga f; acusación f; ~ **plate** Am tarjeta de crédito; **free of** ~ gratuito; **in** ~ **of** encargado de; ***take** ~ **of** encargarse de

charity (*chæ*-rö-ti) *n* caridad *f*

charm (chaam) *n* encanto *m*; amuleto *m*

charming (*chaa*-ming) *adj* encantador

chart (chaat) *n* tabla *f*; gráfico *m*; carta marina; **conversion** ~ tabla de conversión

chase (cheiss) *v* cazar; expulsar, ahuyentar; *n* caza *f*

chasm (*kæ*-söm) *n* grieta *f*

chassis (*fæ*-ssi) *n* (pl ~) chasis *m*

chaste (cheisst) *adj* casto

chat (chæt) *v* charlar; *n* charla *f*

chatterbox (*chæ*-tö-bokss) *n* charlatán *m*

chauffeur (*fou*-fö) *n* chófer *m*

cheap (chiip) *adj* barato; económico

cheat (chiit) *v* engañar; estafar

check (chêk) *v* controlar, verificar; *n* escaque *m*; *nAm* cuenta *f*; cheque *m*; **check!** ¡jaque!; ~ **in** inscribirse; ~ **out** *despedirse

check-book (*chêk*-buk) *nAm* talonario *m*

checkerboard (*chê*-kö-bood) *nAm* tablero de ajedrez

checkroom (*chêk*-ruum) *nAm* guardarropa *m*

check-up (*chê*-kap) *n* reconocimiento *m*

cheek (chiik) *n* mejilla *f*

cheek-bone (*chiik*-boun) *n* pómulo *m*

cheer (chi⁰) *v* aclamar; ~ **up** alegrar

cheerful (*chi⁰*-föl) *adj* alegre

cheese (chiis) *n* queso *m*

chef (ʃéf) *n* jefe de cocina

chemical (*kê*-mi-köl) *adj* químico

chemist (*kê*-misst) *n* farmacéutico *m*; **chemist's** farmacia *f*; droguería *f*

chemistry (*kê*-mi-sstri) *n* química *f*

cheque (chêk) *n* cheque *m*

cheque-book (*chêk*-buk) *n* talonario *m*

chequered (*chê*-köd) *adj* a cuadros, cuadriculado

cherry (*chê*-ri) *n* cereza *f*

chess (chêss) *n* ajedrez *m*

chest (chêsst) *n* pecho *m*; arca *f*; ~ **of drawers** cómoda *f*

chestnut (*chêss*-nat) *n* castaña *f*

chew (chuu) *v* masticar

chewing-gum (*chuu*-ing-gham) *n* goma de mascar, chicle *m*

chic (ʃik) *adj* elegante

chicken (*chi*-kin) *n* pollo *m*

chickenpox (*chi*-kin-pokss) *n* varicela *f*

chief (chiif) *n* jefe *m*; *adj* principal

chiefly (*chiif*-li) *adv* sobre todo

chieftain (*chiif*-tön) *n* jefe *m*

chilblain (*chil*-blein) *n* sabañón *m*

child (chaild) *n* (pl children) niño *m*

childbirth (*chaild*-bööz) *n* parto *m*

childhood (*chaild*-hud) *n* infancia *f*

Chile (*chi*-li) Chile *m*

Chilean (*chi*-li-ön) *adj* chileno

chill (chil) *n* escalofrío *m*

chilly (*chi*-li) *adj* fresco

chimes (chaims) *pl* carillón *m*

chimney (*chim*-ni) *n* chimenea *f*

chin (chin) *n* barbilla *f*

China (*chai*-nö) China *f*

china (*chai*-nö) *n* porcelana *f*

Chinese (chai-*niis*) *adj* chino

chink (chingk) *n* hendidura *f*

chip (chip) *n* astilla *f*; ficha *f*; *v* cortar, astillar; **chips** patatas fritas

chiropodist (ki-*ro*-pö-disst) *n* pedicuro *m*

chisel (*chi*-söl) *n* cincel *m*

chives (chaivs) *pl* cebollino *m*

chlorine (*kloo*-riin) *n* cloro *m*

chocolate (*cho*-klöt) *n* chocolate *m*; bombón *m*

choice (choiss) *n* elección *f*; selección *f*

choir (k⁰ai⁰) *n* coro *m*

choke (chouk) v sofocarse; estrangular; n starter m
*choose (chuus) v escoger
chop (chop) n chuleta f; v tajar
Christ (kraisst) Cristo
christen (kri-ssön) v bautizar
christening (kri-ssö-ning) n bautizo m
Christian (kriss-chön) adj cristiano; ~ name nombre de pila
Christmas (kriss-möss) Navidad f
chromium (krou-mi-öm) n cromo m
chronic (kro-nik) adj crónico
chronological (kro-nö-lo-dʒi-köl) adj cronológico
chuckle (cha-köl) v *reírse entre dientes
chunk (changk) n trozo m
church (chööch) n iglesia f
churchyard (chööch-yaad) n cementerio m
cigar (ssi-ghaa) n puro m; ~ shop estanco m
cigarette (ssi-ghö-rêt) n cigarrillo m; ~ tobacco picadura f
cigarette-case (ssi-ghö-rêt-keiss) n pitillera f
cigarette-holder (ssi-ghö-rêt-houl-dö) n boquilla f
cigarette-lighter (ssi-ghö-rêt-lai-tö) n encendedor m
cinema (ssi-nö-mö) n cinematógrafo m
cinnamon (ssi-nö-mön) n canela f
circle (ssöö-köl) n círculo m; balcón m; v rodear, circundar
circulation (ssöö-kyu-lei-ſön) n circulación f; circulación de la sangre
circumstance (ssöö-köm-sstænss) n circunstancia f
circus (ssöö-köss) n circo m
citizen (ssi-ti-sön) n ciudadano m
citizenship (ssi-ti-sön-ſip) n ciudadanía f
city (ssi-ti) n ciudad f

civic (ssi-vik) adj cívico
civil (ssi-völ) adj civil; cortés; ~ law derecho civil; ~ servant funcionario m
civilian (ssi-vil-yön) adj civil; n paisano m
civilization (ssi-vö-lai-sei-ſön) n civilización f
civilized (ssi-vö-laisd) adj civilizado
claim (kleim) v reivindicar, reclamar; afirmar; n reivindicación f, pretensión f
clamp (klæmp) n mordaza f; grapa f
clap (klæp) v aplaudir
clarify (klæ-ri-fai) v aclarar, clarificar
class (klaass) n clase f
classical (klæ-ssi-köl) adj clásico
classify (klæ-ssi-fai) v clasificar
class-mate (klaass-meit) n compañero de clase
classroom (klaass-ruum) n clase f
clause (kloos) n cláusula f
claw (kloo) n garra f
clay (klei) n arcilla f
clean (kliin) adj puro, limpio; v limpiar
cleaning (klii-ning) n limpieza f; ~ fluid quitamanchas m
clear (kliö) adj claro; v limpiar
clearing (kliö-ring) n claro m
cleft (klêft) n grieta f
clergyman (klöö-dʒi-mön) n (pl -men) pastor m; clérigo m
clerk (klaak) n empleado de oficina, oficinista m; escribano m; secretario m
clever (klê-vö) adj inteligente, astuto, listo
client (klai-önt) n cliente m
cliff (klif) n acantilado m, farallón m
climate (klai-mit) n clima m
climb (klaim) v trepar; n subida f
clinic (kli-nik) n clínica f
cloak (klouk) n capa f

cloakroom (*klouk*-ruum) *n* guardarropa *m*

clock (klok) *n* reloj *m*; **at ... o'clock** a las ...

cloister (*kloi*-sstö) *n* convento *m*

close[1] (klous) *v* *cerrar

close[2] (klouss) *adj* cercano

closet (*klo*-sit) *n* armario *m*

cloth (kloz) *n* tela *f*; paño *m*

clothes (klouðs) *pl* ropa *f*, vestidos *mpl*

clothes-brush (*klouðs*-braʃ) *n* cepillo de la ropa

clothing (*klou*-ðing) *n* vestido *m*

cloud (klaud) *n* nube *f*

cloud-burst (*klaud*-böösst) *n* chaparrón *m*

cloudy (*klau*-di) *adj* cubierto, nublado

clover (*klou*-vö) *n* trébol *m*

clown (klaun) *n* payaso *m*

club (klab) *n* club *m*; círculo *m*, asociación *f*; porra *f*, garrote *m*

clumsy (*klam*-si) *adj* torpe

clutch (klach) *n* embrague *m*; apretón *m*

coach (kouch) *n* autobús *m*; vagón *m*; carroza *f*; entrenador *m*

coachwork (*kouch*-ᵘöök) *n* carrocería *f*

coagulate (kou-æ-ghyu-leit) *v* coagularse

coal (koul) *n* carbón *m*

coarse (kooss) *adj* burdo; grosero

coast (kousst) *n* costa *f*

coat (kout) *n* sobretodo *m*, abrigo *m*

coat-hanger (*kout*-hæng-ö) *n* percha *f*

cobweb (*kob*-ᵘêb) *n* tela de araña

cocaine (kou-*kein*) *n* cocaína *f*

cock (kok) *n* gallo *m*

cocktail (*kok*-teil) *n* cóctel *m*

coconut (*kou*-kö-nat) *n* coco *m*

cod (kod) *n* (pl ~) bacalao *m*

code (koud) *n* código *m*

coffee (*ko*-fi) *n* café *m*

cognac (*ko*-nyæk) *n* coñac *m*

coherence (kou-*hi*ᵒ-rönss) *n* coherencia *f*

coin (koin) *n* moneda *f*

coincide (kou-in-*ssaid*) *v* coincidir

cold (kould) *adj* frío; *n* frío *m*; resfriado *m*; **catch a ~** resfriarse

collapse (kö-*læpss*) *v* desplomarse, derrumbarse

collar (*ko*-lö) *n* collar *m*; cuello *m*; ~ **stud** botón del cuello

collarbone (*ko*-lö-boun) *n* clavícula *f*

colleague (*ko*-liigh) *n* colega *m*

collect (kö-*lêkt*) *v* juntar; recoger; *hacer una colecta

collection (kö-*lêk*-ʃön) *n* colección *f*; recogida *f*

collective (kö-*lêk*-tiv) *adj* colectivo

collector (kö-*lêk*-tö) *n* coleccionista *m*; colector *m*

college (*ko*-lidʒ) *n* colegio *m*

collide (kö-*li*-*aid*) *v* chocar

collision (kö-*li*-ʒön) *n* colisión *f*

Colombia (kö-*lom*-bi-ö) Colombia *f*

Colombian (kö-*lom*-bi-ön) *adj* colombiano

colonel (*köö*-nöl) *n* coronel *m*

colony (*ko*-lö-ni) *n* colonia *f*

colour (*ka*-lö) *n* color *m*; *v* colorear; ~ **film** película en colores

colourant (*ka*-lö-rönt) *n* colorante *m*

colour-blind (*ka*-lö-blaind) *adj* daltoniano

coloured (*ka*-löd) *adj* de color

colourful (*ka*-lö-föl) *adj* colorado, lleno de color

column (*ko*-löm) *n* columna *f*

coma (*kou*-mö) *n* coma *m*

comb (koum) *v* peinar; *n* peine *m*

combat (*kom*-bæt) *n* lucha *f*, combate *m*; *v* combatir

combination (kom-bi-*nei*-ʃön) *n* combinación *f*

combine (köm-*bain*) *v* combinar; unir

*come (kam) *v* *venir; ~ **across** *encontrar; hallar

comedian (kö-*mii*-di-ön) *n* comediante *m*; cómico *m*

comedy (*ko*-mö-di) *n* comedia *f*; **musical** ~ comedia musical

comfort (*kam*-föt) *n* comodidad *f*, confort *m*; consuelo *m*; *v* *consolar

comfortable (*kam*-fö-tö-böl) *adj* confortable

comic (*ko*-mik) *adj* cómico

comics (*ko*-mikss) *pl* tebeo *m*

coming (*ka*-ming) *n* llegada *f*

comma (*ko*-mö) *n* coma *f*

command (kö-*maand*) *v* mandar; *n* orden *f*

commander (kö-*maan*-dö) *n* comandante *m*

commemoration (kö-mê-mö-*rei*-[ö]n) *n* conmemoración *f*

commence (kö-*mênss*) *v* *comenzar

comment (*ko*-mênt) *n* comentario *m*; *v* comentar

commerce (*ko*-mööss) *n* comercio *m*

commercial (kö-*möö*-[ö]l) *adj* comercial; *n* anuncio publicitario; ~ **law** derecho comercial

commission (kö-*mi*-[ö]n) *n* comisión *f*

commit (kö-*mit*) *v* confiar, entregar; cometer

committee (kö-*mi*-ti) *n* comisión *f*, comité *m*

common (*ko*-mön) *adj* común; usual; ordinario

commune (*ko*-myuun) *n* comuna *f*

communicate (kö-*myuu*-ni-keit) *v* comunicar

communication (kö-myuu-ni-*kei*-[ö]n) *n* comunicación *f*

communiqué (kö-*myuu*-ni-kei) *n* comunicado *m*

communism (*ko*-myu-ni-söm) *n* comunismo *m*

community (kö-*myuu*-nö-ti) *n* sociedad *f*, vecindario *m*

commuter (kö-*myuu*-tö) *n* suburbano *m*

compact (*kom*-pækt) *adj* compacto

compact disc (*kom*-pækt dissk) *n* disco compacto *m*; ~ **player** reproductor de discos compactos

companion (köm-*pæ*-nyön) *n* compañero *m*

company (*kam*-pö-ni) *n* compañía *f*; sociedad *f*

comparative (köm-*pæ*-rö-tiv) *adj* relativo

compare (köm-*pê*[ö]) *v* comparar

comparison (köm-*pæ*-ri-ssön) *n* comparación *f*

compartment (köm-*paat*-mönt) *n* compartimento *m*

compass (*kam*-pöss) *n* brújula *f*

compel (köm-*pêl*) *v* compeler

compensate (*kom*-pön-sseit) *v* compensar

compensation (kom-pön-*ssei*-[ö]n) *n* compensación *f*; indemnización *f*

compete (köm-*piit*) *v* *competir

competition (köm-pö-*ti*-[ö]n) *n* concurso *m*; competencia *f*

competitor (köm-*pê*-ti-tör) *n* competidor *m*

compile (köm-*pail*) *v* compilar

complain (köm-*plein*) *v* quejarse

complaint (köm-*pleint*) *n* queja *f*

complete (köm-*pliit*) *adj* completo; *v* completar

completely (köm-*pliit*-li) *adv* enteramente, totalmente, completamente

complex (*kom*-plêkss) *n* complejo *m*; *adj* complejo

complexion (köm-*plêk*-[ö]n) *n* tez *f*

complicated (*kom*-pli-kei-tid) *adj* complicado

compliment (*kom*-pli-mönt) *n* cumpli-

miento *m*; *v* cumplimentar
compose (köm-*pous*) *v* *componer
composer (köm-*pou*-sö) *n* compositor
m
composition (kom-pö-*si*-∫ön) *n* composición *f*
comprehensive (kom-pri-*hên*-ssiv) *adj* extenso
comprise (köm-*prais*) *v* comprender
compromise (*kom*-prö-mais) *n* compromiso *m*
compulsory (köm-*pal*-ssö-ri) *adj* obligatorio
computer (köm-*pyu*-tö) *n* ordenador *m*
comrade (*kom*-reid) *n* camarada *m*
conceal (kön-*ssiil*) *v* disimular
conceited (kön-*ssii*-tid) *adj* presuntuoso
conceive (kön-*ssiiv*) *v* *concebir, *entender; imaginar
concentrate (*kon*-ssön-treit) *v* concentrarse
concentration (kon-ssön-*trei*-∫ön) *n* concentración *f*
concern (kön-*ssöön*) *v* *concernir, atañer; *n* preocupación *f*; asunto *m*; empresa *f*, consorcio *m*
concerned (kön-*ssöönd*) *adj* preocupado; interesado
concerning (kön-*ssöö*-ning) *prep* en lo que se refiere a, concerniente a
concert (*kon*-ssöt) *n* concierto *m*; ~ **hall** sala de conciertos
concession (kön-*ssê*-∫ön) *n* concesión *f*
concierge (kong-ssi-*ê*ᵒჳ) *n* conserje *m*
concise (kön-*ssaiss*) *adj* conciso
conclusion (köng-*kluu*-ჳön) *n* conclusión *f*
concrete (*kong*-kriit) *adj* concreto; *n* hormigón *m*
concurrence (köng-*ka*-rönss) *n* coincidencia *f*

concussion (köng-*ka*-∫ön) *n* conmoción cerebral
condemn (kön-*dêm*) *v* condenar
condition (kön-*di*-∫ön) *n* condición *f*; estado *m*; circunstancia *f*
conditional (kön-*di*-∫ö-nöl) *adj* condicional
conditioner (kön-*di*-∫ö-nö) *n* suavizante de cabello *m*
condom (*kon*-dom) *n* preservativo *m*
conduct (*kon*-dakt) *n* conducta *f*
conductor (kön-*dak*-tö) *n* cobrador *m*; director *m*; conductor *mMe*
conference (*kon*-fö-rönss) *n* conferencia *f*
confess (kön-*fêss*) *v* *reconocer; *confesarse; profesar
confession (kön-*fê*-∫ön) *n* confesión *f*
confidence (*kon*-fi-dönss) *n* confianza *f*
confident (*kon*-fi-dönt) *adj* lleno de confianza
confidential (kon-fi-*dên*-∫öl) *adj* confidencial
confirm (kön-*fööm*) *v* confirmar
confirmation (kon-fö-*mei*-∫ön) *n* confirmación *f*
confiscate (*kon*-fi-sskeit) *v* embargar, confiscar
conflict (*kon*-flikt) *n* conflicto *m*
confuse (kön-*fyuus*) *v* confundir; **confused** *adj* confuso
confusion (kön-*fyuu*-ჳön) *n* confusión *f*
congratulate (köng-*ghræ*-chu-leit) *v* felicitar
congratulation (köng-ghræ-chu-*lei*-∫ön) *n* felicitación *f*
congregation (kong-ghri-*ghei*-∫ön) *n* comunidad *f*, congregación *f*
congress (*kong*-ghrêss) *n* congreso *m*
connect (kö-*nêkt*) *v* conectar
connection (kö-*nêk*-∫ön) *n* relación *f*; conexión *f*; enlace *m*

connoisseur (ko-nö-*ssöö*) *n* perito *m*

connotation (ko-nö-*tei*-ʃön) *n* connotación *f*

conquer (*kong*-kö) *v* conquistar; vencer

conqueror (*kong*-kö-rö) *n* conquistador *m*

conquest (*kong*-kᵘêsst) *n* conquista *f*

conscience (*kon*-ʃönss) *n* conciencia *f*

conscious (*kon*-ʃöss) *adj* consciente

consciousness (*kon*-ʃöss-nöss) *n* conciencia *f*

conscript (*kon*-sskript) *n* quinto *m*

consent (kön-*ssênt*) *v* *consentir; *n* consentimiento *m*

consequence (*kon*-ssi-kᵘönss) *n* consecuencia *f*

consequently (*kon*-ssi-kᵘönt-li) *adv* por consiguiente

conservative (kön-*ssöö*-vö-tiv) *adj* conservador

consider (kön-*ssi*-dö) *v* considerar; opinar

considerable (kön-*ssi*-dö-rö-böl) *adj* considerable; importante, notable

considerate (kön-*ssi*-dö-röt) *adj* considerado

consideration (kön-ssi-dö-*rei*-ʃön) *n* consideración *f*; atención *f*

considering (kön-*ssi*-dö-ring) *prep* considerando

consignment (kön-*ssain*-mönt) *n* envío *m*

consist of (kön-*ssisst*) constar de

conspire (kön-*sspai*ᵒ) *v* conspirar

constant (*kon*-sstönt) *adj* constante

constipated (*kon*-ssti-pei-tid) *adj* estreñido

constipation (kon-ssti-*pei*-ʃön) *n* estreñimiento *m*

constituency (kön-*ssti*-chu-ön-ssi) *n* distrito electoral

constitution (kön-ssti-*tyuu*-ʃön) *n* constitución *f*

construct (kön-*sstrakt*) *v* *construir; edificar

construction (kön-*sstrak*-ʃön) *n* construcción *f*; edificio *m*

consul (*kon*-ssöl) *n* cónsul *m*

consulate (*kon*-ssyu-löt) *n* consulado *m*

consult (kön-*ssalt*) *v* consultar

consultation (kon-ssöl-*tei*-ʃön) *n* consulta *f*; ~ **hours** *n* horas de consulta

consumer (kön-*ssyuu*-mö) *n* consumidor *m*

contact (*kon*-tækt) *n* contacto *m*; *v* *ponerse en contacto con; ~ **lenses** lentillas *fpl*

contagious (kön-*tei*-dʒöss) *adj* contagioso

contain (kön-*tein*) *v* *contener; comprender

container (kön-*tei*-nö) *n* receptáculo *m*; contenedor *m*

contemporary (kön-*têm*-pö-rö-ri) *adj* contemporáneo; de entonces; *n* contemporáneo *m*

contempt (kön-*têmpt*) *n* desprecio *m*, menosprecio *m*

content (kön-*tênt*) *adj* contento

contents (*kon*-têntss) *pl* contenido *m*

contest (*kon*-têsst) *n* lucha *f*; concurso *m*

continent (*kon*-ti-nönt) *n* continente *m*

continental (kon-ti-*nên*-töl) *adj* continental

continual (kön-*ti*-nyu-öl) *adj* continuo

continue (kön-*ti*-nyuu) *v* continuar; *proseguir, durar

continuous (kön-*ti*-nyu-öss) *adj* continuo, ininterrumpido

contour (*kon*-tuᵒ) *n* contorno *m*

contraceptive (kon-trö-*ssêp*-tiv) *n* anticonceptivo *m*

contract[1] (*kon*-trækt) *n* contrato *m*

contract² (kön-*trækt*) v atrapar

contractor (kön-*træk*-tö) n contratista m

contradict (kon-trö-*dikt*) v *contradecir

contradictory (kon-trö-*dik*-tö-ri) adj contradictorio

contrary (*kon*-trö-ri) n contrario m; adj contrario; **on the ~** al contrario

contrast (*kon*-traasst) n contraste m; diferencia f

contribution (kon-tri-*byuu*-[jön) n contribución f

control (kön-*troul*) n control m; v controlar

controversial (kon-trö-*vöö*-[jöl) adj controvertido, controvertible

convenience (kön-*vii*-nyönss) n comodidad f

convenient (kön-*vii*-nyönt) adj cómodo; adecuado, conveniente

convent (*kon*-vönt) n convento m

conversation (kon-vö-*ssei*-[jön) n conversación f

convert (kön-*vööt*) v *convertir

convict¹ (kön-*vikt*) v convencer

convict² (*kon*-vikt) n condenado m

conviction (kön-*vik*-[jön) n convencimiento m; condena f

convince (kön-*vinss*) v convencer

convulsion (kön-*val*-[jön) n convulsión f

cook (kuk) n cocinero m; v cocinar; guisar, preparar

cooker (*ku*-kö) n cocina f; **gas ~** cocina de gas

cookery-book (*ku*-kö-ri-buk) n libro de cocina

cookie (*ku*-ki) nAm bizcocho m

cool (kuul) adj fresco; **cooling system** sistema de refrigeración

co-operation (kou-o-pö-*rei*-[jön) n cooperación f; colaboración f

co-operative (kou-*o*-pö-pö-rö-tiv) adj

cooperativo; cooperador; n cooperativa f

co-ordinate (kou-*oo*-di-neit) v coordinar

co-ordination (kou-oo-di-*nei*-[jön) n coordinación f

copper (*ko*-pö) n cobre m

copy (*ko*-pi) n copia f; ejemplar m; v copiar; imitar; **carbon ~** copia f

coral (*ko*-röl) n coral m

cord (kood) n cuerda f; cordón m

cordial (*koo*-di-öl) adj cordial

corduroy (*koo*-dö-roi) n pana f

core (koo) n núcleo m; corazón m

cork (kook) n corcho m; tapón m

corkscrew (*kook*-sskruu) n sacacorchos mpl

corn (koon) n grano m; cereales mpl, trigo m; callo m; **~ on the cob** maíz en la mazorca

corner (*koo*-nö) n esquina f

cornfield (*koon*-fiild) n trigal m

corpse (koopss) n cadáver m

corpulent (*koo*-pyu-lönt) adj corpulento; grueso, obeso

correct (kö-*rêkt*) adj correcto, justo; v *corregir

correction (kö-*rêk*-[jön) n corrección f; rectificación f

correctness (kö-*rêkt*-nöss) n exactitud f

correspond (ko-ri-*sspond*) v corresponderse; corresponder

correspondence (ko-ri-*sspon*-dönss) n correspondencia f

correspondent (ko-ri-*sspon*-dönt) n corresponsal m

corridor (*ko*-ri-doo) n pasillo m

corrupt (kö-*rapt*) adj corrupto; v corromper

corruption (kö-*rap*-[jön) n corrupción f

corset (*koo*-ssit) n corsé m

cosmetics (kos-*mê*-tikss) pl productos

cosméticos, cosméticos *mpl*

cost (kosst) *n* coste *m*; precio *m*

*** cost** (kosst) *v* *costar

cosy (*kou*-si) *adj* íntimo, confortable

cot (kot) *nAm* cama de tijera

cottage (*ko*-tidʒ) *n* casa de campo

cotton (*ko*-tön) *n* algodón *m*; de algodón

cotton-wool (*ko*-tön-ᵘul) *n* algodón *m*

couch (kauch) *n* diván *m*

cough (kof) *n* tos *f*; *v* toser

could (kud) *v* (p can)

council (*kaun*-ssöl) *n* consejo *m*

councillor (*kaun*-ssö-lö) *n* consejero *m*

counsel (*kaun*-ssöl) *n* consejo *m*

counsellor (*kaun*-ssö-lö) *n* consejero *m*

count (kaunt) *v* *contar; adicionar; *incluir; considerar; *n* conde *m*

counter (*kaun*-tö) *n* mostrador *m*; barra *f*

counterfeit (*kaun*-tö-fiit) *v* falsificar

counterfoil (*kaun*-tö-foil) *n* talón *m*

counterpane (*kaun*-tö-pein) *n* colcha *f*

countess (*kaun*-tiss) *n* condesa *f*

country (*kan*-tri) *n* país *m*; campo *m*; región *f*; ~ **house** quinta *f*

countryman (*kan*-tri-mön) *n* (pl -men) compatriota *m*

countryside (*kan*-tri-ssaid) *n* campo *m*

county (*kaun*-ti) *n* condado *m*

couple (*ka*-pöl) *n* pareja *f*

coupon (*kuu*-pon) *n* cupón *m*

courage (*ka*-ridʒ) *n* valor *m*

courageous (kö-*rei*-dʒöss) *adj* valiente

course (kooss) *n* rumbo *m*; plato *m*; curso *m*; **intensive** ~ curso intensivo; **of** ~ por supuesto

court (koot) *n* tribunal *m*; corte *f*

courteous (*köö*-ti-öss) *adj* cortés

cousin (*ka*-sön) *n* prima *f*, primo *m*

cover (*ka*-vö) *v* cubrir; *n* refugio *m*;

tapa *f*; cubierta *f*; ~ **charge** precio del cubierto

cow (kau) *n* vaca *f*

coward (*kau*-öd) *n* cobarde *m*

cowardly (*kau*-öd-li) *adj* cobarde

cow-hide (*kau*-haid) *n* cuero vacuno

crab (kræb) *n* cangrejo *m*

crack (kræk) *n* crujido *m*; hendidura *f*; *v* crujir; *quebrar, *reventar

cradle (*krei*-döl) *n* cuna *f*

cramp (kræmp) *n* calambre *m*

crane (krein) *n* grúa *f*

crankcase (*krængk*-keiss) *n* cárter *m*

crankshaft (*krængk*-ʃaaft) *n* cigüeñal *m*

crash (kræʃ) *n* choque *m*; *v* chocar; precipitarse; ~ **barrier** barrera de protección

crate (kreit) *n* caja *f*

crater (*krei*-tö) *n* cráter *m*

crawl (krool) *v* arrastrarse; *n* crawl *m*

craze (kreis) *n* manía *f*

crazy (*krei*-si) *adj* loco

creak (kriik) *v* crujir

cream (kriim) *n* crema *f*; nata *f*; *adj* de color crema

creamy (*krii*-mi) *adj* cremoso

crease (kriiss) *v* *plegar; *n* raya *f*; pliegue *m*

create (kri-*eit*) *v* crear

creature (*krii*-chö) *n* criatura *f*; ser *m*

credible (*krê*-di-böl) *adj* verosímil

credit (*krê*-dit) *n* crédito *m*; *v* acreditar; ~ **card** tarjeta de crédito

creditor (*krê*-di-tö) *n* acreedor *m*

credulous (*krê*-dyu-löss) *adj* crédulo

creek (kriik) *n* ensenada *f*

*** creep** (kriip) *v* gatear

creepy (*krii*-pi) *adj* lúgubre, espeluznante

cremate (kri-*meit*) *v* incinerar

cremation (kri-*mei*-ʃön) *n* incineración *f*

crew (kruu) *n* equipo *m*

cricket (*kri*-kit) *n* cricquet *m*; grillo *m*

crime (kraim) *n* crimen *m*

criminal (*kri*-mi-nöl) *n* delincuente *m*, criminal *m*; *adj* criminal; ~ **law** derecho penal

criminality (kri-mi-*næ*-lö-ti) *n* criminalidad *f*

crimson (*krim*-sön) *adj* carmesí

crippled (*kri*-pöld) *adj* estropeado

crisis (*krai*-ssiss) *n* (pl crises) crisis *f*

crisp (krissp) *adj* crujiente, quebradizo

critic (*kri*-tik) *n* crítico *m*

critical (*kri*-ti-köl) *adj* crítico; precario

criticism (*kri*-ti-ssi-söm) *n* crítica *f*

criticize (*kri*-ti-ssais) *v* criticar

crochet (*krou*-ʃei) *v* *hacer croché

crockery (*kro*-kö-ri) *n* cerámica *f*, loza *f*

crocodile (*kro*-kö-dail) *n* cocodrilo *m*

crooked (*kru*-kid) *adj* torcido, curvo; deshonesto

crop (krop) *n* cosecha *f*

cross (kross) *v* *atravesar; *adj* enojado, enfadado; *n* cruz *f*

cross-eyed (*kross*-aid) *adj* bizco

crossing (*kro*-ssing) *n* travesía *f*; encrucijada *f*; paso *m*; paso a nivel

crossroads (*kross*-rouds) *n* cruce *m*

crosswalk (*kross*-ᵁook) *nAm* cruce para peatones

crow (krou) *n* corneja *f*

crowbar (*krou*-baa) *n* pie de cabra

crowd (kraud) *n* masa *f*, muchedumbre *f*

crowded (*krau*-did) *adj* animado; repleto

crown (kraun) *n* corona *f*; *v* coronar

crucifix (*kruu*-ssi-fikss) *n* crucifijo *m*

crucifixion (kruu-ssi-*fik*-ʃön) *n* crucifixión *f*

crucify (*kruu*-ssi-fai) *v* crucificar

cruel (kruᵒl) *adj* cruel

cruise (kruus) *n* crucero *m*

crumb (kram-) *n* migaja *f*

crusade (kruu-*sseid*) *n* cruzada *f*

crust (krasst) *n* corteza *f*

crutch (kratch) *n* muleta *f*

cry (krai) *v* llorar; gritar; llamar; *n* grito *m*; voz *f*

crystal (*kri*-sstöl) *n* cristal *m*; *adj* de cristal

Cuba (*kyuu*-bö) Cuba *f*

Cuban (*kyuu*-bön) *adj* cubano

cube (kyuub) *n* cubo *m*

cuckoo (*ku*-kuu) *n* cuclillo *m*

cucumber (*kyuu*-köm-bö) *n* pepino *m*

cuddle (*ka*-döl) *v* acariciar

cudgel (*ka*-dʒöl) *n* garrote *m*

cuff (kaf) *n* puño *m*

cuff-links (*kaf*-lingkss) *pl* gemelos *mpl*; mancuernillas *fplMe*

cul-de-sac (*kal*-dö-ssæk) *n* callejón sin salida

cultivate (*kal*-ti-veit) *v* cultivar

culture (*kal*-chö) *n* cultura *f*

cultured (*kal*-chöd) *adj* culto

cunning (*ka*-ning) *adj* astuto

cup (kap) *n* taza *f*; copa *f*

cupboard (*ka*-böd) *n* armario *m*

curb (köob) *n* bordillo *m*; *v* refrenar

cure (kyuᵒ) *v* curar; *n* cura *f*; curación *f*

curio (*kyu*ᵒ-ri-ou) *n* (pl ~s) curiosidad *f*

curiosity (kyuᵒ-ri-*o*-ssö-ti) *n* curiosidad *f*

curious (*kyu*ᵒ-ri-öss) *adj* curioso

curl (kööl) *v* rizar; *n* rizo *m*

curler (*köö*-lö) *n* rulo *m*

curling-tongs (*köö*-ling-tongs) *pl* rizador *m*

curly (*köö*-li) *adj* crespo; chino *adjMe*

currant (*ka*-rönt) *n* pasa de Corinto; grosella *f*

currency (*ka*-rön-ssi) *n* moneda *f*; **foreign** ~ moneda extranjera

current (*ka*-rönt) *n* corriente *f*; *adj* corriente; **alternating** ~ corriente alterna; **direct** ~ corriente continua

curry (*ka*-ri) *n* cari *m*

curse (*kööss*) *v* *maldecir; *n* maldición *f*

curtain (*köö*-tön) *n* cortina *f*; telón *m*

curve (*kööv*) *n* curva *f*

curved (*köövd*) *adj* curvado, encorvado

cushion (*ku*-fön) *n* almohadón *m*

custodian (ka-*sstou*-di-ön) *n* guarda *m*

custody (*ka*-sstö-di) *n* detención *f*; custodia *f*; tutela *f*

custom (*ka*-sstöm) *n* costumbre *f*

customary (*ka*-sstö-mö-ri) *adj* usual, corriente, acostumbrado

customer (*ka*-sstö-mö) *n* cliente *m*

Customs (*ka*-sstöms) *pl* aduana *f*; ~ **duty** impuesto *m*; ~ **officer** oficial de aduanas

cut (kat) *n* incisión *f*; cortadura *f*

*cut (kat) *v* cortar; *reducir; ~ **off** cortar

cutlery (*kat*-lö-ri) *n* cubiertos *mpl*

cutlet (*kat*-löt) *n* chuleta *f*

cycle (*ssai*-köl) *n* biciclo *m*; bicicleta *f*; ciclo *m*

cyclist (*ssai*-klisst) *n* ciclista *m*

cylinder (*ssi*-lin-dö) *n* cilindro *m*; ~ **head** culata del cilindro

Cyprus (*ssai*-prös) Chipre *f*

cystitis (ssi-*sstai*-tiss) *n* cistitis *f*

Czech (chêk) *adj* checo

D

dad (dæd) *n* papá *m*

daddy (*dæ*-di) *n* papaíto *m*

daffodil (*dæ*-fö-dil) *n* narciso *m*

daily (*dei*-li) *adj* diario; *n* diario *m*

dairy (*dê*ᵒ-ri) *n* lechería *f*

dam (dæm) *n* presa *f*; dique *m*

damage (*dæ*-midʒ) *n* perjuicio *m*; *v* dañar

damp (dæmp) *adj* húmedo; mojado; *n* humedad *f*; *v* *humedecer

dance (daanss) *v* bailar; *n* baile *m*

dandelion (*dæn*-di-lai-ön) *n* diente de león

dandruff (*dæn*-dröf) *n* caspa *f*

Dane (dein) *n* danés *m*

danger (*dein*-dʒö) *n* peligro *m*

dangerous (*dein*-dʒö-röss) *adj* peligroso

Danish (*dei*-nif) *adj* danés

dare (dê*ᵒ*) *v* atreverse, osar; desafiar

daring (*dê*ᵒ-ring) *adj* atrevido

dark (daak) *adj* oscuro, obscuro; *n* oscuridad *f*

darling (*daa*-ling) *n* amor *m*, querido *m*

darn (daan) *v* zurcir

dash (dæf) *v* correr; *n* guión *m*

dashboard (*dæf*-bood) *n* tablero de instrumentos

data (*dei*-tö) *pl* dato *m*

date[1] (deit) *n* fecha *f*; cita *f*; *v* datar; **out of** ~ anticuado

date[2] (deit) *n* dátil *m*

daughter (*doo*-tö) *n* hija *f*

dawn (doon) *n* alba *f*; aurora *f*

day (dei) *n* día *m*; **by** ~ de día; ~ **trip** jornada *f*; **per** ~ a diario; **the** ~ **before yesterday** anteayer

daybreak (*dei*-breik) *n* amanecer *m*

daylight (*dei*-lait) *n* luz del día

dead (dêd) *adj* muerto; difunto

deaf (dêf) *adj* sordo

deal (diil) *n* transacción *f*

*deal (diil) *v* repartir; ~ **with** *v* tratar con; *hacer negocios con

dealer (*dii*-lö) *n* negociante *m*, comerciante *m*

dear (di*ᵒ*) *adj* querido; caro; amado

death (dèz) *n* muerte *f*; ~ **penalty** pena de muerte

debate (di-*beit*) *n* debate *m*

debit (*dè*-bit) *n* debe *m*

debt (dèt) *n* deuda *f*

decaffeinated (dii-*kæ*-fi-nei-tid) *adj* descafeinado

deceit (di-*ssiit*) *n* engaño *m*

deceive (di-*ssiiv*) *v* engañar

December (di-*ssèm*-bö) diciembre

decency (*dii*-ssön-ssi) *n* decencia *f*

decent (*dii*-ssönt) *adj* decente

decide (di-*ssaid*) *v* decidir

decision (di-ssi-*zön*) *n* decisión *f*

deck (dèk) *n* cubierta *f*; ~ **cabin** camarote en cubierta; ~ **chair** silla de tijera

declaration (dè-klö-*rei*-fön) *n* declaración *f*

declare (di-*klê⁰*) *v* declarar; indicar

decoration (dè-kö-*rei*-fön) *n* decoración *f*

decrease (dii-*kriss*) *v* *reducir; *disminuir; *n* disminución *f*

dedicate (*dè*-di-keit) *v* dedicar

deduce (di-*dyuuss*) *v* *deducir

deduct (di-*dakt*) *v* *deducir

deed (diid) *n* acción *f*, acto *m*

deep (diip) *adj* hondo

deep-freeze (diip-*friis*) *n* congelador *m*

deer (di⁰) *n* (pl ~) ciervo *m*

defeat (di-*fiit*) *v* derrotar; *n* derrota *f*

defective (di-*fèk*-tiv) *adj* defectuoso

defence (di-*fènss*) *n* defensa *f*

defend (di-*fênd*) *v* *defender

deficiency (di-*fi*-fön-ssi) *n* deficiencia *f*

deficit (*dè*-fi-ssit) *n* déficit *m*

define (di-*fain*) *v* definir, determinar

definite (*dè*-fi-nit) *adj* determinado; definido

definition (dè-fi-*ni*-fön) *n* definición *f*

deformed (di-*foomd*) *adj* contrahecho,

deforme

degree (di-*ghrii*) *n* grado *m*; título *m*

delay (di-*lei*) *v* retardar; *diferir; *n* retraso *m*, tardanza *f*; dilación *f*

delegate (*dè*-li-ghöt) *n* delegado *m*

delegation (dè-li-*ghei*-fön) *n* delegación *f*

deliberate¹ (di-*li*-bö-reit) *v* discutir, deliberar

deliberate² (di-*li*-bö-röt) *adj* deliberado

deliberation (di-li-bö-*rei*-fön) *n* deliberación *f*

delicacy (*dè*-li-kö-ssi) *n* golosina *f*

delicate (*dè*-li-köt) *adj* delicado; fino

delicatessen (dè-li-kö-*tè*-ssön) *n* gollerías *fpl*; tienda de comestibles finos

delicious (di-*li*-föss) *adj* exquisito, delicioso

delight (di-*lait*) *n* delicia *f*, deleite *m*; *v* encantar

delightful (di-*lait*-föl) *adj* delicioso, deleitoso

deliver (di-*li*-vö) *v* entregar; librar

delivery (di-*li*-vö-ri) *n* entrega *f*, reparto *m*; parto *m*; liberación *f*; ~ **van** furgoneta *f*

demand (di-*maand*) *v* *requerir, exigir; *n* exigencia *f*; demanda *f*

democracy (di-*mo*-krö-ssi) *n* democracia *f*

democratic (dè-mö-*kræ*-tik) *adj* democrático

demolish (di-*mo*-lif) *v* *demoler

demolition (dè-mö-*li*-fön) *n* demolición *f*

demonstrate (*dè*-mön-sstreit) *v* *demostrar; *hacer una manifestación

demonstration (dè-mön-*sstrei*-fön) *n* manifestación *f*; demostración *f*

den (dèn) *n* madriguera *f*

Denmark (*dèn*-maak) Dinamarca *f*

denomination (di-no-mi-*nei*-fön) *n* denominación *f*

dense (dênss) *adj* denso

dent (dênt) *n* abolladura *f*

dentist (dên-tisst) *n* dentista *m*

denture (dên-chö) *n* dentadura posti-za

deny (di-nai) *v* *negar; *denegar

deodorant (dii-ou-dö-dö-rönt) *n* desodo-rante *m*

depart (di-paat) *v* partir; *fallecer

department (di-paat-mönt) *n* departa-mento *m*; ~ **store** grandes almace-nes

departure (di-paa-chö) *n* despedida *f*, partida *f*

dependant (di-pên-dönt) *adj* depen-diente

depend on (di-pênd) depender de

deposit (di-po-sit) *n* depósito *m*; fian-za *f*; capa *f*, yacimiento *m*; *v* ingre-sar

depository (di-po-si-tö-ri) *n* almacén *m*

depot (dé-pou) *n* almacén *m*; *nAm* estación *f*

depress (di-prêss) *v* deprimir

depression (di-prê-∫ön) *n* desánimo *m*; depresión *f*

deprive of (di-praiv) privar de

depth (dêpz) *n* profundidad *f*

deputy (dé-pyu-ti) *n* diputado *m*; sus-tituto *m*

descend (di-ssênd) *v* *descender

descendant (di-ssên-dönt) *n* descen-diente *m*

descent (di-ssênt) *n* bajada *f*

describe (di-sskraib) *v* describir

description (di-sskrip-∫ön) *n* descrip-ción *f*; señas personales

desert[1] (dé-söt) *n* desierto *m*; *adj* salvaje, desierto

desert[2] (di-söt) *v* desertar; dejar

deserve (di-sööv) *v* *merecer

design (di-sain) *v* diseñar; *n* diseño *m*; objetivo *m*

designate (dé-sigh-neit) *v* designar

desirable (di-sai⁰-rö-böl) *adj* deseable

desire (di-sai⁰) *n* deseo *m*; ganas *fpl*; *v* anhelar, desear

desk (dêssk) *n* escritorio *m*; pupitre *m*

despair (di-sspê⁰) *n* desesperación *f*; *v* *estar desesperado

despatch (di-sspæch) *v* despachar

desperate (dé-sspö-röt) *adj* desespera-do

despise (di-sspais) *v* despreciar

despite (di-sspait) *prep* a pesar de

dessert (di-sööt) *n* postre *m*

destination (dê-ssti-nei-∫ön) *n* destino *m*

destine (dé-sstin) *v* destinar

destiny (dé-ssti-ni) *n* destino *m*

destroy (di-sstroi) *v* *destruir

destruction (di-sstrak-∫ön) *n* destruc-ción *f*; ruina *f*

detach (di-tæch) *v* separar

detail (dii-teil) *n* particularidad *f*, de-talle *m*

detailed (dii-teild) *adj* detallado

detect (di-têkt) *v* descubrir

detective (di-têk-tiv) *n* detective *m*; ~ **story** novela policíaca

detergent (di-töö-dʒönt) *n* detergente *m*

determine (di-töö-min) *v* determinar

determined (di-töö-mind) *adj* resuelto

detour (di-tu⁶) *n* desvío *m*

devaluation (dii-væl-yu-ei-∫ön) *n* des-valorización *f*

devalue (dii-væl-yuu) *v* desvalorizar

develop (di-vê-löp) *v* desarrollar; re-velar

development (di-vê-löp-mönt) *n* desa-rrollo *m*

deviate (dii-vi-eit) *v* desviarse

devil (dé-völ) *n* diablo *m*

devise (di-vais) *v* idear

devote (di-vout) *v* dedicar

dew (dyuu) *n* rocío *m*

diabetes (dai-ö-*bii*-tiis) *n* diabetes *f*

diabetic (dai-ö-*bê*-tik) *n* diabético *m*

diagnose (dai-ögh-*nous*) *v* diagnosticar; *comprobar

diagnosis (dai-ögh-*nou*-ssiss) *n* (pl -ses) diagnosis *m*

diagonal (dai-æ-ghö-nöl) *n* diagonal *f*; *adj* diagonal

diagram (*dai*-ö-ghræm) *n* esquema *m*; gráfico *m*

dialect (*dai*-ö-lêkt) *n* dialecto *m*

diamond (*dai*-ö-mönd) *n* diamante *m*

diaper (*dai*-ö-pö) *nAm* pañal *m*

diaphragm (*dai*-ö-fræm) *n* membrana *f*

diarrhoea (dai-ö-*ri*-ö) *n* diarrea *f*

diary (*dai*-ö-ri) *n* agenda *f*; diario *m*

dictaphone (*dik*-tö-foun) *n* dictáfono *m*

dictate (dik-*teit*) *v* dictar

dictation (dik-*tei*-jön) *n* dictado *m*

dictator (dik-*tei*-tö) *n* dictador *m*

dictionary (*dik*-ʃö-nö-ri) *n* diccionario *m*

did (did) *v* (p do)

die (dai) *v* *morir

diesel (*dii*-söl) *n* diesel *m*

diet (*dai*-öt) *n* régimen *m*

differ (*di*-fö) *v* *diferir

difference (*di*-fö-rönss) *n* diferencia *f*; distinción *f*

different (*di*-fö-rönt) *adj* diferente; otro

difficult (*di*-fi-költ) *adj* difícil; fastidioso

difficulty (*di*-fi-köl-ti) *n* dificultad *f*; trabajo *m*

*dig (digh) *v* cavar

digest (di-*dʒêsst*) *v* *digerir

digestible (di-*dʒê*-sstö-böl) *adj* digerible

digestion (di-*dʒêss*-chön) *n* digestión *f*

digit (*di*-dʒit) *n* número *m*

digital (*di*-dʒi-töl) *adj* digital

dignified (*digh*-ni-faid) *adj* distinguido

dilapidated (di-*læ*-pi-dei-tid) *adj* ruinoso

diligence (*di*-li-dʒönss) *n* celo *m*, diligencia *f*

diligent (*di*-li-dʒönt) *adj* celoso, cuidadoso

dilute (dai-*lyuut*) *v* *diluir

dim (dim) *adj* deslucido, mate; oscuro, vago, difuso

dine (dain) *v* cenar

dinghy (*ding*-ghi) *n* chinchorro *m*

dining-car (*dai*-ning-kaa) *n* coche comedor

dining-room (*dai*-ning-ruum) *n* comedor *m*

dinner (*di*-nö) *n* comida principal; cena *f*

dinner-jacket (*di*-nö-dʒæ-kit) *n* smoking *m*

dinner-service (*di*-nö-ssöö-viss) *n* servicio de mesa

diphtheria (dif-*ziᵒ*-ri-ö) *n* difteria *f*

diploma (di-*plou*-mö) *n* diploma *m*

diplomat (*di*-plö-mæt) *n* diplomático *m*

direct (di-*rêkt*) *adj* directo; *v* dirigir; administrar

direction (di-*rêk*-jön) *n* dirección *f*; instrucción *f*; dirección de escena; administración *f*; **directions for use** modo de empleo

directive (di-*rêk*-tiv) *n* directriz *f*

director (di-*rêk*-tö) *n* director *m*; director de escena

dirt (dööt) *n* suciedad *f*

dirty (*döö*-ti) *adj* sucio

disabled (di-*ssei*-böld) *adj* minusválido, inválido

disadvantage (di-ssöd-*vaan*-tidʒ) *n* desventaja *f*

disagree (di-ssö-*ghrii*) *v* no *estar de

acuerdo, *disentir

disagreeable (di-ssö-*ghrii*-ö-böl) *adj*
desagradable

disappear (di-ssö-*piᵒ*) *v* *desaparecer

disappoint (di-ssö-*point*) *v* decepcionar

disappointment (di-ssö-*point*-mönt) *n*
desengaño *m*

disapprove (di-ssö-*pruuv*) *v* *desaprobar

disaster (di-*saa*-sstö) *n* desastre *m*;
catástrofe *f*, calamidad *f*

disastrous (di-*saa*-sströss) *adj* desastroso

disc (dissk) *n* disco *m*; **slipped** ~ hernia intervertebral

discard (di-*sskaad*) *v* desechar

discharge (diss-*chaadʒ*) *v* descargar;
~ **of** dispensar de

discipline (*di*-ssi-plin) *n* disciplina *f*

discolour (di-*sska*-lö) *v* *desteñirse;
discoloured descolorido

disconnect (di-sskö-*nêkt*) *v* desconectar

discontented (di-sskön-*tên*-tid) *adj*
descontento

discontinue (di-sskön-*ti*-nyuu) *v* suprimir, cesar

discount (*di*-sskaunt) *n* descuento *m*

discover (di-*sska*-vö) *v* descubrir

discovery (di-*sska*-vö-ri) *n* descubrimiento *m*

discuss (di-*sskass*) *v* discutir; debatir

discussion (di-*sska*-ʃön) *n* discusión
f; conversación *f*, debate *m*

disease (di-*siis*) *n* enfermedad *f*

disembark (di-ssim-*baak*) *v* desembarcar

disgrace (diss-*ghreiss*) *n* deshonor *m*

disguise (diss-*ghais*) *v* disfrazarse; *n*
disfraz *m*

disgusting (diss-*gha*-ssting) *adj* repugnante, asqueroso

dish (diʃ) *n* plato *m*; fuente *f*; guiso

m

dishonest (di-*sso*-nisst) *adj* improbo

disinfect (di-ssin-*fêkt*) *v* desinfectar

disinfectant (di-ssin-*fêk*-tönt) *n* desinfectante *m*

dislike (di-*sslaik*) *v* detestar, no gustar; *n* repugnancia *f*, aversión *f*, antipatía *f*

dislocated (*di*-sslö-kei-tid) *adj* dislocado

dismiss (diss-*miss*) *v* *despedir

disorder (di-*ssoo*-dö) *n* desorden *m*

dispatch (di-*sspæch*) *v* enviar, despachar

display (di-*ssplei*) *v* exhibir; *mostrar; *n* exposición *f*

displease (di-*sspliis*) *v* disgustar, desagradar

disposable (di-*sspou*-sö-böl) *adj* desechable

disposal (di-*sspou*-söl) *n* disposición *f*

dispose of (di-*sspous*) *disponer de

dispute (di-*sspyuut*) *n* disputa *f*; riña
f, contienda *f*; *v* *reñir, disputar

dissatisfied (di-*ssæ*-tiss-faid) *adj* insatisfecho

dissolve (di-*solv*) *v* *disolver

dissuade from (di-*ssᵘeid*) disuadir

distance (*di*-sstönss) *n* distancia *f*; ~
in kilometres kilometraje *m*

distant (*di*-sstönt) *adj* lejano

distinct (di-*sstingkt*) *adj* claro; distinto

distinction (di-*sstingk*-ʃön) *n* distinción *f*, diferencia *f*

distinguish (di-*ssting*-ghᵘiʃ) *v* distinguir

distinguished (di-*ssting*-ghᵘiʃt) *adj*
distinguido

distress (di-*sstrêss*) *n* peligro *m*; ~
signal señal de alarma

distribute (di-*sstri*-byuut) *v* *distribuir

distributor (di-*sstri*-byu-tö) *n* distribuidor *m*

district (*di*-sstrikt) *n* distrito *m*; comarca *f*; barrio *m*

disturb (di-*sstööb*) *v* estorbar, molestar

disturbance (di-*sstöö*-bönss) *n* disturbio *m*; confusión *f*

ditch (dich) *n* zanja *f*, cuneta *f*

dive (daiv) *v* bucear

diversion (dai-*vöö*-ʃön) *n* desvío *m*; diversión *f*

divide (di-*vaid*) *v* dividir; repartir; separar

divine (di-*vain*) *adj* divino

division (di-*vi*-ʒön) *n* división *f*; separación *f*; departamento *m*

divorce (di-*vooss*) *n* divorcio *m*; *v* divorciar

dizziness (*di*-si-nöss) *n* vértigo *m*

dizzy (*di*-si) *adj* mareado

*do (duu) *v* *hacer; *ser suficiente

dock (dok) *n* dock *m*; muelle *m*; *v* atracar

docker (*do*-kö) *n* obrero portuario

doctor (*dok*-tö) *n* médico *m*; doctor *m*

document (*do*-kyu-mönt) *n* documento *m*

dog (dogh) *n* perro *m*

dogged (*do*-ghid) *adj* obstinado

doll (dol) *n* muñeca *f*

dome (doum) *n* cúpula *f*

domestic (dö-*mê*-sstik) *adj* doméstico; interior; *n* sirviente *m*

domicile (*do*-mi-ssail) *n* domicilio *m*

domination (do-mi-*nei*-ʃön) *n* dominación *f*

dominion (dö-*mi*-nyön) *n* dominio *m*

donate (dou-*neit*) *v* donar

donation (dou-*nei*-ʃön) *n* donación *f*

done (dan) *v* (pp do)

donkey (*dong*-ki) *n* burro *m*

donor (*dou*-nö) *n* donante *m*

door (doo) *n* puerta *f*; **revolving** ~ puerta giratoria; **sliding** ~ puerta corrediza

doorbell (*doo*-bêl) *n* timbre *m*

door-keeper (*doo*-kii-pö) *n* portero *m*

doorman (*doo*-mön) *n* (pl -men) portero *m*

dormitory (*doo*-mi-tri) *n* dormitorio *m*

dose (douss) *n* dosis *f*

dot (dot) *n* punto *m*

double (*da*-böl) *adj* doble

doubt (daut) *v* dudar; *n* duda *f*; **without** ~ sin duda

doubtful (*daut*-föl) *adj* dudoso; inseguro

dough (dou) *n* masa *f*

down[1] (daun) *adv* abajo; hacia abajo; *adj* abatido; *prep* a lo largo de, debajo de; ~ **payment** primer pago

down[2] (daun) *n* flojel *m*

downpour (*daun*-poo) *n* aguacero *m*

downstairs (daun-*sstê*ºs) *adv* abajo

downstream (daun-*sstriim*) *adv* río abajo

down-to-earth (daun-tu-*ööz*) *adj* sensato

downwards (*daun*-ºöds) *adv* hacia abajo

dozen (*da*-sön) *n* (pl ~, ~s) docena *f*

draft (draaft) *n* giro *m*

drag (drægh) *v* arrastrar

dragon (*dræ*-ghön) *n* dragón *m*

drain (drein) *v* desecar; drenar; *n* desagüe *m*

drama (*draa*-mö) *n* drama *m*; tragedia *f*; teatro *m*

dramatic (drö-*mæ*-tik) *adj* dramático

dramatist (*dræ*-mö-tisst) *n* dramaturgo *m*

drank (drængk) *v* (p drink)

draper (*drei*-pö) *n* pañero *m*

drapery (*drei*-pö-ri) *n* pañería *f*

draught (draaft) *n* corriente de aire; **draughts** juego de damas

draught-board (*draaft*-bood) *n* tablero

de damas

draw (droo) *n* sorteo *m*

*draw (droo) *v* dibujar ; arrastrar ; sacar ; jalar *vMe* ; ~ **up** redactar

drawbridge (*droo*-bridʒ) *n* puente levadizo

drawer (*droo*-ö) *n* cajón *m* ; **drawers** calzoncillos *mpl*

drawing (*droo*-ing) *n* dibujo *m*

drawing-pin (*droo*-ing-pin) *n* chinche *f*

drawing-room (*droo*-ing-ruum) *n* salón *m*

dread (drêd) *v* temer ; *n* temor *m*

dreadful (*drêd*-föl) *adj* terrible, espantoso

dream (driim) *n* sueño *m*

*dream (driim) *v* *soñar

dress (drêss) *v* *vestir ; *vestirse ; vendar ; *n* vestido *m*

dressing-gown (*drê*-ssing-ghaun) *n* bata *f*

dressing-room (*drê*-ssing-ruum) *n* vestuario *m*

dressing-table (*drê*-ssing-tei-böl) *n* tocador *m*

dressmaker (*drêss*-mei-kö) *n* modista *f*

drill (dril) *v* taladrar ; entrenar ; *n* taladro *m*

drink (dringk) *n* aperitivo *m*, bebida *f*

*drink (dringk) *v* beber

drinking-water (*dring*-king-ᵘoo-tö) *n* agua potable

drip-dry (drip-*drai*) *adj* no precisa plancha

drive (draiv) *n* calzada *f* ; paseo en coche

*drive (draiv) *v* *conducir

driver (*drai*-vö) *n* conductor *m*

drizzle (*dri*-söl) *n* llovizna *f*

drop (drop) *v* dejar caer ; *n* gota *f*

drought (draut) *n* sequía *f*

drown (draun) *v* ahogar ; ***be**

drowned ahogarse

drug (dragh) *n* estupefaciente *m* ; medicamento *m*

drugstore (*dragh*-sstoo) *nAm* droguería *f*, farmacia *f* ; almacén *m*

drum (dram) *n* tambor *m*

drunk (drangk) *adj* (pp drink) borracho

dry (drai) *adj* seco ; *v* secar

dry-clean (drai-*kliin*) *v* limpiar en seco

dry-cleaner's (drai-*klii*-nös) *n* tintorería *f*

dryer (*drai*-ö) *n* secadora *f*

duchess (da-chiss) *n* duquesa *f*

duck (dak) *n* pato *m*

due (dyuu) *adj* aguardado ; adeudado ; debido

dues (dyuus) *pl* derechos *mpl*

dug (dagh) *v* (p, pp dig)

duke (dyuuk) *n* duque *m*

dull (dal) *adj* aburrido ; pálido, mate ; embotado

dumb (dam) *adj* mudo ; atontado, estúpido

dune (dyuun) *n* duna *f*

dung (dang) *n* abono *m*

dunghill (*dang*-hil) *n* estercolero *m*

duration (dyu-*rei*-ʃön) *n* duración *f*

during (*dyu*ᵒ-ring) *prep* durante

dusk (dassk) *n* crepúsculo *m*

dust (dasst) *n* polvo *m*

dustbin (*dasst*-bin) *n* cubo de la basura

dusty (*da*-ssti) *adj* polvoriento

Dutch (dach) *adj* holandés

Dutchman (*dach*-mön) *n* (pl -men) holandés *m*

dutiable (*dyuu*-ti-ö-böl) *adj* imponible

duty (*dyuu*-ti) *n* deber *m* ; tarea *f* ; arancel *m* ; **Customs** ~ impuesto de aduana

duty-free (dyuu-ti-*frii*) *adj* exento de impuestos

dwarf (dᵘoof) *n* enano *m*

dye (dai) v *teñir; n tintura f

dynamo (*dai*-nö-mou) n (pl ~s) dínamo f

dysentery (*di*-ssön-tri) n disentería f

E

each (iich) adj cada; ~ **other** el uno al otro

eager (*ii*-ghö) adj ansioso, impaciente

eagle (*ii*-ghöl) n águila m

ear (i⁰) n oreja f

earache (*i⁰*-reik) n dolor de oídos

ear-drum (*i⁰*-dram) n tímpano m

earl (ööl) n conde m

early (*öö*-li) adj temprano

earn (öön) v ganar

earnest (*öö*-nisst) n seriedad f

earnings (*öö*-nings) pl ingresos mpl, ganancias fpl

earring (*i⁰*-ring) n pendiente m

earth (ööz) n tierra f; suelo m

earthenware (*öö*-zön-᷅u̯êᵒ) n loza f

earthquake (*ööz*-kᵘeik) n terremoto m

ease (iis) n desenvoltura f, facilidad f; bienestar m

east (iisst) n este m

Easter (*ii*-sstö) Pascua

easterly (*ii*-sstö-li) adj oriental

eastern (*ii*-sstön) adj oriental

easy (*ii*-si) adj fácil; cómodo; ~ **chair** butaca f

easy-going (*ii*-si-ghou-ing) adj relajado

*eat (iit) v comer; cenar

eavesdrop (*iivs*-drop) v escuchar

ebony (*é*-bö-ni) n ébano m

eccentric (ik-*ssén*-trik) adj excéntrico

echo (*é*-kou) n (pl ~es) eco m

eclipse (i-*klipss*) n eclipse m

economic (ii-kö-*no*-mik) adj económi-co

economical (ii-kö-*no*-mi-köl) adj parsimonioso, económico

economist (i-*ko*-nö-misst) n economista m

economize (i-*ko*-nö-mais) v economizar

economy (i-*ko*-nö-mi) n economía f

ecstasy (*ék*-sstö-si) n éxtasis m

Ecuador (*é*-kᵘö-doo) Ecuador m

Ecuadorian (ê-kᵘö-*doo*-ri-ön) n ecuatoriano m

eczema (*ék*-ssi-mö) n eczema m

edge (êdʒ) n borde m

edible (*é*-di-böl) adj comestible

edition (i-*di*-ʃön) n edición f; **morning** ~ edición de mañana

editor (*é*-di-tö) n redactor m

educate (*é*-dʒu-keit) v formar, educar

education (ê-dʒu-*kei*-ʃön) n educación f

eel (iil) n anguila f

effect (i-*fékt*) n resultado m, efecto m; v efectuar; **in** ~ en realidad

effective (i-*fék*-tiv) adj eficaz

efficient (i-*fi*-ʃönt) adj eficiente

effort (*é*-föt) n esfuerzo m

egg (êgh) n huevo m

egg-cup (*êgh*-kap) n huevera f

eggplant (*êgh*-plaant) n berenjena f

egg-yolk (*êgh*-youk) n yema de huevo

egoistic (ê-ghou-*i*-sstik) adj egoísta

Egypt (*ii*-dʒipt) Egipto m

Egyptian (i-*dʒip*-ʃön) adj egipcio

eiderdown (*ai*-dö-daun) n edredón m

eight (eit) num ocho

eighteen (ei-*tiin*) num dieciocho

eighteenth (ei-*tiinz*) num decimoctavo

eighth (eitz) num octavo

eighty (*ei*-ti) num ochenta

either (*ai*-ðö) pron cualquiera de los dos; **either ... or** o ... o, bien ... bien

elaborate (i-*læ*-bö-reit) *v* elaborar

elastic (i-*læ*-sstik) *adj* elástico; flexible; ~ **band** cinta de goma

elasticity (ê-læ-*ssti*-ssö-ti) *n* elasticidad *f*

elbow (*êl*-bou) *n* codo *m*

elder (*êl*-dö) *adj* mayor

elderly (*êl*-dö-li) *adj* anciano

eldest (*êl*-disst) *adj* mayor

elect (i-*lêkt*) *v* *elegir

election (i-*lêk*-ſön) *n* elección *f*

electric (i-*lêk*-trik) *adj* eléctrico; ~ **razor** afeitadora eléctrica

electrician (i-lêk-*tri*-ſön) *n* electricista *m*

electricity (i-lêk-*tri*-ssö-ti) *n* electricidad *f*

electronic (i-lêk-*tro*-nik) *adj* electrónico; ~ **game** juego electrónico

elegance (*ê*-li-ghönss) *n* elegancia *f*

elegant (*ê*-li-ghönt) *adj* elegante

element (*ê*-li-mönt) *n* elemento *m*

elephant (*ê*-li-fönt) *n* elefante *m*

elevator (*ê*-li-vei-tö) *n Am* ascensor *m*; elevador *mMe*

eleven (i-*lê*-vön) *num* once

eleventh (i-*lê*-vönz) *num* onceno

elf (êlf) *n* (pl elves) duende *m*

eliminate (i-*li*-mi-neit) *v* eliminar

elm (êlm) *n* olmo *m*

else (êlss) *adv* si no

elsewhere (êl-ss*ᵘ*ᵉᵒ) *adv* otra parte

elucidate (i-*luu*-ssi-deit) *v* elucidar

emancipation (i-mæn-ssi-*pei*-ſön) *n* emancipación *f*

embankment (im-*bængk*-mönt) *n* terraplén *m*

embargo (êm-*baa*-ghou) *n* (pl ~es) embargo *m*

embark (im-*baak*) *v* embarcar

embarkation (êm-baa-*kei*-ſön) *n* embarcación *f*

embarrass (im-*bæ*-röss) *v* turbar; *desconcertar; estorbar; **embar-**rassed tímido

embassy (*êm*-bö-ssi) *n* embajada *f*

emblem (*êm*-blöm) *n* emblema *m*

embrace (im-*breiss*) *v* abrazar; *n* abrazo *m*

embroider (im-*broi*-dö) *v* bordar

embroidery (im-*broi*-dö-ri) *n* bordado *m*

emerald (*ê*-mö-röld) *n* esmeralda *f*

emergency (i-*möö*-dʒön-ssi) *n* caso de urgencia, urgencia *f*; emergencia *f*; ~ **exit** salida de emergencia

emigrant (*ê*-mi-ghrönt) *n* emigrante *m*

emigrate (*ê*-mi-ghreit) *v* emigrar

emigration (ê-mi-*ghrei*-ſön) *n* emigración *f*

emotion (i-*mou*-ſön) *n* emoción *f*

emperor (*êm*-pö-rö) *n* emperador *m*

emphasize (*êm*-fö-ssais) *v* enfatizar, acentuar

empire (*êm*-paiᵒ) *n* imperio *m*

employ (im-*ploi*) *v* emplear

employee (êm-ploi-*ii*) *n* empleado *m*

employer (im-*ploi*-ö) *n* patrón *m*

employment (im-*ploi*-mönt) *n* empleo *m*; ~ **exchange** oficina de colocación

empress (*êm*-priss) *n* emperatriz *f*

empty (*êmp*-ti) *adj* vacío; *v* vaciar

enable (i-*nei*-böl) *v* permitir

enamel (i-*næ*-möl) *n* esmalte *m*

enamelled (i-*næ*-möld) *adj* esmaltado

enchanting (in-*chaan*-ting) *adj* espléndido, encantador

encircle (in-*ssöö*-köl) *v* *circuir, cercar; *encerrar

enclose (ing-*klous*) *v* *incluir

enclosure (ing-*klou*-ʒö) *n* anexo *m*

encounter (ing-*kaun*-tö) *v* *encontrarse con; *n* encuentro *m*

encourage (ing-*ka*-ridʒ) *v* *alentar

encyclopaedia (ên-ssai-klö-*pii*-di-ö) *n* enciclopedia *f*

end (ènd) *n* fin *m*, extremo *m*; final *m*; *v* terminar, acabar; terminarse

ending (*én*-ding) *n* conclusión *f*

endless (*énd*-lòss) *adj* infinito

endorse (in-*dooss*) *v* visar, endosar

endure (in-*dyu*ᵒ) *v* soportar

enemy (*é*-nö-mi) *n* enemigo *m*

energetic (ê-nö-*dʒê*-tik) *adj* enérgico

energy (*é*-nö-dʒi) *n* energía *f*; fuerza *f*

engage (ing-*gheidʒ*) *v* emplear; reservar; comprometerse; **engaged** prometido; ocupado

engagement (ing-*gheidʒ*-mönt) *n* noviazgo *m*; compromiso *m*; ~ **ring** anillo de esponsales

engine (*én*-dʒin) *n* máquina *f*, motor *m*; locomotora *f*

engineer (ên-dʒi-*ni*ᵒ) *n* ingeniero *m*

England (*ing*-ghlönd) Inglaterra *f*

English (*ing*-ghliʃ) *adj* inglés

Englishman (*ing*-ghliʃ-mön) *n* (pl - men) inglés *m*

engrave (ing-*ghreiv*) *v* grabar

engraver (ing-*ghrei*-vö) *n* grabador *m*

engraving (ing-*ghrei*-ving) *n* estampa *f*; grabado *m*

enigma (i-*nigh*-mö) *n* enigma *m*

enjoy (in-*dʒoi*) *v* disfrutar, gozar

enjoyable (in-*dʒoi*-ö-böl) *adj* agradable, grato, deleitable; rico

enjoyment (in-*dʒoi*-mönt) *n* goce *m*

enlarge (in-*laadʒ*) *v* ampliar

enlargement (in-*laadʒ*-mönt) *n* ampliación *f*

enormous (i-*noo*-möss) *adj* gigantesco, enorme

enough (i-*naf*) *adv* bastante; *adj* suficiente

enquire (ing-*k*ᵘ*ai*ᵒ) *v* preguntar; investigar

enquiry (ing-*k*ᵘ*ai*ᵒ-ri) *n* información *f*; investigación *f*; encuesta *f*

enter (*ên*-tö) *v* entrar; inscribir

enterprise (*én*-tö-prais) *n* empresa *f*

entertain (ên-tö-*tein*) *v* *divertir, *entretener; hospedar

entertainer (ên-tö-*tei*-nö) *n* cómico *m*

entertaining (ên-tö-*tei*-ning) *adj* divertido, entretenido

entertainment (ên-tö-*tein*-mönt) *n* diversión *f*, entretenimiento *m*

enthusiasm (in-*zyuu*-si-æ-söm) *n* entusiasmo *m*

enthusiastic (in-zyuu-si-æ-sstik) *adj* entusiasta

entire (in-*tai*ᵒ) *adj* todo, entero

entirely (in-*tai*ᵒ-li) *adv* enteramente

entrance (*én*-trönss) *n* entrada *f*; acceso *m*

entrance-fee (*én*-trönss-fii) *n* entrada *f*

entry (*én*-tri) *n* entrada *f*, ingreso *m*; anotación *f*; **no** ~ prohibido el paso

envelope (*én*-vö-loup) *n* sobre *m*

envious (*ên*-vi-öss) *adj* envidioso, celoso

environment (in-*vai*ᵒ-rön-mönt) *n* medio ambiente; alrededores *mpl*

envoy (*én*-voi) *n* enviado *m*

envy (*én*-vi) *n* envidia *f*; *v* envidiar

epic (*ê*-pik) *n* poema épico; *adj* épico

epidemic (ê-pi-*dê*-mik) *n* epidemia *f*

epilepsy (*ê*-pi-lêp-ssi) *n* epilepsia *f*

epilogue (*ê*-pi-logh) *n* epílogo *m*

episode (*ê*-pi-ssoud) *n* episodio *m*

equal (*ii*-kᵘöl) *adj* igual; *v* igualar

equality (i-*k*ᵘ*o*-lö-ti) *n* igualdad *f*

equalize (*ii*-kᵘö-lais) *v* igualar

equally (*ii*-kᵘö-li) *adv* igualmente

equator (i-*k*ᵘ*ei*-tö) *n* ecuador *m*

equip (i-*k*ᵘ*ip*) *v* equipar

equipment (i-*k*ᵘ*ip*-mönt) *n* equipo *m*

equivalent (i-*k*ᵘ*i*-vö-lönt) *adj* equivalente

eraser (i-*rei*-sö) *n* goma de borrar

erect (i-*rêkt*) *v* erigir; *adj* erguido, recto; parado *adjMe*

err (öö) v *errar

errand (é-rönd) n recado m

error (ê-rö) n falta f, error m

escalator (é-sskö-lei-tö) n escalera móvil

escape (i-sskeip) v escaparse; *huir, escapar; n evasión f

escort[1] (é-sskoot) n escolta f

escort[2] (i-sskoot) v escoltar

especially (i-sspê-[ö-li) adv sobre todo, especialmente

essay (é-ssei) n ensayo m; tratado m, composición f

essence (é-ssönss) n esencia f; núcleo m

essential (i-ssén-[öl) adj indispensable; esencial

essentially (i-ssên-[ö-li) adv sobre todo

establish (i-sstæ-bli[) v *establecer; *comprobar

estate (i-ssteit) n propiedad f

esteem (i-sstiim) n respeto m, estima f; v estimar

estimate[1] (é-ssti-meit) v evaluar, estimar

estimate[2] (é-ssti-möt) n estimación f

estuary (éss-chu-ö-ri) n estuario m

etcetera (êt-ssé-tö-rö) etcétera

etching (é-ching) n aguafuerte f

eternal (i-töö-nöl) adj eterno

eternity (i-töö-nö-ti) n eternidad f

ether (ii-zö) n éter m

Ethiopia (i-zi-ou-pi-ö) Etiopía f

Ethiopian (i-zi-ou-pi-ön) adj etíope

Europe (yuº-röp) Europa f

European (yuº-rö-pii-ön) adj europeo

European Union (yuº-rö-pii-ön yuu-nyön) Unión Europea

evacuate (i-væ-kyu-eit) v evacuar

evaluate (i-væl-yu-eit) v evaluar

evaporate (i-væ-pö-reit) v evaporar

even (ii-vön) adj llano, plano, igual; constante; par; adv aun

evening (iiv-ning) n tarde f; ~ **dress** traje de etiqueta

event (i-vênt) n acontecimiento m; caso m

eventual (i-vên-chu-öl) adj eventual; final

ever (é-vö) adv jamás; siempre

every (êv-ri) adj cada

everybody (êv-ri-bo-di) pron todos

everyday (êv-ri-dei) adj cotidiano

everyone (êv-ri-ºan) pron cada uno, todo el mundo

everything (êv-ri-zing) pron todo

everywhere (êv-ri-ºêô) adv por todas partes

evidence (é-vi-dönss) n prueba f

evident (é-vi-dönt) adj evidente

evil (ii-völ) n mal m; adj malo, malvado

evolution (ii-vö-luu-[ön) n evolución f

exact (igh-sækt) adj exacto

exactly (igh-sækt-li) adv exactamente

exaggerate (igh-sæ-dʒö-reit) v exagerar

examination (igh-sæ-mi-nei-[ön) n examen m; interrogatorio m

examine (igh-sæ-min) v examinar

example (igh-saam-pöl) n ejemplo m; **for ~** por ejemplo

excavation (êkss-kö-vei-[ön) n excavación f

exceed (ik-ssiid) v exceder; superar

excel (ik-ssél) v distinguirse

excellent (êk-ssö-lönt) adj excelente

except (ik-ssêpt) prep excepto

exception (ik-ssêp-[ön) n excepción f

exceptional (ik-ssêp-[ö-nöl) adj extraordinario, excepcional

excerpt (êk-ssööpt) n extracto m

excess (ik-ssêss) n exceso m

excessive (ik-ssé-ssiv) adj excesivo

exchange (ikss-cheindʒ) v intercambiar, cambiar; n cambio m; bolsa f; ~ **office** oficina de cambio; ~

rate cambio *m*

excite (ik-*ssait*) *v* excitar

excitement (ik-*ssait*-mönt) *n* agitación *f*, excitación *f*

exciting (ik-*ssai*-ting) *adj* excitante

exclaim (ik-*sskleim*) *v* exclamar

exclamation (ēk-sskklö-*mei*-fön) *n* exclamación *f*

exclude (ik-*sskluud*) *v* *excluir

exclusive (ik-*sskluu*-ssiv) *adj* exclusivo

exclusively (ik-*sskluu*-ssiv-li) *adv* exclusivamente, únicamente

excursion (ik-*sskööö*-fön) *n* excursión *f*

excuse[1] (ik-*sskyuuss*) *n* excusa *f*

excuse[2] (ik-*sskyuus*) *v* excusar, disculpar

execute (*ēk*-ssi-kyuut) *v* ejecutar

execution (ēk-ssi-*kyuu*-fön) *n* ejecución *f*

executioner (ēk-ssi-*kyuu*-fö-nö) *n* verdugo *m*

executive (igh-*sē*-kyu-tiv) *adj* ejecutivo; *n* poder ejecutivo; ejecutivo *m*

exempt (igh-*ʒêmpt*) *v* dispensar, eximir; *adj* exento

exemption (igh-*sêmp*-fön) *n* exención *f*

exercise (*ēk*-ssö-ssais) *n* ejercicio *m*; *v* ejercitar; ejercer

exhale (ēkss-*heil*) *v* exhalar

exhaust (igh-*soosst*) *n* tubo de escape, escape *m*; *v* extenuar; ~ **gases** gases de escape

exhibit (igh-*si*-bit) *v* *exponer; exhibir

exhibition (ēk-ssi-*bi*-fön) *n* exposición *f*

exile (*ēk*-ssail) *n* exilio *m*; exiliado *m*

exist (igh-*sisst*) *v* existir

existence (igh-*si*-sstönss) *n* existencia *f*

exit (*ēk*-ssit) *n* salida *f*

exotic (igh-*so*-tik) *adj* exótico

expand (ik-*sspænd*) *v* *extender;

*desplegar

expect (ik-*sspêkt*) *v* aguardar, esperar

expectation (ēk-sspêk-*tei*-fön) *n* esperanza *f*

expedition (ēk-sspö-*di*-fön) *n* envío *m*; expedición *f*

expel (ik-*sspêl*) *v* expulsar

expenditure (ik-*sspên*-di-chö) *n* gasto *m*

expense (ik-*sspênss*) *n* gasto *m*

expensive (ik-*sspên*-ssiv) *adj* caro; costoso

experience (ik-*sspi*^{o}-ri-önss) *n* experiencia *f*; *v* experimentar, vivir; **experienced** experimentado

experiment (ik-*sspê*-ri-mönt) *n* prueba *f*, experimento *m*; *v* experimentar

expert (*ēk*-sspööt) *n* perito *m*, experto *m*; *adj* competente

expire (ik-*sspai*^{o}) *v* expirar, terminarse; espirar; **expired** caducado

expiry (ik-*sspai*^{o}-ri) *n* vencimiento *m*

explain (ik-*ssplein*) *v* explicar

explanation (ēk-ssplö-*nei*-fön) *n* aclaración *f*, explicación *f*

explicit (ik-*sspli*-ssit) *adj* expreso, explícito

explode (ik-*ssploud*) *v* estallar

exploit (ik-*ssploit*) *v* abusar de, explotar

explore (ik-*ssploo*) *v* explorar

explosion (ik-*ssplou*-ʒön) *n* explosión *f*

explosive (ik-*ssplou*-ssiv) *adj* explosivo; *n* explosivo *m*

export[1] (ik-*sspoot*) *v* exportar

export[2] (*ēk*-sspoot) *n* exportación *f*

exportation (ēk-sspoo-*tei*-fön) *n* exportación *f*

exports (*ēk*-sspootss) *pl* exportación *f*

exposition (ēk-sspö-*si*-fön) *n* exposición *f*

exposure (ik-*sspou*-ʒö) *n* exposición *f*; ~ **meter** exposímetro *m*

express (ik-*sspréss*) v expresar; *adj* expreso; explícito; ~ **train** tren expreso

expression (ik-*ssprê*-ʃön) n expresión f

exquisite (ik-*ssk*ᵘ*i*-sit) *adj* exquisito

extend (ik-*sstênd*) v prolongar; ampliar; conceder

extension (ik-*sstên*-ʃön) n prórroga f; ampliación f; extensión f; ~ **cord** cordón de extensión

extensive (ik-*sstên*-ssiv) *adj* extenso; vasto

extent (ik-*sstênt*) n dimensión f

exterior (êk-*ssti*ᵒ-ri-ö) *adj* exterior; n exterior m

external (êk-*sstöö*-nöl) *adj* exterior

extinguish (ik-*ssting*-gh*u*iʃ) v extinguir, apagar

extort (ik-*sstoot*) v extorsionar

extortion (ik-*sstoo*-ʃön) n extorsión f

extra (*êk*-sströ) *adj* extra

extract¹ (ik-*ssträkt*) v *extraer

extract² (*êk*-sströ-dait) v entregar

extradite (*êk*-sströ-dait) v entregar

extraordinary (ik-*sstroo*-dön-ri) *adj* extraordinario

extravagant (ik-*ssträ*-vö-ghönt) *adj* exagerado, extravagante

extreme (ik-*sstriim*) *adj* extremo; n extremo m

exuberant (igh-*syuu*-bö-rönt) *adj* exuberante

eye (ai) n ojo m

eyebrow (*ai*-brau) n ceja f

eyelash (*ai*-læʃ) n pestaña f

eyelid (*ai*-lid) n párpado m

eye-pencil (*ai*-pên-ssöl) n lápiz para las cejas

eye-shadow (*ai*-ʃæ-dou) n sombra para los ojos

eye-witness (*ai*-ᵘit-nöss) n testigo de vista

F

fable (*fei*-böl) n fábula f

fabric (*fæ*-brik) n tejido m; estructura f

façade (fö-*ssaad*) n fachada f

face (feiss) n cara f; v enfrentarse con; ~ **massage** masaje facial; **facing** enfrente de

face-cream (*feiss*-kriim) n crema facial

face-pack (*feiss*-pæk) n máscara facial

face-powder (*feiss*-pau-dö) n polvo facial

facility (fö-*ssi*-lö-ti) n facilidad f

fact (fækt) n hecho m; **in** ~ efectivamente

factor (*fæk*-tö) n factor m

factory (*fæk*-tö-ri) n fábrica f

factual (*fæk*-chu-öl) *adj* real

faculty (*fæ*-köl-ti) n facultad f; don m, aptitud f

fad (fæd) n antojo m

fade (feid) v *desteñirse

faience (fai-*angss*) n loza f

fail (feil) v fallar; faltar; omitir; *ser suspendido; **without** ~ sin falta

failure (*feil*-yö) n fracaso m; fiasco m

faint (feint) v desmayarse; *adj* débil, vago

fair (fê ᵒ) n feria f; *adj* justo; rubio; bonito

fairly (*fê* ᵒ-li) *adv* bastante, medianamente

fairy (*fê* ᵒ-ri) n hada f

fairytale (*fê* ᵒ-ri-teil) n cuento de hadas

faith (feiz) n fe f; confianza f

faithful (*feiz*-ful) *adj* fiel

fake (feik) n falsificación f

fall (fool) n caída f; nAm otoño m

***fall** (fool) v *caer

false (foolss) *adj* falso; inexacto; ~

teeth dentadura postiza
falter (*fool*-tö) v vacilar; balbucear
fame (feim) n fama f; reputación f
familiar (fö-*mil*-yö) adj familiar
family (*fæ*-mö-li) n familia f; ~ **name** apellido m
famous (*fei*-möss) adj famoso
fan (fæn) n ventilador m; abanico m; admirador m; ~ **belt** correa del ventilador
fanatical (fö-*næ*-ti-köl) adj fanático
fancy (*fæn*-ssi) v gustar, antojarse; imaginarse; n capricho m; imaginación f
fantastic (fæn-*tæ*-sstik) adj fantástico
fantasy (*fæn*-tö-si) n fantasía f
far (faa) adj lejano; adv mucho; **by** ~ con mucho; **so** ~ hasta ahora
far-away (*faa*-rö-ʷei) adj remoto
farce (faass) n sainete m, farsa f
fare (fê[ö]) n gastos de viaje, precio del billete; alimento m
farm (faam) n granja f
farmer (*faa*-mö) n granjero m; **farmer's wife** granjera f
farmhouse (*faam*-hauss) n cortijo m; rancho mMe
far-off (*faa*-rof) adj remoto
fascinate (*fæ*-ssi-neit) v cautivar
fascism (*fæ*-ʃi-söm) n fascismo m
fascist (*fæ*-ʃisst) adj fascista
fashion (*fæ*-ʃön) n moda f; modo m
fashionable (*fæ*-ʃö-nö-böl) adj a la moda
fast (faasst) adj rápido; firme
fast-dyed (faasst-*daid*) adj lavable, no destiñe
fasten (*faa*-ssön) v atar; *cerrar
fastener (*faa*-ssö-nö) n cierre m
fat (fæt) adj graso, gordo; n grasa f
fatal (*fei*-töl) adj fatal, mortal
fate (feit) n destino m
father (*faa*-ðö) n padre m
father-in-law (*faa*-ðö-rin-loo) n (pl fa-

thers-) suegro m
fatherland (*faa*-ðö-lönd) n patria f
fatness (*fæt*-nöss) n obesidad f
fatty (*fæ*-ti) adj grasiento
faucet (*foo*-ssit) nAm grifo m
fault (foolt) n culpa f; imperfección f, defecto m
faultless (*foolt*-löss) adj impecable; perfecto
faulty (*fool*-ti) adj defectuoso
favour (*fei*-vö) n favor m; v *favorecer
favourable (*fei*-vö-rö-böl) adj favorable
favourite (*fei*-vö-rit) n favorito m; adj preferido
fax (fakss) n telefax m; **send a** ~ mandar un telefax
fear (fi[ö]) n temor m, miedo m; v temer
feasible (*fii*-sö-böl) adj realizable
feast (fiisst) n fiesta f
feat (fiit) n gran trabajo
feather (*fê*-ðö) n pluma f
feature (*fii*-chö) n característica f; rasgo m
February (*fê*-bru-ö-ri) febrero
federal (*fê*-dö-röl) adj federal
federation (fê-dö-*rei*-ʃön) n federación f
fee (fii) n honorarios mpl
feeble (*fii*-böl) adj débil
***feed** (fiid) v alimentar; **fed up with** harto de
***feel** (fiil) v *sentir; palpar; ~ **like** antojarse
feeling (*fii*-ling) n sensación f
fell (fêl) v (p fall)
fellow (*fê*-lou) n tipo m
felt¹ (fêlt) n fieltro m
felt² (fêlt) v (p, pp feel)
female (*fii*-meil) adj femenino
feminine (*fê*-mi-nin) adj femenino
fence (fênss) n cerca f; reja f; v es-

grimir

fender (*fén-dö*) *n* parachoques *m*; defensa *f*Me

ferment (*föö-mênt*) *v* fermentar

ferry-boat (*fé-ri-bout*) *n* transbordador *m*

fertile (*föö-tail*) *adj* fértil

festival (*fé-ssti-völ*) *n* festival *m*

festive (*fé-sstiv*) *adj* festivo

fetch (*féch*) *v* *ir por; *ir a buscar

feudal (*fyuu-döl*) *adj* feudal

fever (*fii-vö*) *n* fiebre *f*

feverish (*fii-vö-riʃ*) *adj* febril

few (*fyuu*) *adj* pocos

fiancé (*fi-ang-ssei*) *n* novio *m*

fiancée (*fi-ang-ssei*) *n* novia *f*

fibre (*fai-bö*) *n* fibra *f*

fiction (*fik-ʃön*) *n* ficción *f*

field (*fiild*) *n* campo *m*; terreno *m*; ~ **glasses** gemelos de campaña

fierce (*fiⁱss*) *adj* fiero; salvaje, violento

fifteen (*fif-tiin*) *num* quince

fifteenth (*fif-tiinz*) *num* quinceno

fifth (*fifz*) *num* quinto

fifty (*fif-ti*) *num* cincuenta

fig (*figh*) *n* higo *m*

fight (*fait*) *n* combate *m*, lucha *f*

*fight (*fait*) *v* combatir, luchar

figure (*fi-ghö*) *n* estatura *f*, figura *f*; cifra *f*

file (*fail*) *n* lima *f*; expediente *m*; cola *f*

Filipino (*fi-li-pii-nou*) *n* filipino *m*

fill (*fil*) *v* llenar; ~ **in** completar, llenar; **filling station** estación de servicio; ~ **out** *Am* completar, llenar; ~ **up** llenar

filling (*fi-ling*) *n* empaste *m*; relleno *m*

film (*film*) *n* película *f*; *v* filmar

filter (*fil-tö*) *n* filtro *m*

filthy (*fil-zi*) *adj* sórdido, inmundo

final (*fai-nöl*) *adj* final

finance (*fai-nænss*) *v* financiar

finances (*fai-næn-ssis*) *pl* finanzas *fpl*

financial (*fai-næn-ʃöl*) *adj* financiero

finch (*finch*) *n* pinzón *m*

*find (*faind*) *v* *encontrar

fine (*fain*) *n* multa *f*; *adj* fino; bello; excelente, maravilloso; ~ **arts** bellas artes

finger (*fing-ghö*) *n* dedo *m*; **little** ~ dedo auricular

fingerprint (*fing-ghö-print*) *n* impresión digital

finish (*fi-niʃ*) *v* terminar; *n* terminación *f*; meta *f*; **finished** acabado

Finland (*fin-lönd*) Finlandia *f*

Finn (*fin*) *n* finlandés *m*

Finnish (*fi-niʃ*) *adj* finlandés

fire (*faiⁿ*) *n* fuego *m*; incendio *m*; *v* disparar; *despedir

fire-alarm (*faiⁿ-rö-laam*) *n* alarma de incendio

fire-brigade (*faiⁿ-bri-gheid*) *n* bomberos *mpl*

fire-escape (*faiⁿ-ri-sskeip*) *n* escala de incendios

fire-extinguisher (*faiⁿ-rik-ssting-ghᵘi-ʃö*) *n* extintor *m*

fireplace (*faiⁿ-pleiss*) *n* chimenea *f*

fireproof (*faiⁿ-pruuf*) *adj* incombustible; refractario

firm (*fööm*) *adj* firme; sólido; *n* firma *f*

first (*föösst*) *num* primero; **at** ~ antes; al principio; ~ **name** nombre de pila

first-aid (*föösst-eid*) *n* primeros auxilios; ~ **kit** botiquín de urgencia; ~ **post** puesto de socorro

first-class (*föösst-klaass*) *adj* de primera calidad

first-rate (*föösst-reit*) *adj* de primer orden, de primera clase

fir-tree (*föö-trii*) *n* pino *m*

fish¹ (*fiʃ*) *n* (pl ~, ~es) pez *m*; ~

shop pescadería f
fish² (fiʃ) v pescar; **fishing gear** avíos de pesca; **fishing fly** mosca artificial; **fishing hook** anzuelo m; **fishing licence** permiso de pesca; **fishing line** línea de pesca; **fishing net** red de pescar; **fishing rod** caña de pescar; **fishing tackle** aparejo de pesca
fishbone (fiʃ-boun) n espina f
fisherman (fi-ʃö-mön) n (pl -men) pescador m
fist (fisst) n puño m
fit (fit) adj apropiado; n ataque m; v *convenir; **fitting room** probador m
five (faiv) num cinco
fix (fikss) v arreglar
fixed (fiksst) adj fijo
fizz (fis) n efervescencia f
fjord (fyood) n fiordo m
flag (flægh) n bandera f
flame (fleim) n llama f
flamingo (flö-ming-ghou) n (pl ~s, ~es) flamenco m
flannel (flæ-nöl) n franela f
flash (flæʃ) n relámpago m
flash-bulb (flæʃ-balb) n bombilla de flash
flash-light (flæʃ-lait) n linterna f
flask (flaassk) n frasco m; **thermos ~** termo m
flat (flæt) adj llano; n piso m; ~ **tyre** neumático desinflado
flavour (flei-vö) n sabor m; v sazonar
fleet (fliit) n flota f
flesh (fleʃ) n carne f
flew (fluu) v (p fly)
flex (flêkss) n cordón flexible
flexible (flêk-ssi-böl) adj flexible
flight (flait) n vuelo m; **charter ~** vuelo fletado
flint (flint) n pedernal m
float (flout) v flotar; n flotador m

flock (flok) n rebaño m
flood (flad) n inundación f; riada f
floor (floo) n suelo m; piso m; ~ **show** espectáculo de variedades
florist (flo-risst) n florista m
flour (flauᵒ) n harina f
flow (flou) v correr, *fluir
flower (flauᵒ) n flor f
flowerbed (flauᵒ-bêd) n arriate m
flower-shop (flauᵒ-ʃop) n floristería f
flown (floun) v (pp fly)
flu (fluu) n gripe f
fluent (fluu-önt) adj con soltura
fluid (fluu-id) adj fluido; n fluido m
flute (fluut) n flauta f
fly (flai) n mosca f; bragueta f
***fly** (flai) v *volar
foam (foum) n espuma f; v espumar
foam-rubber (foum-ra-bö) n goma espumada
focus (fou-köss) n foco m
fog (fogh) n niebla f
foggy (fo-ghi) adj brumoso
foglamp (fogh-læmp) n faro de niebla
fold (fould) v doblar; n pliegue m
folk (fouk) n gente f; ~ **song** canción popular
folk-dance (fouk-daanss) n danza popular
folklore (fouk-loo) n folklore m
follow (fo-lou) v *seguir; **following** adj siguiente
***be fond of** (bii fond ov) *querer
food (fuud) n comida f; alimento m; ~ **poisoning** intoxicación alimentaria
foodstuffs (fuud-sstafss) pl artículos alimenticios
fool (fuul) n idiota m, tonto m; v engañar
foolish (fuu-liʃ) adj necio, tonto; absurdo
foot (fut) n (pl feet) pie m; ~ **powder** polvo para los pies; **on** ~ a pie

football (*fut*-bool) *n* fútbol *m*; ~ **match** partido de fútbol

foot-brake (*fut*-breik) *n* freno de pie

footpath (*fut*-paaz) *n* senda *f*

footwear (*fut*-ᵘê͏ᵒ) *n* calzado *m*

for (foo, fô) *prep* para; durante; a causa de, por; *conj* porque

***forbid** (fö-*bid*) *v* prohibir

force (fooss) *v* obligar, *forzar; *n* fuerza *f*; **by** ~ forzosamente; **driving** ~ fuerza motriz

ford (food) *n* vado *m*

forecast (*foo*-kaasst) *n* previsión *f*; *v* pronosticar

foreground (*foo*-ghraund) *n* primer plano

forehead (*fo*-rêd) *n* frente *f*

foreign (*fo*-rin) *adj* extranjero; extraño

foreigner (*fo*-ri-nö) *n* extranjero *m*; forastero *m*

foreman (*foo*-mön) *n* (pl -men) capataz *m*

foremost (*foo*-mousst) *adj* primero

foresail (*foo*-sseil) *n* foque *m*

forest (*fo*-risst) *n* selva *f*, bosque *m*

forester (*fo*-ri-sstö) *n* guardabosques *m*

forge (food3) *v* falsificar

***forget** (fö-*ghêt*) *v* olvidar

forgetful (fö-*ghêt*-föl) *adj* olvidadizo

***forgive** (fö-*ghiv*) *v* perdonar

fork (fook) *n* tenedor *m*; bifurcación *f*; *v* bifurcarse

form (foom) *n* forma *f*; formulario *m*; clase *f*; *v* formar

formal (*foo*-möl) *adj* formal

formality (foo-*mæ*-lö-ti) *n* formalidad *f*

former (*foo*-mö) *adj* antiguo; anterior; **formerly** antes

formula (*foo*-myu-lö) *n* (pl ~e, ~s) fórmula *f*

fort (foot) *n* fortaleza *f*

fortnight (*foot*-nait) *n* quincena *f*

fortress (*foo*-triss) *n* fortaleza *f*

fortunate (*foo*-chö-nöt) *adj* afortunado

fortune (*foo*-chuun) *n* fortuna *f*; suerte *f*

forty (*foo*-ti) *num* cuarenta

forward (*foo*-ᵘöd) *adv* hacia adelante, adelante; *v* reexpedir

foster-parents (fo-sstö-pêᵒ-röntss) *pl* padres adoptivos

fought (foot) *v* (p, pp fight)

foul (faul) *adj* sucio; vil

found¹ (faund) *v* (p, pp find)

found² (faund) *v* fundar

foundation (faun-*dei*-jön) *n* fundación *f*; ~ **cream** crema de base

fountain (*faun*-tin) *n* fuente *f*

fountain-pen (*faun*-tin-pên) *n* estilográfica *f*

four (foo) *num* cuatro

fourteen (foo-*tiin*) *num* catorce

fourteenth (foo-*tiinz*) *num* catorceno

fourth (fooz) *num* cuarto

fowl (faul) *n* (pl ~s, ~) volatería *f*

fox (fokss) *n* zorro *m*

foyer (*foi*-ei) *n* vestíbulo *m*

fraction (*fræk*-jön) *n* fracción *f*

fracture (*fræk*-chö) *v* fracturar; *n* fractura *f*

fragile (*fræ*-d3ail) *adj* frágil

fragment (*frægh*-mönt) *n* fragmento *m*; trozo *m*

frame (freim) *n* marco *m*; armadura *f*

France (fraanss) Francia *f*

franchise (*fræn*-chais) *n* derecho electoral

fraternity (frö-*töö*-nö-ti) *n* fraternidad *f*

fraud (frood) *n* fraude *m*

fray (frei) *v* deshilacharse

free (frii) *adj* libre; gratuito; ~ **of charge** gratis; ~ **ticket** billete gratuito

freedom (*frii*-döm) *n* libertad *f*

*freeze (friis) *v* *helar; congelar

freezing (*frii*-sing) *adj* helado

freezing-point (*frii*-sing-point) *n* punto de congelación

freight (freit) *n* carga *f*, cargo *m*

French (frênch) *adj* francés

Frenchman (*frênch*-mön) *n* (pl -men) francés *m*

frequency (*frii*-kᵘön-ssi) *n* frecuencia *f*

frequent (*frii*-kᵘönt) *adj* frecuente

fresh (frêʃ) *adj* fresco; ~ **water** agua dulce

friction (frik-ʃön) *n* fricción *f*

Friday (*frai*-di) viernes *m*

fridge (fridʒ) *n* frigorífico *m*, refrigerador *m*

friend (frênd) *n* amigo *m*; amiga *f*

friendly (*frênd*-li) *adj* amable; amistoso

friendship (*frênd*-ʃip) *n* amistad *f*

fright (frait) *n* miedo *m*, espanto *m*

frighten (*frai*-tön) *v* espantar

frightened (*frai*-tönd) *adj* espantado; ***be** ~ asustarse

frightful (*frait*-föl) *adj* terrible

fringe (frindʒ) *n* franja *f*

frock (frok) *n* vestido *m*

frog (frogh) *n* rana *f*

from (from) *prep* desde; de; a partir de

front (frant) *n* frente *m*; **in** ~ **of** delante de

frontier (*fran*-tiᵒ) *n* frontera *f*

frost (frosst) *n* escarcha *f*

froth (froz) *n* espuma *f*

frozen (*frou*-sön) *adj* congelado; ~ **food** alimento congelado

fruit (fruut) *n* fruta *f*; fruto *m*

fry (frai) *v* *freír

frying-pan (*frai*-ing-pæn) *n* sartén *f*

fuel (*fyuu*-öl) *n* combustible *m*; ~ **pump** *Am* bomba de gasolina

full (ful) *adj* lleno; ~ **board** pensión completa; ~ **stop** punto *m*; ~ **up** completo

fun (fan) *n* diversión *f*

function (*fangk*-ʃön) *n* función *f*

fund (fand) *n* fondos *mpl*

fundamental (fan-dö-*mên*-töl) *adj* fundamental

funeral (*fyuu*-nö-röl) *n* funerales *mpl*

funnel (*fa*-nöl) *n* embudo *m*

funny (*fa*-ni) *adj* gracioso, cómico; extraño

fur (föö) *n* piel *f*; ~ **coat** abrigo de pieles; **furs** piel *f*

furious (*fyuᵒ*-ri-öss) *adj* furioso

furnace (*föö*-niss) *n* horno *m*

furnish (*föö*-niʃ) *v* suministrar, procurar; instalar, amueblar; ~ **with** *proveer de

furniture (*föö*-ni-chö) *n* muebles *mpl*

furrier (*fa*-ri-ö) *n* peletero *m*

further (*föö*-ðö) *adj* más lejos; ulterior

furthermore (*föö*-ðö-moo) *adv* además

furthest (*föö*-ðisst) *adj* el más alejado

fuse (fyuus) *n* fusible *m*; mecha *f*

fuss (fass) *n* bulla *f*; ostentación *f*, alharaca *f*

future (*fyuu*-chö) *n* porvenir *m*; *adj* futuro

G

gable (*ghei*-böl) *n* faldón *m*

gadget (*ghæ*-dʒit) *n* accesorio *m*

gaiety (*ghei*-ö-ti) *n* alegría *f*

gain (ghein) *v* ganar; *n* ganancia *f*

gait (gheit) *n* paso *m*

gale (gheil) *n* ventarrón *m*

gall (ghool) *n* bilis *f*; ~ **bladder** vesícula biliar gallery (*ghæ*-lö-ri) n galería f

gallop (*ghæ*-löp) n galope m

gallows (*ghæ*-lous) pl horca f

gallstone (*ghool*-sstoun) n cálculo biliar

game (gheim) n juego m; caza f; ~ reserve parque de reserva zoológica

gang (ghæng) n banda f; equipo m

gangway (*ghæng*-ᵘei) n pasarela f

gaol (dʒeil) n cárcel f

gap (ghæp) n hueco m

garage (*ghæ*-raaʒ) n garaje m; v dejar en garaje

garbage (*ghaa*-bidʒ) n basura f

garden (*ghaa*-dön) n jardín m; public ~ jardín público; zoological gardens jardín zoológico

gardener (*ghaa*-dö-nö) n jardinero m

gargle (*ghaa*-ghöl) v *hacer gárgaras

garlic (*ghaa*-lik) n ajo m

gas (ghæss) n gas m; nAm gasolina f; ~ cooker cocina de gas; ~ station Am puesto de gasolina; ~ stove estufa de gas

gasoline (*ghæ*-ssö-liin) nAm gasolina f

gastric (*ghæ*-sstrik) adj gástrico; ~ ulcer úlcera gástrica

gasworks (*ghæss*-ᵘöökss) n fábrica de gas

gate (gheit) n portón m; reja f

gather (*ghæ*-ðö) v coleccionar; juntarse; recoger

gauge (gheidʒ) n medidor m

gauze (ghoos) n gasa f

gave (gheiv) v (p give)

gay (ghei) adj alegre; gaitero

gaze (gheis) v mirar

gazetteer (ghæ-sö-*tiᵒ*) n diccionario geográfico

gear (ghiᵒ) n velocidad f; aparejo m; change ~ cambiar de marcha; ~ lever palanca de cambios

gear-box (*ghiᵒ*-bokss) n caja de veloci-

dades

gem (dʒêm) n joya f, gema f; alhaja f

gender (*dʒên*-dö) n género m

general (*dʒê*-nö-röl) adj general; n general m; ~ practitioner médico de cabecera; in ~ en general

generate (*dʒê*-nö-reit) v generar

generation (dʒê-nö-*rei*-ʃön) n generación f

generator (*dʒê*-nö-rei-tör) n generador m

generosity (dʒê-nö-*ro*-ssö-ti) n generosidad f

generous (*dʒê*-nö-röss) adj generoso

genital (*dʒê*-ni-töl) adj genital

genius (*dʒii*-ni-öss) n genio m

gentle (*dʒên*-töl) adj gentil; tierno, suave; prudente

gentleman (*dʒên*-töl-mön) n (pl -men) caballero m

genuine (*dʒê*-nyu-in) adj genuino

geography (dʒi-*o*-ghrö-fi) n geografía f

geology (dʒi-*o*-lo-dʒi) n geología f

geometry (dʒi-*o*-mö-tri) n geometría f

germ (dʒööm) n germen m

German (*dʒöö*-mön) adj alemán

Germany (*dʒöö*-mö-ni) Alemania f

gesticulate (dʒi-*ssti*-kyu-leit) v gesticular

*get (ghêt) v *conseguir; *ir a buscar; *hacerse; ~ back regresar; ~ off apearse; ~ on subir, montar; adelantar; ~ up levantarse

ghost (ghousst) n fantasma m; espíritu m

giant (*dʒai*-önt) n gigante m

giddiness (*ghi*-di-nöss) n mareo m

giddy (*ghi*-di) adj mareado

gift (ghift) n regalo m; talento m

gifted (*ghif*-tid) adj talentoso

gigantic (dʒai-*ghæn*-tik) adj gigantesco

giggle (*ghi*-ghöl) v *soltar risitas

gill (ghil) *n* branquia *f*

gilt (ghilt) *adj* dorado

ginger (*dʒin*-dʒö) *n* jengibre *m*

gipsy (*dʒip*-ssi) *n* gitano *m*

girdle (*ghöö*-döl) *n* faja *f*

girl (ghööl) *n* muchacha *f*; ~ **guide** exploradora *f*

*give (ghiv) *v* *dar; entregar; ~ **away** revelar; ~ **in** ceder; ~ **up** renunciar

glacier (*glhæ*-ssi-ö) *n* glaciar *m*

glad (ghlæd) *adj* alegre, contento; **gladly** con mucho gusto, gustosamente

gladness (*ghlæd*-nöss) *n* alegría *f*

glamorous (*ghlæ*-mö-röss) *adj* encantador

glamour (*ghlæ*-mö) *n* encanto *m*

glance (ghlaanss) *n* ojeada *f*; *v* ojear

gland (ghlænd) *n* glándula *f*

glare (ghlê°) *n* destello *m*; resplandor *m*

glaring (*ghlê°*-ring) *adj* deslumbrador

glass (ghlaass) *n* vaso *m*; vidrio *m*; de vidrio; **glasses** anteojos *mpl*; **magnifying** ~ lente de aumento

glaze (ghleis) *v* esmaltar

glen (ghlên) *n* cañada *f*

glide (ghlaid) *v* resbalar

glider (*ghlai*-dö) *n* planeador *m*

glimpse (ghlimpss) *n* vislumbre *m*; ojeada *f*; *v* vislumbrar

global (*ghlou*-böl) *adj* mundial

globe (ghloub) *n* globo *m*

gloom (ghluum) *n* obscuridad *f*

gloomy (*ghluu*-mi) *adj* sombrío

glorious (*ghloo*-ri-öss) *adj* espléndido

glory (*ghloo*-ri) *n* gloria *f*; honor *m*, elogio *m*

gloss (ghloss) *n* brillo *m*

glossy (*ghlo*-ssi) *adj* lustroso

glove (ghlav) *n* guante *m*

glow (ghlou) *v* brillar; *n* brillo *m*

glue (ghluu) *n* cola *f*

*go (ghou) *v* *ir; caminar; *hacerse; ~ **ahead** continuar; ~ **away** *irse; ~ **back** regresar; ~ **home** *volver a casa; ~ **in** entrar; ~ **on** continuar; ~ **out** *salir; ~ **through** pasar

goal (ghoul) *n* meta *f*; gol *m*

goalkeeper (*ghoul*-kii-pö) *n* portero *m*

goat (ghout) *n* cabrón *m*, cabra *f*

god (ghod) *n* dios *m*

goddess (*gho*-diss) *n* diosa *f*

godfather (*ghod*-faa-ðö) *n* padrino *m*

goggles (*gho*-ghöls) *pl* gafas *fpl*

gold (ghould) *n* oro *m*; ~ **leaf** hojas de oro

golden (*ghoul*-dön) *adj* dorado

goldmine (*ghould*-main) *n* mina de oro

goldsmith (*ghould*-ssmiz) *n* orfebre *m*

golf (gholf) *n* golf *m*

golf-club (*gholf*-klab) *n* palo de golf

golf-course (*gholf*-kooss) *n* campo de golf

golf-links (*gholf*-lingkss) *n* campo de golf

gondola (*ghon*-dö-lö) *n* góndola *f*

gone (ghon) *adv* (pp go) ido

good (ghud) *adj* bueno

good-bye! (ghud-*bai*) ¡adiós!

good-humoured (ghud-*hyuu*-möd) *adj* de buen humor

good-looking (ghud-*lu*-king) *adj* bien parecido

good-natured (ghud-*nei*-chöd) *adj* bondadoso

goods (ghuds) *pl* mercancías *fpl*, bienes *mpl*; ~ **train** tren de mercancías

good-tempered (ghud-*têm*-pöd) *adj* de buen humor

goodwill (ghud-ᵘil) *n* buena voluntad

goose (ghuuss) *n* (pl geese) oca *f*

gooseberry (*ghus*-bö-ri) *n* grosella espinosa

goose-flesh (*ghuuss*-flêʃ) *n* carne de

gallina

gorge (ghoodʒ) *n* cañón *m*

gorgeous (ghoo-dʒöss) *adj* magnífico

gospel (gho-sspöl) *n* evangelio *m*

gossip (gho-ssip) *n* chisme *m*; *v* *contar chismes

got (ghot) *v* (p, pp get)

Gothic (gho-zik) *adj* gótico

gourmet (ghu°-mei) *n* gastrónomo *m*

gout (ghaut) *n* gota *f*

govern (gha-vön) *v* *regir

governess (gha-vö-niss) *n* aya *f*

government (gha-vön-mönt) *n* régimen *m*, gobierno *m*

governor (gha-vö-nö) *n* gobernador *m*

gown (ghaun) *n* traje *m*

grace (ghreiss) *n* gracia *f*; perdón *m*

graceful (ghreiss-föl) *adj* gracioso

grade (ghreid) *n* grado *m*; *v* graduar

gradient (ghrei-di-önt) *n* pendiente *f*

gradual (ghræ-dʒu-öl) *adj* gradual; **gradually** *adv* paulatinamente

graduate (ghræ-dʒu-eit) *v* graduarse

grain (ghrein) *n* grano *m*, trigo *m*

gram (ghræm) *n* gramo *m*

grammar (ghræ-mö) *n* gramática *f*

grammatical (ghrö-mæ-ti-köl) *adj* gramatical

grand (ghrænd) *adj* imponente

granddad (ghræn-dæd) *n* abuelo *m*

granddaughter (ghræn-doo-tö) *n* nieta *f*

grandfather (ghræn-faa-ðö) *n* abuelo *m*

grandmother (ghræn-ma-ðö) *n* abuela *f*

grandparents (ghræn-pê°-röntss) *pl* abuelos *mpl*

grandson (ghræn-ssan) *n* nieto *m*

granite (ghræ-nit) *n* granito *m*

grant (ghraant) *v* conceder; *n* subvención *f*, beca *f*

grapefruit (ghreip-fruut) *n* pomelo *m*; toronja *fMe*

grapes (ghreipss) *pl* uvas *fpl*

graph (ghræf) *n* gráfico *m*

graphic (ghræ-fik) *adj* gráfico

grasp (ghraassp) *v* agarrar; *n* agarre *m*

grass (ghraass) *n* césped *m*

grasshopper (ghraass-ho-pö) *n* saltamontes *m*

grate (ghreit) *n* reja *f*; *v* rallar

grateful (ghreit-föl) *adj* agradecido

grater (ghrei-tö) *n* rayador *m*

gratis (ghræ-tiss) *adj* gratuito

gratitude (ghræ-ti-tyuud) *n* gratitud *f*

gratuity (ghrö-tyuu-ö-ti) *n* propina *f*

grave (ghreiv) *n* sepultura *f*; *adj* grave

gravel (ghræ-völ) *n* grava *f*

gravestone (ghreiv-sstoun) *n* lápida *f*

graveyard (ghreiv-yaad) *n* cementerio *m*

gravity (ghræ-vö-ti) *n* gravedad *f*; seriedad *f*

gravy (ghrei-vi) *n* salsa *f*

graze (ghreis) *v* *pacer; *n* rozadura *f*

grease (ghriiss) *n* grasa *f*; *v* engrasar

greasy (ghrii-ssi) *adj* grasiento, grasoso

great (ghreit) *adj* grande; **Great Britain** Gran Bretaña

Greece (ghriiss) Grecia *f*

greed (ghriid) *n* codicia *f*

greedy (ghrii-di) *adj* codicioso; glotón

Greek (ghriik) *adj* griego

green (ghriin) *adj* verde; ~ **card** tarjeta verde

greengrocer (ghriin-ghrou-ssö) *n* verdulero *m*

greenhouse (ghriin-hauss) *n* invernadero *m*, invernáculo *m*

greens (ghriins) *pl* legumbres *fpl*

greet (ghriit) *v* saludar

greeting (ghrii-ting) *n* saludo *m*

grey (ghrei) *adj* gris

greyhound (*ghrei*-haund) *n* galgo *m*

grief (ghriif) *n* pesadumbre *f*; aflicción *f*, dolor *m*

grieve (ghriiv) *v* *estar afligido

grill (ghril) *n* parrilla *f*; *v* asar en parrilla

grill-room (*ghril*-ruum) *n* parrilla *f*

grin (ghrin) *v* *sonreír; *n* sonrisa sardónica

*grind (ghraind) *v* *moler; triturar

grip (ghrip) *v* *asir; *n* agarradero *m*, agarre *m*; *nAm* maletín *m*

grit (ghrit) *n* polvo *m*

groan (ghroun) *v* *gemir

grocer (*ghrou*-ssö) *n* abacero *m*; abarrotero *mMe*; **grocer's** abacería *f*; abarrotería *fMe*

groceries (*ghrou*-ssö-ris) *pl* comestibles *mpl*

groin (ghroin) *n* ingle *f*

groove (ghruuv) *n* surco *m*

gross[1] (ghrouss) *n* (pl ~) gruesa *f*

gross[2] (ghrouss) *adj* grosero; bruto

grotto (*ghro*-tou) *n* (pl ~es, ~s) gruta *f*

ground[1] (ghraund) *n* fondo *m*, tierra *f*; ~ **floor** piso bajo; **grounds** terreno *m*

ground[2] (ghraund) *v* (p, pp grind)

group (ghruup) *n* grupo *m*

grouse (ghrauss) *n* (pl ~) gallo de bosque

grove (ghrouv) *n* soto *m*

*grow (ghrou) *v* *crecer; cultivar; *hacerse

growl (ghraul) *v* *gruñir

grown-up (*ghroun*-ap) *adj* adulto; *n* adulto *m*

growth (ghrouz) *n* crecimiento *m*; tumor *m*

grudge (ghradз) *v* envidiar

grumble (*ghram*-böl) *v* refunfuñar

guarantee (ghæ-rön-*tii*) *n* garantía *f*; *v* garantizar

guarantor (ghæ-rön-*too*) *n* garante *m*

guard (ghaad) *n* guardia *f*; *v* guardar

guardian (*ghaa*-di-ön) *n* tutor *m*

guess (ghêss) *v* adivinar; *creer, conjeturar; *n* conjetura *f*

guest (ghêsst) *n* huésped *m*, invitado *m*

guest-house (*ghêsst*-hauss) *n* pensión *f*

guest-room (*ghêsst*-ruum) *n* habitación para huéspedes

guide (ghaid) *n* guía *m*; *v* guiar

guidebook (*ghaid*-buk) *n* guía *f*

guide-dog (*ghaid*-dogh) *n* perro lazarillo

guilt (ghilt) *n* culpa *f*

guilty (*ghil*-ti) *adj* culpable

guinea-pig (*ghi*-ni-pigh) *n* conejillo de Indias

guitar (ghi-*taa*) *n* guitarra *f*

gulf (ghalf) *n* golfo *m*

gull (ghal) *n* gaviota *f*

gum (gham) *n* encía *f*; goma *f*; cola *f*

gun (ghan) *n* fusil *m*, revólver *m*; cañón *m*

gunpowder (*ghan*-pau-dö) *n* pólvora *f*

gust (ghasst) *n* ráfaga *f*

gusty (*gha*-ssti) *adj* borrascoso

gut (ghat) *n* intestino *m*; **guts** coraje *m*

gutter (*gha*-tö) *n* cuneta *f*

guy (ghai) *n* tipo *m*

gymnasium (dзim-*nei*-si-öm) *n* (pl ~s, -sia) gimnasio *m*

gymnast (*dзim*-næsst) *n* gimnasta *m*

gymnastics (dзim-*næ*-sstikss) *pl* gimnasia *f*

gynaecologist (ghai-nö-*ko*-lö-dзisst) *n* ginecólogo *m*

H

haberdashery (*hæ*-bö-dæ-ʃö-ri) *n* mercería *f*

habit (*hæ*-bit) *n* hábito *m*

habitable (*hæ*-bi-tö-böl) *adj* habitable

habitual (hö-*bi*-chu-öl) *adj* habitual

had (hæd) *v* (p, pp have)

haddock (*hæ*-dök) *n* (pl ~) bacalao *m*

haemorrhage (*hê*-mö-ridʒ) *n* hemorragia *f*

haemorrhoids (*hê*-mö-roids) *pl* hemorroides *fpl*

hail (heil) *n* granizo *m*

hair (hêᵒ) *n* cabello *m*; ~ **cream** brillantina *f*; ~ **gel** gel fijador de cabello; ~ **piece** postizo *m*; ~ **rollers** rizadores *mpl*; ~ **tonic** tónico para el cabello

hairbrush (*hêᵒ*-braʃ) *n* cepillo para el cabello

haircut (*hêᵒ*-kat) *n* corte de pelo

hair-do (*hêᵒ*-duu) *n* peinado *m*

hairdresser (*hêᵒ*-drê-ssö) *n* peluquero *m*

hair-dryer (*hêᵒ*-drai-ö) *n* secador para el pelo

hair-grip (*hêᵒ*-ghrip) *n* horquilla *f*

hair-net (*hêᵒ*-nêt) *n* redecilla *f*

hairpin (*hêᵒ*-pin) *n* horquilla *f*

hair-spray (*hêᵒ*-ssprei) *n* laca para el cabello

hairy (*hêᵒ*-ri) *adj* cabelludo

half¹ (haaf) *adj* medio

half² (haaf) *n* (pl halves) mitad *f*

half-time (haaf-*taim*) *n* descanso *m*

halfway (haaf-ᵘei) *adv* a mitad de camino

halibut (*hæ*-li-böt) *n* (pl ~) halibut *m*

hall (hool) *n* vestíbulo *m*; sala *f*

halt (hoolt) *v* pararse

halve (haav) *v* partir por la mitad

ham (hæm) *n* jamón *m*

hamlet (*hæm*-löt) *n* aldea *f*

hammer (*hæ*-mö) *n* martillo *m*

hammock (*hæ*-mök) *n* hamaca *f*

hamper (*hæm*-pö) *n* cesto *m*

hand (hænd) *n* mano *f*; *v* alargar; ~ **cream** crema para las manos

handbag (*hænd*-bægh) *n* bolso *m*

handbook (*hænd*-buk) *n* manual *m*

hand-brake (*hænd*-breik) *n* freno de mano

handcuffs (*hænd*-kafss) *pl* esposas *fpl*

handful (*hænd*-ful) *n* puñado *m*

handicraft (*hæn*-di-kraaft) *n* trabajo manual; artesanía *f*

handkerchief (*hæng*-kö-chif) *n* pañuelo *m*

handle (*hæn*-döl) *n* mango *m*; *v* manejar; tratar

hand-made (hænd-*meid*) *adj* hecho a mano

handshake (*hænd*-ʃeik) *n* apretón de manos

handsome (*hæn*-ssöm) *adj* guapo

handwork (*hænd*-ᵘöök) *n* obra hecha a mano

handwriting (*hænd*-rai-ting) *n* escritura *f*

handy (*hæn*-di) *adj* manejable

*****hang** (hæng) *v* *colgar

hanger (*hæng*-ö) *n* percha *f*

hangover (*hæng*-ou-vö) *n* resaca *f*

happen (*hæ*-pön) *v* suceder, pasar

happening (*hæ*-pö-ning) *n* acontecimiento *m*

happiness (*hæ*-pi-nöss) *n* felicidad *f*

happy (*hæ*-pi) *adj* contento, feliz

harbour (*haa*-bö) *n* puerto *m*

hard (haad) *adj* duro; difícil; **hardly** apenas

hardware (*haad*-ᵘêᵒ) *n* quincalla *f*; ~ **store** ferretería *f*

hare (hêᵒ) *n* liebre *f*

harm (haam) *n* perjuicio *m*; mal *m*,

daño *m*; *v* perjudicar

harmful (*haam*-fól) *adj* perjudicial, dañoso

harmless (*haam*-löss) *adj* inocuo

harmony (*haa*-mö-ni) *n* armonía *f*

harp (haap) *n* arpa *f*

harpsichord (*haap*-ssi-kood) *n* clavicémbalo *m*

harsh (haaʃ) *adj* áspero; severo; cruel

harvest (*haa*-visst) *n* cosecha *f*

has (hæs) *v* (pr have)

haste (heisst) *n* prisa *f*

hasten (*hei*-ssön) *v* apresurarse

hasty (*hei*-ssti) *adj* apresurado

hat (hæt) *n* sombrero *m*; ~ **rack** percha *f*

hatch (hæch) *n* trampa *f*

hate (heit) *v* detestar; odiar; *n* odio *m*

hatred (*hei*-trid) *n* odio *m*

haughty (*hoo*-ti) *adj* altivo

haul (hool) *v* arrastrar

*have (hæv) *v* *haber, *tener; *hacer; ~ **to** deber

haversack (*hæ*-vö-ssæk) *n* morral *m*

hawk (hook) *n* azor *m*; halcón *m*

hay (hei) *n* heno *m*; ~ **fever** fiebre del heno

hazard (*hæ*-söd) *n* riesgo *m*

haze (heis) *n* calina *f*; niebla *f*

hazelnut (*hei*-söl-nat) *n* avellana *f*

hazy (*hei*-si) *adj* calinoso; brumoso

he (hii) *pron* él

head (hêd) *n* cabeza *f*; *v* dirigir; ~ **of state** jefe de Estado; ~ **teacher** director de escuela

headache (*hê*-deik) *n* dolor de cabeza

heading (*hê*-ding) *n* título *m*

headlamp (*hêd*-læmp) *n* fanal *m*

headland (*hêd*-lönd) *n* promontorio *m*

headlight (*hêd*-lait) *n* faro *m*

headline (*hêd*-lain) *n* titular *m*

headmaster (hêd-*maa*-sstö) *n* director

de escuela

headquarters (hêd-k^uoo-tös) *pl* cuartel general

head-strong (*hêd*-sstrong) *adj* cabezudo

head-waiter (hêd-^uei-tö) *n* jefe de camareros

heal (hiil) *v* curar

health (hêlz) *n* salud *f*; ~ **centre** dispensario *m*; ~ **certificate** certificado de salud

healthy (*hêl*-zi) *adj* sano

heap (hiip) *n* montón *m*

*hear (hi^o) *v* *oír

hearing (hi^o-ring) *n* oído *m*

heart (haat) *n* corazón *m*; núcleo *m*; **by** ~ de memoria; ~ **attack** ataque cardíaco

heartburn (*haat*-böön) *n* acidez *f*

hearth (haaz) *n* hogar *m*

heartless (*haat*-löss) *adj* insensible

hearty (*haa*-ti) *adj* cordial

heat (hiit) *n* calor *m*; *v* *calentar; **heating pad** almohada eléctrica

heater (*hii*-tö) *n* calefactor *m*; **immersion** ~ calentador de inmersión

heath (hiiz) *n* landa *f*

heathen (*hii*-ðön) *n* pagano *m*

heather (*hê*-ðö) *n* brezo *m*

heating (*hii*-ting) *n* calefacción *f*

heaven (*hê*-vön) *n* cielo *m*

heavy (*hê*-vi) *adj* pesado

Hebrew (*hii*-bruu) *n* hebreo *m*

hedge (hêdʒ) *n* seto *m*

hedgehog (*hêdʒ*-hogh) *n* erizo *m*

heel (hiil) *n* talón *m*; tacón *m*

height (hait) *n* altura *f*; colmo *m*, apogeo *m*

hell (hêl) *n* infierno *m*

hello! (hê-*lou*) ¡hola!; ¡buenos días!

helm (hêlm) *n* timón *m*

helmet (*hêl*-mit) *n* casco *m*

helmsman (*hêlms*-mön) *n* timonero *m*

help (hêlp) *v* ayudar; *n* ayuda *f*

helper (*hél*-pö) *n* ayudante *m*

helpful (*hélp*-föl) *adj* servicial

helping (*hél*-ping) *n* porción *f*

hem (hêm) *n* dobladillo *m*

hemp (hêmp) *n* cáñamo *m*

hen (hên) *n* gallina *f*

henceforth (hênss-*fooz*) *adv* de ahora en adelante

her (höö) *pron* la, le; *adj* su

herb (hööb) *n* hierba *f*

herd (hööd) *n* manada *f*

here (hiö) *adv* acá; ~ **you are** tenga usted

hereditary (hi-*rê*-di-tö-ri) *adj* hereditario

hernia (*höö*-ni-ö) *n* hernia *f*

hero (*hiö*-rou) *n* (pl ~es) héroe *m*

heron (*hê*-rön) *n* garza *f*

herring (*hê*-ring) *n* (pl ~, ~s) arenque *m*

herself (höö-*ssêlf*) *pron* se; ella misma

hesitate (*hê*-si-teit) *v* vacilar

heterosexual (hê-tö-rö-*ssêk*-ʃu-öl) *adj* heterosexual

hiccup (*hi*-kap) *n* hipo *m*

hide (haid) *n* piel *f*

*****hide** (haid) *v* esconder

hideous (*hi*-di-öss) *adj* horrible

hierarchy (*haiö*-raa-ki) *n* jerarquía *f*

high (hai) *adj* alto

highway (*hai*-ᵘei) *n* carretera *f*; *nAm* autopista *f*

hijack (*hai*-dʒæk) *v* apresar

hijacker (*hai*-dʒæ-kö) *n* secuestrador *m*

hike (haik) *v* caminar

hill (hil) *n* colina *f*

hillside (*hil*-ssaid) *n* ladera *f*

hilltop (*hil*-top) *n* cima *f*

hilly (*hi*-li) *adj* montuoso

him (him) *pron* le

himself (him-*ssêlf*) *pron* se; él mismo

hinder (*hin*-dö) *v* *impedir

hinge (hindʒ) *n* bisagra *f*

hip (hip) *n* cadera *f*

hire (haiö) *v* alquilar; **for** ~ de alquiler

hire-purchase (haiö-*pöö*-chöss) *n* compra a plazos

his (his) *adj* su

historian (hi-*sstoo*-ri-ön) *n* historiador *m*

historic (hi-*ssto*-rik) *adj* histórico

historical (hi-*ssto*-ri-köl) *adj* histórico

history (*hi*-sstö-ri) *n* historia *f*

hit (hit) *n* éxito *m*

*****hit** (hit) *v* pegar; tocar, *acertar

hitchhike (*hich*-haik) *v* *hacer autostop

hitchhiker (*hich*-hai-kö) *n* autoestopista *m*

hoarse (hooss) *adj* ronco

hobby (*ho*-bi) *n* afición *f*

hobby-horse (*ho*-bi-hooss) *n* comidilla *f*

hockey (*ho*-ki) *n* hockey *m*

hoist (hoisst) *v* izar

hold (hould) *n* bodega *f*

*****hold** (hould) *v* *tener; *retener; ~ **on** agarrarse; ~ **up** *sostener

hold-up (*houl*-dap) *n* atraco *m*

hole (houl) *n* bache *m*, agujero *m*

holiday (*ho*-lö-di) *n* vacaciones *fpl*; fiesta *f*; ~ **camp** colonia veraniega; ~ **resort** lugar de descanso; **on** ~ de vacaciones

Holland (*ho*-lönd) Holanda *f*

hollow (*ho*-lou) *adj* hueco

holy (*hou*-li) *adj* santo

homage (*ho*-midʒ) *n* homenaje *m*

home (houm) *n* casa *f*; hospicio *m*; *adv* en casa, a casa; **at** ~ en casa

home-made (houm-*meid*) *adj* casero

homesickness (*houm*-ssik-nöss) *n* nostalgia *f*

homosexual (hou-mö-*ssêk*-ʃu-öl) *adj* homosexual

honest (*o*-nisst) *adj* honesto; sincero

honesty (*o*-ni-ssti) *n* honradez *f*

honey (*ha*-ni) *n* miel *f*

honeymoon (*ha*-ni-muun) *n* luna de miel

honour (*o*-nö) *n* honor *m*; *v* honrar, *rendir homenaje

honourable (*o*-nö-rö-böl) *adj* honorable; honesto

hood (hud) *n* capucha *f*; *nAm* capó *m*

hoof (huuf) *n* casco *m*

hook (huk) *n* gancho *m*

hoot (huut) *v* tocar la bocina

hooter (*huu*-tö) *n* bocina *f*

hoover (*huu*-vö) *v* pasar el aspirador

hop[1] (hop) *v* brincar; *n* salto *m*

hop[2] (hop) *n* lúpulo *m*

hope (houp) *n* esperanza *f*; *v* esperar

hopeful (*houp*-föl) *adj* esperanzado

hopeless (*houp*-löss) *adj* desesperado

horizon (hö-*rai*-sön) *n* horizonte *m*

horizontal (ho-ri-*son*-töl) *adj* horizontal

horn (hoon) *n* cuerno *m*; bocina *f*

horrible (*ho*-ri-böl) *adj* horrible; terrible, atroz

horror (*ho*-rö) *n* espanto *m*, horror *m*

hors-d'œuvre (oo-*döövr*) *n* entremeses *mpl*

horse (hooss) *n* caballo *m*

horseman (*hooss*-mön) *n* (pl -men) jinete *m*

horsepower (*hooss*-pau*ö*) *n* caballo de vapor

horserace (*hooss*-reiss) *n* carrera de caballos

horseradish (*hooss*-ræ-diʃ) *n* rábano picante

horseshoe (*hooss*-ʃuu) *n* herradura *f*

horticulture (*hoo*-ti-kal-chö) *n* horticultura *f*

hosiery (*hou*-ʒö-ri) *n* géneros de punto

hospitable (*ho*-sspi-tö-böl) *adj* hospitalario

hospital (*ho*-sspi-töl) *n* hospital *m*

hospitality (ho-sspi-*tæ*-lö-ti) *n* hospitalidad *f*

host (housst) *n* anfitrión *m*

hostage (*ho*-sstidʒ) *n* rehén *m*

hostel (*ho*-sstöl) *n* hospedería *f*

hostess (*hou*-sstiss) *n* azafata *f*

hostile (*ho*-sstail) *adj* hostil

hot (hot) *adj* caliente

hotel (hou-*têl*) *n* hotel *m*

hot-tempered (hot-*têm*-pöd) *adj* colérico

hour (au*ö*) *n* hora *f*

hourly (au*ö*-li) *adj* a cada hora

house (hauss) *n* casa *f*; vivienda *f*; inmueble *m*; ~ **agent** corredor de casas; ~ **block** *Am* manzana de casas; **public** ~ café *m*

houseboat (*hauss*-bout) *n* casa flotante

household (*hauss*-hould) *n* menaje *m*

housekeeper (*hauss*-kii-pö) *n* ama de llaves

housekeeping (*hauss*-kii-ping) *n* gobierno de la casa

housemaid (*hauss*-meid) *n* criada *f*

housewife (*hauss*-ᵘaif) *n* ama de casa

housework (*hauss*-ᵘöök) *n* faenas domésticas

how (hau) *adv* cómo; qué; ~ **many** cuánto; ~ **much** cuánto

however (hau-ê-vö) *conj* todavía, sin embargo

hug (hagh) *v* abrazar; *n* abrazo *m*

huge (hyuudʒ) *adj* formidable, enorme

hum (ham) *v* tararear

human (*hyuu*-mön) *adj* humano; ~ **being** ser humano

humanity (hyu-*mæ*-nö-ti) *n* humanidad *f*

humble (*ham*-böl) *adj* humilde

humid (*hyuu*-mid) *adj* húmedo

humidity (hyu-*mi*-dö-ti) *n* humedad *f*

humorous (*hyuu*-mö-röss) *adj* chistoso, gracioso, humorístico

humour (*hyuu*-mö) *n* humor *m*

hundred (*han*-dröd) *n* ciento

Hungarian (hang-*ghê^o*-ri-ön) *adj* húngaro

Hungary (*hang*-ghö-ri) Hungría *m*

hunger (*hang*-ghö) *n* hambre *f*

hungry (*hang*-ghri) *adj* hambriento

hunt (hant) *v* cazar; *n* caza *f*; ~ for buscar

hunter (*han*-tö) *n* cazador *m*

hurricane (*ha*-ri-kön) *n* huracán *m*; ~ lamp lámpara sorda

hurry (*ha*-ri) *v* *darse prisa, apresurarse; *n* prisa *f*; in a ~ de prisa

*hurt (hööt) *v* *hacer daño, dañar; ofender

hurtful (*hööt*-föl) *adj* perjudicial

husband (*has*-bönd) *n* esposo *m*, marido *m*

hut (hat) *n* cabaña *f*

hydrogen (*hai*-drö-dзön) *n* hidrógeno *m*

hygiene (*hai*-dзiin) *n* higiene *f*

hygienic (hai-*dзii*-nik) *adj* higiénico

hymn (him) *n* himno *m*

hyphen (*hai*-fön) *n* guión *m*

hypocrisy (hi-*po*-krö-ssi) *n* hipocresía *f*

hypocrite (*hi*-pö-krit) *n* hipócrita *m*

hypocritical (hi-pö-*kri*-ti-köl) *adj* hipócrita, mojigato

hysterical (hi-*sstê*-ri-köl) *adj* histérico

I

I (ai) *pron* yo

ice (aiss) *n* hielo *m*

ice-bag (*aiss*-bægh) *n* bolsa de hielo

ice-cream (*aiss*-kriim) *n* helado *m*

Iceland (*aiss*-lönd) Islandia *f*

Icelander (*aiss*-lön-dö) *n* islandés *m*

Icelandic (aiss-*læn*-dik) *adj* islandés

icon (*ai*-kon) *n* icono *m*

idea (ai-*di^o*) *n* idea *f*; pensamiento *m*; noción *f*, concepto *m*

ideal (ai-*di^o*l) *adj* ideal; *n* ideal *m*

identical (ai-*dên*-ti-köl) *adj* idéntico

identification (ai-dên-ti-fi-*kei*-ʃön) *n* identificación *f*

identify (ai-*dên*-ti-fai) *v* identificar

identity (ai-*dên*-tö-ti) *n* identidad *f*; ~ card carnet de identidad

idiom (*i*-di-öm) *n* modismo *m*

idiomatic (i-di-ö-*mæ*-tik) *adj* idiomático

idiot (*i*-di-öt) *n* idiota *m*

idiotic (i-di-*o*-tik) *adj* idiota

idle (*ai*-döl) *adj* ocioso; vago; vano

idol (*ai*-döl) *n* ídolo *m*

if (if) *conj* si

ignition (igh-*ni*-ʃön) *n* encendido *m*; ~ coil bobina del encendido

ignorant (*igh*-nö-rönt) *adj* ignorante

ignore (igh-*noo*) *v* ignorar

ill (il) *adj* enfermo; malo; maligno

illegal (i-*lii*-ghöl) *adj* ilegal

illegible (i-*lê*-dзö-böl) *adj* ilegible

illiterate (i-*li*-tö-röt) *n* analfabeto *m*

illness (*il*-nöss) *n* enfermedad *f*

illuminate (i-*luu*-mi-neit) *v* iluminar

illumination (i-luu-mi-*nei*-ʃön) *n* iluminación *f*

illusion (i-*luu*-зön) *n* ilusión *f*

illustrate (*i*-lö-ssreit) *v* ilustrar

illustration (i-lö-*sstrei*-ʃön) *n* ilustración *f*

image (*i*-midз) *n* imagen *f*

imaginary (i-*mæ*-dзi-nö-ri) *adj* imaginario

imagination (i-mæ-dзi-*nei*-ʃön) *n* imaginación *f*

imagine (i-*mæ*-dзin) *v* imaginarse; figurarse

imitate (*i*-mi-teit) *v* imitar

imitation (i-mi-*tei*-jön) *n* imitación *f*

immediate (i-*mii*-dyöt) *adj* inmediato

immediately (i-*mii*-dyöt-li) *adv* inmediatamente, de inmediato

immense (i-*mênss*) *adj* inmenso, enorme

immigrant (*i*-mi-ghrönt) *n* inmigrante *m*

immigrate (*i*-mi-ghreit) *v* inmigrar

immigration (i-mi-*ghrei*-jön) *n* inmigración *f*

immodest (i-*mo*-disst) *adj* inmodesto

immunity (i-*myuu*-nö-ti) *n* inmunidad *f*

immunize (*i*-myu-nais) *v* inmunizar

impartial (im-*paa*-jöl) *adj* imparcial

impassable (im-*paa*-ssö-böl) *adj* intransitable

impatient (im-*pei*-jönt) *adj* impaciente

impede (im-*piid*) *v* *impedir

impediment (im-*pê*-di-mönt) *n* impedimento *m*

imperfect (im-*pöö*-fikt) *adj* imperfecto

imperial (im-*pi*ö-ri-öl) *adj* imperial

impersonal (im-*pöö*-ssö-nöl) *adj* impersonal

impertinence (im-*pöö*-ti-nönss) *n* impertinencia *f*

impertinent (im-*pöö*-ti-nönt) *adj* grosero, descarado, impertinente

implement[1] (*im*-pli-mönt) *n* herramienta *f*

implement[2] (*im*-pli-mênt) *v* efectuar

imply (im-*plai*) *v* implicar

impolite (im-pö-*lait*) *adj* descortés

import[1] (im-*poot*) *v* importar

import[2] (*im*-poot) *n* importación *f*; ~ **duty** impuestos de importación

importance (im-*poo*-tönss) *n* importancia *f*

important (im-*poo*-tönt) *adj* importante

importer (im-*poo*-tö) *n* importador *m*

imposing (im-*pou*-sing) *adj* imponente

impossible (im-*po*-ssö-böl) *adj* imposible

impotence (*im*-pö-tönss) *n* impotencia *f*

impotent (*im*-pö-tönt) *adj* impotente

impound (im-*paund*) *v* confiscar

impress (im-*prêss*) *v* impresionar

impression (im-*prê*-jön) *n* impresión *f*

impressive (im-*prê*-ssiv) *adj* impresionante

imprison (im-*pri*-sön) *v* encarcelar

imprisonment (im-*pri*-sön-mönt) *n* encarcelamiento *m*

improbable (im-*pro*-bö-böl) *adj* improbable

improper (im-*pro*-pö) *adj* impropio

improve (im-*pruuv*) *v* mejorar

improvement (im-*pruuv*-mönt) *n* mejora *f*

improvise (*im*-prö-vais) *v* improvisar

impudent (*im*-pyu-dönt) *adj* impudente

impulse (*im*-palss) *n* impulso *m*; estímulo *m*

impulsive (im-*pal*-ssiv) *adj* impulsivo

in (in) *prep* en; dentro de; *adv* adentro

inaccessible (i-næk-*ssê*-ssö-böl) *adj* inaccesible

inaccurate (i-*næ*-kyu-röt) *adj* inexacto

inadequate (i-*næ*-di-k^uöt) *adj* inadecuado

incapable (ing-*kei*-pö-böl) *adj* incapaz

incense (*in*-ssênss) *n* incienso *m*

incident (*in*-ssi-dönt) *n* incidente *m*

incidental (in-ssi-*dên*-töl) *adj* imprevisto

incite (in-*ssait*) *v* incitar

inclination (ing-kli-*nei*-jön) *n* inclinación *f*

incline (ing-*klain*) *n* inclinación *f*

inclined (ing-*klaind*) *adj* dispuesto, inclinado; ***be ~ to** *v* inclinarse

include (ing-*kluud*) *v* *incluir

inclusive (ing-*kluu*-ssiv) *adj* incluso

income (*ing*-köm) *n* ingresos *mpl*

income-tax (*ing*-köm-tækss) *n* impuesto sobre los ingresos

incompetent (ing-*kom*-pö-tönt) *adj* incompetente

incomplete (in-köm-*pliit*) *adj* incompleto

inconceivable (ing-kön-*ssii*-vö-böl) *adj* inconcebible

inconspicuous (ing-kön-*sspi*-kyu-öss) *adj* discreto

inconvenience (ing-kön-*vii*-nyönss) *n* incomodidad *f*, inconveniencia *f*

inconvenient (ing-kön-*vii*-nyönt) *adj* inoportuno; molesto

incorrect (ing-kö-*rêkt*) *adj* inexacto, incorrecto

increase[1] (ing-*kriiss*) *v* aumentar; incrementar, *acrecentarse

increase[2] (*ing*-kriiss) *n* aumento *m*

incredible (ing-*krê*-dö-böl) *adj* increíble

incurable (ing-*kyuᵒ*-rö-böl) *adj* incurable

indecent (in-*dii*-ssönt) *adj* indecente

indeed (in-*diid*) *adv* por cierto

indefinite (in-*dê*-fi-nit) *adj* indefinido

indemnity (in-*dêm*-nö-ti) *n* indemnización *f*

independence (in-di-*pên*-dönss) *n* independencia *f*

independent (in-di-*pên*-dönt) *adj* independiente; autónomo

index (*in*-dêkss) *n* índice *m*; **~ finger** índice *m*

India (*in*-di-ö) India *f*

Indian (*in*-di-ön) *adj* indio; *n* indio *m*

indicate (*in*-di-keit) *v* señalar, indicar

indication (in-di-*kei*-ʃön) *n* señal *f*, indicación *f*

indicator (*in*-di-kei-tö) *n* indicador *m*

indifferent (in-*di*-fö-rönt) *adj* indiferente

indigestion (in-di-*dʒêss*-chön) *n* indigestión *f*

indignation (in-digh-*nei*-ʃön) *n* indignación *f*

indirect (in-di-*rêkt*) *adj* indirecto

individual (in-di-*vi*-dʒu-öl) *adj* aparte, individual; *n* individuo *m*

Indonesia (in-dö-*nii*-si-ö) Indonesia *f*

Indonesian (in-dö-*nii*-si-ön) *adj* indonesio

indoor (*in*-doo) *adj* en casa

indoors (in-*doos*) *adv* en casa

indulge (in-*daldʒ*) *v* ceder

industrial (in-*da*-sstri-öl) *adj* industrial; **~ area** zona industrial

industrious (in-*da*-sstri-öss) *adj* diligente

industry (*in*-dö-sstri) *n* industria *f*

inedible (i-*nê*-di-böl) *adj* incomible

inefficient (i-ni-*fi*-ʃönt) *adj* ineficiente

inevitable (i-*nê*-vi-tö-böl) *adj* inevitable

inexpensive (i-nik-*sspên*-ssiv) *adj* barato

inexperienced (i-nik-*sspiᵒ*-ri-önsst) *adj* inexperto

infant (*in*-fönt) *n* criatura *f*

infantry (*in*-fön-tri) *n* infantería *f*

infect (in-*fêkt*) *v* infectar

infection (in-*fêk*-ʃön) *n* infección *f*

infectious (in-*fêk*-föss) *adj* contagioso

infer (in-*föö*) *v* *deducir

inferior (in-*fiᵒ*-ri-ö) *adj* inferior

infinite (*in*-fi-nöt) *adj* infinito

infinitive (in-*fi*-ni-tiv) *n* infinitivo *m*

infirmary (in-*föö*-mö-ri) *n* enfermería *f*

inflammable (in-*flæ*-mö-böl) *adj* inflamable

inflammation (in-flö-*mei*-ʃön) *n* inflamación *f*

inflatable (in-*flei*-tö-böl) *adj* inflable

inflate (in-*fleit*) *v* hinchar

inflation (in-*flei*-∫ön) *n* inflación *f*

influence (*in*-flu-önss) *n* influencia *f*; *v* *influir

influential (in-flu-*ên*-∫öl) *adj* influyente

influenza (in-flu-*ên*-sö) *n* gripe *f*

inform (in-*foom*) *v* informar; comunicar

informal (in-*foo*-möl) *adj* informal

information (in-fö-*mei*-∫ön) *n* información *f*; informes *mpl*, comunicado *m*; ~ **bureau** oficina de informaciones

infra-red (in-frö-*rêd*) *adj* infrarrojo

infrequent (in-*frii*-kᵘönt) *adj* infrecuente

ingredient (ing-*ghrii*-di-önt) *n* ingrediente *m*

inhabit (in-*hæ*-bit) *v* habitar

inhabitable (in-*hæ*-bi-tö-böl) *adj* habitable

inhabitant (in-*hæ*-bi-tönt) *n* habitante *m*

inhale (in-*heil*) *v* inhalar

inherit (in-*hê*-rit) *v* heredar

inheritance (in-*hê*-ri-tönss) *n* herencia *f*

initial (i-*ni*-∫öl) *adj* inicial; *n* inicial *f*; *v* rubricar

initiative (i-*ni*-∫ö-tiv) *n* iniciativa *f*

inject (in-*dʒêkt*) *v* inyectar

injection (in-*dʒêk*-∫ön) *n* inyección *f*

injure (*in*-dʒö) *v* *herir; ofender

injury (*in*-dʒö-ri) *n* herida *f*; lesión *f*

injustice (in-*dʒa*-sstiss) *n* injusticia *f*

ink (ingk) *n* tinta *f*

inlet (*in*-lêt) *n* ensenada *f*

inn (in) *n* posada *f*

inner (*i*-nö) *adj* interior; ~ **tube** cámara de aire

inn-keeper (*in*-kii-pö) *n* posadero *m*

innocence (*i*-nö-ssönss) *n* inocencia *f*

innocent (*i*-nö-ssönt) *adj* inocente

inoculate (i-*no*-kyu-leit) *v* vacunar

inoculation (i-no-kyu-*lei*-∫ön) *n* inoculación *f*

inquire (ing-*k*ᵘ*ai*ᵒ) *v* informarse, *pedir informes

inquiry (ing-*k*ᵘ*ai*ᵒ-ri) *n* pregunta *f*, indagación *f*; encuesta *f*; ~ **office** oficina de informaciones

inquisitive (ing-*k*ᵘ*i*-sö-tiv) *adj* curioso

insane (in-*ssein*) *adj* lunático

inscription (in-*sskrip*-∫ön) *n* inscripción *f*

insect (*in*-ssêkt) *n* insecto *m*; ~ **repellent** insectífugo *m*

insecticide (in-*ssê*-ti-ssaid) *n* insecticida *m*

insensitive (in-*ssên*-ssö-tiv) *adj* insensible

insert (in-*ssööt*) *v* insertar

inside (in-*ssaid*) *n* interior *m*; *adj* interior; *adv* adentro; dentro; *prep* en, dentro de; ~ **out** al revés; **insides** entrañas *fpl*

insight (*in*-ssait) *n* entendimiento *m*

insignificant (in-ssigh-*ni*-fi-könt) *adj* insignificante; irrelevante; baladí

insist (in-*ssisst*) *v* insistir; persistir

insolence (*in*-ssö-lönss) *n* insolencia *f*

insolent (*in*-ssö-lönt) *adj* insolente

insomnia (in-*ssom*-ni-ö) *n* insomnio *m*

inspect (in-*sspêkt*) *v* inspeccionar

inspection (in-*sspêk*-∫ön) *n* inspección *f*; control *m*

inspector (in-*sspêk*-tö) *n* inspector *m*

inspire (in-*sspai*ᵒ) *v* inspirar

install (in-*sstool*) *v* instalar

installation (in-sstö-*lei*-∫ön) *n* instalación *f*

instalment (in-*sstool*-mönt) *n* plazo *m*

instance (*in*-sstönss) *n* ejemplo *m*; caso *m*; **for** ~ por ejemplo

instant (*in*-sstönt) *n* instante *m*

instantly (*in*-sstönt-li) *adv* instantáneamente, inmediatamente, al instante

instead of (in-*ssted* ov) en lugar de

instinct (*in*-sstingkt) *n* instinto *m*

institute (*in*-ssti-tyuut) *n* instituto *m*; institución *f*; *v* *instituir

institution (in-ssti-*tyuu*-jön) *n* instituto *m*, institución *f*

instruct (in-*sstrakt*) *v* *instruir

instruction (in-*sstrak*-jön) *n* instrucción *f*

instructive (in-*sstrak*-tiv) *adj* instructivo

instructor (in-*sstrak*-tö) *n* instructor *m*

instrument (*in*-sstru-mönt) *n* instrumento *m*; **musical ~** instrumento músico

insufficient (in-ssö-*fi*-jönt) *adj* insuficiente

insulate (*in*-ssyu-leit) *v* aislar

insulation (in-ssyu-*lei*-jön) *n* aislamiento *m*

insulator (*in*-ssyu-lei-tö) *n* aislador *m*

insult[1] (in-*ssalt*) *v* insultar

insult[2] (*in*-ssalt) *n* insulto *m*

insurance (in-*ʃu*⁰-rönss) *n* seguro *m*; **~ policy** póliza de seguro

insure (in-*ʃu*⁰) *v* asegurar

intact (in-*tækt*) *adj* intacto

intellect (*in*-tö-lêkt) *n* intelecto *m*

intellectual (in-tö-*lêk*-chu-öl) *adj* intelectual

intelligence (in-*tê*-li-dʒönss) *n* inteligencia *f*

intelligent (in-*tê*-li-dʒönt) *adj* inteligente

intend (in-*tênd*) *v* intentar, *tener la intención de

intense (in-*tênss*) *adj* intenso

intention (in-*tên*-jön) *n* intención *f*

intentional (in-*tên*-jö-nöl) *adj* intencional

intercourse (*in*-tö-kooss) *n* trato *m*

interest (*in*-trösst) *n* interés *m*; rédito *m*; *v* interesar

interesting (*in*-trö-ssting) *adj* interesante

interfere (in-tö-*fi*⁰) *v* interferir; **~ with** mezclarse en

interference (in-tö-*fi*⁰-rönss) *n* interferencia *f*

interim (*in*-tö-rim) *n* ínterin *m*

interior (in-*ti*⁰-ri-ö) *n* interior *m*

interlude (*in*-tö-luud) *n* intermedio *m*

intermediary (in-tö-*mii*-dyö-ri) *n* intermediario *m*

intermission (in-tö-*mi*-jön) *n* entreacto *m*

internal (in-*töö*-nöl) *adj* interno

international (in-tö-*næ*-jö-nöl) *adj* internacional

interpret (in-*töö*-prit) *v* interpretar

interpreter (in-*töö*-pri-tö) *n* intérprete *m*

interrogate (in-*tê*-rö-gheit) *v* interrogar

interrogation (in-tê-rö-*ghei*-jön) *n* interrogatorio *m*

interrogative (in-tö-*ro*-ghö-tiv) *adj* interrogativo

interrupt (in-tö-*rapt*) *v* interrumpir

interruption (in-tö-*rap*-jön) *n* interrupción *f*

intersection (in-tö-*ssêk*-jön) *n* intersección *f*

interval (*in*-tö-völ) *n* intervalo *m*

intervene (in-tö-*viin*) *v* *intervenir

interview (*in*-tö-vyuu) *n* entrevista *f*

intestine (in-*tê*-sstin) *n* intestino *m*

intimate (*in*-ti-möt) *adj* íntimo

into (*in*-tu) *prep* dentro de

intolerable (in-*to*-lö-rö-böl) *adj* insoportable

intoxicated (in-*tok*-ssi-kei-tid) *adj* embriagado

intrigue (in-*triigh*) *n* intriga *f*

introduce (in-trö-*dyuuss*) *v* presentar; *introducir

introduction (in-trö-*dak*-[ö]n) *n* presentación *f*; introducción *f*

invade (in-*veid*) *v* invadir

invalid¹ (*in*-vö-liid) *n* inválido *m*; *adj* inválido

invalid² (in-*væ*-lid) *adj* nulo

invasion (in-*vei*-ʒön) *n* irrupción *f*, invasión *f*

invent (in-*vênt*) *v* inventar

invention (in-*vên*-[ö]n) *n* invención *f*

inventive (in-*vên*-tiv) *adj* inventivo

inventor (in-*vên*-tö) *n* inventor *m*

inventory (*in*-vön-tri) *n* inventario *m*

invert (in-*vööt*) *v* *invertir

invest (in-*vêsst*) *v* *invertir

investigate (in-*vê*-ssti-gheit) *v* investigar

investigation (in-vê-ssti-*ghei*-[ö]n) *n* investigación *f*

investment (in-*vêsst*-mönt) *n* inversión *f*

investor (in-*vê*-sstö) *n* inversionista *m*

invisible (in-*vi*-sö-böl) *adj* invisible

invitation (in-vi-*tei*-[ö]n) *n* invitación *f*

invite (in-*vait*) *v* invitar, convidar

invoice (*in*-voiss) *n* factura *f*

involve (in-*volv*) *v* *envolver; **involved** implicado

inwards (*in*-üöds) *adv* hacia adentro

iodine (*ai*-ö-diin) *n* yodo *m*

Iran (i-*raan*) Irán *m*

Iranian (i-*rei*-ni-ön) *adj* iraní

Iraq (i-*raak*) Irak *m*

Iraqi (i-*raa*-ki) *adj* iraquí

irascible (i-*ræ*-ssi-böl) *adj* irascible

Ireland (*ai*º-lönd) Irlanda *f*

Irish (*ai*º-riʃ) *adj* irlandés

Irishman (*ai*º-riʃ-mön) *n* (pl -men) irlandés *m*

iron (*ai*-ön) *n* hierro *m*; plancha *f*; de hierro; *v* planchar

ironical (ai-*ro*-ni-köl) *adj* irónico

ironworks (*ai*-ön-üöökss) *n* herrería *f*

irony (*ai*º-rö-ni) *n* ironía *f*

irregular (i-*rê*-ghyu-lö) *adj* irregular

irreparable (i-*rê*-pö-rö-böl) *adj* irreparable

irrevocable (i-*rê*-vö-kö-böl) *adj* irrevocable

irritable (*i*-ri-tö-böl) *adj* irritable

irritate (*i*-ri-teit) *v* irritar

is (is) *v* (pr be)

island (*ai*-lönd) *n* isla *f*

isolate (*ai*-ssö-leit) *v* aislar

isolation (ai-ssö-*lei*-[ö]n) *n* aislamiento *m*

Israel (*is*-reil) Israel *m*

Israeli (is-*rei*-li) *adj* israelí

issue (*i*-ʃuu) *v* *distribuir; *n* emisión *f*, tirada *f*, edición *f*; cuestión *f*, punto *m*; consecuencia *f*, resultado *m*, conclusión *f*, término *m*; salida *f*

isthmus (*iss*-möss) *n* istmo *m*

it (it) *pron* lo

Italian (i-*tæl*-yön) *adj* italiano

italics (i-*tæ*-likss) *pl* cursiva *f*

Italy (*i*-tö-li) Italia *f*

itch (ich) *n* picazón *f*; prurito *m*; *v* picar

item (*ai*-töm) *n* ítem *m*; punto *m*

itinerant (ai-*ti*-nö-rönt) *adj* ambulante

itinerary (ai-*ti*-nö-rö-ri) *n* itinerario *m*

ivory (*ai*-vö-ri) *n* marfil *m*

ivy (*ai*-vi) *n* hiedra *f*

J

jack (dʒæk) *n* gato *m*

jacket (*dʒæ*-kit) *n* americana *f*, chaqueta *f*; sobrecubierta *f*; saco *m*Me

jade (dʒeid) *n* jade *m*

jail (dʒeil) *n* cárcel *f*

jailer (*dʒei*-lö) *n* carcelero *m*

jam (dʒæm) *n* mermelada *f*; congestión *f*

janitor (*dʒæ*-ni-tö) *n* conserje *m*

January (*dʒæ*-nyu-ö-ri) enero

Japan (dʒö-*pæn*) Japón *m*

Japanese (dʒæ-pö-*niis*) *adj* japonés

jar (dʒaa) *n* jarra *f*

jaundice (*dʒoon*-diss) *n* ictericia *f*

jaw (dʒoo) *n* mandíbula *f*

jealous (dʒê-löss) *adj* celoso

jealousy (dʒê-lö-ssi) *n* celos

jeans (dʒiins) *pl* vaqueros *mpl*

jelly (dʒê-li) *n* jalea *f*

jelly-fish (dʒê-li-fiʃ) *n* medusa *f*

jersey (dʒöö-si) *n* jersey *m*

jet (dʒêt) *n* chorro *m*; avión a reacción

jetty (dʒê-ti) *n* muelle *m*

Jew (dʒuu) *n* judío *m*

jewel (dʒuu-öl) *n* joya *f*

jeweller (dʒuu-ö-lö) *n* joyero *m*

jewellery (dʒuu-öl-ri) *n* joyería *f*

Jewish (dʒuu-iʃ) *adj* judío

job (dʒob) *n* tarea *f*; puesto *m*, empleo *m*

jockey (dʒo-ki) *n* jockey *m*

join (dʒoin) *v* juntar; unirse a, asociarse a; ensamblar, reunir

joint (dʒoint) *n* articulación *f*; soldadura *f*; *adj* unido, en común

jointly (dʒoint-li) *adv* juntamente

joke (dʒouk) *n* broma *f*

jolly (dʒo-li) *adj* jovial

Jordan (dʒoo-dön) Jordania *f*

Jordanian (dʒoo-*dei*-ni-ön) *adj* jordano

journal (dʒöö-nöl) *n* revista *f*

journalism (dʒöö-nö-li-söm) *n* periodismo *m*

journalist (dʒöö-nö-lisst) *n* periodista *m*

journey (dʒöö-ni) *n* viaje *m*

joy (dʒoi) *n* delicia *f*, regocijo *m*

joyful (dʒoi-föl) *adj* contento, alegre

jubilee (dʒuu-bi-lii) *n* aniversario *m*

judge (dʒadʒ) *n* juez *m*; *v* juzgar

judgment (dʒadʒ-mönt) *n* juicio *m*

jug (dʒagh) *n* cántaro *m*

juggernaut (dʒagh-ö-noot) *n* camión grande *m*

juice (dʒuuss) *n* zumo *m*

juicy (dʒuu-ssi) *adj* zumoso

July (dʒu-*lai*) julio

jump (dʒamp) *v* saltar; *n* salto *m*

jumper (dʒam-pö) *n* jersey *m*

junction (dʒangk-ʃön) *n* encrucijada *f*; empalme *m*

June (dʒuun) junio

jungle (dʒang-ghöl) *n* selva *f*, jungla *f*

junior (dʒuu-nyö) *adj* menor;
~ **school** escuela primaria

junk (dʒangk) *n* cachivache *m*

jury (dʒuᵘ-ri) *n* jurado *m*

just (dʒasst) *adj* justo; *adv* apenas; justamente

justice (dʒa-sstiss) *n* derecho *m*; justicia *f*

juvenile (dʒuu-vö-nail) *adj* juvenil

K

kangaroo (kæng-ghö-*ruu*) *n* canguro *m*

keel (kiil) *n* quilla *f*

keen (kiin) *adj* entusiasta; agudo

*keep (kiip) *v* *tener; guardar; continuar; ~ **away from** *mantenerse alejado de; ~ **off** no tocar; ~ **on** continuar; ~ **quiet** *estarse quieto; ~ **up** perseverar; ~ **up with** *seguir el paso

keg (kêgh) *n* barrilete *m*

kennel (kê-nöl) *n* perrera *f*; perrera *m*

Kenya (kê-nyö) Kenya *m*

kerosene (*kê*-rö-ssiin) *n* petróleo lampante

kettle (*kê*-töl) *n* olla *f*

key (kii) *n* llave *f*

keyhole (*kii*-houl) *n* ojo de la cerradura

khaki (*kaa*-ki) *n* caqui *m*

kick (kik) *v* patear; *n* patada *f*

kick-off (ki-*kof*) *n* saque inicial

kid (kid) *n* niño *m*, chico *m*; cabritilla *f*; *v* embromar

kidney (*kid*-ni) *n* riñón *m*

kill (kil) *v* matar

kilogram (*ki*-lö-ghræm) *n* kilogramo *m*

kilometre (*ki*-lö-mii-tö) *n* kilómetro *m*

kind (kaind) *adj* amable, bondadoso; bueno; *n* género *m*

kindergarten (*kin*-dö-ghaa-tön) *n* escuela de párvulos, jardín de infancia

king (king) *n* rey *m*

kingdom (*king*-döm) *n* reino *m*

kiosk (*kii*-ossk) *n* quiosco *m*

kiss (kiss) *n* beso *m*; *v* besar

kit (kit) *n* avíos *mpl*

kitchen (*ki*-chin) *n* cocina *f*; ~ **garden** huerto *m*

Kleenex® (*klii*-nêkss) *n* pañuelo de papel

knapsack (*næp*-ssæk) *n* mochila *f*

knave (neiv) *n* sota *f*

knee (nii) *n* rodilla *f*

kneecap (*nii*-kæp) *n* rótula *f*

*kneel (niil) *v* arrodillarse

knew (nyuu) *v* (p know)

knickers (*ni*-kös) *pl* braga *f*

knife (naif) *n* (pl knives) cuchillo *m*

knight (nait) *n* caballero *m*

*knit (nit) *v* *hacer punto

knob (nob) *n* botón *m*

knock (nok) *v* golpear; *n* golpe *m*; ~ **against** chocar contra; ~ **down** derribar

knot (not) *n* nudo *m*; *v* anudar

*know (nou) *v* *saber, *conocer

knowledge (*no*-lidʒ) *n* conocimiento *m*

knuckle (*na*-köl) *n* nudillo *m*

L

label (*lei*-böl) *n* rótulo *m*; *v* rotular

laboratory (lö-*bo*-rö-tö-ri) *n* laboratorio *m*

labour (*lei*-bö) *n* trabajo *m*, labor *f*; dolores *mpl*; *v* ajetrearse, bregar; **labor permit** *Am* permiso de trabajo

labourer (*lei*-bö-rö) *n* obrero *m*

labour-saving (*lei*-bö-ssei-ving) *adj* economizador de trabajo

labyrinth (*læ*-bö-rinz) *n* laberinto *m*

lace (leiss) *n* puntilla *f*; cordón *m*

lack (læk) *n* falta *f*; *v* *carecer

lacquer (*læ*-kö) *n* laca *f*

lad (læd) *n* joven *m*, muchacho *m*

ladder (*læ*-dö) *n* escalera de mano

lady (*lei*-di) *n* señora *f*; **ladies' room** lavabos para señoras

lagoon (lö-*ghuun*) *n* laguna *f*

lake (leik) *n* lago *m*

lamb (læm) *n* cordero *m*

lame (leim) *adj* paralítico, cojo

lamentable (*læ*-mön-tö-böl) *adj* lamentable

lamp (læmp) *n* lámpara *f*

lamp-post (*læmp*-pousst) *n* poste de farol

lampshade (*læmp*-[eid) *n* pantalla *f*

land (lænd) *n* país *m*, tierra *f*; *v* aterrizar; desembarcar

landlady (*lænd*-lei-di) *n* patrona *f*

landlord (*lænd*-lood) *n* propietario *m*, dueño *m*; patrón *m*

landmark (*lænd*-maak) *n* punto de referencia; mojón *m*

landscape (*lænd*-sskeip) *n* paisaje *m*

lane (lein) *n* callejón *m*; pista *f*

language (*læng*-gh^uidʒ) *n* lengua *f*; ~ **laboratory** laboratorio de lenguas

lantern (*læn*-tön) *n* linterna *f*

lapel (lö-*pél*) *n* solapa *f*

larder (*laa*-dö) *n* despensa *f*

large (laadʒ) *adj* grande; espacioso

lark (laak) *n* alondra *f*

laryngitis (læ-rin-*dʒai*-tiss) *n* laringitis *f*

last (laasst) *adj* último; precedente; *v* durar; **at** ~ al fin; al final

lasting (*laa*-ssting) *adj* duradero

latchkey (*læch*-kii) *n* llave de la casa

late (leit) *adj* tardío; retrasado

lately (*leit*-li) *adv* últimamente, recientemente

lather (*laa*-ðö) *n* espuma *f*

Latin America (*læ*-tin ö-*mé*-ri-kö) América Latina

Latin-American (læ-tin-ö-*mé*-ri ,ön) *adj* latinoamericano

latitude (*læ*-ti-tyuud) *n* latitud *f*

laugh (laaf) *v* *reír; *n* risa *f*

laughter (*laaf*-tö) *n* risa *f*

launch (loonch) *v* lanzar; *n* buque a motor

launching (*loon*-ching) *n* botadura *f*

launderette (loon-dö-*rêt*) *n* lavandería de autoservicio

laundry (*loon*-dri) *n* lavandería *f*; ropa sucia

lavatory (*læ*-vö-tö-ri) *n* cuarto de aseo

lavish (*læ*-viʃ) *adj* pródigo

law (loo) *n* ley *f*; derecho *m*; ~ **court** tribunal *m*

lawful (*loo*-föl) *adj* lícito

lawn (loon) *n* césped *m*

lawsuit (*loo*-ssuut) *n* proceso *m*, causa *f*

lawyer (*loo*-yö) *n* abogado *m*; jurista *m*

laxative (*læk*-ssö-tiv) *n* laxante *m*

*lay (lei) *v* colocar, *poner; ~ **bricks** mampostear

layer (lei^ö) *n* capa *f*

layman (*lei*-mön) *n* profano *m*

lazy (*lei*-si) *adj* perezoso

lead[1] (liid) *n* ventaja *f*; dirección *f*; trailla *f*

lead[2] (lêd) *n* plomo *m*

*lead (liid) *v* *conducir

leader (*lii*-dö) *n* jefe *m*, líder *m*

leadership (*lii*-dö-ʃip) *n* dirección *f*

leading (*lii*-ding) *adj* dominante, principal

leaf (liif) *n* (pl leaves) hoja *f*

league (liigh) *n* liga *f*

leak (liik) *v* gotear; *n* goteo *m*

leaky (*lii*-ki) *adj* que tiene escapes

lean (liin) *adj* magro

*lean (liin) *v* apoyarse

leap (liip) *n* salto *m*

*leap (liip) *v* saltar

leap-year (*liip*-yi^ö) *n* año bisiesto

*learn (löön) *v* aprender

learner (*löö*-nö) *n* principiante *m*

lease (liiss) *n* contrato de arrendamiento; arrendamiento *m*; *v* *arrendar, alquilar

leash (liiʃ) *n* correa *f*

least (liisst) *adj* mínimo, menos; **at** ~ por lo menos

leather (*lê*-ðö) *n* cuero *m*; de piel

leave (liiv) *n* licencia *f*

*leave (liiv) *v* partir, dejar; ~ **out** omitir

Lebanese (lê-bö-*niis*) *adj* libanés

Lebanon (*lê*-bö-nön) Líbano *m*

lecture (*lêk*-chö) *n* curso *m*, conferencia *f*

left[1] (lêft) *adj* izquierdo

left[2] (lêft) *v* (p, pp leave)

left-hand (*lêft*-hænd) *adj* izquierdo, de izquierda

left-handed (*lêft*-*hæn*-did) *adj* zurdo

leg (lĕgh) *n* pata *f*, pierna *f*

legacy (*lĕ*-ghö-ssi) *n* herencia *f*

legal (*lii*-ghöl) *adj* legítimo, legal; jurídico

legalization (lii-ghö-lai-*sei*-fön) *n* legalización *f*

legation (li-*ghei*-fön) *n* legación *f*

legible (*lĕ*-dʒi-böl) *adj* legible

legitimate (li-*dʒi*-ti-möt) *adj* legítimo

leisure (*lĕ*-ʒö) *n* ocio *m*; comodidad *f*

lemon (*lĕ*-mön) *n* limón *m*

lemonade (lĕ-mö-*neid*) *n* limonada *f*

*lend (lĕnd) *v* prestar

length (lĕngz) *n* longitud *f*

lengthen (*lĕng*-zön) *v* alargar

lengthways (*lĕngz*-ᵘeis) *adv* longitudinalmente

lens (lĕns) *n* lente *m/f*; **telephoto ~** teleobjetivo *m*; **zoom ~** lente de foco regulable

leprosy (*lĕ*-prö-ssi) *n* lepra *f*

less (lĕss) *adv* menos

lessen (*lĕ*-ssön) *v* *disminuir

lesson (*lĕ*-ssön) *n* lección *f*

*let (lĕt) *v* dejar; alquilar; **~ down** decepcionar

letter (*lĕ*-tö) *n* carta *f*; letra *f*; **~ of credit** carta de crédito; **~ of recommendation** carta de recomendación

letter-box (*lĕ*-tö-bokss) *n* buzón *m*

lettuce (*lĕ*-tiss) *n* lechuga *f*

level (*lĕ*-völ) *adj* igual; plano, llano; *n* nivel *m*; *v* igualar, nivelar; **~ crossing** paso a nivel

lever (*lii*-vö) *n* palanca *f*

Levis (*lii*-vais) *pl* jeans *mpl*

liability (lai-ö-*bi*-lö-ti) *n* responsabilidad *f*

liable (*lai*-ö-böl) *adj* responsable; **~ to** sujeto a

liberal (*li*-bö-röl) *adj* liberal; generoso, dadivoso

liberation (li-bö-*rei*-fön) *n* liberación *f*

Liberia (lai-*bi*ᵒ-ri-ö) Liberia *f*

Liberian (lai-*bi*ᵒ-ri-ön) *adj* liberiano

liberty (*li*-bö-ti) *n* libertad *f*

library (*lai*-brö-ri) *n* biblioteca *f*

licence (*lai*-ssönss) *n* licencia *f*; permiso *m*; **driving ~** permiso de conducir

license (*lai*-ssönss) *v* autorizar

lick (lik) *v* lamer

lid (lid) *n* tapa *f*

lie (lai) *v* *mentir; *n* mentira *f*

*lie (lai) *v* *yacer; **~ down** *tenderse

life (laif) *n* (pl lives) vida *f*; **~ insurance** seguro de vida

lifebelt (*laif*-bĕlt) *n* chaleco salvavidas

lifetime (*laif*-taim) *n* vida *f*

lift (lift) *v* levantar; *n* ascensor *m*; elevador *mMe*

light (lait) *n* luz *f*; *adj* ligero; pálido; **~ bulb** bulbo *m*

*light (lait) *v* *encender

lighter (*lai*-tö) *n* encendedor *m*

lighthouse (*lait*-hauss) *n* faro *m*

lighting (*lai*-ting) *n* alumbrado *m*

lightning (*lait*-ning) *n* relámpago *m*

like (laik) *v* *querer; gustar; *adj* semejante; *conj* como

likely (*lai*-kli) *adj* probable

like-minded (laik-*main*-did) *adj* unánime

likewise (*laik*-ᵘais) *adv* así también, asimismo

lily (*li*-li) *n* azucena *f*

limb (lim) *n* miembro *m*

lime (laim) *n* cal *f*; tilo *m*; lima *f*

limetree (*laim*-trii) *n* tilo *m*

limit (*li*-mit) *n* límite *m*; *v* limitar

limp (limp) *v* cojear; *adj* inerte

line (lain) *n* renglón *m*; raya *f*; cordón *m*; línea *f*; cola *f*

linen (*li*-nin) *n* lino *m*; ropa blanca

liner (*lai*-nö) *n* vapor de línea

lingerie (*long*-ʒö-rii) *n* ropa interior de

mujer

lining (*lai*-ning) *n* forro *m*

link (lingk) *v* enlazar; *n* enlace *m*; eslabón *m*

lion (*lai*-ön) *n* león *m*

lip (lip) *n* labio *m*

lipsalve (*lip*-ssaav) *n* manteca de cacao

lipstick (*lip*-sstik) *n* lápiz labial

liqueur (li-*kyu*ᵒ) *n* licor *m*

liquid (*li*-kᵘid) *adj* líquido; *n* líquido *m*

liquor (*li*-kö) *n* bebidas alcohólicas

liquorice (*li*-kö-riss) *n* regaliz *m*

list (lisst) *n* lista *f*; *v* inscribir

listen (*li*-ssön) *v* escuchar

listener (*liss*-nö) *n* oyente *m*

literary (*li*-trö-ri) *adj* literario

literature (*li*-trö-chö) *n* literatura *f*

litre (*lii*-tö) *n* litro *m*

litter (*li*-tö) *n* desperdicio *m*; trastos *mpl*; lechigada *f*

little (*li*-töl) *adj* pequeño; poco

live¹ (liv) *v* vivir

live² (laiv) *adj* vivo

livelihood (*laiv*-li-hud) *n* sustento *m*

lively (*laiv*-li) *adj* vivo

liver (*li*-vö) *n* hígado *m*

living-room (*li*-ving-ruum) *n* sala de estar, living *m*

load (loud) *n* carga *f*; fardo *m*; *v* cargar

loaf (louf) *n* (pl loaves) pan *m*

loan (loun) *n* préstamo *m*

lobby (*lo*-bi) *n* vestíbulo *m*

lobster (*lob*-sstö) *n* langosta *f*

local (*lou*-köl) *adj* local; ~ **call** llamada local; ~ **train** tren ómnibus

locality (lou-*kæ*-lö-ti) *n* localidad *f*

locate (lou-*keit*) *v* localizar

location (lou-*kei*-ſön) *n* ubicación *f*

lock (lok) *v* *cerrar con llave; *n* cerradura *f*; esclusa *f*; ~ **up** guardar con llave

locomotive (lou-kö-*mou*-tiv) *n* locomotora *f*

lodge (lodʒ) *v* alojar; *n* apeadero de caza

lodger (*lo*-dʒö) *n* huésped *m*

lodgings (*lo*-dʒings) *pl* alojamiento *m*

log (logh) *n* madero *m*

logic (*lo*-dʒik) *n* lógica *f*

logical (*lo*-dʒi-köl) *adj* lógico

lonely (*loun*-li) *adj* solitario

long (long) *adj* largo; ~ **for** anhelar; **no longer** ya no

longing (*long*-ing) *n* anhelo *m*

longitude (*lon*-dʒi-tyuud) *n* longitud *f*

look (luk) *v* mirar; *parecer, *tener aires de; *n* ojeada *f*, mirada *f*; aspecto *m*; ~ **after** ocuparse de, cuidar de; ~ **at** mirar; ~ **for** buscar; ~ **out** prestar atención, *tener cuidado; ~ **up** buscar

looking-glass (*lu*-king-ghlaass) *n* espejo *m*

loop (luup) *n* nudo corredizo

loose (luuss) *adj* suelto

loosen (*luu*-ssön) *v* *soltar

lord (lood) *n* lord *m*

lorry (*lo*-ri) *n* camión *m*

*lose (luus) *v* *perder

loss (loss) *n* pérdida *f*

lost (losst) *adj* perdido; desaparecido; ~ **and found** objetos perdidos; ~ **property office** oficina de objetos perdidos

lot (lot) *n* suerte *f*, destino *m*; masa *f*, cantidad *f*

lotion (*lou*-ſön) *n* loción *f*; **after-shave** ~ loción para después de afeitarse

lottery (*lo*-tö-ri) *n* lotería *f*

loud (laud) *adj* fuerte

loud-speaker (laud-*sspii*-kö) *n* altavoz *m*

lounge (laundʒ) *n* salón *m*

louse (lauss) *n* (pl lice) piojo *m*

love (lav) v amar; n amor m; **in ~** enamorado

lovely (*lav*-li) adj delicioso, precioso, bonito

lover (*la*-vö) n amante m

love-story (*lav*-sstoo-ri) n historia de amor

low (lou) adj bajo; profundo; deprimido; **~ tide** bajamar f

lower (*lou*-ö) v bajar; rebajar; arriar; adj inferior

lowlands (*lou*-lönds) pl tierra baja

loyal (*loi*-öl) adj leal

lubricate (*luu*-bri-keit) v lubrificar, lubricar

lubrication (luu-bri-*kei*-fön) n lubricación f; **~ oil** aceite lubricante; **~ system** sistema de lubricación

luck (lak) n éxito m, suerte f; azar m

lucky (*la*-ki) adj afortunado; **~ charm** talismán m

ludicrous (*luu*-di-kröss) adj ridículo, grotesco

luggage (*la*-ghidʒ) n equipaje m; **hand ~** equipaje de mano; **left ~ office** consigna f; **~ rack** portabagajes m, rejilla f; **~ van** furgón de equipajes

lukewarm (*luuk*-ᵘoom) adj tibio

lumbago (lam-*bei*-ghou) n lumbago m

luminous (*luu*-mi-nöss) adj luminoso

lump (lamp) n nudo m, grumo m, terrón m; chichón m; **~ of sugar** terrón de azúcar; **~ sum** suma global

lumpy (*lam*-pi) adj apelmazado

lunacy (*luu*-nö-ssi) n locura f

lunatic (*luu*-nö-tik) adj lunático; n alienado m

lunch (lanch) n almuerzo m

luncheon (*lan*-chön) n almuerzo m

lung (lang) n pulmón m

lust (lasst) n concupiscencia f

luxurious (lagh-ʒuᵒ-ri-öss) adj lujoso

luxury (*lak*-fö-ri) n lujo m

M

machine (mö-*fiin*) n aparato m, máquina f

machinery (mö-*fii*-nö-ri) n maquinaria f; mecanismo m

mackerel (*mæ*-kröl) n (pl ~) escombro m

mackintosh (*mæ*-kin-tof) n impermeable m

mad (mæd) adj loco; rabioso

madam (*mæ*-döm) n señora f

madness (*mæd*-nöss) n locura f

magazine (mæ-ghö-*siin*) n revista f

magic (*mæ*-dʒik) n magia f; adj mágico

magician (mö-*dʒi*-fön) n prestidigitador m

magistrate (*mæ*-dʒi-sstreit) n magistrado m

magnetic (mægh-*nê*-tik) adj magnético

magneto (mægh-*nii*-tou) n (pl ~s) magneto m

magnificent (mægh-*ni*-fi-ssönt) adj magnífico; grandioso, espléndido

magpie (*mægh*-pai) n urraca f

maid (meid) n muchacha f

maiden name (*mei*-dön neim) apellido de soltera

mail (meil) n correo m; v enviar por correo

mailbox (*meil*-bokss) nAm buzón m

main (mein) adj principal; mayor; **~ deck** puente superior; **~ line** línea principal; **~ road** camino principal; **~ street** calle mayor

mainland (*mein*-lönd) n tierra firme

mainly (*mein*-li) adv principalmente

mains (meins) pl conducción principal

maintain (mein-*tein*) v *mantener

maintenance (*mein*-tö-nönss) n mantenimiento m

maize (meis) n maíz m

major (*mei*-dʒö) adj grande; mayor; n mayor m

majority (mö-*dʒo*-rö-ti) n mayoría f

***make** (meik) v *hacer; ganar; *conseguir; ~ **do with** arreglarse con; ~ **good** compensar; ~ **up** redactar

make-up (*mei*-kap) n maquillaje m

malaria (mö-*lê*ö-ri-ö) n malaria f

Malay (mö-*lei*) n malayo m

Malaysia (mö-*lei*-si-ö) Malasia f

Malaysian (mö-*lei*-si-ön) adj malayo

male (meil) adj macho

malicious (mö-*li*-ʃöss) adj malicioso

malignant (mö-*ligh*-nönt) adj maligno

mallet (*mæ*-lit) n mazo m

malnutrition (mæl-nyu-*tri*-ʃön) n desnutrición f

mammal (*mæ*-möl) n mamífero m

mammoth (*mæ*-möz) n mamut m

man (mæn) n (pl men) hombre m; **men's room** lavabos para caballeros

manage (*mæ*-nidʒ) v administrar; *tener éxito

manageable (*mæ*-ni-dʒö-böl) adj manejable

management (*mæ*-nidʒ-mönt) n manejo m; gestión f

manager (*mæ*-ni-dʒö) n jefe m, director m

mandarin (*mæn*-dö-rin) n mandarina f

mandate (*mæn*-deit) n mandato m

manger (*mein*-dʒö) n pesebre m

manicure (*mæ*-ni-kyu°) n manicura f; v *hacer la manicura

mankind (mæn-*kaind*) n humanidad f

mannequin (*mæ*-nö-kin) n maniquí m

manner (*mæ*-nö) n modo m, manera f; **manners** pl modales mpl

man-of-war (mæ-növ-°oo) n buque de guerra

manor-house (*mæ*-nö-hauss) n casa señorial

mansion (*mæn*-ʃön) n mansión f

manual (*mæ*-nyu-öl) adj manual

manufacture (mæ-nyu-*fæk*-chö) v fabricar

manufacturer (mæ-nyu-*fæk*-chö-rö) n fabricante m

manure (mö-*nyu*°) n abono m

manuscript (*mæ*-nyu-sskript) n manuscrito m

many (*mê*-ni) adj muchos

map (mæp) n carta f; mapa m; plano m

maple (*mei*-pöl) n arce m

marble (*maa*-böl) n mármol m; canica f

March (maach) marzo

march (maach) v marchar; n marcha f

mare (mê°) n yegua f

margarine (maa-dʒö-*riin*) n margarina f

margin (*maa*-dʒin) n margen m

maritime (*mæ*-ri-taim) adj marítimo

mark (maak) v marcar; caracterizar; n marca f; nota f; blanco m

market (*maa*-kit) n mercado m

market-place (*maa*-kit-pleiss) n plaza de mercado

marmalade (*maa*-mö-leid) n confitura f

marriage (*mæ*-ridʒ) n matrimonio m

marrow (*mæ*-rou) n médula f

marry (*mæ*-ri) v casarse; **married couple** cónyuges mpl

marsh (maaʃ) n pantano m

marshy (*maa*-ʃi) adj pantanoso

martyr (*maa*-tö) n mártir m

marvel (*maa*-völ) n maravilla f; v maravillarse

marvellous (*maa*-vö-löss) adj maravi-

lloso
mascara (mæ-*sskaa*-rö) n rímel m
masculine (*mæ*-sskyu-lin) adj masculino
mash (mæʃ) v machacar
mask (maassk) n máscara f
Mass (mæss) n misa f
mass (mæss) n masa f; ~ **production** producción en serie
massage (*mæ*-ssaaʒ) n masaje m; v *dar masaje
masseur (mæ-*ssöö*) n masajista m
massive (*mæ*-ssiv) adj macizo
mast (maasst) n mástil m
master (*maa*-sstö) n maestro m; patrón m; profesor m; v dominar
masterpiece (*maa*-sstö-piiss) n obra maestra
mat (mæt) n estera f; adj mate, apagado
match (mæch) n cerilla f; partido m; cerillo mMe; v *hacer juego con
match-box (*mæch*-bokss) n caja de cerillas
material (mö-*ti*ᵒ-ri-öl) n material m; tejido m; adj material
mathematical (mæ-zö-*mæ*-ti-köl) adj matemático
mathematics (mæ-zö-*mæ*-tikss) n matemáticas fpl
matrimonial (mæ-tri-*mou*-ni-öl) adj matrimonial
matrimony (*mæ*-tri-mö-ni) n matrimonio m
matter (*mæ*-tö) n materia f; asunto m, cuestión f; v *tener importancia; **as a ~ of fact** efectivamente, en realidad
matter-of-fact (mæ-tö-röv-*fækt*) adj desapasionado
mattress (*mæ*-tröss) n colchón m
mature (mö-*tyu*ᵒ) adj maduro
maturity (mö-*tyu*ᵒ-rö-ti) n madurez f
mausoleum (moo-ssö-*lii*-öm) n mau-

soleo m
mauve (mouv) adj malva
May (mei) mayo
***may** (mei) v *poder
maybe (*mei*-bii) adv quizás
mayor (mêᵒ) n alcalde m
maze (meis) n laberinto m
me (mii) pron me
meadow (*mê*-dou) n prado m
meal (miil) n comida f
mean (miin) adj mezquino; n promedio m
***mean** (miin) v significar; *querer decir
meaning (*mii*-ning) n significado m
meaningless (*mii*-ning-löss) adj sin sentido
means (miins) n medio m; **by no ~** en ningún caso, de ningún modo
in the meantime (in ðö *miin*-taim) entretanto
meanwhile (*miin*-ᵘail) adv entretanto
measles (*mii*-söls) n sarampión m
measure (*mê*-ʒö) v *medir; n medida f
meat (miit) n carne f
mechanic (mi-*kæ*-nik) n mecánico m
mechanical (mi-*kæ*-ni-köl) adj mecánico
mechanism (*mê*-kö-ni-söm) n mecanismo m
medal (*mê*-döl) n medalla f
mediaeval (mê-di-*ii*-völ) adj medieval
mediate (*mii*-di-eit) v mediar
mediator (*mii*-di-ei-tö) n mediador m
medical (*mê*-di-köl) adj médico
medicine (*mêd*-ssin) n medicamento m; medicina f
meditate (*mê*-di-teit) v meditar
Mediterranean (mê-di-tö-*rei*-ni-ön) Mediterráneo
medium (*mii*-di-öm) adj mediano, medio
***meet** (miit) v *encontrarse con

meeting (*mii*-ting) *n* asamblea *f*, reunión *f*; encuentro *m*

meeting-place (*mii*-ting-pleiss) *n* lugar de reunión

melancholy (*mê*-löng-kö-li) *n* melancolía *f*

mellow (*mê*-lou) *adj* suave

melodrama (*mê*-lö-draa-mö) *n* melodrama *m*

melody (*mê*-lö-di) *n* melodía *f*

melon (*mê*-lön) *n* melón *m*

melt (mêlt) *v* fundir

member (*mêm*-bö) *n* miembro *m*; **Member of Parliament** diputado *m*

membership (*mêm*-bö-ʃip) *n* afiliación *f*

memo (*mê*-mou) *n* (pl ~s) apunte *m*

memorable (*mê*-mö-rö-böl) *adj* memorable

memorial (mö-*moo*-ri-öl) *n* monumento *m*

memorize (*mê*-mö-rais) *v* aprenderse de memoria

memory (*mê*-mö-ri) *n* memoria *f*; recuerdo *m*

mend (mênd) *v* reparar, *remendar

menstruation (mên-sstru-*ei*-ʃön) *n* menstruación *f*

mental (*mên*-töl) *adj* mental

mention (*mên*-ʃön) *v* nombrar, mencionar; *n* mención *f*

menu (*mê*-nyuu) *n* menú *m*

merchandise (*möö*-chön-dais) *n* mercancía *f*

merchant (*möö*-chönt) *n* comerciante *m*

merciful (*möö*-ssi-föl) *adj* misericordioso

mercury (*möö*-kyu-ri) *n* mercurio *m*

mercy (*möö*-ssi) *n* misericordia *f*, clemencia *f*

mere (miö) *adj* puro

merely (*miö*-li) *adv* solamente

merger (*möö*-dʒö) *n* fusión *f*

merit (*mê*-rit) *v* *merecer; *n* mérito *m*

mermaid (*möö*-meid) *n* sirena *f*

merry (*mê*-ri) *adj* alegre

merry-go-round (*mê*-ri-ghou-raund) *n* caballitos *mpl*

mesh (mêʃ) *n* malla *f*

mess (mêss) *n* desorden *m*; ~ **up** estropear

message (*mê*-ssidʒ) *n* mensaje *m*

messenger (*mê*-ssin-dʒö) *n* mensajero *m*

metal (*mê*-töl) *n* metal *m*; metálico

meter (*mii*-tö) *n* contador *m*

method (*mê*-zöd) *n* método *m*; orden *m*

methodical (mö-*zo*-di-köl) *adj* metódico

methylated spirits (*mê*-zö-lei-tid *sspi*-ritss) alcohol de quemar

metre (*mii*-tö) *n* metro *m*

metric (*mê*-trik) *adj* métrico

Mexican (*mêk*-ssi-kön) *adj* mejicano; *n* mejicano *m*

Mexico (*mêk*-ssi-kou) Méjico *m*

mezzanine (*mê*-sö-niin) *n* entresuelo *m*

microphone (*mai*-krö-foun) *n* micrófono *m*

midday (*mid*-dei) *n* mediodía *m*

middle (*mi*-döl) *n* medio *m*; *adj* medio; **Middle Ages** Edad Media; ~ **class** clase media; **middle-class** *adj* burgués

midnight (*mid*-nait) *n* medianoche *f*

midst (midsst) *n* medio *m*

midsummer (*mid*-ssa-mö) *n* pleno verano

midwife (*mid*-ᵘaif) *n* (pl -wives) comadrona *f*

might (mait) *n* fuerza *f*

***might** (mait) *v* *poder

mighty (*mai*-ti) *adj* fuerte

migraine (*mi*-ghrein) *n* migraña *f*

mild (maild) *adj* suave

mildew (*mil*-dyu) *n* moho *m*

mile (mail) *n* milla *f*

mileage (*mai*-lidӡ) *n* millaje *m*

milepost (*mail*-pousst) *n* cipo *m*

milestone (*mail*-sstoun) *n* piedra miliar

milieu (*mii*-lyöö) *n* medio ambiente

military (*mi*-li-tö-ri) *adj* militar; ~ **force** fuerzas armadas

milk (milk) *n* leche *f*

milkman (*milk*-mön) *n* (pl -men) lechero *m*

milk-shake (*milk*-ſeik) *n* batido de leche

milky (*mil*-ki) *adj* lechoso

mill (mil) *n* molino *m*; fábrica *f*

miller (*mi*-lö) *n* molinero *m*

milliner (*mi*-li-nö) *n* sombrerera *f*

million (*mil*-yön) *n* millón *m*

millionaire (mil-yö-*nê*ᵒ) *n* millonario *m*

mince (minss) *v* picar

mind (maind) *n* mente *f*; *v* *hacer objeción a; fijarse en, *tener cuidado con

mine (main) *n* mina *f*

miner (*mai*-nö) *n* minero *m*

mineral (*mi*-nö-röl) *n* mineral *m*; ~ **water** agua mineral

miniature (*min*-yö-chö) *n* miniatura *f*

minimum (*mi*-ni-möm) *n* mínimum *m*

mining (*mai*-ning) *n* minería *f*

minister (*mi*-ni-sstö) *n* ministro *m*; clérigo *m*; **Prime Minister** Presidente de Consejo de ministros

ministry (*mi*-ni-sstri) *n* ministerio *m*

mink (mingk) *n* visón *m*

minor (*mai*-nö) *adj* pequeño, escaso, menor; secundario; *n* menor de edad

minority (mai-*no*-rö-ti) *n* minoría *f*

mint (mint) *n* menta *f*

minus (*mai*-nöss) *prep* menos

minute¹ (*mi*-nit) *n* minuto *m*; **minutes** actas

minute² (mai-*nyuut*) *adj* menudo

miracle (*mi*-rö-köl) *n* milagro *m*

miraculous (mi-*ræ*-kyu-löss) *adj* milagroso

mirror (*mi*-rö) *n* espejo *m*

misbehave (miss-bi-*heiv*) *v* portarse mal

miscarriage (miss-*kæ*-ridӡ) *n* aborto *m*

miscellaneous (mi-ssö-*lei*-ni-öss) *adj* misceláneo

mischief (*miss*-chif) *n* diabluras *fpl*; mal *m*, daño *m*, malicia *f*

mischievous (*miss*-chi-vöss) *adj* travieso

miserable (*mi*-sö-rö-böl) *adj* miserable

misery (*mi*-sö-ri) *n* miseria *f*; necesidad *f*

misfortune (miss-*foo*-chên) *n* contratiempo *m*, infortunio *m*

*mislay (miss-*lei*) *v* extraviar

misplaced (miss-*pleisst*) *adj* inoportuno; fuera de lugar

mispronounce (miss-prö-*naunss*) *v* pronunciar mal

miss¹ (miss) señorita *f*

miss² (miss) *v* *perder

missing (*mi*-ssing) *adj* que falta; ~ **person** desaparecido *m*

mist (misst) *n* niebla *f*

mistake (mi-*ssteik*) *n* error *m*, equivocación *f*

*mistake (mi-*ssteik*) *v* confundir

mistaken (mi-*sstei*-kön) *adj* equivocado; ***be ~** equivocarse

mister (*mi*-sstö) *n* señor *m*

mistress (*mi*-sströss) *n* señora *f*; dueña *f*; querida *f*

mistrust (miss-*trasst*) *v* desconfiar de

misty (*mi*-ssti) *adj* nebuloso

*misunderstand (mi-ssan-dö-*sstænd*)

v comprender mal

misunderstanding (mi-ssan-dö-*sstæn*-ding) n equivocación f

misuse (miss-*yuuss*) n abuso m

mittens (*mi*-töns) pl guantes mpl

mix (mikss) v mezclar; ~ **with** alternar con

mixed (miksst) adj mezclado

mixer (*mik*-ssö) n batidora f

mixture (*mikss*-chö) n mezcla f

moan (moun) v *gemir

moat (mout) n foso m

mobile (*mou*-bail) adj móvil

mock (mok) v burlarse de

mockery (*mo*-kö-ri) n burla f

model (*mo*-döl) n modelo m; maniquí m; v modelar

moderate (*mo*-dö-röt) adj moderado; mediocre

modern (*mo*-dön) adj moderno

modest (*mo*-disst) adj modesto

modesty (*mo*-di-ssti) n modestia f

modify (*mo*-di-fai) v modificar

mohair (*mou*-hê°) n mohair m

moist (moisst) adj mojado, húmedo

moisten (*moi*-ssön) v *humedecer

moisture (*moiss*-chö) n humedad f; **moisturizing cream** crema hidratante

molar (*mou*-lö) n muela f

moment (*mou*-mönt) n momento m

momentary (*mou*-mön-tö-ri) adj momentáneo

monarch (*mo*-nök) n monarca m

monarchy (*mo*-nö-ki) n monarquía f

monastery (*mo*-nö-sstri) n monasterio m

Monday (*man*-di) lunes m

monetary (*ma*-ni-tö-ri) adj monetario; ~ **unit** unidad monetaria

money (*ma*-ni) n dinero m; ~ **exchange** oficina de cambio; ~ **order** libranza f

monk (mangk) n monje m

monkey (*mang*-ki) n mono m

monologue (*mo*-no-logh) n monólogo m

monopoly (mö-*no*-pö-li) n monopolio m

monotonous (mö-*no*-tö-nöss) adj monótono

month (manz) n mes m

monthly (*manz*-li) adj mensual; ~ **magazine** revista mensual

monument (*mo*-nyu-mönt) n monumento m

mood (muud) n humor m

moon (muun) n luna f

moonlight (*muun*-lait) n luz de la luna

moor (mu°) n brezal m, turbera f

moose (muuss) n (pl ~, ~s) alce m

moped (*mou*-pêd) n bicimotor m

moral (*mo*-röl) n moral f; adj moral; **morals** costumbres

morality (mö-*ræ*-lö-ti) n moralidad f

more (moo) adj más; **once** ~ otra vez

moreover (moo-rou-vö) adv además

morning (*moo*-ning) n mañana f; ~ **paper** diario matutino

Moroccan (mö-*ro*-kön) adj marroquí

Morocco (mö-*ro*-kou) Marruecos m

morphia (*moo*-fi-ö) n morfina f

morphine (*moo*-fiin) n morfina f

morsel (*moo*-ssöl) n trozo m

mortal (*moo*-töl) adj fatal, mortal

mortgage (*moo*-ghidჳ) n hipoteca f

mosaic (mö-*sei*-ik) n mosaico m

mosque (mossk) n mezquita f

mosquito (mö-*sskii*-tou) n (pl ~es) mosquito m

mosquito-net (mö-*sskii*-tou-nêt) n mosquitero m

moss (moss) n musgo m

most (mousst) adj el más; **at** ~ a lo sumo, como máximo; ~ **of all** sobre todo

mostly (*mousst*-li) adv generalmente

motel (mou-*têl*) n motel m

moth (moz) *n* polilla *f*

mother (*ma*-ðö) *n* madre *f*; ~ **tongue** lengua materna

mother-in-law (*ma*-ðö-rin-loo) *n* (pl mothers-) suegra *f*

mother-of-pearl (ma-ðö-röv-*pööl*) *n* nácar *m*

motion (*mou*-ʃön) *n* movimiento *m*; moción *f*

motive (*mou*-tiv) *n* motivo *m*

motor (*mou*-tö) *n* motor *m*; *v* *ir en coche; **starter** ~ motor de arranque

motorbike (*mou*-tö-baik) *nAm* motocicleta *f*

motor-boat (*mou*-tö-bout) *n* bote a motor

motor-car (*mou*-tö-kaa) *n* automóvil *m*

motor-cycle (*mou*-tö-ssai-köl) *n* motocicleta *f*

motoring (*mou*-tö-ring) *n* automovilismo *m*

motorist (*mou*-tö-risst) *n* automovilista *m*

motorway (*mou*-tö-ᵘei) *n* autopista *f*

motto (*mo*-tou) *n* (pl ~es, ~s) lema *f*

mouldy (*moul*-di) *adj* enmohecido

mound (maund) *n* montículo *m*

mount (maunt) *v* montar; *n* monte *m*

mountain (*maun*-tin) *n* montaña *f*; ~ **pass** paso *m*; ~ **range** cordillera *f*

mountaineering (maun-ti-*ni*ö-ring) *n* montañismo *m*

mountainous (*maun*-ti-nöss) *adj* montañoso

mourning (*moo*-ning) *n* luto *m*

mouse (mauss) *n* (pl mice) ratón *m*

moustache (mö-*sstaaʃ*) *n* bigote *m*

mouth (mauz) *n* boca *f*; hocico *m*; desembocadura *f*

mouthwash (*mauz*-ᵘoʃ) *n* enjuague bucal

movable (*muu*-vö-böl) *adj* movible

move (muuv) *v* *mover; trasladar;

mudarse; *conmover; *n* jugada *f*, paso *m*; mudanza *f*

movement (*muuv*-mönt) *n* movimiento *m*

movie (*muu*-vi) *n* filme *m*

much (mach) *adj* mucho; **as** ~ tanto

muck (mak) *n* suciedad *f*

mud (mad) *n* lodo *m*

muddle (*ma*-döl) *n* dédalo *m*, embrollo *m*; *v* embrollar

muddy (*ma*-di) *adj* lodoso

mud-guard (*mad*-ghaad) *n* guardabarros *m*; salpicadera *fMe*

mug (magh) *n* vaso *m*, taza *f*

mulberry (*mal*-bö-ri) *n* mora *f*

mule (myuul) *n* mulo *m*

mullet (*ma*-lit) *n* mújol *m*

multiplication (mal-ti-pli-*kei*-ʃön) *n* multiplicación *f*

multiply (*mal*-ti-plai) *v* multiplicar

mumps (mampss) *n* paperas *fpl*

municipal (myuu-*ni*-ssi-pöl) *adj* municipal

municipality (myuu-ni-ssi-*pæ*-lö-ti) *n* municipalidad *f*

murder (*möö*-dö) *n* asesinato *m*; *v* asesinar

murderer (*möö*-dö-rö) *n* asesino *m*

muscle (*ma*-ssöl) *n* músculo *m*

muscular (*ma*-sskyu-lö) *adj* musculoso

museum (myuu-*sii*-öm) *n* museo *m*

mushroom (*maʃ*-ruum) *n* seta *f*; hongo *m*

music (*myuu*-sik) *n* música *f*; ~ **academy** conservatorio *m*

musical (*myuu*-si-köl) *adj* musical; *n* comedia musical

music-hall (*myuu*-sik-hool) *n* teatro de variedades

musician (myuu-*si*-ʃön) *n* músico *m*

muslin (*mas*-lin) *n* muselina *f*

mussel (*ma*-ssöl) *n* mejillón *m*

*must (masst) *v* *tener que

mustard (*ma*-sstöd) *n* mostaza *f*

mute (myuut) *adj* mudo

mutiny (*myuu*-ti-ni) *n* amotinamiento *m*

mutton (*ma*-tön) *n* carnero *m*

mutual (*myuu*-chu-öl) *adj* mutuo, recíproco

my (mai) *adj* mi

myself (mai-*sêlf*) *pron* me; yo mismo

mysterious (mi-*ssti⁰*-ri-öss) *adj* misterioso

mystery (*mi*-sstö-ri) *n* enigma *m*, misterio *m*

myth (miz) *n* mito *m*

N

nail (neil) *n* uña *f*; clavo *m*

nailbrush (*neil*-braʃ) *n* cepillo para las uñas

nail-file (*neil*-fail) *n* lima para las uñas

nail-polish (*neil*-po-liʃ) *n* barniz para las uñas

nail-scissors (*neil*-ssi-sös) *pl* tijeras para las uñas

naïve (naa-*iiv*) *adj* ingenuo

naked (*nei*-kid) *adj* desnudo

name (neim) *n* nombre *m*; *v* nombrar; **in the ~ of** en nombre de

namely (*neim*-li) *adv* a saber

nap (næp) *n* siesta *f*

napkin (*næp*-kin) *n* servilleta *f*

nappy (*næ*-pi) *n* pañal *m*

narcosis (naa-*kou*-ssiss) *n* (pl -ses) narcosis *f*

narcotic (naa-*ko*-tik) *n* narcótico *m*

narrow (*næ*-rou) *adj* angosto, estrecho

narrow-minded (næ-rou-*main*-did) *adj* mezquino

nasty (*naa*-ssti) *adj* antipático, desagradable

nation (*nei*-ʃön) *n* nación *f*; pueblo *m*

national (*næ*-ʃö-nöl) *adj* nacional; del Estado; **~ anthem** himno nacional; **~ dress** traje del país; **~ park** parque nacional

nationality (næ-ʃö-*næ*-lö-ti) *n* nacionalidad *f*

nationalize (*næ*-ʃö-nö-lais) *v* nacionalizar

native (*nei*-tiv) *n* indígena *m*; *adj* nativo; **~ country** patria *f*, país natal; **~ language** lengua materna

natural (*næ*-chö-röl) *adj* natural; innato

naturally (*næ*-chö-rö-li) *adv* naturalmente, por supuesto

nature (*nei*-chö) *n* naturaleza *f*; natural *m*

naughty (*noo*-ti) *adj* travieso

nausea (*noo*-ssi-ö) *n* náusea *f*

naval (*nei*-völ) *adj* naval

navel (*nei*-völ) *n* ombligo *m*

navigable (*næ*-vi-ghö-böl) *adj* navegable

navigate (*næ*-vi-gheit) *v* navegar

navigation (næ-vi-*ghei*-ʃön) *n* navegación *f*

navy (*nei*-vi) *n* marina *f*

near (ni⁰) *prep* cerca de; *adj* cercano

nearby (ni⁰-bai) *adj* cercano

nearly (ni⁰-li) *adv* casi

neat (niit) *adj* pulcro; puro

necessary (*nê*-ssö-ssö-ri) *adj* necesario

necessity (nö-*ssê*-ssö-ti) *n* necesidad *f*

neck (nêk) *n* cuello *m*; **nape of the ~** nuca *f*

necklace (*nêk*-löss) *n* collar *m*

necktie (*nêk*-tai) *n* corbata *f*

need (niid) *v* deber, necesitar; *n* necesidad *f*; **~ to** deber

needle (*nii*-döl) *n* aguja *f*

needlework (*nii*-döl-ᵘöök) *n* labor de aguja

negative (*nê*-ghö-tiv) *adj* negativo; *n*

negativo m

neglect (ni-*ghlêkt*) v descuidar; n negligencia f

neglectful (ni-*ghlêkt*-föl) adj negligente

negligee (*nê*-ghli-ʒei) n bata suelta

negotiate (ni-*ghou*-ʃi-eit) v negociar

negotiation (ni-ghou-ʃi-*ei*-ʃön) n negociación f

Negro (*nii*-ghrou) n (pl ~es) negro m

neighbour (*nei*-bö) n vecino m

neighbourhood (*nei*-bö-hud) n vecindad f

neighbouring (*nei*-bö-ring) adj contiguo, vecino

neither (*nai*-ðö) pron ninguno de los dos; **neither ... nor** ni ... ni

neon (*nii*-on) n neón m

nephew (*nê*-fyuu) n sobrino m

nerve (nööv) n nervio m; audacia f

nervous (*nöö*-vöss) adj nervioso

nest (nêsst) n nido m

net (nêt) n red f; adj neto

the Netherlands (*nê*-ðö-lönds) Países Bajos mpl

network (*nêt*-ᵘöök) n red f

neuralgia (nyuᵘ-*ræl*-dʒö) n neuralgia f

neurosis (nyuᵘ-*rou*-ssiss) n neurosis f

neuter (*nyuu*-tö) adj neutro

neutral (*nyuu*-tröl) adj neutral

never (*nê*-vö) adv nunca

nevertheless (nê-vö-ðö-*lêss*) adv no obstante

new (nyuu) adj nuevo; **New Year** año nuevo

news (nyuus) n noticiario m, noticia f; noticias fpl

newsagent (*nyuu*-sei-dʒönt) n vendedor de periódicos

newspaper (*nyuu*-pei-pö) n diario m

newsreel (*nyuu*-riil) n noticiario m

newsstand (*nyuu*-sstænd) n quiosco de periódicos

New Zealand (nyuu *sii*-lönd) Nueva Zelanda

next (nêksst) adj próximo; ~ **to** junto a

next-door (nêksst-*doo*) adv al lado

nice (naiss) adj agradable, bonito, ameno; rico; simpático

nickel (*ni*-köl) n níquel m

nickname (*nik*-neim) n mote m

nicotine (*ni*-kö-tiin) n nicotina f

niece (niiss) n sobrina f

Nigeria (nai-*dʒiᵃ*-ri-ö) Nigeria f

Nigerian (nai-*dʒiᵃ*-ri-ön) adj nigeriano

night (nait) n noche f; **by** ~ de noche; ~ **flight** vuelo nocturno; ~ **rate** tarifa nocturna; ~ **train** tren nocturno

nightclub (*nait*-klab) n cabaret m

night-cream (*nait*-kriim) n crema de noche

nightdress (*nait*-drêss) n camisón m

nightingale (*nai*-ting-gheil) n ruiseñor m

nightly (*nait*-li) adj nocturno

nil (nil) nada

nine (nain) num nueve

nineteen (nain-*tiin*) num diecinueve

nineteenth (nain-*tiinz*) num decimonono

ninety (*nain*-ti) num noventa

ninth (nainz) num noveno

nitrogen (*nai*-trö-dʒön) n nitrógeno m

no (nou) no; adj ninguno; ~ **one** nadie

nobility (nou-*bi*-lö-ti) n nobleza f

noble (*nou*-böl) adj noble

nobody (*nou*-bo-di) pron nadie

nod (nod) n cabeceo m; v cabecear

noise (nois) n ruido m; alboroto m

noisy (*noi*-si) adj ruidoso

nominal (*no*-mi-nöl) adj nominal

nominate (*no*-mi-neit) v nombrar

nomination (no-mi-*nei*-ʃön) n nominación f; nombramiento m

none (nan) pron ninguno

nonsense (*non*-ssönss) *n* tontería *f*

noon (nuun) *n* mediodía *m*

normal (*noo*-möl) *adj* normal

north (nooz) *n* norte *m*; *adj* septentrional; **North Pole** polo norte

north-east (nooz-*iisst*) *n* nordeste *m*

northerly (*noo*-ðö-li) *adj* del norte

northern (*noo*-ðön) *adj* norteño

north-west (nooz-*uêsst*) *n* noroeste *m*

Norway (*noo*-uei) Noruega *f*

Norwegian (noo-*uii*-dʒön) *adj* noruego

nose (nous) *n* nariz *f*

nosebleed (*nous*-bliid) *n* hemorragia nasal

nostril (*no*-sstril) *n* ventana de la nariz

not (not) *adv* no

notary (*nou*-tö-ri) *n* notario *m*

note (nout) *n* apunte *m*, esquela *f*; nota *f*; tono *m*; *v* notar; observar, *comprobar

notebook (*nout*-buk) *n* libreta de apuntes

noted (*nou*-tid) *adj* afamado

notepaper (*nout*-pei-pö) *n* papel de escribir, papel para cartas

nothing (*na*-zing) *n* nada *f*, nada

notice (*nou*-tiss) *v* observar, notar, *advertir; *ver; *n* aviso *m*, noticia *f*; atención *f*

noticeable (*nou*-ti-ssö-böl) *adj* perceptible; notable

notify (*nou*-ti-fai) *v* notificar

notion (*nou*-ʃön) *n* noción *f*

notorious (nou-*too*-ri-öss) *adj* de mala fama

nougat (*nuu*-ghaa) *n* turrón *m*

nought (noot) *n* cero *m*

noun (naun) *n* nombre *m*, substantivo *m*

nourishing (*na*-ri-ʃing) *adj* nutritivo

novel (*no*-völ) *n* novela *f*

novelist (*no*-vö-lisst) *n* novelista *m*

November (nou-*vêm*-bö) noviembre

now (nau) *adv* ahora; actualmente; ~ **and then** de vez en cuando

nowadays (*nau*-ö-deis) *adv* hoy en día

nowhere (*nou*-uêô) *adv* en ninguna parte

nozzle (*no*-söl) *n* tobera *f*

nuance (nyuu-*angss*) *n* matiz *m*

nuclear (*nyuu*-kli-ö) *adj* nuclear; ~ **energy** energía nuclear

nucleus (*nyuu*-kli-öss) *n* núcleo *m*

nude (nyuud) *adj* desnudo; *n* desnudo *m*

nuisance (*nyuu*-ssönss) *n* molestia *f*

numb (nam) *adj* entumecido; aterido

number (*nam*-bö) *n* número *m*; cifra *f*; cantidad *f*

numeral (*nyuu*-mö-röl) *n* numeral *m*

numerous (*nyuu*-mö-röss) *adj* numeroso

nun (nan) *n* monja *f*

nunnery (*na*-nö-ri) *n* convento *m*

nurse (nööss) *n* enfermera *f*; niñera *f*; *v* *atender a; amamantar

nursery (*nöö*-ssö-ri) *n* cuarto de niños; guardería *f*; vivero *m*

nut (nat) *n* nuez *f*; tuerca *f*

nutcrackers (*nat*-kræ-kös) *pl* cascanueces *m*

nutmeg (*nat*-mêgh) *n* nuez moscada

nutritious (nyuu-*tri*-ʃöss) *adj* nutritivo

nutshell (*nat*-ʃêl) *n* cáscara de nuez

nylon (*nai*-lon) *n* nylon *m*

O

oak (ouk) *n* roble *m*

oar (oo) *n* remo *m*

oasis (ou-*ei*-ssiss) *n* (pl oases) oasis *f*

oath (ouz) *n* juramento *m*

oats (outss) *pl* avena *f*

obedience (ö-*bii*-di-önss) *n* obediencia *f*

obedient (ö-*bii*-di-önt) *adj* obediente

obey (ö-*bei*) *v* *obedecer

object¹ (*ob*-dʒikt) *n* objeto *m*

object² (öb-*dʒêkt*) *v* objetar; ~ **to** *oponerse a

objection (öb-*dʒêk*-ʃön) *n* objeción *f*

objective (öb-*dʒêk*-tiv) *adj* objetivo; *n* objetivo *m*

obligatory (ö-*bli*-ghö-tö-ri) *adj* obligatorio

oblige (ö-*blaidʒ*) *v* obligar; *** be obliged to** *estar obligado a; *tener que

obliging (ö-*blai*-dʒing) *adj* simpático

oblong (*ob*-long) *adj* oblongo; *n* rectángulo *m*

obscene (öb-*ssiin*) *adj* obsceno

obscure (öb-*sskyuᵒ*) *adj* obscuro, misterioso, oscuro

observation (ob-sö-*vei*-ʃön) *n* observación *f*

observatory (öb-*söö*-vö-tri) *n* observatorio *m*

observe (öb-*sööv*) *v* observar

obsession (öb-*ssê*-ʃön) *n* obsesión *f*

obstacle (*ob*-sstö-köl) *n* obstáculo *m*

obstinate (*ob*-ssti-nöt) *adj* obstinado; pertinaz

obtain (öb-*tein*) *v* *conseguir, *obtener

obtainable (öb-*tei*-nö-böl) *adj* adquirible

obvious (*ob*-vi-öss) *adj* obvio

occasion (ö-*kei*-ʒön) *n* ocasión *f*; motivo *m*

occasionally (ö-*kei*-ʒö-nö-li) *adv* de vez en cuando, ocasionalmente

occupant (*o*-kyu-pönt) *n* ocupante *m*

occupation (o-kyu-*pei*-ʃön) *n* ocupación *f*

occupy (*o*-kyu-pai) *v* ocupar

occur (ö-*köö*) *v* suceder, ocurrir, *acontecer

occurrence (ö-*ka*-rönss) *n* aconteci-

miento *m*

ocean (*ou*-ʃön) *n* océano *m*

October (ok-*tou*-bö) octubre

octopus (*ok*-tö-pöss) *n* pulpo *m*

oculist (*o*-kyu-lisst) *n* oculista *m*

odd (od) *adj* raro; impar

odour (*ou*-dö) *n* olor *m*

of (ov, öv) *prep* de

off (of) *adv* fuera; *prep* de

offence (ö-*fênss*) *n* falta *f*; ofensa *f*, escándalo *m*

offend (ö-*fênd*) *v* ofender; transgredir

offensive (ö-*fên*-ssiv) *adj* ofensivo; insultante; *n* ofensivo *m*

offer (*o*-fö) *v* *ofrecer; presentar; *n* oferta *f*

office (*o*-fiss) *n* oficina *f*; cargo *m*; ~ **hours** horas de oficina

officer (*o*-fi-ssö) *n* oficial *m*

official (ö-*fi*-föl) *adj* oficial

off-licence (*of*-lai-ssönss) *n* almacén de licores

often (*o*-fön) *adv* a menudo, frecuentemente

oil (oil) *n* aceite *m*; petróleo *m*; **fuel** ~ combustible líquido; ~ **filter** filtro del aceite; ~ **pressure** presión del aceite

oil-painting (oil-*pein*-ting) *n* pintura al óleo

oil-refinery (*oil*-ri-fai-nö-ri) *n* refinería de petróleo

oil-well (*oil*-vêl) *n* pozo de petróleo

oily (*oi*-li) *adj* aceitoso

ointment (*oint*-mönt) *n* ungüento *m*

okay! (ou-*kei*) ¡de acuerdo!

old (ould) *adj* viejo; ~ **age** vejez *f*

old-fashioned (ould-*fæ*-fönd) *adj* anticuado

olive (*o*-liv) *n* aceituna *f*; ~ **oil** aceite de oliva

omelette (*om*-löt) *n* tortilla *f*

ominous (*o*-mi-nöss) *adj* siniestro

omit (ö-*mit*) *v* omitir

omnipotent (om-*ni*-pö-tönt) *adj* omnipotente

on (on) *prep* sobre; a

once (ᵘanss) *adv* una vez; **at ~** en seguida; **~ more** otra vez

oncoming (*on*-ka-ming) *adj* venidero

one (ᵘan) *num* uno; *pron* uno

oneself (ᵘan-*ssélf*) *pron* uno mismo

onion (a-nyön) *n* cebolla *f*

only (*oun*-li) *adj* solo; *adv* sólo, solamente; *conj* pero

onwards (*on*-ᵘöds) *adv* adelante

onyx (*o*-nikss) *n* ónix *m*

opal (*ou*-pöl) *n* ópalo *m*

open (*ou*-pön) *v* abrir; *adj* abierto; sincero

opening (*ou*-pö-ning) *n* abertura *f*

opera (*o*-pö-rö) *n* ópera *f*; **~ house** teatro de la ópera

operate (*o*-pö-reit) *v* operar, funcionar

operation (o-pö-*rei*-jön) *n* funcionamiento *m*; operación *f*

operator (*o*-pö-rei-tö) *n* telefonista *f*

operetta (o-pö-*ré*-tö) *n* opereta *f*

opinion (ö-*pi*-nyön) *n* parecer *m*, opinión *f*

opponent (ö-*pou*-nönt) *n* contrincante *m*

opportunity (o-pö-*tyuu*-nö-ti) *n* oportunidad *f*

oppose (o-*pous*) *v* *oponerse

opposite (*o*-pö-sit) *prep* enfrente de; *adj* contrario, opuesto

opposition (o-pö-*si*-jön) *n* oposición *f*

oppress (ö-*préss*) *v* oprimir

optician (op-*ti*-jön) *n* óptico *m*

optimism (*op*-ti-mi-söm) *n* optimismo *m*

optimist (*op*-ti-misst) *n* optimista *m*

optimistic (op-ti-*mi*-sstik) *adj* optimista

optional (*op*-jö-nöl) *adj* opcional

or (oo) *conj* o

oral (*oo*-röl) *adj* oral

orange (*o*-rindʒ) *n* naranja *f*; *adj* de color naranja

orchard (*oo*-chöd) *n* vergel *m*

orchestra (*oo*-ki-ssträ) *n* orquesta *f*; **~ seat** *Am* butaca *f*

order (*oo*-dö) *v* ordenar; *pedir; *n* orden *m*; orden *f*, mandato *m*; pedido *m*; **in ~** en regla; **in ~ to** para; **made to ~** hecho a la medida; **out of ~** averiado; **postal ~** giro postal

order-form (*oo*-dö-foom) *n* hoja de pedido

ordinary (*oo*-dön-ri) *adj* común, ordinario

ore (oo) *n* mineral *m*

organ (*oo*-ghön) *n* órgano *m*

organic (oo-*ghæ*-nik) *adj* orgánico

organization (oo-ghö-nai-*sei*-jön) *n* organización *f*

organize (*oo*-ghö-nais) *v* organizar

Orient (*oo*-ri-önt) *n* oriente *m*

oriental (oo-ri-*én*-töl) *adj* oriental

orientate (*oo*-ri-ön-teit) *v* orientarse

origin (*o*-ri-dʒin) *n* origen *m*; descendencia *f*, procedencia *f*

original (ö-*ri*-dʒi-nöl) *adj* auténtico, original

originally (ö-*ri*-dʒi-nö-li) *adv* originalmente

orlon (*oo*-lon) *n* orlón *m*

ornament (*oo*-nö-mönt) *n* adorno *m*

ornamental (oo-nö-*mên*-töl) *adj* ornamental

orphan (*oo*-fön) *n* huérfano *m*

orthodox (*oo*-zö-dokss) *adj* ortodoxo

ostrich (*o*-sstrich) *n* avestruz *m*

other (a-ðö) *adj* otro

otherwise (a-ðö-ᵘais) *conj* si no; *adv* de otra manera

*ought to (oot) *tener que

our (auᵒ) *adj* nuestro

ourselves (auᵒ-*ssélvs*) *pron* nos; nosotros mismos

out (aut) *adv* fuera; ~ **of** fuera de, de

outbreak (*aut*-breik) *n* explosión *f*

outcome (*aut*-kam) *n* resultado *m*

*__outdo__ (aut-*duu*) *v* superar

outdoors (aut-*doos*) *adv* afuera

outer (*au*-tö) *adj* exterior

outfit (*aut*-fit) *n* equipo *m*

outline (*aut*-lain) *n* contorno *m*; *v* bosquejar

outlook (*aut*-luk) *n* previsión *f*; punto de vista

output (*aut*-put) *n* producción *f*

outside (aut-*ssaid*) *adv* afuera; *prep* fuera de; *n* exterior *m*

outsize (*aut*-ssais) *n* tamaño extraordinario

outskirts (*aut*-ssköötss) *pl* afueras *fpl*

outstanding (aut-*sstæn*-ding) *adj* eminente, destacado

outward (*aut*-ᵘöd) *adj* externo

outwards (*aut*-ᵘöds) *adv* hacia afuera

oval (*ou*-völ) *adj* ovalado

oven (a-vön) *n* horno *m*; **microwave** ~ horno de microonda

over (*ou*-vö) *prep* encima de; más de; *adv* encima; abajo; *adj* acabado; ~ **there** allá

overall (*ou*-vö-rool) *adj* total

overalls (*ou*-vö-rools) *pl* mono *m*; overol *mMe*

overcast (*ou*-vö-kaasst) *adj* nublado

overcoat (*ou*-vö-kout) *n* abrigo *m*

*__overcome__ (ou-vö-*kam*) *v* vencer

overdue (ou-vö-*dyuu*) *adj* atrasado

overgrown (ou-vö-*ghroun*) *adj* cubierto de verdor

overhaul (ou-vö-*hool*) *v* revisar

overhead (ou-vö-*hêd*) *adv* en alto

overlook (ou-vö-*luk*) *v* pasar por alto

overnight (ou-vö-*nait*) *adv* de noche

overseas (ou-vö-*ssiis*) *adj* ultramar

oversight (*ou*-vö-ssait) *n* descuido *m*

*__oversleep__ (ou-vö-*ssliip*) *v* quedarse dormido

overstrung (ou-vö-*sstrang*) *adj* sobreexcitado

*__overtake__ (ou-vö-*teik*) *v* recoger; **no overtaking** prohibido adelantar

over-tired (ou-vö-*taiᵒd*) *adj* exhausto

overture (*ou*-vö-chö) *n* obertura *f*

overweight (*ou*-vö-ᵘeit) *n* sobrepeso *m*

overwhelm (òu-vö-ᵘêlm) *v* *desconcertar, subyugar

overwork (ou-vö-ᵘöök) *v* trabajar demasiado

owe (ou) *v* deber; **owing to** a causa de, debido a

owl (aul) *n* buho *m*

own (oun) *v* *poseer; *adj* propio

owner (*ou*-nö) *n* propietario *m*

ox (okss) *n* (pl oxen) buey *m*

oxygen (*ok*-ssi-dʒön) *n* oxígeno *m*

oyster (*oi*-sstö) *n* ostra *f*

P

pace (peiss) *n* andares *mpl*; paso *m*; ritmo *m*

Pacific Ocean (pö-*ssi*-fik ou-*fön*) Océano Pacífico

pacifism (*pæ*-ssi-fi-söm) *n* pacifismo *m*

pacifist (*pæ*-ssi-fisst) *n* pacifista *m*

pack (pæk) *v* embalar; ~ **up** empaquetar

package (*pæ*-kidʒ) *n* paquete *m*

packet (*pæ*-kit) *n* paquete *m*

packing (*pæ*-king) *n* embalaje *m*

pad (pæd) *n* almohadilla *f*; bloque *m*

paddle (*pæ*-döl) *n* remo *m*

padlock (*pæd*-lok) *n* candado *m*

pagan (*pei*-ghön) *adj* pagano; *n* pagano *m*

page (peidʒ) *n* página *f*

page-boy (*peidʒ*-boi) *n* paje *m*

pail (peil) *n* balde *m*

pain (pein) *n* dolor *m*; **pains** pena *f*

painful (*pein*-föl) *adj* dolorido

painless (*pein*-löss) *adj* sin dolor

paint (peint) *n* pintura *f*; *v* pintar

paint-box (*peint*-bokss) *n* caja de colores

paint-brush (*peint*-braʃ) *n* pincel *m*

painter (*pein*-tö) *n* pintor *m*

painting (*pein*-ting) *n* pintura *f*

pair (pêᵒ) *n* par *m*

Pakistan (paa-ki-*sstaan*) Paquistán *m*

Pakistani (paa-ki-*sstaa*-ni) *adj* paquistaní

palace (*pæ*-löss) *n* palacio *m*

pale (peil) *adj* pálido

palm (paam) *n* palma *f*

palpable (*pæl*-pö-böl) *adj* palpable

palpitation (pæl-pi-*tei*-ʃön) *n* palpitación *f*

pan (pæn) *n* sartén *f*

pane (pein) *n* cristal *m*

panel (*pæ*-nöl) *n* painel *m*, cuarterón *m*

panelling (*pæ*-nö-ling) *n* enmaderado *m*

panic (*pæ*-nik) *n* pánico *m*

pant (pænt) *v* jadear

panties (*pæn*-tis) *pl* braga *f*

pants (pæntss) *pl* calzoncillos *mpl*; *plAm* pantalones *mpl*

pant-suit (*pænt*-ssuut) *n* traje pantalón

panty-hose (*pæn*-ti-hous) *n* media pantalón

paper (*pei*-pö) *n* papel *m*; periódico *m*; de papel; **carbon** ~ papel carbón; ~ **bag** bolsa de papel; ~ **napkin** servilleta de papel; **typing** ~ papel para mecanografiar; **wrapping** ~ papel de envolver

paperback (*pei*-pö-bæk) *n* libro de bolsillo

paper-knife (*pei*-pö-naif) *n* abrecartas *m*

parade (pö-*reid*) *n* parada *f*, desfile *m*

paraffin (*pæ*-rö-fin) *n* parafina *f*

paragraph (*pæ*-rö-ghraaf) *n* párrafo *m*

parakeet (*pæ*-rö-kiit) *n* cotorra *f*

paralise (*pæ*-rö-lais) *v* paralizar

parallel (*pæ*-rö-lêl) *adj* paralelo; *n* paralelo *m*

parcel (paa-ssöl) *n* paquete *m*

pardon (paa-dön) *n* perdón *m*; indulto *m*

parents (pêᵒ-röntss) *pl* padres *mpl*

parents-in-law (pêᵒ-röntss-in-loo) *pl* padres políticos

parish (*pæ*-riʃ) *n* parroquia *f*

park (paak) *n* parque *m*; *v* estacionar

parking (*paa*-king) *n* aparcamiento *m*; **no** ~ prohibido estacionarse; ~ **fee** derechos de estacionamiento; ~ **light** luz de estacionamiento; ~ **lot** *Am* estacionamiento *m*; ~ **meter** parquímetro *m*; ~ **zone** zona de aparcamiento

parliament (*paa*-lö-mönt) *n* parlamento *m*

parliamentary (paa-lö-*mên*-tö-ri) *adj* parlamentario

parrot (*pæ*-röt) *n* loro *m*

parsley (*paa*-ssli) *n* perejil *m*

parson (*paa*-ssön) *n* pastor *m*

parsonage (*paa*-ssö-nidʒ) *n* curato *m*

part (paat) *n* parte *f*; pieza *f*; *v* separar; **spare** ~ recambio *m*

partial (*paa*-ʃöl) *adj* parcial

participant (paa-*ti*-ssi-pönt) *n* participante *m*

participate (paa-*ti*-ssi-peit) *v* participar

particular (pö-*ti*-kyu-lö) *adj* especial, particular; exigente; **in** ~ en particular

parting (*paa*-ting) *n* despedida *f*; raya *f*

partition (paa-*ti*-fön) n tabique m
partly (*paat*-li) adv en parte
partner (*paat*-nö) n pareja f; socio m
partridge (*paa*-tridʒ) n perdiz f
party (*paa*-ti) n partido m; guateque m, fiesta f; grupo m
pass (paass) v transcurrir, pasar; *aprobar; ~ **by** pasar de largo; ~ **through** *atravesar
passage (*pæ*-ssidʒ) n pasaje m; travesía f; trozo m
passenger (*pæ*-ssön-dʒö) n pasajero m; ~ **train** tren de pasajeros
passer-by (paa-ssö-*bai*) n transeúnte m
passion (*pæ*-fön) n pasión f; cólera f
passionate (*pæ*-fö-nöt) adj apasionado
passive (*pæ*-ssiv) adj pasivo
passport (*paass*-poot) n pasaporte m; ~ **control** inspección de pasaportes; ~ **photograph** fotografía de pasaporte
password (*paass*-ᵘööd) n santo y seña
past (paasst) n pasado m; adj pasado; transcurrido; prep a lo largo de, más allá de
paste (peisst) n pasta f; v pegar
pastry (*pei*-sstri) n pastelería f; ~ **shop** pastelería f
pasture (*paass*-chö) n prado m
patch (pæch) v *remendar
patent (*pei*-tönt) n patente f
path (paaz) n senda f
patience (*pei*-fönss) n paciencia f
patient (*pei*-fönt) adj paciente; n paciente m
patriot (*pei*-tri-öt) n patriota m
patrol (pö-*troul*) n patrulla f; v patrullar; vigilar
pattern (*pæ*-tön) n diseño m
pause (poos) n pausa f; v *hacer una pausa
pave (peiv) v pavimentar

pavement (*peiv*-mönt) n acera f; pavimento m
pavilion (pö-*vil*-yön) n pabellón m
paw (poo) n pata f
pawn (poon) v empeñar; n peón m
pawnbroker (*poon*-brou-kö) n prestamista m
pay (pei) n salario m, sueldo m
*pay (pei) v pagar; *rendir; ~ **attention to** prestar atención a; **paying** rentable; ~ **off** amortizar; ~ **on account** pagar a plazos
pay-desk (*pei*-dêssk) n caja f
payee (pei-*ii*) n favorecido m
payment (*pei*-mönt) n pago m
pea (pii) n guisante m
peace (piiss) n paz f
peaceful (*piiss*-föl) adj tranquilo
peach (piich) n melocotón m
peacock (*pii*-kok) n pavo m
peak (piik) n pico m; cumbre f; ~ **hour** hora punta; ~ **season** apogeo de la temporada
peanut (*pii*-nat) n cacahuete m; cacahuate mMe
pear (pêᵒ) n pera f
pearl (pööl) n perla f
peasant (*pê*-sönt) n campesino m
pebble (*pê*-böl) n guijarro m
peculiar (pi-*kyuul*-yö) adj extraño; especial, peculiar
peculiarity (pi-kyuu-li-æ-rö-ti) n particularidad f
pedal (*pê*-döl) n pedal m
pedestrian (pi-*dê*-sstri-ön) n peatón m; **no pedestrians** prohibido para los peatones; ~ **crossing** cruce para peatones
pedicure (*pê*-di-kyuᵒ) n pedicuro m
peel (piil) v pelar; n piel f
peep (piip) v espiar
peg (pêgh) n percha f
pelican (*pê*-li-kön) n pelícano m
pelvis (*pêl*-viss) n pelvis m

pen (pên) *n* pluma *f*

penalty (pê-nöl-ti) *n* pena *f*; castigo *m*; ~ **kick** penalty *m*

pencil (pên-ssöl) *n* lápiz *m*

pencil-sharpener (pên-ssöl-ʃaap-nö) *n* sacapuntas *m*

pendant (pên-dönt) *n* pendiente *m*

penetrate (pê-ni-treit) *v* penetrar

penguin (pêng-ghᵘin) *n* pingüino *m*

penicillin (pê-ni-ssi-lin) *n* penicilina *f*

peninsula (pö-nin-ssyu-lö) *n* península *f*

penknife (pên-naif) *n* (pl -knives) cortaplumas *m*

pension¹ (pang-ssi-ong) *n* pensión *f*

pension² (pên-ʃön) *n* pensión *f*

people (pii-pöl) *pl* gente *f*; *n* pueblo *m*

pepper (pê-pö) *n* pimienta *f*

peppermint (pê-pö-mint) *n* menta *f*

perceive (pö-ssiiv) *v* percibir

percent (pö-ssênt) *n* por ciento

percentage (pö-ssên-tidʒ) *n* porcentaje *m*

perceptible (pö-ssêp-ti-böl) *adj* perceptible

perception (pö-ssêp-ʃön) *n* percepción *f*

perch (pööch) (pl ~) perca *f*

percolator (pöö-kö-lei-tö) *n* cafetera filtradora

perfect (pöö-fikt) *adj* perfecto

perfection (pö-fêk-ʃön) *n* perfección *f*

perform (pö-foom) *v* ejecutar, desempeñar

performance (pö-foo-mönss) *n* representación *f*

perfume (pöö-fyuum) *n* perfume *m*

perhaps (pö-hæpss) *adv* quizás

peril (pê-ril) *n* peligro *m*

perilous (pê-ri-löss) *adj* peligroso

period (piⁿ-ri-öd) *n* época *f*, período *m*; punto *m*

periodical (piⁿ-ri-o-di-köl) *n* periódico

m; *adj* periódico

perish (pê-riʃ) *v* *perecer

perishable (pê-ri-ʃö-böl) *adj* perecedero

perjury (pöö-dʒö-ri) *n* perjurio *m*

permanent (pöö-mö-nönt) *adj* duradero, permanente; estable, fijo; ~ **press** planchado permanente; ~ **wave** ondulación permanente

permission (pö-mi-ʃön) *n* permiso *m*, autorización *f*; licencia *f*

permit¹ (pö-mit) *v* permitir

permit² (pöö-mit) *n* permiso *m*

peroxide (pö-rok-ssaid) *n* peróxido *m*

perpendicular (pöö-pön-di-kyu-lö) *adj* perpendicular

Persian (pöö-ʃön) *adj* persa

person (pöö-ssön) *n* persona *f*; **per ~** por persona

personal (pöö-ssö-nöl) *adj* personal

personality (pöö-ssö-næ-lö-ti) *n* personalidad *f*

personnel (pöö-ssö-nêl) *n* personal *m*

perspective (pö-sspêk-tiv) *n* perspectiva *f*

perspiration (pöö-sspö-rei-ʃön) *n* transpiración *f*, sudor *m*

perspire (pö-sspaiⁿ) *v* transpirar, sudar

persuade (pö-ssᵘeid) *v* persuadir; convencer

persuasion (pö-ssᵘei-ʒön) *n* convicción *f*

pessimism (pê-ssi-mi-söm) *n* pesimismo *m*

pessimist (pê-ssi-misst) *n* pesimista *m*

pessimistic (pê-ssi-mi-sstik) *adj* pesimista

pet (pêt) *n* animal doméstico; cariño *m*; favorito

petal (pê-töl) *n* pétalo *m*

petition (pi-ti-ʃön) *n* petición *f*

petrol (pê-tröl) *n* gasolina *f*; **unleaded** ~ gasolina sin plomo; ~ **pump**

bomba de gasolina; ~ **station** puesto de gasolina; ~ **tank** depósito de gasolina

petroleum (pi-*trou*-li-öm) *n* petróleo *m*

petty (*pê*-ti) *adj* pequeño, fútil, insignificante; ~ **cash** calderilla *f*

pewit (*pii*-ᵘit) *n* avefría *f*

pewter (*pyuu*-tö) *n* estaño *m*

phantom (*fæn*-töm) *n* fantasma *m*

pharmacology (faa-mö-*ko*-lö-dȝi) *n* farmacología *f*

pharmacy (*faa*-mö-ssi) *n* farmacia *f*; droguería *f*

pheasant (*fê*-sönt) *n* faisán *m*

Philippine (*fi*-li-pain) *adj* filipino

Philippines (*fi*-li-piins) *pl* Filipinas *fpl*

philosopher (fi-*lo*-ssö-fö) *n* filósofo *m*

philosophy (fi-*lo*-ssö-fi) *n* filosofía *f*

phone (foun) *n* teléfono *m*; *v* llamar por teléfono, telefonear

phonetic (fö-*nê*-tik) *adj* fonético

photo (*fou*-tou) *n* (pl ~s) foto *f*

photocopy (*fou*-tö-ko-pi) *n* fotocopia *f*; *v* fotocopiar

photograph (*fou*-tö-ghraaf) *n* fotografía *f*; *v* fotografiar

photographer (fö-*to*-ghrö-fö) *n* fotógrafo *m*

photography (fö-*to*-ghrö-fi) *n* fotografía *f*

phrase (freis) *n* frase *f*

phrase-book (*freis*-buk) *n* manual de conversación

physical (*fi*-si-köl) *adj* físico

physician (fi-si-*ȝ*ön) *n* médico *m*

physicist (*fi*-si-ssist) *n* físico *m*

physics (*fi*-sikss) *n* física *f*

physiology (fi-si-*o*-lö-dȝi) *n* fisiología *f*

pianist (*pii*-ö-nisst) *n* pianista *m*

piano (pi-*æ*-nou) *n* piano *m*; **grand** ~ piano de cola

pick (pik) *v* recoger; escoger; *n* elec-

ción *f*; ~ **up** recoger; *ir a buscar;
pick-up van camioneta de reparto

pick-axe (*pi*-kækss) *n* pico *m*

pickles (*pi*-köls) *pl* encurtidos *mpl*

picnic (*pik*-nik) *n* día de campo; *v* *hacer un día de campo

picture (*pik*-chö) *n* cuadro *m*; ilustración *f*, grabado *m*; imagen *f*; ~ **postcard** tarjeta postal ilustrada, postal ilustrada; **pictures** cine *m*

picturesque (pik-chö-*rêssk*) *adj* pintoresco

piece (piiss) *n* fragmento *m*, pedazo *m*

pier (piᵒ) *n* muelle *m*

pierce (piᵒss) *v* punzar

pig (pigh) *n* cerdo *m*

pigeon (*pi*-dȝön) *n* paloma *f*

pig-headed (pigh-*hê*-did) *adj* testarudo

piglet (*pigh*-löt) *n* cochinillo *m*

pigskin (*pigh*-sskin) *n* piel de cerdo *m*

pike (paik) *n* (pl ~) lucio *m*

pile (pail) *n* montón *m*; *v* amontonar; **piles** *pl* hemorroides *fpl*

pilgrim (*pil*-ghrim) *n* peregrino *m*

pilgrimage (*pil*-ghri-midȝ) *n* peregrinación *f*

pill (pil) *n* píldora *f*

pillar (*pi*-lö) *n* columna *f*, pilar *m*

pillar-box (*pi*-lö-bokss) *n* buzón *m*

pillow (*pi*-lou) *n* almohadón *m*, almohada *f*

pillow-case (*pi*-lou-keiss) *n* funda de almohada

pilot (*pai*-löt) *n* piloto *m*; práctico *m*

pimple (*pim*-pöl) *n* grano *m*

pin (pin) *n* alfiler *m*; *v* clavar; **bobby** ~ *Am* horquilla *f*

pincers (*pin*-ssös) *pl* tenazas *fpl*

pinch (pinch) *v* pellizcar

pineapple (*pai*-næ-pöl) *n* piña *f*

ping-pong (*ping*-pong) *n* tenis de mesa

pink (pingk) *adj* rosado

pioneer (pai-ö-*ni*ᵒ) *n* pionero *m*

pious (*pai*-öss) *adj* pío

pip (pip) *n* pepita *f*

pipe (paip) *n* pipa *f*; conducto *m*; ~ **cleaner** limpiapipas *m*; ~ **tobacco** tabaco de pipa

pirate (*pai*ᵒ-rót) *n* pirata *m*

pistol (*pi*-sstöl) *n* pistola *f*

piston (*pi*-sstön) *n* pistón *m*; ~ **ring** aro de émbolo

piston-rod (*pi*-sstön-rod) *n* biela *f*

pit (pit) *n* hoyo *m*; mina *f*

pitcher (*pi*-chö) *n* cántaro *m*

pity (*pi*-ti) *n* piedad *f*; *v* *tener piedad de, compadecerse de; **what a pity!** ¡qué lástima!

placard (*plæ*-kaad) *n* cartel *m*

place (pleiss) *n* lugar *m*; *v* *poner, colocar; ~ **of birth** lugar de nacimiento; *take ~ *tener lugar

plague (pleigh) *n* plaga *f*

plaice (pleiss) (pl ~) platija *f*

plain (plein) *adj* claro; corriente, sencillo; *n* llano *m*

plan (plæn) *n* plan *m*; plano *m*; *v* planear

plane (plein) *adj* plano; *n* avión *m*; ~ **crash** accidente aéreo

planet (*plæ*-nit) *n* planeta *m*

planetarium (plæ-ni-*tê*ᵒ-ri-öm) *n* planetario *m*

plank (plængk) *n* tablón *m*

plant (plaant) *n* planta *f*; instalación *f*; *v* plantar

plantation (plæn-*tei*-jön) *n* plantación *f*

plaster (*plaa*-sstö) *n* estuco *m*, yeso *m*; esparadrapo *m*

plastic (*plæ*-sstik) *adj* de plástico; *n* plástico *m*

plate (pleit) *n* plato *m*; chapa *f*

plateau (*plæ*-tou) *n* (pl ~x, ~s) meseta *f*

platform (*plæt*-foom) *n* andén *m*; ~ **ticket** billete de andén

platinum (*plæ*-ti-nöm) *n* platino *m*

play (plei) *v* *jugar; tocar; *n* juego *m*; obra de teatro; **one-act** ~ pieza en un acto; ~ **truant** *hacer novillos

player (pleiᵒ) *n* jugador *m*

playground (*plei*-ghraund) *n* patio de recreo

playing-card (*plei*-ing-kaad) *n* naipe *m*

playwright (*plei*-rait) *n* dramaturgo *m*

plea (plii) *n* defensa *f*

plead (pliid) *v* informar

pleasant (*plê*-sönt) *adj* agradable, simpático

please (pliis) por favor; *v* *placer; **pleased** contento; **pleasing** agradable

pleasure (*plê*-ʒö) *n* placer *m*, diversión *f*

plentiful (*plên*-ti-föl) *adj* abundante

plenty (*plên*-ti) *n* abundancia *f*

pliers (plaiᵒs) *pl* alicates *mpl*

plimsolls (*plim*-ssöls) *pl* zapatos de gimnasia

plot (plot) *n* conjuración *f*, complot *m*; trama *f*; parcela *f*

plough (plau) *n* arado *m*; *v* arar

plucky (*pla*-ki) *adj* valiente

plug (plagh) *n* enchufe *m*; ~ **in** enchufar

plum (plam) *n* ciruela *f*

plumber (*pla*-mö) *n* plomero *m*

plump (plamp) *adj* regordete

plural (*plu*ᵒ-röl) *n* plural *m*

plus (plass) *prep* más

pneumatic (nyuu-*mæ*-tik) *adj* neumático

pneumonia (nyuu-*mou*-ni-ö) *n* neumonía *f*

poach (pouch) *v* cazar en vedado

pocket (*po*-kit) *n* bolsillo *m*

pocket-book (*po*-kit-buk) *n* bolsa *f*

pocket-comb (*po*-kit-koum) *n* peine de bolsillo

pocket-knife (*po*-kit-naif) *n* (pl -knives) navaja *f*

pocket-watch (*po*-kit-ᵁoch) *n* reloj de bolsillo

poem (*pou*-im) *n* poema *m*

poet (*pou*-it) *n* poeta *m*

poetry (*pou*-i-tri) *n* poesía *f*

point (point) *n* punto *m*; punta *f*; *v* señalar con el dedo; ~ **of view** punto de vista; ~ **out** apuntar

pointed (*poin*-tid) *adj* puntiagudo

poison (*poi*-sön) *n* veneno *m*; *v* envenenar

poisonous (*poi*-sö-nöss) *adj* venenoso

Poland (*pou*-lönd) Polonia *f*

Pole (poul) *n* polaco *m*

pole (poul) *n* poste *m*

police (pö-*liiss*) *pl* policía *f*

policeman (pö-*liiss*-mön) *n* (pl -men) agente de policía, guardia *m*

police-station (pö-*liiss*-sstei-ʃön) *n* comisaría *f*

policy (*po*-li-ssi) *n* política *f*; póliza *f*

polio (*pou*-li-ou) *n* polio *f*, poliomielitis *f*

Polish (*pou*-liʃ) *adj* polaco

polish (*po*-liʃ) *v* pulir

polite (pö-*lait*) *adj* cortés

political (pö-*li*-ti-köl) *adj* político

politician (pö-li-*ti*-ʃön) *n* político *m*

politics (*po*-li-tikss) *n* política *f*

pollution (pö-*luu*-ʃön) *n* contaminación *f*, polución *f*

pond (pond) *n* estanque *m*

pony (*pou*-ni) *n* pony *m*

poor (puᵒ) *adj* pobre; mediocre

pope (poup) *n* Papa *m*

poplin (*po*-plin) *n* popelín *m*

pop music (pop *myuu*-sik) música pop

poppy (*po*-pi) *n* amapola *f*; adormidera *f*

popular (*po*-pyu-lö) *adj* popular

population (po-pyu-*lei*-ʃön) *n* población *f*

populous (*po*-pyu-löss) *adj* populoso

porcelain (*poo*-ssö-lin) *n* porcelana *f*

porcupine (*poo*-kyu-pain) *n* puerco espín

pork (pook) *n* carne de cerdo

port (poot) *n* puerto *m*; babor *m*

portable (*poo*-tö-böl) *adj* portátil

porter (*poo*-tö) *n* mozo *m*; portero *m*

porthole (*poot*-houl) *n* portilla *f*

portion (*poo*-ʃön) *n* porción *f*

portrait (*poo*-trit) *n* retrato *m*

Portugal (*poo*-tyu-ghöl) Portugal *m*

Portuguese (poo-tyu-*ghiis*) *adj* portugués

position (pö-*si*-ʃön) *n* posición *f*; actitud *f*; puesto *m*

positive (*po*-sö-tiv) *adj* positivo; *n* positiva *f*

possess (pö-*sèss*) *v* *poseer; **possessed** *adj* poseído

possession (pö-*sè*-ʃön) *n* posesión *f*; **possessions** bienes *mpl*

possibility (po-ssö-*bi*-lö-ti) *n* posibilidad *f*

possible (*po*-ssö-böl) *adj* posible; eventual

post (pousst) *n* poste *m*; puesto *m*; correo *m*; *v* echar al correo; **post-office** casa de correos

postage (*pou*-sstidʒ) *n* franqueo *m*; ~ **paid** franco *m*; ~ **stamp** sello de correos; timbre *mMe*

postcard (*pousst*-kaad) *n* tarjeta postal; tarjeta postal ilustrada

poster (*pou*-sstö) *n* cartel *m*, poster *m*

poste restante (pousst rê-*sstangt*) lista de correos

postman (*pousst*-mön) *n* (pl -men) cartero *m*

post-paid (pousst-*peid*) *adj* franco

postpone (pö-*sspoun*) *v* aplazar

pot (pot) *n* olla *f*

potato (pö-*tei*-tou) *n* (pl ~es) patata *f*; papa *fMe*

pottery (*po*-tö-ri) *n* cerámica *f*; loza *f*

pouch (pauch) *n* petaca *f*

poulterer (*poul*-tö-rö) *n* pollero *m*

poultry (*poul*-tri) *n* aves de corral

pound (paund) *n* libra *f*

pour (poo) *v* *verter

poverty (*po*-vö-ti) *n* pobreza *f*

powder (pau-dö) *n* polvo *m*; ~ **compact** polvera *f*; **talc** ~ talco *m*

powder-puff (*pau*-dö-paf) *n* borla para empolvarse

powder-room (*pau*-dö-ruum) *n* tocador *m*

power (pau⁰) *n* fuerza *f*, energía *f*; poder *m*; potencia *f*

powerful (*pau*⁰-föl) *adj* poderoso; fuerte

powerless (*pau*⁰-löss) *adj* impotente

power-station (*pau*⁰-sstei-fön) *n* central eléctrica

practical (*præk*-ti-köl) *adj* práctico

practically (*præk*-ti-kli) *adv* prácticamente

practice (*præk*-tiss) *n* práctica *f*

practise (*præk*-tiss) *v* practicar; ensayarse

praise (preis) *v* alabar; *n* elogio *m*

pram (præm) *n* cochecillo *m*

prawn (proon) *n* gamba *f*

pray (prei) *v* orar

prayer (prê⁰) *n* oración *f*

preach (priich) *v* predicar

precarious (pri-*kê*⁰-ri-öss) *adj* precario

precaution (pri-*koo*-fön) *n* precaución *f*

precede (pri-*ssiid*) *v* preceder

preceding (pri-*ssii*-ding) *adj* precedente

precious (*prê*-föss) *adj* precioso; querido

precipice (*prê*-ssi-piss) *n* precipicio *m*

precipitation (pri-ssi-pi-*tei*-fön) *n* precipitación *f*

precise (pri-*ssaiss*) *adj* preciso, exacto; meticuloso

predecessor (*prii*-di-ssê-ssö) *n* predecesor *m*

predict (pri-*dikt*) *v* *predecir

prefer (pri-*föö*) *v* *preferir

preferable (*prê*-fö-rö-böl) *adj* preferible

preference (*prê*-fö-rönss) *n* preferencia *f*

prefix (*prii*-fikss) *n* prefijo *m*

pregnant (*prêgh*-nönt) *adj* encinta, embarazada

prejudice (*prê*-dʒö-diss) *n* prejuicio *m*

preliminary (pri-*li*-mi-nö-ri) *adj* preliminar

premature (*prê*-mö-chu⁰) *adj* prematuro

premier (*prêm*-i⁰) *n* jefe de gobierno

premises (*prê*-mi-ssiss) *pl* finca *f*

premium (*prii*-mi-öm) *n* prima *f*

prepaid (prii-*peid*) *adj* pagado por adelantado

preparation (prê-pö-*rei*-fön) *n* preparación *f*

prepare (pri-*pê*⁰) *v* preparar

preposition (prê-pö-*si*-fön) *n* preposición *f*

prescribe (pri-*sskraib*) *v* prescribir

prescription (pri-*sskrip*-fön) *n* prescripción *f*

presence (*prê*-sönss) *n* presencia *f*

present[1] (*prê*-sönt) *n* regalo *m*, presente *m*; *adj* actual; presente

present[2] (pri-*sênt*) *v* presentar

presently (*prê*-sönt-li) *adv* en seguida, dentro de poco

preservation (prê-sö-*vei*-fön) *n* conservación *f*

preserve (pri-*sööv*) *v* preservar; conservar

president (*prê*-si-dönt) *n* presidente *m*

press (prèss) n prensa f; v empujar, *apretar; planchar; ~ **conference** conferencia de prensa

pressing (prè-ssing) adj urgente

pressure (prè-ʃö) n presión f; tensión f; **atmospheric** ~ presión atmosférica

pressure-cooker (prè-ʃö-ku-kö) n olla a presión

prestige (prè-sstiiʒ) n prestigio m

presumable (pri-syuu-mö-böl) adj presumible

presumptuous (pri-samp-ʃöss) adj presuntuoso; presumido

pretence (pri-tènss) n pretexto m

pretend (pri-ténd) v fingir

pretext (prii-têksst) n pretexto m

pretty (pri-ti) adj bonito; adv bastante

prevent (pri-vènt) v *impedir; *prevenir

preventive (pri-vèn-tiv) adj preventivo

previous (prii-vi-öss) adj precedente, anterior, previo

pre-war (prii-ᵘoo) adj de la preguerra

price (praiss) n precio m; v fijar el precio

priceless (praiss-löss) adj inapreciable

price-list (praiss-lisst) n lista de precios

prick (prik) v pinchar

pride (praid) n orgullo m

priest (priisst) n cura m

primary (prai-mö-ri) adj primario; primero, primordial; elemental

prince (prinss) n príncipe m

princess (prin-ssèss) n princesa f

principal (prin-ssö-pöl) adj principal; n director de escuela, principal m

principle (prin-ssö-pöl) n principio m

print (print) v *imprimir; n positiva f; grabado m; **printed matter** impreso m

prior (prai°) adj anterior

priority (prai-o-rö-ti) n prioridad f

prison (pri-sön) n prisión f

prisoner (pri-sö-nö) n preso m, prisionero m; ~ **of war** prisionero de guerra

privacy (prai-vö-ssi) n intimidad f, vida privada

private (prai-vit) adj particular, privado; personal

privilege (pri-vi-lidʒ) n privilegio m

prize (prais) n premio m; recompensa f

probable (pro-bö-böl) adj probable

probably (pro-bö-bli) adv probablemente

problem (pro-blöm) n problema m

procedure (prö-ssii-dʒö) n procedimiento m

proceed (prö-ssiid) v *proseguir; proceder

process (prou-ssèss) n procedimiento m, proceso m

procession (prö-ssè-ʃön) n procesión f, comitiva f

proclaim (prö-kleim) v proclamar

produce[1] (prö-dyuus) v *producir

produce[2] (prod-yuuss) n producto m

producer (prö-dyuu-ssö) n productor m

product (pro-dakt) n producto m

production (prö-dak-ʃön) n producción f

profession (prö-fè-ʃön) n profesión f

professional (prö-fè-ʃö-nöl) adj profesional

professor (prö-fè-ssö) n profesor m

profit (pro-fit) n beneficio m, ganancia f; ventaja f; v aprovechar

profitable (pro-fi-tö-böl) adj provechoso

profound (prö-faund) adj profundo

programme (prou-ghræm) n programa m

progress[1] (prou-ghrèss) n progreso m

progress² (prö-*ghrêss*) v progresar

progressive (prö-*ghrê*-ssiv) adj progresista; progresivo

prohibit (prö-*hi*-bit) v prohibir

prohibition (prou-i-*bi*-ſön) n prohibición f

prohibitive (prö-*hi*-bi-tiv) adj exorbitante

project (*pro*-dʒèkt) n plan m, proyecto m

promenade (pro-mö-*naad*) n paseo m

promise (*pro*-miss) n promesa f; v prometer

promote (prö-*mout*) v *promover

promotion (prö-*mou*-ſön) n promoción f

prompt (prompt) adj inmediato, pronto

pronoun (*prou*-naun) n pronombre m

pronounce (prö-*naunss*) v pronunciar

pronunciation (prö-nan-ssi-*ei*-ſön) n pronunciación f

proof (pruuf) n prueba f

propaganda (pro-pö-*ghæn*-dö) n propaganda f

propel (prö-*pêl*) v impeler

propeller (prö-*pê*-lö) n hélice f

proper (*pro*-pö) adj justo; debido, conveniente, apropiado

property (*pro*-pö-ti) n propiedad f; cualidad f

prophet (*pro*-fit) n profeta m

proportion (prö-*poo*-ſön) n proporción f

proportional (prö-*poo*-ſö-nöl) adj proporcional

proposal (prö-*pou*-söl) n propuesta f

propose (prö-*pous*) v *proponer

proposition (pro-pö-*si*-ſön) n propuesta f

proprietor (prö-*prai*-ö-tö) n propietario m

prospect (*pro*-sspèkt) n perspectiva f

prospectus (prö-*sspêk*-töss) n pros-

pecto m

prosperity (pro-*sspê*-rö-ti) n prosperidad f

prosperous (*pro*-sspö-röss) adj próspero

prostitute (*pro*-ssti-tyuut) n prostituta f

protect (prö-*têkt*) v proteger

protection (prö-*têk*-ſön) n protección f

protein (*prou*-tiin) n proteína f

protest¹ (*prou*-tèsst) n protesta f

protest² (prö-*tèsst*) v protestar

Protestant (*pro*-ti-sstönt) adj protestante

proud (praud) adj orgulloso

prove (pruuv) v *demostrar, *comprobar; resultar

proverb (*pro*-vööb) n proverbio m

provide (prö-*vaid*) v *proveer; **provided that** con tal que

province (*pro*-vinss) n provincia f

provincial (prö-*vin*-ſöl) adj provincial

provisional (prö-*vi*-ʒö-nöl) adj provisional

provisions (prö-*vi*-ʒöns) pl provisiones fpl

prune (pruun) n ciruela pasa

psychiatrist (ssai-*kai*-ö-trisst) n psiquiatra m

psychic (*ssai*-kik) adj psíquico

psychoanalyst (ssai-kou-æ-nö-lisst) n psicoanalista m

psychological (ssai-ko-*lo*-dʒi-köl) adj psicológico

psychologist (ssai-*ko*-lö-dʒisst) n psicólogo m

psychology (ssai-*ko*-lö-dʒi) n psicología f

pub (pab) n taberna f

public (*pa*-blik) adj público; general; n público m; ~ **garden** jardín público; ~ **house** taberna f

publication (pa-bli-*kei*-ſön) n publicación f

publicity (pa-bli-ssö-ti) n publicidad f

publish (pa-bliʃ) v publicar

publisher (pa-bli-ʃö) n editor m

puddle (pa-döl) n charco m

pull (pul) v tirar; ~ **out** partir; ~ **up** pararse

pulley (pu-li) n (pl ~s) polea f

Pullman (pul-mön) n coche Pullman

pullover (pu-lou-vö) n pulóver m

pulpit (pul-pit) n púlpito m

pulse (palss) n pulso m

pump (pamp) n bomba f; v bombear

punch (panch) v *dar puñetazos; n puñetazo m

punctual (pangk-chu-öl) adj puntual

puncture (pangk-chö) n pinchazo m

punctured (pangk-chöd) adj pinchado

punish (pa-niʃ) v castigar

punishment (pa-niʃ-mönt) n castigo m

pupil (pyuu-pöl) n alumno m

puppet-show (pa-pit-ʃou) n teatro guiñol

purchase (pöö-chöss) v comprar; n compra f; ~ **price** precio de compra; ~ **tax** impuesto sobre la venta

purchaser (pöö-chö-ssö) n comprador m

pure (pyuᵒ) adj casto, puro

purple (pöö-pöl) adj purpúreo

purpose (pöö-pöss) n propósito m, fin m, intención f; **on** ~ intencionado

purse (pööss) n bolsa f, monedero m

pursue (pö-ssyuu) v *perseguir

pus (pass) n pus f

push (puʃ) n empujón m; v empujar

push-button (puʃ-ba-tön) n botón m

*put** (put) v colocar, *poner; meter; plantear; ~ **away** guardar; ~ **off** aplazar; ~ **on** *ponerse; ~ **out** apagar

puzzle (pa-söl) n rompecabezas m;

enigma m; v confundir; **jigsaw** ~ rompecabezas m

puzzling (pas-ling) adj embarazoso

pyjamas (pö-dʒaa-mös) pl pijama m

Q

quack (kᵘæk) n curandero m, charlatán m

quail (kᵘeil) n (pl ~, ~s) codorniz f

quaint (kᵘeint) adj curioso; anticuado

qualification (kᵘo-li-fi-kei-ʃön) n aptitud f; reserva f, restricción f

qualified (kᵘo-li-faid) adj calificado; competente

qualify (kᵘo-li-fai) v *ser capaz de, *ser apto para

quality (kᵘo-lö-ti) n calidad f; característica f

quantity (kᵘon-tö-ti) n cantidad f; número m

quarantine (kᵘo-rön-tiin) n cuarentena f

quarrel (kᵘo-röl) v disputar, *reñir; n disputa f

quarry (kᵘo-ri) n cantera f

quarter (kᵘoo-tö) n cuarto m; trimestre m; barrio m; ~ **of an hour** cuarto de hora

quarterly (kᵘoo-tö-li) adj trimestral

quay (kii) n muelle m

queen (kᵘiin) n reina f

queer (kᵘiᵒ) adj singular, extraño

query (kᵘiᵒ-ri) n pregunta f; v indagar; *poner en duda

question (kᵘéss-chön) n pregunta f; cuestión f, problema m; v interrogar; *poner en duda; ~ **mark** signo de interrogación

queue (kyuu) n cola f; v *hacer cola

quick (kᵘik) adj rápido

quick-tempered (kᵘik-têm-pöd) adj

irascible

quiet (k^uai-öt) adj quieto, tranquilo; n silencio m, paz f

quilt (k^uilt) n colcha f

quinine (k^ui-niin) n quinina f

quit (k^uit) v cesar

quite (k^uait) adv enteramente, completamente; bastante; muy

quiz (k^uis) n (pl ~zes) concurso m

quota (k^uou-tö) n cuota f

quotation (k^uou-tei-ʃön) n cita f; ~ marks comillas fpl

quote (k^uout) v citar

R

rabbit (ræ-bit) n conejo m

rabies (rei-bis) n rabia f

race (reiss) n carrera f; raza f

race-course (reiss-kooss) n pista para carreras, hipódromo m

race-horse (reiss-hooss) n caballo de carrera

race-track (reiss-træk) n pista para carreras

racial (rei-ʃöl) adj racial

racket (ræ-kit) n alboroto m

racquet (ræ-kit) n raqueta f

radiator (rei-di-ei-tö) n radiador m

radical (ræ-di-köl) adj radical

radio (rei-di-ou) n radio f

radish (ræ-diʃ) n rábano m

radius (rei-di-öss) n (pl radii) radio m

raft (raaft) n zatara f

rag (rægh) n trapo m

rage (reidʒ) n furor m, rabia f; v rabiar

raid (reid) n irrupción f

rail (reil) n barandilla f, barrera f

railing (rei-ling) n barandilla f

railroad (reil-roud) nAm vía del tren, ferrocarril m

railway (reil-^uei) n ferrocarril m

rain (rein) n lluvia f; v *llover

rainbow (rein-bou) n arco iris

raincoat (rein-kout) n impermeable m

rainproof (rein-pruuf) adj impermeable

rainy (rei-ni) adj lluvioso

raise (reis) v alzar; aumentar; educar, cultivar, criar; recaudar; nAm aumento de sueldo

raisin (rei-sön) n pasa f

rake (reik) n rastrillo m

rally (ræ-li) n reunión f

ramp (ræmp) n rampa f

ramshackle (ræm-ʃæ-köl) adj destartalado

rancid (ræn-ssid) adj rancio

rang (ræng) v (p ring)

range (reindʒ) n alcance m

range-finder (reindʒ-fain-dö) n telémetro m

rank (rængk) n rango m; fila f

ransom (ræn-ssöm) n rescate m

rape (reip) v violar

rapid (ræ-pid) adj rápido

rapids (ræ-pids) pl rápidos de río

rare (rê^ö) adj raro

rarely (rê^ö-li) adv raras veces

rascal (raa-ssköl) n pícaro m, pillo m

rash (ræʃ) n erupción f; adj precipitado, irreflexivo

raspberry (raas-bö-ri) n frambuesa f

rat (ræt) n rata f

rate (reit) n precio m, tarifa f; velocidad f; **at any** ~ de todos modos, en todo caso; ~ **of exchange** cambio m

rather (raa-ðö) adv bastante; más bien

ration (ræ-ʃön) n ración f

rattan (ræ-tæn) n rota f

raven (rei-vön) n cuervo m

raw (roo) adj crudo; ~ **material** materia prima

ray (rei) *n* rayo *m*

rayon (*rei*-on) *n* rayón *m*

razor (*rei*-sö) *n* máquina de afeitar

razor-blade (*rei*-sö-bleid) *n* hoja de afeitar

reach (riich) *v* alcanzar; *n* alcance *m*

reaction (ri-*æk*-ſön) *n* reacción *f*

***read** (riid) *v* *leer

reading (*rii*-ding) *n* lectura *f*

reading-lamp (*rii*-ding-læmp) *n* lámpara para lectura

reading-room (*rii*-ding-ruum) *n* sala de lectura

ready (*rê*-di) *adj* preparado, listo

ready-made (rê-di-*meid*) *adj* confeccionado

real (ri°l) *adj* verdadero

reality (ri-*æ*-lö-ti) *n* realidad *f*

realizable (*ri*⁰-lai-sö-böl) *adj* realizable

realize (*ri*⁰-lais) *v* *reconocer; realizar

really (*ri*⁰-li) *adv* verdaderamente, en realidad; de veras

rear (ri°) *n* parte posterior; *v* criar

rear-light (ri⁰-*lait*) *n* luz trasera

reason (*rii*-sön) *n* causa *f*, razón *f*; sentido *m*; *v* razonar

reasonable (*rii*-sö-nö-böl) *adj* razonable

reassure (rii-ö-*ſu*⁰) *v* tranquilizar

rebate (*rii*-beit) *n* reducción *f*, rebaja *f*

rebellion (ri-*bêl*-yön) *n* sublevación *f*, rebelión *f*

recall (ri-*kool*) *v* *acordarse; llamar; revocar

receipt (ri-*ssiit*) *n* recibo *m*

receive (ri-*ssiiv*) *v* recibir

receiver (ri-*ssii*-vö) *n* receptor *m*

recent (*rii*-ssönt) *adj* reciente

recently (*rii*-ssönt-li) *adv* el otro día, recientemente

reception (ri-*ssêp*-ſön) *n* recepción *f*; acogida *f*; ~ **office** oficina de recibo

receptionist (ri-*ssêp*-ſö-nisst) *n* recepcionista *f*

recession (ri-*ssê*-ſön) *n* retroceso *m*

recipe (*rê*-ssi-pi) *n* receta *f*

recital (ri-*ssai*-töl) *n* recital *m*

reckon (*rê*-kön) *v* calcular; considerar; *creer

recognition (rê-kögh-*ni*-ſön) *n* reconocimiento *m*

recognize (*rê*-kögh-nais) *v* *reconocer

recollect (rê-kö-*lêkt*) *v* *acordarse

recommence (rii-kö-*mênss*) *v* *recomenzar

recommend (rê-kö-*mênd*) *v* *recomendar; aconsejar

recommendation (rê-kö-mên-*dei*-ſön) *n* recomendación *f*

reconciliation (rê-kön-ssi-li-*ei*-ſön) *n* reconciliación *f*

record¹ (*rê*-kood) *n* disco *m*; récord *m*; registro *m*; **long-playing ~** microsurco *m*

record² (ri-*kood*) *v* registrar

recorder (ri-*koo*-dö) *n* magnetófono *m*

recording (ri-*koo*-ding) *n* grabación *f*

record-player (*rê*-kood-plei⁰) *n* tocadiscos *m*

recover (ri-*ka*-vö) *v* recuperar; *restablecerse, curarse

recovery (ri-*ka*-vö-ri) *n* curación *f*, restablecimiento *m*

recreation (rê-kri-*ei*-ſön) *n* recreación *f*, recreo *m*; ~ **centre** centro de recreo; ~ **ground** terreno de recreo público

recruit (ri-*kruut*) *n* recluta *m*

rectangle (*rêk*-tæng-ghöl) *n* rectángulo *m*

rectangular (rêk-*tæng*-ghyu-lö) *adj* rectangular

rector (*rêk*-tö) *n* pastor *m*, rector *m*

rectory (*rêk*-tö-ri) *n* rectoría *f*

rectum (*rêk*-töm) *n* intestino recto

recyclable (ri-*ssai*-klö-böl) *adj* reciclable

recycle (ri-*ssai*-köl) *v* reciclar

red (rêd) *adj* rojo

redeem (ri-*diim*) *v* redimir

reduce (ri-*dyuuss*) *v* *reducir, *disminuir, rebajar

reduction (ri-*dak*-fön) *n* rebaja *f*, reducción *f*

redundant (ri-*dan*-dönt) *adj* superfluo

reed (riid) *n* junquillo *m*

reef (riif) *n* arrecife *m*

reference (*rêf*-rönss) *n* referencia *f*; relación *f*; **with ~ to** con respecto a

refer to (ri-*föö*) remitir a

refill (*rii*-fil) *n* repuesto *m*

refinery (ri-*fai*-nö-ri) *n* refinería *f*

reflect (ri-*flêkt*) *v* reflejar

reflection (ri-*flêk*-fön) *n* reflejo *m*; imagen reflejada

refresh (ri-*frêf*) *v* refrescar

refreshment (ri-*frêf*-mönt) *n* refresco *m*

refrigerator (ri-*fri*-dʒö-rei-tö) *n* refrigerador *m*

refund[1] (ri-*fand*) *v* reintegrar

refund[2] (*rii*-fand) *n* reintegro *m*

refusal (ri-*fyuu*-söl) *n* negativa *f*

refuse[1] (ri-*fyuuss*) *v* rehusar

refuse[2] (*rê*-fyuuss) *n* desecho *m*

regard (ri-*ghaad*) *v* considerar; *n* respeto *m*; **as regards** en cuanto a, por lo que se refiere a

regarding (ri-*ghaa*-ding) *prep* relativo a, tocante a; respecto a

regatta (ri-*ghæ*-tö) *n* regata *f*

régime (rei-*ʒiim*) *n* régimen *m*

region (*rii*-dʒön) *n* región *f*

regional (*rii*-dʒö-nöl) *adj* regional

register (*rê*-dʒi-sstö) *v* inscribirse; certificar; **registered letter** carta certificada

registration (rê-dʒi-*sstrei*-fön) *n* inscripción *f*; **~ form** formulario de matriculación; **~ number** matrícula *f*; **~ plate** placa *f*

regret (ri-*ghrêt*) *v* *sentir; *n* arrepentimiento *m*

regular (*rê*-ghyu-lö) *adj* regular; corriente, normal

regulate (*rê*-ghyu-leit) *v* regular

regulation (rê-ghyu-*lei*-fön) *n* reglamento *m*, regulación *f*; regla *f*

rehabilitation (rii-hö-bi-li-*tei*-fön) *n* rehabilitación *f*

rehearsal (ri-*höö*-ssöl) *n* ensayo *m*

rehearse (ri-*hööss*) *v* ensayar

reign (rein) *n* reinado *m*; *v* *gobernar

reimburse (rii-im-*bööss*) *v* reembolsar

reindeer (*rein*-diö) *n* (pl ~) reno *m*

reject (ri-*dʒêkt*) *v* rehusar, rechazar; *reprobar

relate (ri-*leit*) *v* *contar

related (ri-*lei*-tid) *adj* emparentado

relation (ri-*lei*-fön) *n* relación *f*; pariente *m*

relative (*rê*-lö-tiv) *n* pariente *m*; *adj* relativo

relax (ri-*lækss*) *v* descansar

relaxation (ri-læk-*ssei*-fön) *n* relajación *f*

reliable (ri-*lai*-ö-böl) *adj* fiable

relic (*rê*-lik) *n* reliquia *f*

relief (ri-*liif*) *n* alivio *m*; ayuda *f*; relieve *m*

relieve (ri-*liiv*) *v* relevar

religion (ri-*li*-dʒön) *n* religión *f*

religious (ri-*li*-dʒöss) *adj* religioso

rely on (ri-*lai*) *contar con

remain (ri-*mein*) *v* quedarse; quedar

remainder (ri-*mein*-dö) *n* resto *m*

remaining (ri-*mei*-ning) *adj* demás, restante

remark (ri-*maak*) *n* observación *f*; *v* *hacer una observación

remarkable (ri-*maa*-kö-böl) *adj* notable

remedy (*rê*-mö-di) *n* remedio *m*

remember (ri-*mêm*-bö) *v* *acordarse

remembrance (ri-*mêm*-brönss) *n* recuerdo *m*

remind (ri-*maind*) *v* *recordar

remit (ri-*mit*) *v* remitir

remittance (ri-*mi*-tönss) *n* remesa *f*

remnant (*rêm*-nönt) *n* resto *m*, residuo *m*, remanente *m*

remote (ri-*mout*) *adj* remoto, lejano

removal (ri-*muu*-völ) *n* remoción *f*

remove (ri-*muuv*) *v* *remover

remunerate (ri-*myuu*-nö-reit) *v* remunerar

remuneration (ri-myuu-nö-*rei*-Jön) *n* remuneración *f*

renew (ri-*nyuu*) *v* *renovar; alargar

rent (rênt) *v* alquilar; *n* alquiler *m*

repair (ri-*pê*ö) *v* arreglar, reparar; *n* reparación *f*

reparation (rê-pö-rei-Jön) *n* reparación *f*

*repay (ri-*pei*) *v* reintegrar

repayment (ri-*pei*-mönt) *n* reintegro *m*

repeat (ri-*piit*) *v* *repetir

repellent (ri-*pê*-lönt) *adj* repugnante, repelente

repentance (ri-*pên*-tönss) *n* arrepentimiento *m*

repertory (*rê*-pö-tö-ri) *n* repertorio *m*

repetition (rê-pö-*ti*-Jön) *n* repetición *f*

replace (ri-*pleiss*) *v* reemplazar

reply (ri-*plai*) *v* responder; *n* respuesta *f*; **in ~** en contestación

report (ri-*poot*) *v* relatar; informar; presentarse; *n* relación *f*, informe *m*

reporter (ri-*poo*-tö) *n* reportero *m*

represent (rê-pri-*sênt*) *v* representar

representation (rê-pri-sên-*tei*-Jön) *n* representación *f*

representative (rê-pri-*sên*-tö-tiv) *adj* representativo

reprimand (rê-pri-maand) *v* reprender

reproach (ri-*prouch*) *n* reproche *m*; *v* reprochar

reproduce (rii-prö-*dyuuss*) *v* *reproducir

reproduction (rii-prö-*dak*-Jön) *n* reproducción *f*

reptile (*rêp*-tail) *n* reptil *m*

republic (ri-*pa*-blik) *n* república *f*

republican (ri-*pa*-bli-kön) *adj* republicano

repulsive (ri-*pal*-ssiv) *adj* repulsivo

reputation (rê-pyu-*tei*-Jön) *n* reputación *f*; renombre *m*

request (ri-*k^uêsst*) *n* ruego *m*; demanda *f*; *v* solicitar

require (ri-*k^uai*ö) *v* *requerir

requirement (ri-*k^uai*ö-mönt) *n* requerimiento *m*

requisite (*rê*-k^ui-sit) *adj* necesario

rescue (*rê*-sskyuu) *v* rescatar; *n* rescate *m*

research (ri-*ssööch*) *n* investigación *f*

resemblance (ri-*sêm*-blönss) *n* semejanza *f*

resemble (ri-*sêm*-böl) *v* asemejarse

resent (ri-*sênt*) *v* *resentirse por

reservation (rê-sö-*vei*-Jön) *n* reservación *f*

reserve (ri-*sööv*) *v* reservar; *n* reserva *f*

reserved (ri-*söövd*) *adj* reservado

reservoir (*rê*-sö-v^uaa) *n* embalse *m*

reside (ri-*said*) *v* residir

residence (*rê*-si-dönss) *n* residencia *f*; **~ permit** permiso de residencia

resident (*rê*-si-dönt) *n* residente *m*; *adj* residente; interno

resign (ri-*sain*) *v* resignar

resignation (rê-sigh-*nei*-Jön) *n* resignación *f*

resin (*rê*-sin) *n* resina *f*

resist (ri-*sisst*) *v* resistir

resistance (ri-*si*-sstönss) *n* resistencia

f

resolute (*rê*-sö-luut) *adj* resuelto, decidido

respect (ri-*sspêkt*) *n* respeto *m*; estimación *f*, reverencia *f*; *v* respetar

respectable (ri-*sspêk*-tö-böl) *adj* respetable

respectful (ri-*sspêkt*-föl) *adj* respetuoso

respective (ri-*sspêk*-tiv) *adj* respectivo

respiration (rê-sspö-*rei*-ʃön) *n* respiración *f*

respite (*rê*-sspait) *n* dilación *f*

responsibility (ri-sspon-ssö-*bi*-lö-ti) *n* responsabilidad *f*

responsible (ri-*sspon*-ssö-böl) *adj* responsable

rest (rêsst) *n* descanso *m*; resto *m*; *v* *hacer reposo, descansar

restaurant (*rê*-sstö-rong) *n* restaurante *m*

restful (*rêsst*-föl) *adj* reposado

rest-home (*rêsst*-houm) *n* casa de reposo

restless (*rêsst*-löss) *adj* inquieto

restrain (ri-*sstrein*) *v* *contener, *impedir

restriction (ri-*sstrik*-ʃön) *n* restricción *f*

result (ri-*salt*) *n* resultado *m*; consecuencia *f*; *v* resultar

resume (ri-*syuum*) *v* reemprender

résumé (*rê*-syu-mei) *n* resumen *m*

retail (*rii*-teil) *v* vender al detalle; ~ **trade** comercio al por menor

retailer (*rii*-tei-lö) *n* comerciante al por menor, minorista *m*; revendedor *f*

retina (*rê*-ti-nö) *n* retina *f*

retired (ri-*tai*ⁿd) *adj* jubilado

return (ri-*töön*) *v* *volver; *n* regreso *m*; ~ **flight** vuelo de regreso; ~ **journey** vuelta *f*, viaje de regreso

reunite (rii-yuu-*nait*) *v* reunir

reveal (ri-*viil*) *v* *manifestar, revelar

revelation (rê-vö-*lei*-ʃön) *n* revelación *f*

revenge (ri-*vêndʒ*) *n* venganza *f*

revenue (*rê*-vö-nyuu) *n* ingresos *mpl*, renta *f*

reverse (ri-*vööss*) *n* contrario *m*; reverso *m*; marcha atrás; revés *m*; *adj* inverso; *v* *dar marcha atrás

review (ri-*vyuu*) *n* reseña *f*; revista *f*

revise (ri-*vais*) *v* revisar

revision (ri-*vi*-ʒön) *n* revisión *f*

revival (ri-*vai*-völ) *n* recuperación *f*

revolt (ri-*voult*) *v* sublevarse; *n* rebelión *f*, revuelta *f*

revolting (ri-*voul*-ting) *adj* repugnante, chocante, repelente

revolution (rê-vö-*luu*-ʃön) *n* revolución *f*

revolutionary (rê-vö-*luu*-ʃö-nö-ri) *adj* revolucionario

revolver (ri-*vol*-vö) *n* revólver *m*

revue (ri-*vyuu*) *n* revista *f*

reward (ri-ᵘ*ood*) *n* recompensa *f*; *v* recompensar

rheumatism (*ruu*-mö-ti-söm) *n* reumatismo *m*

rhinoceros (rai-*no*-ssö-röss) *n* (pl ~, ~es) rinoceronte *m*

rhubarb (*ruu*-baab) *n* ruibarbo *m*

rhyme (raim) *n* rima *f*

rhythm (*ri*-ðöm) *n* ritmo *m*

rib (rib) *n* costilla *f*

ribbon (*ri*-bön) *n* cinta *f*

rice (raiss) *n* arroz *m*

rich (rich) *adj* rico

riches (*ri*-chis) *pl* riqueza *f*

riddle (*ri*-döl) *n* adivinanza *f*

ride (raid) *n* paseo *m*

*ride** (raid) *v* *ir en coche; montar

rider (*rai*-dö) *n* jinete *m*

ridge (ridʒ) *n* cresta *f*

ridicule (*ri*-di-kyuul) *v* ridiculizar

ridiculous (ri-*di*-kyu-löss) *adj* ridículo

riding (*rai*-ding) *n* equitación *f*

riding-school (*rai*-ding-sskuul) *n* picadero *m*

rifle (*rai*-föl) *v* rifle *m*

right (rait) *n* derecho *m*; *adj* correcto; derecho; justo; **all right!** ¡de acuerdo!; * **be** ~ *tener razón; ~ **of way** prioridad de paso

righteous (*rai*-chöss) *adj* justo

right-hand (*rait*-hænd) *adj* derecho

rightly (*rait*-li) *adv* justamente

rim (rim) *n* llanta *f*; borde *m*

ring (ring) *n* anillo *m*; círculo *m*; pista *f*

* **ring** (ring) *v* *sonar; ~ **up** llamar por teléfono

rinse (rinss) *v* enjuagar; *n* enjuague *m*

riot (*rai*-öt) *n* motín *m*

rip (rip) *v* rasgar

ripe (raip) *adj* maduro

rise (rais) *n* aumento de sueldo, aumento *m*; levantamiento *m*; subida *f*; nacimiento *m*

* **rise** (rais) *v* levantarse; subir

rising (*rai*-sing) *n* levantamiento *m*

risk (rissk) *n* riesgo *m*; peligro *m*; *v* arriesgar

risky (*ri*-sski) *adj* arriesgado

rival (*rai*-völ) *n* rival *m*; competidor *m*; *v* rivalizar

rivalry (*rai*-völ-ri) *n* rivalidad *f*; competencia *f*

river (*ri*-vö) *n* río *m*; ~ **bank** ribera *f*

riverside (*ri*-vö-ssaid) *n* ribera *f*

roach (rouch) *n* (pl ~) escarcho *m*

road (roud) *n* calle *f*, camino *m*; ~ **fork** *n* bifurcación *f*; ~ **map** mapa de carreteras; ~ **system** red de carreteras; ~ **up** camino en obras

roadhouse (*roud*-hauss) *n* parador *m*

roadside (*roud*-ssaid) *n* borde del camino

roam (roum) *v* vagabundear

roar (roo) *v* mugir, rugir; *n* rugido *m*, retumbo *m*

roast (rousst) *v* asar, asar en parrilla

rob (rob) *v* robar

robber (*ro*-bö) *n* ladrón *m*

robbery (*ro*-bö-ri) *n* robo *m*

robe (roub) *n* traje largo

robin (*ro*-bin) *n* petirrojo *m*

robust (rou-*basst*) *adj* robusto

rock (rok) *n* roca *f*; *v* mecer

rocket (*ro*-kit) *n* cohete *m*

rocky (*ro*-ki) *adj* rocoso

rod (rod) *n* barra *f*

roe (rou) *n* huevos de los peces, hueva *f*

roll (roul) *v* *rodar; *n* rollo *m*; panecillo *m*

roller-skating (*rou*-lö-sskei-ting) *n* patinaje de ruedas

Roman Catholic (*rou*-mön *kæ*-zö-lik) católico

romance (rö-*mænss*) *n* amorío *m*

romantic (rö-*mæn*-tik) *adj* romántico

roof (ruuf) *n* techo *m*; **thatched** ~ techo de paja

room (ruum) *n* habitación *f*; espacio *m*, sitio *m*; ~ **and board** pensión completa; ~ **service** servicio de habitación; ~ **temperature** temperatura ambiente

roomy (*ruu*-mi) *adj* espacioso

root (ruut) *n* raíz *f*

rope (roup) *n* soga *f*

rosary (*rou*-sö-ri) *n* rosario *m*

rose (rous) *n* rosa *f*; *adj* rosa

rotten (*ro*-tön) *adj* podrido

rouge (ruuჳ) *n* colorete *m*

rough (raf) *adj* áspero

roulette (ruu-*lêt*) *n* ruleta *f*

round (raund) *adj* redondo; *prep* alrededor de, en torno de; *n* vuelta *f*; ~ **trip** *Am* ida y vuelta

roundabout (*raun*-dö-baut) *n* glorieta *f*

rounded (*raun*-did) *adj* redondeado

route (ruut) *n* ruta *f*

routine (ruu-*tiin*) *n* rutina *f*

row¹ (rou) *n* fila *f*; *v* remar

row² (rau) *n* bronca *f*

rowdy (*rau*-di) *adj* alborotador

rowing-boat (*rou*-ing-bout) *n* bote *m*

royal (*roi*-öl) *adj* real

rub (rab) *v* frotar

rubber (*ra*-bö) *n* caucho *m*; goma de borrar; hule *mMe*; ~ **band** elástico *m*

rubbish (*ra*-biʃ) *n* basura *f*; habladuría *f*, tontería *f*; **talk** ~ *decir tonterías

rubbish-bin (*ra*-biʃ-bin) *n* cubo de la basura

ruby (*ruu*-bi) *n* rubí *m*

rucksack (*rak*-ssæk) *n* mochila *f*

rudder (*ra*-dö) *n* timón *m*

rude (ruud) *adj* grosero

rug (ragh) *n* alfombrilla *f*

ruin (*ruu*-in) *v* arruinar; *n* ruina *f*

ruination (ruu-i-*nei*-ʃön) *n* hundimiento *m*

rule (ruul) *n* regla *f*; régimen *m*, gobierno *m*, dominio *m*; *v* *gobernar, *regir; **as a** ~ generalmente, por regla general

ruler (*ruu*-lö) *n* monarca *m*, gobernante *m*; regla *f*

Rumania (ruu-*mei*-ni-ö) Rumania *f*

Rumanian (ruu-*mei*-ni-ön) *adj* rumano

rumour (*ruu*-mö) *n* rumor *m*

***run** (ran) *v* correr; ~ **into** *encontrarse con

runaway (*ra*-nö-ᵘei) *n* fugitivo *m*

rung (ran) *v* (pp ring)

runway (*ran*-ᵘei) *n* pista de aterrizaje

rural (*ru*ᵒ-röl) *adj* rural

ruse (ruus) *n* astucia *f*

rush (raʃ) *v* precipitarse; *n* junco *m*

rush-hour (*ra*ʃ-auᵒ) *n* hora de afluencia

Russia (*ra*-ʃö) Rusia *f*

Russian (*ra*-ʃön) *adj* ruso

rust (rasst) *n* herrumbre *f*

rustic (*ra*-sstik) *adj* rústico

rusty (*ra*-ssti) *adj* oxidado

S

saccharin (*ssæ*-kö-rin) *n* sacarina *f*

sack (ssæk) *n* saco *m*

sacred (*ssei*-krid) *adj* sagrado

sacrifice (*ssæ*-kri-faiss) *n* sacrificio *m*; *v* sacrificar

sacrilege (*ssæ*-kri-lidʒ) *n* sacrilegio *m*

sad (ssæd) *adj* triste; afligido, melancólico

saddle (*ssæ*-döl) *n* silla *f*

sadness (*ssæd*-nöss) *n* tristeza *f*

safe (sseif) *adj* seguro; *n* caja fuerte, caja de caudales

safety (*sseif*-ti) *n* seguridad *f*

safety-belt (*sseif*-ti-bêlt) *n* cinturón de seguridad

safety-pin (*sseif*-ti-pin) *n* imperdible *m*

safety-razor (*sseif*-ti-rei-sö) *n* máquina de afeitar

sail (sseil) *v* navegar; *n* vela *f*

sailing-boat (*ssei*-ling-bout) *n* buque velero

sailor (*ssei*-lö) *n* marinero *m*

saint (sseint) *n* santo *m*

salad (*ssæ*-löd) *n* ensalada *f*

salad-oil (*ssæ*-löd-oil) *n* aceite de mesa

salary (*ssæ*-lö-ri) *n* sueldo *m*

sale (sseil) *n* venta *f*; **clearance** ~ liquidación *f*; **for** ~ de venta; **sales** rebajas *fpl*

saleable (*ssei*-lö-böl) *adj* vendible

salesgirl (*sseils*-ghööl) *n* vendedora *f*

salesman (*sseils*-mön) *n* (pl -men)

vendedor *m*

salmon (*ssæ*-mön) *n* (pl ~) salmón *m*

salon (*ssæ*-long) *n* salón *m*

saloon (ssö-*luun*) *n* bar *m*; cantina *f*Me

salt (ssoolt) *n* sal *f*

salt-cellar (*ssoolt*-ssé-lö) *n* salero *m*

salty (*ssool*-ti) *adj* salado

salute (ssö-*luut*) *v* saludar

salve (ssaav) *n* ungüento *m*

same (sseim) *adj* mismo

sample (*ssaam*-pöl) *n* muestra *f*

sanatorium (ssæ-nö-*too*-ri-öm) *n* (pl ~s, -ria) sanatorio *m*

sand (ssænd) *n* arena *f*

sandal (*ssæn*-döl) *n* sandalia *f*

sandpaper (*ssænd*-pei-pö) *n* papel de lija

sandwich (*ssæn*-ᵁidз) *n* bocadillo *m*; emparedado *m*

sandy (*ssæn*-di) *adj* arenoso

sanitary (*ssæ*-ni-tö-ri) *adj* sanitario; ~ **towel** paño higiénico

sapphire (*ssæ*-faiᵒ) *n* zafiro *m*

sardine (ssaa-*diin*) *n* sardina *f*

satchel (*ssæ*-chöl) *n* cartera *f*

satellite (*ssæ*-tö-lait) *n* satélite *m*

satin (*ssæ*-tin) *n* raso *m*

satisfaction (ssæ-tiss-*fæk*-Jön) *n* satisfacción *f*

satisfy (*ssæ*-tiss-fai) *v* *satisfacer

Saturday (*ssæ*-tö-di) *n* sábado *m*

sauce (ssooss) *n* salsa *f*

saucepan (*ssooss*-pön) *n* cacerola *f*

saucer (*ssoo*-ssö) *n* platillo *m*

Saudi Arabia (ssau-di-ö-*rei*-bi-ö) Arabia Saudí

Saudi Arabian (ssau-di-ö-*rei*-bi-ön) *adj* saudí

sauna (*ssoo*-nö) *n* sauna *f*

sausage (*sso*-ssidз) *n* salchicha *f*

savage (*ssæ*-vidз) *adj* salvaje

save (sseiv) *v* salvar; ahorrar

savings (*ssei*-vings) *pl* ahorros *mpl*;

~ **bank** caja de ahorros

saviour (*ssei*-vyö) *n* salvador *m*

savoury (*ssei*-vö-ri) *adj* sabroso; picante

saw¹ (ssoo) *v* (p see)

saw² (ssoo) *n* sierra *f*

sawdust (*ssoo*-dasst) *n* serrín *m*

saw-mill (*ssoo*-mil) *n* serrería de maderas

*****say** (ssei) *v* *decir

scaffolding (*sskæ*-föl-ding) *n* andamio *m*

scale (sskeil) *n* escala *f*; escala musical; escama *f*; **scales** *pl* balanza *f*

scandal (*sskæn*-döl) *n* escándalo *m*

Scandinavia (sskæn-di-*nei*-vi-ö) Escandinavia *f*

Scandinavian (sskæn-di-*nei*-vi-ön) *adj* escandinavo

scapegoat (*sskeip*-ghout) *n* cabeza de turco

scar (sskaa) *n* cicatriz *f*

scarce (sskêᵒss) *adj* escaso

scarcely (*sskêᵒ*-ssli) *adv* apenas

scarcity (*sskêᵒ*-ssö-ti) *n* escasez *f*

scare (sskêᵒ) *v* asustar; *n* susto *m*

scarf (sskaaf) *n* (pl ~s, scarves) bufanda *f*

scarlet (*sskaa*-löt) *adj* escarlata

scary (*sskêᵒ*-ri) *adj* alarmante

scatter (*sskæ*-tö) *v* esparcir

scene (ssiin) *n* escena *f*

scenery (*ssii*-nö-ri) *n* paisaje *m*

scenic (*ssii*-nik) *adj* pintoresco

scent (ssênt) *n* perfume *m*

schedule (/ê-dyuul) *n* horario *m*

scheme (sskiim) *n* esquema *m*; proyecto *m*

scholar (*ssko*-lö) *n* erudito *m*; alumno *m*

scholarship (*ssko*-lö-Jip) *n* beca *f*

school (sskuul) *n* escuela *f*

schoolboy (*sskuul*-boi) *n* alumno *m*

schoolgirl (*sskuul*-ghööl) *n* alumna *f*

schoolmaster (*sskuul*-maa-sstö) *n* maestro *m*

schoolteacher (*sskuul*-tii-chö) *n* maestro *m*

science (*ssai*-önss) *n* ciencia *f*

scientific (ssai-ön-*ti*-fik) *adj* científico

scientist (*ssai*-ön-tisst) *n* científico *m*

scissors (*ssi*-sös) *pl* tijeras *fpl*

scold (sskould) *v* reprender; insultar

scooter (*sskuu*-tö) *n* motoneta *f*; patín *m*

score (sskoo) *n* tanteo *m*; *v* marcar

scorn (sskoon) *n* escarnio *m*, desprecio *m*; *v* despreciar

Scot (sskot) *n* escocés *m*

Scotch (sskoch) *adj* escocés; **scotch tape** cinta adhesiva

Scotland (*sskot*-lönd) Escocia *f*

Scottish (*ssko*-tiʃ) *adj* escocés

scout (sskaut) *n* explorador *m*

scrap (sskræp) *n* pedazo *m*

scrap-book (*sskræp*-buk) *n* álbum *m*

scrape (sskreip) *v* raspar

scrap-iron (*sskræ*-paiⁿn) *n* chatarra *f*

scratch (sskræch) *v* *hacer raeduras, rascar; *n* raedura *f*, rasguño *m*

scream (sskriim) *v* gritar, chillar; *n* grito *m*, chillido *m*

screen (sskriin) *n* mampara *f*; pantalla *f*

screw (sskruu) *n* tornillo *m*; *v* atornillar

screw-driver (*sskruu*-drai-vö) *n* destornillador *m*

scrub (sskrab) *v* *fregar; *n* matorral *m*

sculptor (*sskalp*-tö) *n* escultor *m*

sculpture (*sskalp*-chö) *n* escultura *f*

sea (ssii) *n* mar *m*

sea-bird (*ssii*-bööd) *n* ave marina

sea-coast (*ssii*-kousst) *n* litoral *m*

seagull (*ssii*-ghal) *n* gaviota *f*

seal (ssiil) *n* sello *m*; foca *f*

seam (ssiim) *n* costura *f*

seaman (*ssii*-mön) *n* (pl -men) marino *m*

seamless (*ssiim*-löss) *adj* sin costura

seaport (*ssii*-poot) *n* puerto de mar

search (ssööch) *v* buscar; cachear; *n* búsqueda *f*

searchlight (*ssööch*-lait) *n* reflector *m*

seascape (*ssii*-sskeip) *n* marina *f*

sea-shell (*ssii*-[ʃel) *n* concha *f*

seashore (*ssii*-[ʃoo) *n* orilla del mar

seasick (*ssii*-ssik) *adj* mareado

seasickness (*ssii*-ssik-nöss) *n* mareo *m*

seaside (*ssii*-ssaid) *n* orilla del mar; ~ **resort** playa de veraneo

season (*ssii*-sön) *n* temporada *f*, estación *f*; **high** ~ apogeo de la temporada; **low** ~ temporada baja; **off** ~ fuera de temporada

season-ticket (*ssii*-sön-ti-kit) *n* tarjeta de temporada

seat (ssiit) *n* asiento *m*; sitio *m*, localidad *f*; sede *f*

seat-belt (*ssiit*-bélt) *n* cinturón de seguridad

sea-urchin (*ssii*-öö-chin) *n* erizo de mar

sea-water (*ssii*-ᵘoo-tö) *n* agua de mar

second (*ssé*-könd) *num* segundo; *n* segundo *m*; instante *m*

secondary (*ssé*-kön-dö-ri) *adj* secundario; ~ **school** escuela secundaria

second-hand (ssé-könd-*hænd*) *adj* de segunda mano

secret (*ssii*-kröt) *n* secreto *m*; *adj* secreto

secretary (*ssé*-krö-tri) *n* secretaria *f*; secretario *m*

section (*ssék*-jön) *n* sección *f*; división *f*, departamento *m*

secure (ssi-*kyuᵒ*) *adj* firme; *v* lograr

security (ssi-*kyuᵒ*-rö-ti) *n* seguridad *f*; fianza *f*

sedate (ssi-*deit*) *adj* sosegado

sedative (*ssé*-dö-tiv) *n* calmante *m*

seduce (ssi-*dyuuss*) *v* *seducir

***see** (ssii) *v* *ver; comprender, *darse cuenta; ~ **to** *atender a

seed (ssiid) *n* semilla *f*

***seek** (ssiik) *v* buscar

seem (ssiim) *v* *parecer

seen (ssiin) *v* (pp see)

seesaw (*ssii*-ssoo) *n* columpio *m*

seize (ssiis) *v* agarrar

seldom (*ssél*-döm) *adv* pocas veces

select (ssi-*lékt*) *v* seleccionar, *elegir; *adj* seleccionado, selecto

selection (ssi-*lék*-Jön) *n* elección *f*, selección *f*

self-centred (ssélf-*ssén*-töd) *adj* egocéntrico

self-employed (ssél-fim-*ploid*) *adj* independiente

self-evident (ssél-*fé*-vi-dönt) *adj* evidente

self-government (ssélf-*gha*-vö-mönt) *n* autonomía *f*

selfish (*ssél*-fiJ) *adj* egoísta

selfishness (*ssél*-fiJ-nöss) *n* egoísmo *m*

self-service (ssélf-*ssöö*-viss) *n* autoservicio *m*

***sell** (ssél) *v* vender

semblance (*ssém*-blönss) *n* apariencia *f*

semi- (*ssé*-mi) semi-

semicircle (*ssé*-mi-ssöö-köl) *n* semicírculo *m*

semi-colon (ssé-mi-*kou*-lön) *n* punto y coma

senate (*ssé*-nöt) *n* senado *m*

senator (*ssé*-nö-tö) *n* senador *m*

***send** (ssénd) *v* enviar, mandar; ~ **back** *devolver; ~ **for** mandar a buscar; ~ **off** despachar

senile (*ssii*-nail) *adj* senil

sensation (ssén-*ssei*-Jön) *n* sensación *f*

sensational (ssén-*ssei*-Jö-nöl) *adj* sensacional

sense (ssénss) *n* sentido *m*; juicio *m*, razón *f*; *v* *sentir; ~ **of honour** sentido del honor

senseless (*ssénss*-löss) *adj* insensato

sensible (*ssén*-ssö-böl) *adj* sensato

sensitive (*ssén*-ssi-tiv) *adj* sensitivo

sentence (*ssén*-tönss) *n* frase *f*; sentencia *f*; *v* sentenciar

sentimental (ssén-ti-*mén*-töl) *adj* sentimental

separate¹ (*ssé*-pö-reit) *v* separar

separate² (*ssé*-pö-röt) *adj* separado

separately (*ssé*-pö-röt-li) *adv* por separado

September (ssép-*têm*-bö) septiembre

septic (*ssép*-tik) *adj* séptico; ***become** ~ infectarse

sequel (*ssii*-kᵘöl) *n* continuación *f*

sequence (*ssii*-kᵘönss) *n* sucesión *f*; serie *f*

serene (ssö-*riin*) *adj* sereno; claro

serial (*ssiⁱᵒ*-ri-öl) *n* novela por entregas

series (*ssiⁱᵒ*-riis) *n* (pl ~) serie *f*

serious (*ssiⁱᵒ*-ri-öss) *adj* serio

seriousness (*ssiⁱᵒ*-ri-öss-nöss) *n* seriedad *f*

sermon (*ssöö*-mön) *n* sermón *m*

serum (*ssiⁱᵒ*-röm) *n* suero *m*

servant (*ssöö*-vönt) *n* criado *m*

serve (ssööv) *v* *servir

service (*ssöö*-viss) *n* servicio *m*; ~ **charge** servicio *m*; ~ **station** puesto de gasolina

serviette (ssöö-vi-*êt*) *n* servilleta *f*

session (*ssé*-Jön) *n* sesión *f*

set (ssét) *n* juego *m*, grupo *m*

***set** (ssét) *v* *poner; ~ **menu** cubierto a precio fijo; ~ **out** partir

setting (*ssé*-ting) *n* escena *f*; ~ **lotion** fijador *m*

settle (*ssé*-töl) *v* arreglar; ~ **down**

arraigarse

settlement (*ssê*-töl-mönt) *n* acuerdo *m*, arreglo *m*, convenio *m*

seven (*ssê*-vön) *num* siete

seventeen (ssê-vön-*tiin*) *num* diecisiete

seventeenth (ssê-vön-*tiinz*) *num* decimoséptimo

seventh (*ssê*-vönz) *num* séptimo

seventy (*ssê*-vön-ti) *num* setenta

several (*ssê*-vö-röl) *adj* varios

severe (ssi-*vi*⁰) *adj* violento, rigoroso, severo

sew (ssou) *v* coser; ~ **up** *hacer una sutura

sewer (*ssuu*-ö) *n* desagüe *m*

sewing-machine (*ssou*-ing-mö-ʃiin) *n* máquina de coser

sex (ssêkss) *n* sexo *m*; sexualidad *f*

sexton (*ssêk*-sstön) *n* sacristán *m*

sexual (*ssêk*-ʃu-öl) *adj* sexual

sexuality (ssêk-ʃu-æ-lö-ti) *n* sexualidad *f*

shade (ʃeid) *n* sombra *f*; tono *m*

shadow (*ʃæ*-dou) *n* sombra *f*

shady (*ʃei*-di) *adj* sombreado

*__shake__ (ʃeik) *v* sacudir

shaky (*ʃei*-ki) *adj* vacilante

*__shall__ (ʃæl) *v* *tener que

shallow (*ʃæ*-lou) *adj* poco profundo

shame (ʃeim) *n* vergüenza *f*; deshonra *f*; **shame!** ¡qué vergüenza!

shampoo (ʃæm-*puu*) *n* champú *m*

shamrock (*ʃæm*-rok) *n* trébol *m*

shape (ʃeip) *n* forma *f*; *v* formar

share (ʃê⁰) *v* compartir; *n* parte *f*; acción *f*

shark (ʃaak) *n* tiburón *m*

sharp (ʃaap) *adj* afilado

sharpen (*ʃaa*-pön) *v* afilar

shave (ʃeiv) *v* rasurarse, afeitarse

shaver (*ʃei*-vö) *n* máquina de afeitar

shaving-brush (*ʃei*-ving-braʃ) *n* brocha de afeitar

shaving-cream (*ʃei*-ving-kriim) *n* crema de afeitar

shaving-soap (*ʃei*-ving-ssoup) *n* jabón de afeitar

shawl (ʃool) *n* chal *m*

she (ʃii) *pron* ella

shed (ʃêd) *n* cobertizo *m*

*__shed__ (ʃêd) *v* derramar; esparcir

sheep (ʃiip) *n* (pl ~) oveja *f*

sheer (ʃi⁰) *adj* absoluto, puro; fino, traslúcido

sheet (ʃiit) *n* sábana *f*; hoja *f*; chapa *f*

shelf (ʃêlf) *n* (pl shelves) estante *m*

shell (ʃêl) *n* concha *f*; cáscara *f*

shellfish (*ʃêl*-fiʃ) *n* marisco *m*

shelter (*ʃêl*-tö) *n* refugio *m*; *v* abrigar

shepherd (*ʃê*-pöd) *n* pastor *m*

shift (ʃift) *n* turno *m*

*__shine__ (ʃain) *v* *relucir; brillar, *resplandecer

ship (ʃip) *n* buque *m*; *v* transportar; **shipping line** línea de navegación

shipowner (*ʃi*-pou-nö) *n* armador *m*

shipyard (*ʃip*-yaad) *n* astillero *m*

shirt (ʃööt) *n* camisa *f*

shiver (*ʃi*-vö) *v* *temblar, tiritar; *n* escalofrío *m*

shivery (*ʃi*-vö-ri) *adj* estremecido

shock (ʃok) *n* choque *m*; *v* chocar; ~ **absorber** amortiguador *m*

shocking (*ʃo*-king) *adj* chocante

shoe (ʃuu) *n* zapato *m*; **gym shoes** sandalias de gimnasia; ~ **polish** betún *m*; grasa *fMe*

shoe-lace (*ʃuu*-leiss) *n* cordón *m*

shoemaker (*ʃuu*-mei-kö) *n* zapatero *m*

shoe-shop (*ʃuu*-ʃop) *n* zapatería *f*

shook (ʃuk) *v* (p shake)

*__shoot__ (ʃuut) *v* tirar

shop (ʃop) *n* tienda *f*; *v* *ir de compras; ~ **assistant** dependiente *m*; **shopping bag** saco de compras; **shopping centre** centro comercial

shopkeeper (*∫op*-kii-pö) *n* tendero *m*

shop-window (*∫op*-ᵘ*in*-dou) *n* escaparate *m*

shore (*∫oo*) *n* ribera *f*, orilla *f*

short (*∫oot*) *adj* corto; bajo; ~ **circuit** cortocircuito *m*

shortage (*∫oo*-tidʒ) *n* carencia *f*, escasez *f*

shortcoming (*∫oot*-ka-ming) *n* deficiencia *f*

shorten (*∫oo*-tön) *v* acortar

shorthand (*∫oot*-hænd) *n* taquigrafía *f*

shortly (*∫oot*-li) *adv* pronto, próximamente

shorts (*∫ootss*) *pl* pantalones cortos; *plAm* calzoncillos *mpl*

short-sighted (*∫oot*-*ssai*-tid) *adj* miope

shot (*∫ot*) *n* disparo *m*; inyección *f*; secuencia *f*

*****should** (*∫ud*) *v* *tener que

shoulder (*∫oul*-dö) *n* hombro *m*

shout (*∫aut*) *v* gritar; *n* grito *m*

shovel (*∫a*-völ) *n* pala *f*

show (*∫ou*) *n* representación *f*, espectáculo *m*; exposición *f*

*****show** (*∫ou*) *v* *mostrar; enseñar; *demostrar

show-case (*∫ou*-keiss) *n* vitrina *f*

shower (*∫au*ᵒ) *n* ducha *f*; aguacero *m*

showroom (*∫ou*-ruum) *n* salón de demostraciones

shriek (*∫riik*) *v* chillar; *n* chillido *m*

shrimp (*∫rimp*) *n* camarón *m*

shrine (*∫rain*) *n* santuario *m*

*****shrink** (*∫ringk*) *v* encogerse

shrinkproof (*∫ringk*-pruuf) *adj* no encoge

shrub (*∫rab*) *n* arbusto *m*

shudder (*∫a*-dö) *n* estremecimiento *m*

shuffle (*∫a*-föl) *v* barajar

*****shut** (*∫at*) *v* *cerrar; ~ **in** *encerrar

shutter (*∫a*-tö) *n* persiana *f*

shy (*∫ai*) *adj* esquivo, timido

shyness (*∫ai*-nöss) *n* timidez *f*

Siam (ssai-*æm*) Siam *m*

Siamese (ssai-ö-*miis*) *adj* siamés

sick (ssik) *adj* enfermo; que tiene náuseas

sickness (*ssik*-nöss) *n* enfermedad *f*; náusea *f*

side (ssaid) *n* lado *m*; partido *m*; **one-sided** *adj* unilateral

sideburns (*ssaid*-böönss) *pl* patillas *fpl*

sidelight (*ssaid*-lait) *n* luz lateral

side-street (*ssaid*-sstriit) *n* calle lateral

sidewalk (*ssaid*-ᵘook) *nAm* acera *f*

sideways (*ssaid*-ᵘeis) *adv* lateralmente

siege (ssiidʒ) *n* sitio *m*

sieve (ssiv) *n* tamiz *m*; *v* tamizar

sift (ssift) *v* tamizar

sight (ssait) *n* vista *f*; aspecto *m*; curiosidad *f*

sign (ssain) *n* signo *m*, señal *f*; gesto *m*, seña *f*; *v* suscribir, firmar

signal (*ssigh*-nöl) *n* señal *f*; *v* *hacer señales

signature (*ssigh*-nö-chö) *n* firma *f*

significant (ssigh-*ni*-fi-könt) *adj* significativo

signpost (*ssain*-pousst) *n* poste de indicador

silence (*ssai*-lönss) *n* silencio *m*; *v* acallar

silencer (*ssai*-lön-ssö) *n* silenciador *m*

silent (*ssai*-lönt) *adj* callado; *be ~ callarse

silk (ssilk) *n* seda *f*

silken (*ssil*-kön) *adj* sedoso

silly (*ssi*-li) *adj* necio, bobo

silver (*ssil*-vö) *n* plata *f*; de plata

silversmith (*ssil*-vö-ssmiz) *n* platero *m*

silverware (*ssil*-vö-ᵘêᵒ) *n* plata labrada

similar (*ssi*-mi-lö) *adj* similar

similarity (ssi-mi-*læ*-rö-ti) *n* semejanza *f*

simple (*ssim*-pöl) *adj* ingenuo, simple; ordinario

simply (*ssim*-pli) *adv* simplemente

simulate (*ssi*-myu-leit) *v* simular

simultaneous (ssi-möl-*tei*-ni-öss) *adj* simultáneo

sin (ssin) *n* pecado *m*

since (ssinss) *prep* desde; *adv* desde entonces; *conj* desde que; puesto que

sincere (ssin-*ssi*°) *adj* sincero

sinew (*ssi*-nyuu) *n* tendón *m*

*sing (ssing) *v* cantar

singer (*ssing*-ö) *n* cantante *m*; cantadora *f*

single (*ssing*-ghöl) *adj* solo; soltero

singular (*ssing*-ghyu-lö) *n* singular *m*; *adj* singular

sinister (*ssi*-ni-sstö) *adj* siniestro

sink (ssingk) *n* pileta *f*

*sink (ssingk) *v* hundirse

sip (ssip) *n* sorbo *m*

siphon (*ssai*-fön) *n* sifón *m*

sir (ssöö) señor *m*

siren (*ssai*°-rön) *n* sirena *f*

sister (*ssi*-sstö) *n* hermana *f*

sister-in-law (*ssi*-sstö-rin-loo) *n* (pl sisters-) cuñada *f*

*sit (ssit) *v* *estar sentado; ~ **down** *sentarse

site (ssait) *n* sitio *m*

sitting-room (*ssi*-ting-ruum) *n* sala de estar

situated (*ssi*-chu-ei-tid) *adj* situado

situation (ssi-chu-ei-∫ön) *n* situación *f*; ubicación *f*

six (ssikss) *num* seis

sixteen (ssikss-*tiin*) *num* dieciséis

sixteenth (ssikss-*tiinz*) *num* decimosexto

sixth (ssikssz) *num* sexto

sixty (*ssikss*-ti) *num* sesenta

size (ssais) *n* tamaño *m*, número *m*; dimensión *f*; formato *m*

skate (sskeit) *v* patinar; *n* patín *m*

skating (*sskei*-ting) *n* patinaje *m*

skating-rink (*sskei*-ting-ringk) *n* pista de patinaje

skeleton (*sskê*-li-tön) *n* esqueleto *m*

sketch (sskêch) *n* dibujo *m*, bosquejo *m*; *v* dibujar, bosquejar

sketch-book (*sskêch*-buk) *n* cuaderno de diseño

ski¹ (sskii) *v* esquiar

ski² (sskii) *n* (pl ~, ~s) esquí *m*; ~ **boots** botas de esquí; ~ **pants** pantalones de esquí; ~ **sticks** bastones de esquí

skid (sskid) *v* patinar

skier (*sskii*-ö) *n* esquiador *m*

skiing (*sskii*-ing) *n* esquí *m*

ski-jump (*sskii*-dʒamp) *n* salto de esquí

skilful (*sskil*-föl) *adj* hábil, diestro

ski-lift (*sskii*-lift) *n* telesilla *m*

skill (sskil) *n* habilidad *f*

skilled (sskild) *adj* hábil; especializado

skin (sskin) *n* piel *f*; cáscara *f*; ~ **cream** crema para la piel

skip (sskip) *v* saltar; brincar

skirt (sskööt) *n* falda *f*

skull (sskal) *n* cráneo *m*

sky (sskai) *n* cielo *m*; aire *m*

skyscraper (*sskai*-sskrei-pö) *n* rascacielos *m*

slack (sslæk) *adj* lento

slacks (sslækss) *pl* pantalones *mpl*

slam (sslæm) *v* *dar un portazo

slander (*sslaan*-dö) *n* calumnia *f*

slant (sslaant) *v* inclinarse

slanting (*sslaan*-ting) *adj* oblicuo, pendiente, inclinado

slap (sslæp) *v* pegar; *n* bofetada *f*

slate (ssleit) *n* pizarra *f*

slave (ssleiv) *n* esclavo *m*

sledge (sslêdʒ) *n* trineo *m*

sleep (ssliip) *n* sueño *m*

*sleep (ssliip) *v* *dormir

sleeping-bag (*sslii*-ping-bægh) *n* saco de dormir

sleeping-car (*sslii*-ping-kaa) *n* coche cama

sleeping-pill (*sslii*-ping-pil) *n* somnífero *m*

sleepless (*ssliip*-löss) *adj* desvelado

sleepy (*sslii*-pi) *adj* soñoliento

sleeve (ssliiv) *n* manga *f*; funda *f*

sleigh (sslei) *n* trineo *m*

slender (*sslên*-dö) *adj* esbelto

slice (sslaiss) *n* tajada *f*

slide (sslaid) *n* desliz *m*; tobogán *m*; diapositiva *f*

slide (sslaid) *v* deslizarse

slight (sslait) *adj* ligero; leve

slim (sslim) *adj* esbelto; *v* adelgazar

slip (sslip) *v* deslizarse, resbalar; *n* desliz *m*; combinación *f*; fondo *mMe*

slipper (*sslí*-pö) *n* zapatilla *f*

slippery (*sslí*-pö-ri) *adj* resbaladizo

slogan (*sslou*-ghön) *n* lema *m*, slogan *m*

slope (ssloup) *n* pendiente *f*; *v* inclinarse

sloping (*sslou*-ping) *adj* inclinado

sloppy (*sslo*-pi) *adj* chapucero

slot (sslot) *n* ranura *f*

slot-machine (*sslot*-mö-ʃiin) *n* máquina tragamonedas

slovenly (*sslo*-vön-li) *adj* descuidado

slow (sslou) *adj* lerdo, lento; ~ **down** desacelerar, *ir más despacio; frenar

sluice (ssluuss) *n* compuerta *f*

slum (sslam) *n* barrio bajo

slump (sslamp) *n* baja *f*

slush (sslaʃ) *n* aguanieve *f*

sly (sslai) *adj* astuto

smack (ssmæk) *v* pegar; *n* bofetada *f*

small (ssmool) *adj* pequeño; menudo

smallpox (*ssmool*-pokss) *n* viruelas *fpl*

smart (ssmaat) *adj* elegante; inteligente, listo

smell (ssmêl) *n* olor *m*

smell (ssmêl) *v* *oler; *heder

smelly (*ssmê*-li) *adj* hediondo

smile (ssmail) *v* sonreír; *n* sonrisa *f*

smith (ssmiz) *n* herrero *m*

smoke (ssmouk) *v* fumar; *n* humo *m*; **no smoking** prohibido fumar

smoker (*ssmou*-kö) *n* fumador *m*; compartimento para fumadores

smoking-compartment (*ssmou*-king-köm-paat-mönt) *n* compartimento para fumadores

smoking-room (*ssmou*-king-ruum) *n* sala para fumar

smooth (ssmuuð) *adj* llano, liso; dulce

smuggle (*ssma*-ghöl) *v* contrabandear

snack (ssnæk) *n* tentempié *m*

snack-bar (*ssnæk*-baa) *n* cafetería *f*

snail (ssneil) *n* caracol *m*

snake (ssneik) *n* culebra *f*

snapshot (*ssnæp*-ʃot) *n* instantánea *f*

sneakers (*ssnií*-kös) *plAm* zapatos de gimnasia

sneeze (ssniis) *v* estornudar

sniper (*ssnai*-pö) *n* francotirador *m*

snooty (*ssnuu*-ti) *adj* arrogante

snore (ssnoo) *v* roncar

snorkel (*ssnoo*-köl) *n* esnórquel *m*

snout (ssnaut) *n* hocico *m*

snow (ssnou) *n* nieve *f*; *v* *nevar

snowstorm (*ssnou*-sstoom) *n* nevasca *f*

snowy (*ssnou*-i) *adj* nevoso

so (ssou) *conj* por tanto; *adv* así; a tal grado, tan; **and** ~ **on** etcétera; ~ **far** hasta ahora; ~ **that** así que, a fin de

soak (ssouk) *v* empapar, remojar

soap (ssoup) *n* jabón *m*; ~ **powder** jabón en polvo

sober (*ssou*-bö) *adj* sobrio; ponderado

so-called (ssou-*koold*) *adj* así llamado

soccer (*sso*-kö) *n* fútbol *m*; ~ **team** equipo *m*

social (*ssou*-föl) *adj* social

socialism (*ssou*-fö-li-söm) *n* socialismo *m*

socialist (*ssou*-fö-lisst) *adj* socialista; *n* socialista *m*

society (ssö-*ssai*-ö-ti) *n* sociedad *f*; asociación *f*; compañía *f*

sock (ssok) *n* calcetín *m*

socket (*sso*-kit) *n* casquillo *m*; sóquet *mMe*

soda-water (*ssou*-dö-ᵘoo-tö) *n* agua de soda, soda *f*

sofa (*ssou*-fö) *n* sofá *m*

soft (ssoft) *adj* blando; ~ **drink** bebida no alcohólica

soften (*sso*-fön) *v* ablandar

soil (ssoil) *n* suelo *m*; tierra *f*

soiled (ssoild) *adj* manchado

sold (ssould) *v* (p, pp sell); ~ **out** agotado

solder (*ssol*-dö) *v* *soldar

soldering-iron (*ssol*-dö-ring-aiᵒn) *n* soldador *m*

soldier (*ssoul*-dჳö) *n* militar *m*, soldado *m*

sole¹ (ssoul) *adj* único

sole² (ssoul) *n* suela *f*; lenguado *m*

solely (*ssoul*-li) *adv* exclusivamente

solemn (*sso*-löm) *adj* solemne

solicitor (ssö-*li*-ssi-tö) *n* procurador *m*, abogado *m*

solid (*sso*-lid) *adj* robusto, sólido; macizo; *n* sólido *m*

soluble (*sso*-lyu-böl) *adj* soluble

solution (ssö-*luu*-fön) *n* solución *f*

solve (ssolv) *v* *resolver

sombre (*ssom*-bö) *adj* sombrío

some (ssam) *adj* algunos, unos; *pron* algunos, unos; un poco; ~ **day** uno u otro día; ~ **more** algo más; ~ **time** alguna vez

somebody (*ssam*-bö-di) *pron* alguien

somehow (*ssam*-hau) *adv* de un modo u otro

someone (*ssam*-ᵘan) *pron* alguien

something (*ssam*-zing) *pron* algo

sometimes (*ssam*-taims) *adv* a veces

somewhat (*ssam*-ᵘot) *adv* algo

somewhere (*ssam*-ᵘê̂ᵒ) *adv* en alguna parte

son (ssan) *n* hijo *m*

song (ssong) *n* canción *f*

son-in-law (*ssa*-nin-loo) *n* (pl sons-) yerno *m*

soon (ssuun) *adv* rápidamente, pronto, en breve; **as** ~ **as** tan pronto como

sooner (*ssuu*-nö) *adv* más bien

sore (ssoo) *adj* doloroso; *n* llaga *f*; úlcera *f*; ~ **throat** dolor de garganta

sorrow (*sso*-rou) *n* tristeza *f*, sufrimiento *m*, pena *f*

sorry (*sso*-ri) *adj* apenado; **sorry!** ¡dispense usted!, ¡disculpe!, ¡perdón!

sort (ssoot) *v* clasificar, *disponer; *n* clase *f*; **all sorts of** toda clase de

soul (ssoul) *n* alma *f*

sound (ssaund) *n* sonido *m*; *v* *sonar, *resonar; *adj* bueno

soundproof (*ssaund*-pruuf) *adj* insonorizado

soup (ssuup) *n* sopa *f*

soup-plate (*ssuup*-pleit) *n* plato para sopa

soup-spoon (*ssuup*-sspuun) *n* cuchara *f*

sour (ssauᵒ) *adj* agrio

source (ssooss) *n* fuente *f*

south (ssauz) *n* sur *m*; **South Pole** polo sur

South Africa (ssauz æ-fri-kö) África del Sur

south-east (ssauz-*iisst*) *n* sudeste *m*

southerly (*ssa*-ðö-li) *adj* meridional

southern (*ssa*-ðön) *adj* meridional

south-west (ssauz-ᵘ*êsst*) *n* sudoeste *m*

souvenir (*ssuu*-vö-ni⁰) *n* recuerdo *m*

sovereign (*ssov*-rin) *n* soberano *m*

*sow (ssou) *v* *sembrar

soy (ssoi) *n* soja *f*

spa (sspaa) *n* balneario *m*

space (sspeiss) *n* espacio *m*; distancia *f*; *v* espaciar

spacious (*sspei*-föss) *adj* espacioso

spade (sspeid) *n* azada *f*, pala *f*

Spain (sspein) España *f*

Spaniard (*sspæ*-nyöd) *n* español *m*

Spanish (*sspæ*-nif) *adj* español

spanking (*sspæng*-king) *n* zurra *f*

spanner (*sspæ*-nö) *n* llave inglesa

spare (sspê⁰) *adj* de reserva, disponible; *v* pasarse sin; ~ **part** pieza de repuesto; ~ **room** cuarto para huéspedes; ~ **time** tiempo libre; ~ **tyre** neumático de repuesto; ~ **wheel** rueda de repuesto

sparing (*sspê⁰*-ing) *adj* escaso; económico

spark (sspaak) *n* chispa *f*

sparking-plug (*sspaa*-king-plagh) *n* bujía *f*

sparkling (*sspaa*-kling) *adj* centelleante; espumante

sparrow (*sspæ*-rou) *n* gorrión *m*

*speak (sspiik) *v* hablar

spear (sspi⁰) *n* lanza *f*

special (*sspê*-föl) *adj* especial; ~ **delivery** por expreso

specialist (*sspê*-fö-lisst) *n* especialista *m*

speciality (sspê-fi-æ-lö-ti) *n* especialidad *f*

specialize (*sspê*-fö-lais) *v* especializarse

specially (*sspê*-fö-li) *adv* en particular

species (*sspii*-fiis) *n* (pl ~) especie *f*

specific (sspö-*ssi*-fik) *adj* específico

specimen (*sspê*-ssi-mön) *n* espécimen *m*

speck (sspêk) *n* mancha *f*

spectacle (*sspêk*-tö-köl) *n* espectáculo *m*; **spectacles** anteojos *mpl*

spectator (sspêk-*tei*-tö) *n* espectador *m*

speculate (*sspê*-kyu-leit) *v* especular

speech (sspiich) *n* habla *f*; discurso *m*; lenguaje *m*

speechless (*sspiich*-löss) *adj* atónito

speed (sspiid) *n* velocidad *f*; rapidez *f*, prisa *f*; **cruising** ~ velocidad de cruce; ~ **limit** límite de velocidad

*speed (sspiid) *v* *dar prisa; correr demasiado

speeding (*sspii*-ding) *n* exceso de velocidad

speedometer (sspii-*do*-mi-tö) *n* velocímetro *m*

spell (sspêl) *n* encanto *m*

*spell (sspêl) *v* deletrear

spelling (*sspê*-ling) *n* deletreo *m*

*spend (sspênd) *v* gastar; pasar

sphere (ssfi⁰) *n* esfera *f*

spice (sspaiss) *n* especia *f*

spiced (sspaisst) *adj* condimentado

spicy (*sspai*-ssi) *adj* picante

spider (*sspai*-dö) *n* araña *f*; **spider's web** telaraña *f*

spill (sspil) *v* *verter

*spin (sspin) *v* hilar; *hacer girar

spinach (*sspi*-nidȝ) *n* espinacas *fpl*

spine (sspain) *n* espinazo *m*

spinster (*sspin*-sstö) *n* solterona *f*

spire (sspai⁰) *n* aguja *f*

spirit (*sspi*-rit) *n* espíritu *m*; humor *m*; **spirits** bebidas espirituosas; moral *f*; ~ **stove** calentador de alcohol

spiritual (*sspi*-ri-chu-öl) *adj* espiritual

spit (sspit) *n* esputo *m*, saliva *f*; espetón *m*

*spit (sspit) v escupir

in spite of (in sspait ov) a pesar de

spiteful (sspait-föl) adj malévolo

splash (ssplæʃ) v salpicar

splendid (ssplên-did) adj magnífico, espléndido

splendour (ssplên-dö) n esplendor m

splint (ssplint) n tablilla f

splinter (ssplin-tö) n astilla f

*split (ssplit) v *hender

*spoil (sspoil) v echar a perder; mimar

spoke[1] (sspouk) v (p speak)

spoke[2] (sspouk) n radio m

sponge (sspandʒ) n esponja f

spook (sspuuk) n fantasma m

spool (sspuul) n bobina f

spoon (sspuun) n cuchara f

spoonful (sspuun-ful) n cucharada f

sport (sspoot) n deporte m

sports-car (sspootss-kaa) n coche de carreras

sports-jacket (sspootss-dʒæ-kit) n chaqueta de deporte

sportsman (sspootss-mön) n (pl -men) deportista m

sportswear (sspootss-ʉêᵒ) n conjunto de deporte

spot (sspot) n mancha f; lugar m, puesto m

spotless (sspot-löss) adj inmaculado

spotlight (sspot-lait) n proyector m

spotted (sspo-tid) adj moteado

spout (sspaut) n chorro m

sprain (ssprein) v *torcerse; n torcedura f

*spread (ssprêd) v *extender

spring (sspring) n primavera f; muelle m; manantial m

springtime (sspring-taim) n primavera f

sprouts (ssprautss) pl col de Bruselas

spy (sspai) n espía m

squadron (sskʉo-drön) n escuadrilla f

square (sskʉêᵒ) adj cuadrado; n cuadrado m; plaza f

squash (sskʉoʃ) n zumo m

squirrel (sskʉi-röl) n ardilla f

squirt (sskʉööt) n chisguete m

stable (sstei-böl) adj estable; n establo m

stack (sstæk) n montón m

stadium (sstei-di-öm) n estadio m

staff (sstaaf) n personal m

stage (ssteidʒ) n escenario m; fase f; etapa f

stain (sstein) v manchar; n mancha f; **stained glass** vidrio de color; ~ **remover** quitamanchas m

stainless (sstein-löss) adj inmaculado; ~ **steel** acero inoxidable

staircase (sstêᵒ-keiss) n escalera f

stairs (sstêᵒs) pl escalera f

stale (ssteil) adj viejo

stall (sstool) n puesto m; butaca f

stamina (sstæ-mi-nö) n vigor m

stamp (sstæmp) n sello m; v sellar; patear; n estampilla fMe; ~ **machine** máquina expendedora de sellos

stand (sstænd) n puesto m; tribuna f

*stand (sstænd) v *estar de pie

standard (sstæn-död) n norma f; normal; ~ **of living** nivel de vida

stanza (sstæn-sö) n estrofa f

staple (sstei-pöl) n grapa f

star (sstaa) n estrella f

starboard (sstaa-böd) n estribor m

starch (sstaach) n almidón m; v almidonar

stare (sstêᵒ) v mirar

starling (sstaa-ling) n estornino m

start (sstaat) v *empezar; n comienzo m; **starter motor** arranque m

starting-point (sstaa-ting-point) n punto de partida

state (ssteit) n Estado m; estado m; v declarar; **the States** Estados Unidos

statement (*ssteit*-mönt) *n* declaración *f*

statesman (*ssteitss*-mön) *n* (pl -men) estadista *m*

station (*sstei*-ʃön) *n* estación *f*; puesto *m*

stationary (*sstei*-ʃö-nö-ri) *adj* estacionario

stationer's (*sstei*-ʃö-nös) *n* papelería *f*

stationery (*sstei*-ʃö-nö-ri) *n* papelería *f*

station-master (*sstei*-ʃön-maa-sstö) *n* jefe de estación

statistics (sstö-*ti*-sstikss) *pl* estadística *f*

statue (*sstæ*-chuu) *n* estatua *f*

stay (sstei) *v* quedarse; hospedarse; *n* estancia *f*

steadfast (*sstêd*-faasst) *adj* constante

steady (*sstê*-di) *adj* firme

steak (ssteik) *n* biftec *m*

*steal (sstiil) *v* hurtar

steam (sstiim) *n* vapor *m*

steamer (*sstii*-mö) *n* vapor *m*

steel (sstiil) *n* acero *m*

steep (sstiip) *adj* abrupto

steeple (*sstii*-pöl) *n* campanario *m*

steering-column (*ssti*ö-ring-ko-löm) *n* columna del volante

steering-wheel (*ssti*ö-ring-ᵘiil) *n* volante *m*

steersman (*ssti*ös-mön) *n* (pl -men) timonel *m*

stem (sstêm) *n* tallo *m*

stenographer (sstê-*no*-ghrö-fö) *n* taquígrafo *m*

step (sstêp) *n* paso *m*; peldaño *m*; *v* pisar

stepchild (*sstêp*-chaild) *n* (pl -children) hijastro *m*

stepfather (*sstêp*-faa-ðö) *n* padrastro *m*

stepmother (*sstêp*-ma-ðö) *n* madras-

tra *f*

sterile (*sstê*-rail) *adj* estéril

sterilize (*sstê*-ri-lais) *v* esterilizar

steward (*sstyuu*-öd) *n* camarero *m*

stewardess (*sstyuu*-ö-dêss) *n* azafata *f*

stick (sstik) *n* palo *m*

*stick (sstik) *v* pegar

sticky (*ssti*-ki) *adj* pegajoso

stiff (sstif) *adj* tieso

still (sstil) *adv* todavía; sin embargo; *adj* quieto

stillness (*sstil*-nöss) *n* silencio *m*

stimulant (*ssti*-myu-lönt) *n* estimulante *m*

stimulate (*ssti*-myu-leit) *v* estimular

sting (ssting) *n* picadura *f*

*sting (ssting) *v* picar

stingy (*sstin*-dʒi) *adj* mezquino

*stink (sstingk) *v* apestar

stipulate (*ssti*-pyu-leit) *v* estipular

stipulation (ssti-pyu-*lei*-ʃön) *n* estipulación *f*

stir (sstöö) *v* *mover; *revolver

stirrup (*ssti*-röp) *n* estribo *m*

stitch (sstich) *n* punto *m*, punzada *f*; sutura *f*

stock (sstok) *n* existencias *fpl*; *v* *tener en existencia; ~ **exchange** bolsa de valores, bolsa *f*; ~ **market** bolsa *f*; **stocks and shares** acciones *fpl*

stocking (*ssto*-king) *n* media *f*

stole¹ (sstoul) *v* (p steal)

stole² (sstoul) *n* estola *f*

stomach (*ssta*-mök) *n* estómago *m*

stomach-ache (*ssta*-mö-keik) *n* dolor de estómago

stone (sstoun) *n* piedra *f*; piedra preciosa; hueso *m*; de piedra; **pumice** ~ piedra pómez

stood (sstud) *v* (p, pp stand)

stop (sstop) *v* cesar; dejar de; *n* parada *f*; **stop!** ¡alto!

stopper (*ssto*-pö) *n* tapón *m*

storage (*sstoo*-ridჳ) *n* almacenaje *m*

store (sstoo) *n* repuesto *m*; almacén *m*; *v* almacenar

store-house (*sstoo*-hauss) *n* almacén *m*

storey (*sstoo*-ri) *n* piso *m*

stork (sstook) *n* cigüeña *f*

storm (sstoom) *n* tormenta *f*

stormy (*sstoo*-mi) *adj* tempestuoso

story (*sstoo*-ri) *n* cuento *m*

stout (sstaut) *adj* gordo, corpulento

stove (sstouv) *n* estufa *f*; cocina *f*

straight (sstreit) *adj* derecho; honesto; *adv* directamente; ~ **ahead** todo seguido; ~ **away** directamente, en seguida; ~ **on** todo seguido

strain (sstrein) *n* esfuerzo *m*; tensión *f*; *v* *forzar; filtrar

strainer (*sstrei*-nö) *n* escurridor *m*

strange (sstreindჳ) *adj* extraño; raro

stranger (*sstrein*-dჳö) *n* extranjero *m*; forastero *m*

strangle (*sstræng*-ghöl) *v* estrangular

strap (sstræp) *n* correa *f*

straw (sstroo) *n* paja *f*

strawberry (*sstroo*-bö-ri) *n* fresa *f*

stream (sstriim) *n* arroyo *m*; corriente *f*; *v* *fluir

street (sstriit) *n* calle *f*

streetcar (*sstriit*-kaa) *nAm* tranvía *m*

street-organ (*sstrii*-too-ghön) *n* organillo *m*

strength (sstrēngჳ) *n* fuerza *f*, vigor *m*

stress (sstrēss) *n* esfuerzo *m*; énfasis *m*; *v* acentuar

stretch (sstrêch) *v* estirar; *n* trecho *m*

strict (sstrikt) *adj* estricto; severo

strife (sstraif) *n* lucha *f*

strike (sstraik) *n* huelga *f*

*****strike** (sstraik) *v* golpear; atacar; impresionar; *estar en huelga; arriar

striking (*sstrai*-king) *adj* impresionante, notable, vistoso

string (sstring) *n* cordel *m*; cuerda *f*

strip (sstrip) *n* faja *f*

stripe (sstraip) *n* raya *f*

striped (sstraipt) *adj* rayado

stroke (sstrouk) *n* ataque *m*

stroll (sstroul) *v* pasear; *n* paseo *m*

strong (sstrong) *adj* fuerte

stronghold (*sstrong*-hould) *n* plaza fuerte

structure (*sstrak*-chö) *n* estructura *f*

struggle (*sstra*-ghöl) *n* combate *m*, lucha *f*; *v* luchar

stub (sstab) *n* talón *m*

stubborn (*ssta*-bön) *adj* testarudo

student (*sstyuu*-dönt) *n* estudiante *m*; estudiante *f*

study (*ssta*-di) *v* estudiar; *n* estudio *m*; despacho *m*

stuff (sstaf) *n* sustancia *f*; cachivache *m*

stuffed (sstaft) *adj* rellenado

stuffing (*ssta*-fing) *n* relleno *m*

stuffy (*ssta*-fi) *adj* sofocante

stumble (*sstam*-böl) *v* *tropezarse

stung (sstang) *v* (p, pp sting)

stupid (*sstyuu*-pid) *adj* estúpido

style (sstail) *n* estilo *m*

subject¹ (*ssab*-dჳikt) *n* sujeto *m*; súbdito *m*; ~ **to** sujeto a

subject² (ssöb-*dჳêkt*) *v* someter

submit (ssöb-*mit*) *v* someterse

subordinate (ssö-*boo*-di-nöt) *adj* subalterno; subordinado

subscriber (ssöb-*sskrai*-bö) *n* abonado *m*

subscription (ssöb-*sskrip*-ʃön) *n* suscripción *f*

subsequent (*ssab*-ssi-kᵘönt) *adj* posterior

subsidy (*ssab*-ssi-di) *n* subsidio *m*

substance (*ssab*-sstönss) *n* sustancia *f*

substantial (ssöb-*sstæn*-ʃöl) *adj* mate-

rial; real; sustancial
substitute (*ssab*-ssti-tyuut) *v* *substituir; *n* sustituto *m*
subtitle (*ssab*-tai-töl) *n* subtítulo *m*
subtle (*ssa*-töl) *adj* sutil
subtract (ssöb-*trækt*) *v* restar
suburb (*ssa*-bööb) *n* suburbio *m*
suburban (ssö-*böö*-bön) *adj* suburbano
subway (*ssab*-ᵁei) *nAm* metro *m*
succeed (ssök-*ssiid*) *v* *tener éxito; suceder
success (ssök-*ssêss*) *n* éxito *m*
successful (ssök-*ssêss*-föl) *adj* de éxito
succumb (ssö-*kam*) *v* sucumbir
such (ssach) *adj* tal; *adv* tan; ~ as tal como
suck (ssak) *v* chupar
sudden (*ssa*-dön) *adj* súbito
suddenly (*ssa*-dön-li) *adv* repentinamente
suede (ssᵁeid) *n* gamuza *f*
suffer (*ssa*-fö) *v* sufrir
suffering (*ssa*-fö-ring) *n* sufrimiento *m*
suffice (ssö-*faiss*) *v* bastar
sufficient (ssö-*fi*-jönt) *adj* suficiente, bastante
suffrage (*ssa*-fridʒ) *n* derecho electoral, sufragio *m*
sugar (*ʃu*-ghö) *n* azúcar *m/f*
suggest (ssö-*dʒêsst*) *v* *sugerir
suggestion (ssö-*dʒêss*-chön) *n* sugestión *f*
suicide (*ssuu*-i-ssaid) *n* suicidio *m*
suit (ssuut) *v* *convenir; adaptar; *ir bien; *n* traje *m*
suitable (*ssuu*-tö-böl) *adj* apropiado, apto
suitcase (*ssuut*-keiss) *n* maleta *f*
suite (ssᵁiit) *n* apartamento *m*
sum (ssam) *n* suma *f*
summary (*ssa*-mö-ri) *n* resumen *m*, sumario *m*

summer (*ssa*-mö) *n* verano *m*; ~ time horario de verano
summit (*ssa*-mit) *n* cima *f*
summons (*ssa*-möns) *n* (pl ~es) citación *f*
sun (ssan) *n* sol *m*
sunbathe (*ssan*-beið) *v* tomar el sol
sunburn (*ssan*-böön) *n* quemadura del sol
Sunday (*ssan*-di) *n* domingo *m*
sun-glasses (*ssan*-ghlaa-ssis) *pl* gafas de sol
sunlight (*ssan*-lait) *n* luz del sol
sunny (*ssa*-ni) *adj* soleado
sunrise (*ssan*-rais) *n* amanecer *m*
sunset (*ssan*-ssêt) *n* ocaso *m*
sunshade (*ssan*-ʃeid) *n* quitasol *m*
sunshine (*ssan*-ʃain) *n* sol *m*
sunstroke (*ssan*-sstrouk) *n* insolación *f*
suntan oil (*ssan*-tæn-oil) aceite bronceador
superb (ssu-*pööb*) *adj* grandioso, soberbio
superficial (ssuu-pö-*fi*-jöl) *adj* superficial
superfluous (ssu-*pöö*-flu-öss) *adj* superfluo
superior (ssu-*piᵒ*-ri-ö) *adj* mejor, mayor, superior
superlative (ssu-*pöö*-lö-tiv) *adj* superlativo; *n* superlativo *m*
supermarket (*ssuu*-pö-maa-kit) *n* supermercado *m*
superstition (ssuu-pö-*ssti*-jön) *n* superstición *f*
supervise (*ssuu*-pö-vais) *v* supervisar
supervision (ssuu-pö-*vi*-ʒön) *n* supervisión *f*
supervisor (*ssuu*-pö-vai-sö) *n* supervisor *m*
supper (*ssa*-pö) *n* cena *f*
supple (*ssa*-pöl) *adj* flexible, ágil
supplement (*ssa*-pli-mönt) *n* suple-

mento *m*

supply (ssö-*plai*) *n* abastecimiento *m*, suministro *m*; existencias *fpl*; oferta *f*; *v* suministrar

support (ssö-*poot*) *v* apoyar, *sostener, soportar; *n* apoyo *m*; ~ **hose** medias elásticas

supporter (ssö-*poo*-tö) *n* aficionado *m*

suppose (ssö-*pous*) *v* *suponer; **supposing that** dado que

suppository (ssö-*po*-si-tö-ri) *n* supositorio *m*

suppress (ssö-*prêss*) *v* reprimir

surcharge (*ssöö*-chaad3) *n* sobretasa *f*

sure (ʃu⁰) *adj* seguro

surely (*ʃu⁰*-li) *adv* seguramente

surface (*ssöö*-fiss) *n* superficie *f*

surf-board (*ssööf*-bood) *n* tabla para surf

surgeon (*ssöö*-dʒön) *n* cirujano *m*; **veterinary** ~ veterinario *m*

surgery (*ssöö*-dʒö-ri) *n* operación *f*; consultorio *m*

surname (*ssöö*-neim) *n* apellido *m*

surplus (*ssöö*-plöss) *n* sobra *f*

surprise (ssö-*prais*) *n* sorpresa *f*; *v* sorprender; extrañar

surrender (ssö-*rên*-dö) *v* *rendirse; *n* rendición *f*

surround (ssö-*raund*) *v* rodear, cercar

surrounding (ssö-*raun*-ding) *adj* circundante

surroundings (ssö-*raun*-dings) *pl* alrededores *mpl*

survey (*ssöö*-vei) *n* resumen *m*

survival (ssö-*vai*-völ) *n* supervivencia *f*

survive (ssö-*vaiv*) *v* sobrevivir

suspect¹ (ssö-*sspêkt*) *v* sospechar

suspect² (*ssa*-sspêkt) *n* persona sospechosa

suspend (ssö-*sspênd*) *v* suspender

suspenders (ssö-*sspên*-dös) *plAm* tirantes *mpl*; **suspender belt** portaligas *m*

suspension (ssö-*sspên*-ʃön) *n* suspensión *f*; ~ **bridge** puente colgante

suspicion (ssö-*sspi*-ʃön) *n* sospecha *f*; suspicacia *f*, desconfianza *f*

suspicious (ssö-*sspi*-ʃöss) *adj* sospechoso; suspicaz, desconfiado

sustain (ssö-*sstein*) *v* soportar

Swahili (ssⁱⁱö-*hii*-li) *n* suahili *m*

swallow (ssⁱⁱo-lou) *v* tragar; *n* golondrina *f*

swam (ssⁱⁱæm) *v* (p swim)

swamp (ssⁱⁱomp) *n* marisma *f*

swan (ssⁱⁱon) *n* cisne *m*

swap (ssⁱⁱop) *v* *trocar

***swear** (ssⁱⁱê⁰) *v* jurar

sweat (ssⁱⁱêt) *n* sudor *m*; *v* sudar

sweater (ssⁱⁱê-tö) *n* suéter *m*

Swede (ssⁱⁱiid) *n* sueco *m*

Sweden (ssⁱⁱii-dön) Suecia *f*

Swedish (ssⁱⁱii-diʃ) *adj* sueco

***sweep** (ssⁱⁱiip) *v* barrer

sweet (ssⁱⁱiit) *adj* dulce; lindo; *n* caramelo *m*; dulce *m*

sweeten (ssⁱⁱii-tön) *v* endulzar

sweetheart (ssⁱⁱiit-haat) *n* amor *m*, querida *f*

sweetshop (ssⁱⁱiit-ʃop) *n* confitería *f*

swell (ssⁱⁱêl) *adj* magnífico

***swell** (ssⁱⁱêl) *v* hincharse

swelling (ssⁱⁱê-ling) *n* hinchazón *f*

swift (ssⁱⁱift) *adj* veloz

***swim** (ssⁱⁱim) *v* nadar

swimmer (ssⁱⁱi-mö) *n* nadador *m*

swimming (ssⁱⁱi-ming) *n* natación *f*; ~ **pool** piscina *f*

swimming-trunks (ssⁱⁱi-ming-trangkss) *n* calzón de baño

swim-suit (ssⁱⁱim-ssuut) *n* traje de baño

swindle (ssⁱⁱin-döl) *v* estafar; *n* estafa *f*

swindler (ssⁱⁱin-dlö) *n* estafador *m*

swing (ss^{u}ing) *n* columpio *m*

*swing (ss^{u}ing) *v* oscilar; columpiarse

Swiss (ss^{u}iss) *adj* suizo

switch (ss^{u}ich) *n* interruptor *m* ; *v* cambiar; ~ **off** apagar; ~ **on** *encender

switchboard (ss^{u}ich-bood) *n* cuadro de distribución

Switzerland (ss^{u}it-ssö-lönd) Suiza *f*

sword (ssood) *n* espada *f*

swum (ss^{u}am) *v* (pp swim)

syllable (ssi-lö-böl) *n* sílaba *f*

symbol (ssim-böl) *n* símbolo *m*

sympathetic (ssim-pö-zê-tik) *adj* cordial, compasivo

sympathy (ssim-pö-zi) *n* simpatía *f* ; compasión *f*

symphony (ssim-fö-ni) *n* sinfonía *f*

symptom (ssim-töm) *n* síntoma *m*

synagogue (ssi-nö-ghogh) *n* sinagoga *f*

synonym (ssi-nö-nim) *n* sinónimo *m*

synthetic (ssin-zê-tik) *adj* sintético

syphon (ssai-fön) *n* sifón *m*

Syria (ssi-ri-ö) Siria *f*

Syrian (ssi-ri-ön) *adj* sirio

syringe (ssi-*rindʒ*) *n* jeringa *f*

syrup (ssi-röp) *n* jarabe *m*

system (ssi-sstöm) *n* sistema *m* ; **decimal** ~ sistema decimal

systematic (ssi-sstö-*mæ*-tik) *adj* sistemático

T

table (tei-böl) *n* mesa *f* ; tabla *f* ; ~ **of contents** índice *m* ; ~ **tennis** tenis de mesa

table-cloth (tei-böl-kloz) *n* mantel *m*

tablespoon (tei-böl-sspuun) *n* cuchara *f*

tablet (tæ-blit) *n* pastilla *f*

taboo (tö-buu) *n* tabú *m*

tactics (tæk-tikss) *pl* táctica *f*

tag (tægh) *n* etiqueta *f*

tail (teil) *n* cola *f*

tail-light (teil-lait) *n* farol trasero *m*

tailor (tei-lö) *n* sastre *m*

tailor-made (tei-lö-meid) *adj* hecho a la medida

*take (teik) *v* coger; tomar; llevar; comprender, *entender; ~ **away** quitar; llevarse; ~ **off** despegar; ~ **out** sacar; ~ **over** encargarse de ; ~ **place** *tener lugar; ~ **up** ocupar

take-off (tei-kof) *n* despegue *m*

tale (teil) *n* cuento *m*

talent (tæ-lönt) *n* talento *m*

talented (tæ-lön-tid) *adj* dotado

talk (took) *v* hablar; *n* conversación *f*

talkative (too-kö-tiv) *adj* locuaz

tall (tool) *adj* alto

tame (teim) *adj* manso, domesticado; *v* domesticar

tampon (tæm-pön) *n* tapón *m*

tangerine (tæn-dʒö-riin) *n* mandarina *f*

tangible (tæn-dʒi-böl) *adj* tangible

tank (tængk) *n* tanque *m*

tanker (tæng-kö) *n* buque cisterna

tanned (tænd) *adj* tostado

tap (tæp) *n* grifo *m* ; golpecito *m* ; *v* golpear

tape (teip) *n* cinta *f* ; **adhesive** ~ cinta adhesiva; esparadrapo *m*

tape-measure (teip-mê-ʒö) *n* centímetro *m*, cinta métrica

tape-recorder (teip-ri-koo-dö) *n* magnetófono *m*

tapestry (tæ-pi-sstri) *n* tapiz *m*

tar (taa) *n* brea *f*

target (taa-ghit) *n* objetivo *m*, blanco *m*

tariff (tæ-rif) *n* arancel *m*

tarpaulin (taa-poo-lin) *n* lona impermeable

task (taassk) n tarea f

taste (teisst) n gusto m; v *saber a; *probar

tasteless (teisst-löss) adj insípido

tasty (tei-ssti) adj rico, sabroso

taught (toot) v (p, pp teach)

tavern (tæ-vön) n taberna f

tax (tækss) n impuesto m; v *imponer contribuciones

taxation (tæk-ssei-ſön) n impuesto m

tax-free (tækss-frii) adj libre de impuestos

taxi (tæk-ssi) n taxi m; ~ **rank** parada de taxis; ~ **stand** Am parada de taxis

taxi-driver (tæk-ssi-drai-vö) n taxista m

taxi-meter (tæk-ssi-mii-tö) n taxímetro m

tea (tii) n té m; merienda f

*teach (tiich) v enseñar

teacher (tii-chö) n profesor m, maestro m; profesora f; institutor m

teachings (tii-chings) pl enseñanza f

tea-cloth (tii-kloz) n trapo de cocina

teacup (tii-kap) n taza de té

team (tiim) n equipo m

teapot (tii-pot) n tetera f

tear[1] (tiö) n lágrima f

tear[2] (tëö) n rasgón m; *tear v desgarrar

tear-jerker (tiö-dʒöö-kö) n cuplé lacrimoso

tease (tiis) v tomar el pelo

tea-set (tii-ssët) n juego de té

tea-shop (tii-ſop) n salón de té

teaspoon (tii-sspuun) n cucharilla f

teaspoonful (tii-sspuun-ful) n cucharadita f

technical (têk-ni-köl) adj técnico

technician (têk-ni-ſön) n técnico m

technique (têk-niik) n técnica f

technology (têk-no-lö-dʒi) n tecnolo-

gía f

teenager (tii-nei-dʒö) n jovencito m

teetotaller (tii-tou-tö-lö) n abstemio m

telepathy (ti-lê-pö-zi) n telepatía f

telephone (tê-li-foun) n teléfono m; ~ **book** Am listín telefónico, guía telefónica; ~ **booth** cabina telefónica; ~ **call** llamada telefónica; ~ **directory** guía telefónica, listín telefónico; directorio telefónico Me; ~ **exchange** central telefónica; ~ **operator** telefonista f

telephonist (ti-lê-fö-nisst) n telefonista f

television (tê-li-vi-ʒön) n televisión f; ~ **set** televisor m; **cable** ~ televisión por cable; **satellite** ~ televisión por satélite

telex (tê-lêkss) n télex m

*tell (têl) v *decir; *contar

temper (têm-pö) n cólera f

temperature (têm-prö-chö) n temperatura f

tempest (têm-pisst) n tempestad f

temple (têm-pöl) n templo m; sien f

temporary (têm-pö-rö-ri) adj provisional, temporal

tempt (têmpt) v *tentar

temptation (têmp-tei-ſön) n tentación f

ten (tên) num diez

tenant (tê-nönt) n inquilino m

tend (tênd) v *tender a; cuidar de; ~ **to** *tender a

tendency (tên-dön-ssi) n inclinación f, tendencia f

tender (tên-dö) adj tierno, delicado

tendon (tên-dön) n tendón m

tennis (tê-niss) n tenis m; ~ **shoes** zapatos de tenis

tennis-court (tê-niss-koot) n campo de tenis, cancha f

tense (tênss) adj tenso

tension (těn-jön) *n* tensión *m*

tent (těnt) *n* tienda *f*

tenth (těnz) *num* décimo

tepid (tě-pid) *adj* tibio

term (tööm) *n* término *m*; período *m*, plazo *m*; condición *f*

terminal (töö-mi-nöl) *n* estación terminal

terrace (tě-röss) *n* terraza *f*

terrain (tě-rein) *n* terreno *m*

terrible (tě-ri-böl) *adj* tremendo, terrible, pésimo

terrific (tö-ri-fik) *adj* tremendo

terrify (tě-ri-fai) *v* aterrorizar; **terrifying** aterrador

territory (tě-ri-tö-ri) *n* territorio *m*

terror (tě-rö) *n* terror *m*

terrorism (tě-rö-ri-söm) *n* terrorismo *m*, terror *m*

terrorist (tě-rö-risst) *n* terrorista *m*

terylene (tě-rö-liin) *n* terilene *m*

test (tésst) *n* prueba *f*, ensayo *m*; *v* *probar, ensayar

testify (tě-ssti-fai) *v* testimoniar

text (téksst) *n* texto *m*

textbook (tékss-buk) *n* libro de texto

textile (těk-sstail) *n* textil *m*

texture (tékss-chö) *n* textura *f*

Thai (tai) *adj* tailandés

Thailand (tai-lænd) Tailandia *f*

than (ðæn) *conj* que

thank (zængk) *v* *agradecer; ~ **you** gracias

thankful (zængk-föl) *adj* agradecido

that (ðæt) *adj* aquel, ese; *pron* aquél, eso; que; *conj* que

thaw (zoo) *v* descongelarse; *n* deshielo *m*

the (ðö,ði) *art* el *art*; **the ... the** cuanto más ... más

theatre (ziö-tö) *n* teatro *m*

theft (zéft) *n* robo *m*

their (ðêö) *adj* su

them (ðêm) *pron* les

theme (ziim) *n* tema *m*, sujeto *m*

themselves (ðöm-ssélvs) *pron* se; ellos mismos

then (ðên) *adv* entonces; después; en tal caso

theology (zi-o-lö-dʒi) *n* teología *f*

theoretical (ziö-rê-ti-köl) *adj* teórico

theory (ziö-ri) *n* teoría *f*

therapy (zé-rö-pi) *n* terapia *f*

there (ðêö) *adv* allí; hacia allá

therefore (ðêö-foo) *conj* por lo tanto

thermometer (zö-mo-mi-tö) *n* termómetro *m*

thermostat (zöö-mö-sstæt) *n* termostato *m*

these (ðiis) *adj* éstos

thesis (zii-ssiss) *n* (pl theses) tesis *f*

they (ðei) *pron* ellos

thick (zik) *adj* espeso; denso

thicken (zi-kön) *v* espesar

thickness (zik-nöss) *n* espesor *m*

thief (ziif) *n* (pl thieves) ladrón *m*

thigh (zai) *n* muslo *m*

thimble (zim-böl) *n* dedal *m*

thin (zin) *adj* delgado; flaco

thing (zing) *n* cosa *f*

***think** (zingk) *v* *pensar; reflexionar; ~ **of** *pensar en; *recordar; ~ **over** considerar

thinker (zing-kö) *n* pensador *m*

third (zööd) *num* tercero

thirst (zöösst) *n* sed *f*

thirsty (zöö-ssti) *adj* sediento

thirteen (zöö-tiin) *num* trece

thirteenth (zöö-tiinz) *num* treceno

thirtieth (zöö-ti-öz) *num* treintavo

thirty (zöö-ti) *num* treinta

this (ðiss) *adj* este, esto; *pron* éste

thistle (zi-ssöl) *n* cardo *m*

thorn (zoon) *n* espina *f*

thorough (za-rö) *adj* minucioso

thoroughbred (za-rö-brêd) *adj* purasangre

thoroughfare (za-rö-fêö) *n* ruta principal, arteria principal

those (ðous) *adj* aquellos; *pron* aqué-llos

though (ðou) *conj* si bien, aunque; *adv* sin embargo

thought¹ (zoot) *v* (p, pp think)

thought² (zoot) *n* pensamiento *m*

thoughtful (zoot-föl) *adj* pensativo; atento

thousand (zau-sönd) *num* mil

thread (zrêd) *n* hilo *m*; *v* enhebrar

threadbare (zrêd-bêᵒ) *adj* gastado

threat (zrêt) *n* amenaza *f*

threaten (zrê-tön) *v* amenazar; **threatening** amenazador

three (zrii) *num* tres

three-quarter (zrii-kᵘoo-tö) *adj* tres cuartos

threshold (zrê-ʃould) *n* umbral *m*

threw (zruu) *v* (p throw)

thrifty (zrif-ti) *adj* económico

throat (zrout) *n* garganta *f*

throne (zroun) *n* trono *m*

through (zruu) *prep* a través de

throughout (zruu-aut) *adv* por todas partes

throw (zrou) *n* lanzamiento *m*

*throw (zrou) *v* tirar, arrojar

thrush (zraʃ) *n* tordo *m*

thumb (zam) *n* pulgar *m*

thumbtack (zam-tæk) *nAm* chinche *f*

thump (zamp) *v* golpear

thunder (zan-dö) *n* trueno *m*; *v* *tronar

thunderstorm (zan-dö-sstoom) *n* tronada *f*

thundery (zan-dö-ri) *adj* tormentoso

Thursday (zöös-di) *n* jueves *m*

thus (ðass) *adv* así

thyme (taim) *n* tomillo *m*

tick (tik) *n* señal *f*; **~ off** señalar

ticket (ti-kit) *n* billete *m*; multa *f*; boleto *mMe*; **~ collector** revisor *m*; **~ machine** máquina de billetes

tickle (ti-köl) *v* cosquillear

tide (taid) *n* marea *f*; **high ~** pleamar *f*; **low ~** bajamar *f*

tidings (tai-dings) *pl* noticias *fpl*

tidy (tai-di) *adj* aseado; **~ up** arreglar

tie (tai) *v* anudar, atar; *n* corbata *f*

tiger (tai-ghö) *n* tigre *m*

tight (tait) *adj* estrecho; angosto, apretado; *adv* fuertemente

tighten (tai-tön) *v* estrechar, *apretar; estrecharse

tights (taitss) *pl* traje de malla

tile (tail) *n* azulejo *m*; teja *f*

till (til) *prep* hasta; *conj* hasta que

timber (tim-bö) *n* madera de construcción

time (taim) *n* tiempo *m*; vez *f*; **all the ~** continuamente; **in ~** a tiempo; **~ of arrival** hora de llegada; **~ of departure** hora de salida

time-saving (taim-ssei-ving) *adj* que economiza tiempo

timetable (taim-tei-böl) *n* horario *m*

timid (ti-mid) *adj* tímido

timidity (ti-mi-dö-ti) *n* timidez *f*

tin (tin) *n* estaño *m*; lata *f*; **tinned food** conservas *fpl*

tinfoil (tin-foil) *n* papel de estaño

tin-opener (ti-nou-pö-nö) *n* abrelatas *m*

tiny (tai-ni) *adj* menudo

tip (tip) *n* punta *f*; propina *f*

tire¹ (taiᵒ) *n* neumático *m*; llanta *fMe*

tire² (taiᵒ) *v* cansar

tired (taiᵒd) *adj* cansado; **~ of** harto de

tissue (ti-ʃuu) *n* tejido *m*; pañuelo de papel

title (tai-töl) *n* título *m*

to (tuu) *prep* hasta; a, para, en, hacia

toad (toud) *n* sapo *m*

toadstool (toud-sstuul) *n* hongo *m*

toast (tousst) *n* pan tostado; brindis

m

tobacco (tö-*bæ*-kou) *n* (pl ~s) tabaco *m*; ~ **pouch** petaca *f*

tobacconist (tö-*bæ*-kö-nisst) *n* estanquero *m*; **tobacconist's** estanco *m*

today (tö-*dei*) *adv* hoy

toddler (*tod*-lö) *n* párvulo *m*

toe (tou) *n* dedo del pie

toffee (*to*-fi) *n* caramelo *m*

together (tö-*ghê*-öö) *adv* juntos

toilet (*toi*-löt) *n* retrete *m*; ~ **case** neceser *m*

toilet-paper (*toi*-löt-pei-pö) *n* papel higiénico

toiletry (*toi*-lö-tri) *n* artículos de tocador

token (*tou*-kön) *n* señal *f*; prueba *f*; ficha *f*

told (tould) *v* (p, pp tell)

tolerable (*to*-lö-rö-böl) *adj* tolerable

toll (toul) *n* peaje *m*

tomato (tö-*maa*-tou) *n* (pl ~es) tomate *m*; jitomate *mMe*

tomb (tuum) *n* tumba *f*

tombstone (*tuum*-sstoun) *n* lápida *f*

tomorrow (tö-*mo*-rou) *adv* mañana

ton (tan) *n* tonelada *f*

tone (toun) *n* tono *m*; timbre *m*

tongs (tongs) *pl* tenazas *f*

tongue (tang) *n* lengua *f*

tonic (*to*-nik) *n* tónico *m*

tonight (tö-*nait*) *adv* esta noche

tonsilitis (ton-ssö-*lai*-tiss) *n* amigdalitis *f*

tonsils (*ton*-ssöls) *pl* amígdalas *fpl*

too (tuu) *adv* demasiado; también

took (tuk) *v* (p take)

tool (tuul) *n* herramienta *f*; ~ **kit** bolsa de herramientas

tooth (tuuz) *n* (pl teeth) diente *m*

toothache (*tuu*-zeik) *n* dolor de muelas

toothbrush (*tuuz*-braʃ) *n* cepillo de dientes

toothpaste (*tuuz*-peisst) *n* pasta dentífrica

toothpick (*tuuz*-pik) *n* palillo *m*

toothpowder (*tuuz*-pau-dö) *n* polvo para los dientes

top (top) *n* cima *f*; parte superior; tapa *f*; superior; **on** ~ **of** encima de; ~ **side** parte superior

topcoat (*top*-kout) *n* sobretodo *m*

topic (*to*-pik) *n* asunto *m*

topical (*to*-pi-köl) *adj* actual

torch (tooch) *n* antorcha *f*; linterna *f*

torment[1] (too-*mênt*) *v* atormentar

torment[2] (*too*-mênt) *n* tormento *m*

torture (*too*-chö) *n* tortura *f*; *v* torturar

toss (toss) *v* echar

tot (tot) *n* niño pequeño

total (*tou*-töl) *adj* total; completo, absoluto; *n* total *m*

totalitarian (tou-tæ-li-*tê*[o]-ri-ön) *adj* totalitario

totalizator (*tou*-tö-lai-sei-tö) *n* totalizador *m*

touch (tach) *v* tocar; *concernir; *n* contacto *m*, toque *m*; tacto *m*

touching (*ta*-ching) *adj* conmovedor

tough (taf) *adj* duro

tour (tu[o]) *n* vuelta *f*

tourism (*tu*[o]-ri-söm) *n* turismo *m*

tourist (*tu*[o]-risst) *n* turista *m*; ~ **class** clase turista; ~ **office** oficina para turistas

tournament (*tu*[o]-nö-mönt) *n* torneo *m*

tow (tou) *v* remolcar

towards (tö-[u]*oods*) *prep* hacia; para con

towel (tau[o]l) *n* toalla *f*

towelling (*tau*[o]-ling) *n* tela para toallas

tower (tau[o]) *n* torre *f*

town (taun) *n* ciudad *f*; ~ **centre** centro de la ciudad; ~ **hall** ayuntamiento *m*

townspeople (*tauns*-pii-pöl) *pl* ciudadanos *mpl*

toxic (*tok*-ssik) *adj* tóxico

toy (toi) *n* juguete *m*

toyshop (*toi*-ʃop) *n* juguetería *f*

trace (treiss) *n* huella *f*; *v* rastrear

track (træk) *n* vía *f*; pista *f*

tractor (*træk*-tö) *n* tractor *m*

trade (treid) *n* comercio *m*; oficio *m*; *v* comerciar

trademark (*treid*-maak) *n* marca de fábrica

trader (*trei*-dö) *n* comerciante *m*

tradesman (*treids*-mön) *n* (pl -men) tendero *m*

trade-union (treid-*yuu*-nyön) *n* sindicato *m*

tradition (trö-*di*-ʃön) *n* tradición *f*

traditional (trö-*di*-ʃö-nöl) *adj* tradicional

traffic (*træ*-fik) *n* tránsito *m*; ~ **jam** embotellamiento *m*; ~ **light** semáforo *m*

trafficator (*træ*-fi-kei-tö) *n* indicador *m*

tragedy (*træ*-dʒö-di) *n* tragedia *f*

tragic (*træ*-dʒik) *adj* trágico

trail (treil) *n* rastro *m*, sendero *m*

trailer (*trei*-lö) *n* remolque *m*; *nAm* caravana *f*

train (trein) *n* tren *m*; *v* amaestrar, entrenar; **stopping** ~ tren de cercanías; **through** ~ tren directo; ~ **ferry** transbordador de trenes

training (*trei*-ning) *n* entrenamiento *m*

trait (treit) *n* rasgo *m*

traitor (*trei*-tö) *n* traidor *m*

tram (træm) *n* tranvía *m*

tramp (træmp) *n* vagabundo *m*; *v* vagabundear

tranquil (*træng*-kʷil) *adj* tranquilo

tranquillizer (*træng*-kʷi-lai-sö) *n* cal-

mante *m*

transaction (træn-*sæk*-ʃön) *n* transacción *f*

transatlantic (træn-söt-*læn*-tik) *adj* transatlántico

transfer (trænss-*föö*) *v* *transferir

transform (trænss-*foom*) *v* transformar

transformer (trænss-*foo*-mö) *n* transformador *m*

transition (træn-*ssi*-ʃön) *n* transición *f*

translate (trænss-*leit*) *v* *traducir

translation (trænss-*lei*-ʃön) *n* traducción *f*

translator (trænss-*lei*-tö) *n* traductor *m*

transmission (trænss-*mi*-ʃön) *n* transmisión *f*

transmit (trænss-*mit*) *v* transmitir

transmitter (trænss-*mi*-tö) *n* emisor *m*

transparent (træn-*sspê*ᵈ-rönt) *adj* transparente

transport¹ (*træn*-sspoot) *n* transporte *m*

transport² (træn-*sspoot*) *v* transportar

transportation (træn-sspoo-*tei*-ʃön) *n* transporte *m*

trap (træp) *n* trampa *f*

trash (træʃ) *n* basura *f*

travel (*træ*-völ) *v* viajar; ~ **agency** agencia de viajes; ~ **agent** agente de viajes; ~ **insurance** seguro de viaje; **travelling expenses** gastos de viaje

traveller (*træ*-vö-lö) *n* viajero *m*; **traveller's cheque** cheque de viajero

tray (trei) *n* bandeja *f*; charola *fMe*

treason (*trii*-sön) *n* traición *f*

treasure (*trê*-ʒö) *n* tesoro *m*

treasurer (*trê*-ʒö-rö) *n* tesorero *m*

treasury (*trê*-ʒö-ri) *n* Tesorería *f*

treat (triit) *v* tratar

treatment (*triit*-mönt) *n* tratamiento

m

treaty (*trii*-ti) *n* tratado *m*

tree (trii) *n* árbol *m*

tremble (*trêm*-böl) *v* *temblar; vibrar

tremendous (tri-*mên*-döss) *adj* tremendo

trespass (*trêss*-pöss) *v* infringir

trespasser (*trêss*-pö-ssö) *n* intruso *m*

trial (trai°l) *n* proceso *m*; prueba *f*

triangle (*trai*-æng-ghöl) *n* triángulo *m*

triangular (trai-*æng*-ghyu-lö) *adj* triangular

tribe (traib) *n* tribu *m*

tributary (*tri*-byu-tö-ri) *n* afluente *m*

tribute (*tri*-byuut) *n* homenaje *m*

trick (trik) *n* truco *m*

trigger (*tri*-ghö) *n* gatillo *m*

trim (trim) *v* recortar

trip (trip) *n* excursión *f*, viaje *m*

triumph (*trai*-ömf) *n* triunfo *m*; *v* triunfar

triumphant (trai-*am*-fönt) *adj* triunfante

trolley-bus (*tro*-li-bass) *n* trolebús *m*

troops (truupss) *pl* tropas *fpl*

tropical (*tro*-pi-köl) *adj* tropical

tropics (*tro*-pikss) *pl* trópicos *mpl*

trouble (*tra*-böl) *n* preocupación *f*, molestia *f*; *v* molestar

troublesome (*tra*-böl-ssöm) *adj* molesto

trousers (*trau*-sös) *pl* pantalones *mpl*

trout (traut) *n* (pl ~) trucha *f*

truck (trak) *nAm* camión *m*

true (truu) *adj* verdadero; real, auténtico; leal, fiel

trumpet (*tram*-pit) *n* trompeta *f*

trunk (trangk) *n* baúl *m*; tronco *m*; *nAm* portaequipajes *m*; **trunks** *pl* pantalones de gimnasia

trunk-call (*trangk*-kool) *n* conferencia interurbana

trust (trasst) *v* confiar en; *n* confianza *f*

trustworthy (*trasst*-ᵘöö-ði) *adj* confiable

truth (truuz) *n* verdad *f*

truthful (*truuz*-föl) *adj* verídico

try (trai) *v* intentar; *esforzarse; *n* tentativa *f*; ~ **on** *probarse

tube (tyuub) *n* tubo *m*

tuberculosis (tyuu-böö-kyu-*lou*-ssiss) *n* tuberculosis *f*

Tuesday (*tyuus*-di) martes *m*

tug (tagh) *v* remolcar; *n* remolcador *m*; estirón *m*

tuition (tyuu-*i*-fön) *n* enseñanza *f*

tulip (*tyuu*-lip) *n* tulipán *m*

tumbler (*tam*-blö) *n* vaso *m*

tumour (*tyuu*-mö) *n* tumor *m*

tuna (*tyuu*-nö) *n* (pl ~, ~s) atún *m*

tune (tyuun) *n* tonada *f*; ~ **in** sintonizar

tuneful (*tyuun*-föl) *adj* melodioso

tunic (*tyuu*-nik) *n* túnica *f*

Tunisia (tyuu-*ni*-si-ö) Túnez *m*

Tunisian (tyuu-*ni*-si-ön) *adj* tunecino

tunnel (*ta*-nöl) *n* túnel *m*

turbine (*töö*-bain) *n* turbina *f*

turbojet (töö-bou-*dʒêt*) *n* avión turborreactor

Turk (töök) *n* turco *m*

Turkey (*töö*-ki) Turquía *f*

turkey (*töö*-ki) *n* pavo *m*

Turkish (*töö*-kiʃ) *adj* turco; ~ **bath** baño turco

turn (töön) *v* girar; *volver; *n* cambio *m*, vuelta *f*; curva *f*; turno *m*; ~ **back** *volver; ~ **down** rechazar; ~ **into** *convertirse en; ~ **off** *cerrar; ~ **on** *encender; abrir; ~ **over** *volver; ~ **round** *volver; *volverse

turning (*töö*-ning) *n* vuelta *f*

turning-point (*töö*-ning-point) *n* punto decisivo

turnover (*töö*-nou-vö) *n* volumen de transacciones; ~ **tax** impuesto sobre la venta

turnpike (*töön*-paik) *nAm* autopista de peaje

turpentine (*töö*-pön-tain) *n* trementina *f*

turtle (*töö*-töl) *n* tortuga *f*

tutor (*tyuu*-tö) *n* maestro particular; tutor *m*

tuxedo (tak-*ssii*-dou) *nAm* (pl ~s, ~es) smoking *m*

tweed (t^{u}iid) *n* lana tweed

tweezers (*t^{u}ii*-sös) *pl* pinzas *fpl*

twelfth (t^{u}êlfz) *num* duodécimo

twelve (t^{u}êlv) *num* doce

twentieth (*t^{u}ên*-ti-öz) *num* vigésimo

twenty (*t^{u}ên*-ti) *num* veinte

twice (t^{u}aiss) *adv* dos veces

twig (t^{u}igh) *n* ramita *f*

twilight (*t^{u}ai*-lait) *n* crepúsculo *m*

twine (t^{u}ain) *n* trenza *f*

twins (t^{u}ins) *pl* gemelos *mpl*; **twin beds** camas gemelas

twist (t^{u}isst) *v* *torcer; *n* torsión *f*

two (tuu) *num* dos

two-piece (tuu-*piiss*) *adj* de dos piezas

type (taip) *v* escribir a máquina, mecanografiar; *n* tipo *m*

typewriter (*taip*-rai-tö) *n* máquina de escribir

typewritten (*taip*-ri-tön) mecanografiado

typhoid (*tai*-foid) *n* tifus *m*

typical (*ti*-pi-köl) *adj* característico, típico

typist (*tai*-pisst) *n* dactilógrafa *f*

tyrant (*tai^o*-rönt) *n* tirano *m*

tyre (tai^o) *n* neumático *m*; ~ **pressure** presión del neumático

U

ugly (*a*-ghli) *adj* feo

ulcer (*al*-ssö) *n* úlcera *f*

ultimate (*al*-ti-möt) *adj* último

ultraviolet (al-trö-*vai^o*-löt) *adj* ultravioleta

umbrella (am-*brê*-lö) *n* paraguas *m*

umpire (am-pai^o) *n* árbitro *m*

unable (a-*nei*-böl) *adj* incapaz

unacceptable (a-nök-*ssêp*-tö-böl) *adj* inaceptable

unaccountable (a-nö-*kaun*-tö-böl) *adj* inexplicable

unaccustomed (a-nö-*ka*-sstömd) *adj* desacostumbrado

unanimous (yuu-*næ*-ni-möss) *adj* unánime

unanswered (a-*naan*-ssöd) *adj* sin contestación

unauthorized (a-*noo*-zö-raisd) *adj* desautorizado

unavoidable (a-nö-*voi*-dö-böl) *adj* inevitable

unaware (a-nö-^{u}ê^o) *adj* inconsciente

unbearable (an-*bê^o*-rö-böl) *adj* insufrible

unbreakable (an-*brei*-kö-böl) *adj* irrompible

unbroken (an-*brou*-kön) *adj* intacto

unbutton (an-*ba*-tön) *v* desabotonar

uncertain (an-*ssöö*-tön) *adj* incierto

uncle (*ang*-köl) *n* tío *m*

unclean (an-*kliin*) *adj* sucio

uncomfortable (an-*kam*-fö-tö-böl) *adj* incómodo

uncommon (an-*ko*-mön) *adj* insólito, raro

unconditional (an-kön-*di*-[ö-nöl) *adj* incondicional

unconscious (an-*kon*-[öss) *adj* inconsciente

uncork (an-*kook*) *v* descorchar

uncover (an-*ka*-vö) *v* destapar

uncultivated (an-*kal*-ti-vei-tid) *adj* inculto

under (*an*-dö) *prep* debajo de, bajo

undercurrent (*an*-dö-ka-rönt) *n* resaca *f*

underestimate (an-dö-*rê*-ssti-meit) *v* subestimar

underground (*an*-dö-ghraund) *adj* subterráneo; *n* metro *m*

underline (an-dö-*lain*) *v* subrayar

underneath (an-dö-*niiz*) *adv* debajo

undershirt (*an*-dö-ʃööt) *n* camiseta *f*

undersigned (*an*-dö-ssaind) *n* suscrito *m*

*****understand** (an-dö-*sstænd*) *v* comprender

understanding (an-dö-*sstæn*-ding) *n* comprensión *m*

*****undertake** (an-dö-*teik*) *v* emprender

undertaking (an-dö-*tei*-king) *n* empresa *f*

underwater (*an*-dö-ᵘoo-tö) *adj* subacuático

underwear (*an*-dö-ᵘeᵒ) *n* ropa interior

undesirable (an-di-*saiᵒ*-rö-böl) *adj* indeseable

*****undo** (an-*duu*) *v* desatar

undoubtedly (an-*dau*-tid-li) *adv* sin duda

undress (an-*drêss*) *v* desnudarse

undulating (*an*-dyu-lei-ting) *adj* ondulante

unearned (a-*nöönd*) *adj* inmerecido

uneasy (a-*nii*-si) *adj* inquieto

uneducated (a-*nê*-dyu-kei-tid) *adj* inculto

unemployed (a-nim-*ploid*) *adj* desocupado

unemployment (a-nim-*ploi*-mönt) *n* desempleo *m*

unequal (a-*nii*-kᵘöl) *adj* desigual

uneven (a-*nii*-vön) *adj* desigual; irregular

unexpected (a-nik-*sspêk*-tid) *adj* imprevisto, inesperado

unfair (an-*fêᵒ*) *adj* ímprobo, injusto

unfaithful (an-*feiz*-föl) *adj* infiel

unfamiliar (an-fö-*mil*-yö) *adj* desconocido

unfasten (an-*faa*-ssön) *v* desatar

unfavourable (an-*feiᵒ*-vö-rö-böl) *adj* desfavorable

unfit (an-*fit*) *adj* inadecuado

unfold (an-*fould*) *v* *desplegar

unfortunate (an-*foo*-chö-nöt) *adj* desafortunado

unfortunately (an-*foo*-chö-nöt-li) *adv* por desgracia, desgraciadamente

unfriendly (an-*frênd*-li) *adj* poco amistoso

unfurnished (an-*föö*-niʃt) *adj* desamueblado

ungrateful (an-*ghreit*-föl) *adj* ingrato

unhappy (an-*hæ*-pi) *adj* desdichado

unhealthy (an-*hêl*-zi) *adj* insalubre

unhurt (an-*hööt*) *adj* ileso

uniform (*yuu*-ni-foom) *n* uniforme *m*; *adj* uniforme

unimportant (a-nim-*poo*-tönt) *adj* insignificante

uninhabitable (a-nin-*hæ*-bi-tö-böl) *adj* inhabitable

uninhabited (a-nin-*hæ*-bi-tid) *adj* inhabitado

unintentional (a-nin-*tên*-ʃö-nöl) *adj* no intencional

union (*yuu*-nyön) *n* unión *f*; liga *f*, confederación *f*

unique (yuu-*niik*) *adj* único

unit (*yuu*-nit) *n* unidad *f*

unite (yuu-*nait*) *v* unir

United States (yuu-*nai*-tid ssteitss) Estados Unidos

unity (*yuu*-nö-ti) *n* unidad *f*

universal (yuu-ni-*vöö*-ssöl) *adj* gene-

ral, universal
universe (*yuu*-ni-vööss) *n* universo *m*
university (yuu-ni-*vöö*-ssö-ti) *n* universidad *f*
unjust (an-*dӡasst*) *adj* injusto
unkind (an-*kaind*) *adj* desagradable, arisco
unknown (an-*noun*) *adj* desconocido
unlawful (an-*loo*-föl) *adj* ilegal
unlearn (an-*löön*) *v* desacostumbrar
unless (ön-*léss*) *conj* a menos que
unlike (an-*laik*) *adj* diferente
unlikely (an-*lai*-kli) *adj* improbable
unlimited (an-*li*-mi-tid) *adj* ilimitado
unload (an-*loud*) *v* descargar
unlock (an-*lok*) *v* abrir
unlucky (an-*la*-ki) *adj* desafortunado
unnecessary (an-*nê*-ssö-ssö-ri) *adj* innecesario
unoccupied (a-*no*-kyu-paid) *adj* desocupado
unofficial (a-nö-*fi*-ʃöl) *adj* extraoficial
unpack (an-*pæk*) *v* desempaquetar
unpleasant (an-*plê*-sönt) *adj* desagradable; antipático
unpopular (an-*po*-pyu-lö) *adj* impopular
unprotected (an-prö-*têk*-tid) *adj* indefenso
unqualified (an-*kᵘo*-li-faid) *adj* incompetente
unreal (an-*ri⁰l*) *adj* irreal
unreasonable (an-*rii*-sö-nö-böl) *adj* irrazonable
unreliable (an-ri-*lai*-ö-böl) *adj* no confiable
unrest (an-*rêsst*) *n* desasosiego *m*; inquietud *f*
unsafe (an-*sseif*) *adj* inseguro
unsatisfactory (an-ssæ-tiss-*fæk*-tö-ri) *adj* poco satisfactorio
unscrew (an-*sskruu*) *v* destornillar
unselfish (an-*ssêl*-fiʃ) *adj* desinteresado

unskilled (an-*sskild*) *adj* no especializado
unsound (an-*ssaund*) *adj* enfermizo
unstable (an-*sstei*-böl) *adj* inestable
unsteady (an-*sstê*-di) *adj* vacilante, inestable
unsuccessful (an-ssök-*ssêss*-föl) *adj* fracasado
unsuitable (an-*ssuu*-tö-böl) *adj* inadecuado
unsurpassed (an-ssö-*paasst*) *adj* sin igual
untidy (an-*tai*-di) *adj* desaliñado
untie (an-*tai*) *v* desatar
until (ön-*til*) *prep* hasta
untrue (an-*truu*) *adj* falso
untrustworthy (an-*trasst*-ᵘöö-ði) *adj* indigno de confianza
unusual (an-*yuu*-ӡu-öl) *adj* inusitado, insólito
unwell (an-*ᵘêl*) *adj* indispuesto
unwilling (an-*ᵘi*-ling) *adj* desinclinado
unwise (an-*ᵘais*) *adj* imprudente
unwrap (an-*ræp*) *v* *desenvolver
up (ap) *adv* hacia arriba, arriba
upholster (ap-*houl*-sstö) *v* tapizar
upkeep (*ap*-kiip) *n* manutención *f*
uplands (*ap*-lönds) *pl* altiplano *m*
upon (ö-*pon*) *prep* sobre
upper (*a*-pö) *adj* superior
upright (*ap*-rait) *adj* derecho; *adv* de pie
upset (ap-*ssêt*) *v* trastornar; *adj* trastornado
upside-down (ap-ssaid-*daun*) *adv* al revés
upstairs (ap-*sstê⁰s*) *adv* arriba
upstream (ap-*sstriim*) *adv* río arriba
upwards (*ap*-ᵘöds) *adv* hacia arriba
urban (*öö*-bön) *adj* urbano
urge (öödӡ) *v* estimular; *n* impulso *m*
urgency (*öö*-dӡön-ssi) *n* urgencia *f*
urgent (*öö*-dӡönt) *adj* urgente

urine (*yu⁰*-rin) *n* orina *f*
Uruguay (*yu⁰*-rö-gh*u*ai) Uruguay *m*
Uruguayan (yu⁰-rö-gh*u*ai-ön) *adj* uruguayo
us (ass) *pron* nosotros
usable (*yuu*-sö-böl) *adj* utilizable
usage (*yuu*-sidʒ) *n* uso *m*
use¹ (yuus) *v* usar; ***be used to *es-**
tar acostumbrado a; ~ **up** consumir
use² (yuuss) *n* uso *m*; utilidad *f*; ***be**
of ~ *servir
useful (*yuuss*-föl) *adj* útil
useless (*yuuss*-löss) *adj* inútil
user (*yuu*-sö) *n* usuario *m*
usher (a-ʃö) *n* acomodador *m*
usherette (a-ʃö-*rêt*) *n* acomodadora *f*
usual (*yuu*-ʒu-öl) *adj* usual
usually (*yuu*-ʒu-ö-li) *adv* habitualmente
utensil (yuu-*tên*-ssöl) *n* herramienta *f*,
utensilio *m*
utility (yuu-*ti*-lö-ti) *n* utilidad *f*
utilize (*yuu*-ti-lais) *v* utilizar
utmost (*at*-mousst) *adj* extremo
utter (a-tö) *adj* completo, total; *v*
emitir

V

vacancy (*vei*-kön-ssi) *n* vacante *f*
vacant (*vei*-könt) *adj* vacante
vacate (vö-*keit*) *v* vaciar
vacation (vö-*kei*-ʃön) *n* vacaciones *fpl*
vaccinate (*væk*-ssi-neit) *v* vacunar
vaccination (væk-ssi-*nei*-ʃön) *n* vacunación *f*
vacuum (*væ*-kyu-öm) *n* vacío *m*; ~
cleaner aspirador *m*; ~ **flask** termo
m
vagrancy (*vei*-ghrön-ssi) *n* vagancia *f*
vague (veigh) *adj* vago
vain (vein) *adj* vanidoso; vano; **in ~**

inútilmente, en vano
valet (*væ*-lit) *n* ayuda de cámara
valid (*væ*-lid) *adj* vigente
valley (*væ*-li) *n* valle *m*
valuable (*væ*-lyu-böl) *adj* valioso;
valuables *pl* objetos de valor
value (*væ*-lyuu) *n* valor *m*; *v* valuar
valve (vælv) *n* válvula *f*
van (væn) *n* camioneta *f*
vanilla (vö-*ni*-lö) *n* vainilla *f*
vanish (*væ*-niʃ) *v* *desaparecer
vapour (*vei*-pö) *n* vapor *m*
variable (*vê⁰*-ri-ö-böl) *adj* variable
variation (vê⁰-ri-*ei*-ʃön) *n* variación *f*;
cambio *m*
varied (*vê⁰*-rid) *adj* variado
variety (vö-*rai*-ö-ti) *n* variedad *f*; ~
show espectáculo de variedades; ~
theatre teatro de variedades
various (*vê⁰*-ri-öss) *adj* varios
varnish (*vaa*-niʃ) *n* barniz *m*; *v* barnizar
vary (*vê⁰*-ri) *v* variar; cambiar; *diferir
vase (vaas) *n* vaso *m*
vaseline (*væ*-ssö-liin) *n* vaselina *f*
vast (vaasst) *adj* vasto
vault (voolt) *n* bóveda *f*; caja de caudales
veal (viil) *n* carne de ternera
vegetable (*vê*-dʒö-tö-böl) *n* legumbre
f
vegetarian (vê-dʒi-*tê⁰*-ri-ön) *n* vegetariano *m*
vegetation (vê-dʒi-*tei*-ʃön) *n* vegetación *f*
vehicle (*vii*-ö-köl) *n* vehículo *m*
veil (veil) *n* velo *m*
vein (vein) *n* vena *f*; **varicose ~** varice *f*
velvet (*vêl*-vit) *n* terciopelo *m*
velveteen (vêl-vi-*tiin*) *n* pana *f*
venerable (*vê*-nö-rö-böl) *adj* venerable

venereal disease (vi-*ni*ᵒ-ri-öl di-*siis*) enfermedad venérea

Venezuela (vê-ni-sᵘei-*lö*) Venezuela f

Venezuelan (vê-ni-sᵘei-*lön*) adj venezolano

ventilate (*vên*-ti-leit) v ventilar; airear

ventilation (vên-ti-*lei*-fön) n ventilación f; aireo m

ventilator (*vên*-ti-lei-tö) n ventilador m

venture (*vên*-chö) v arriesgar

veranda (vö-*ræn*-dö) n veranda f

verb (vööb) n verbo m

verbal (*vöö*-böl) adj verbal

verdict (*vöö*-dikt) n sentencia f, veredicto m

verge (vöödʒ) n borde m

verify (*vê*-ri-fai) v verificar

verse (vööss) n verso m

version (*vöö*-fön) n versión f

versus (*vöö*-ssöss) prep contra

vertical (*vöö*-ti-köl) adj vertical

vertigo (*vöö*-ti-ghou) n vértigo m

very (*vê*-ri) adv mucho, muy; adj preciso, verdadero; extremo

vessel (*vê*-ssöl) n embarcación f, buque m; vasija f

vest (vêsst) n camiseta f; nAm chaleco m

veterinary surgeon (vê-tri-nö-ri ssöö-dʒön) veterinario m

via (vaiᵒ) prep por

viaduct (*vai*ᵒ-dakt) n viaducto m

vibrate (vai-*breit*) v vibrar

vibration (vai-*brei*-fön) n vibración f

vicar (*vi*-kö) n vicario m

vicarage (*vi*-kö-ridʒ) n casa del párroco

vice-president (vaiss-*prê*-si-dönt) n vicepresidente m

vicinity (vi-*ssi*-nö-ti) n vecindad f

vicious (*vi*-föss) adj vicioso

victim (*vik*-tim) n víctima f

victory (*vik*-tö-ri) n victoria f

video (*vi*-di-ou) n vídeo m; ~ **camera** videocámara; ~ **cassette** videocasete; ~ **recorder** videograbadora

view (vyuu) n vista f; parecer m, opinión f; v mirar

vigilant (*vi*-dʒi-lönt) adj despierto

villa (*vi*-lö) n villa f

village (*vi*-lidʒ) n pueblo m

villain (*vi*-lön) n villano m

vinegar (*vi*-ni-ghö) n vinagre m

vineyard (*vin*-yöd) n viña f

vintage (*vin*-tidʒ) n vendimia f

violation (vaiᵒ-*lei*-fön) n violación f

violence (*vai*ᵒ-lönss) n violencia f

violent (*vai*ᵒ-lönt) adj violento; impetuoso

violet (*vai*ᵒ-löt) n violeta f; adj morado

violin (vaiᵒ-*lin*) n violín m

virgin (*vöö*-dʒin) n virgen f

virtue (*vöö*-chuu) n virtud f

visa (*vii*-sö) n visado m

visibility (vi-sö-*bi*-lö-ti) n visibilidad f

visible (*vi*-sö-böl) adj visible

vision (*vi*-ʒön) n visión f

visit (*vi*-sit) v visitar; n visita f; **visiting hours** horas de visita

visitor (*vi*-si-tö) n visitante m

vital (*vai*-töl) adj esencial

vitamin (*vi*-tö-min) n vitamina f

vivid (*vi*-vid) adj vivo

vocabulary (vö-*kæ*-byu-lö-ri) n vocabulario m; glosario m

vocal (*vou*-köl) adj vocal

vocalist (*vou*-kö-lisst) n vocalista m

voice (voiss) n voz f

void (void) adj nulo

volcano (vol-*kei*-nou) n (pl ~es, ~s) volcán m

volt (voult) n voltio m

voltage (*voul*-tidʒ) n voltaje m

volume (*vo*-lyum) n volumen m; tomo m

voluntary (*vo*-lön-tö-ri) *adj* voluntario

volunteer (vo-lön-*ti*⁰) *n* voluntario *m*

vomit (*vo*-mit) *v* vomitar

vote (vout) *v* votar; *n* voto *m*; votación *f*

voucher (*vau*-chö) *n* recibo *m*, comprobante *m*

vow (vau) *n* voto *m*, juramento *m*; *v* prestar juramento

vowel (vau⁰l) *n* vocal *f*

voyage (*voi*-idʒ) *n* viaje *m*

vulgar (*val*-ghö) *adj* vulgar; popular, ordinario

vulnerable (*val*-nö-rö-böl) *adj* vulnerable

vulture (*val*-chö) *n* buitre *m*

W

wade (ᵁeid) *v* vadear

wafer (ᵁei-fö) *n* oblea *f*

waffle (ᵁo-föl) *n* barquillo *m*

wages (ᵁei-dʒis) *pl* paga *f*

waggon (ᵁæ-ghön) *n* vagón *m*

waist (ᵁeisst) *n* cintura *f*

waistcoat (ᵁeiss-kout) *n* chaleco *m*

wait (ᵁeit) *v* esperar; ~ **on** *servir

waiter (ᵁei-tö) *n* camarero *m*; mesero *mMe*

waiting *n* espera *f*

waiting-list (ᵁei-ting-lisst) *n* lista de espera

waiting-room (ᵁei-ting-ruum) *n* sala de espera

waitress (ᵁei-triss) *n* camarera *f*; mesera *fMe*

***wake** (ᵁeik) *v* *despertar; ~ **up** *despertarse

walk (ᵁook) *v* *andar; pasear; *n* caminata *f*, andadura *f*; **walking** a pie

walker (ᵁoo-kö) *n* paseante *m*

walking-stick (ᵁoo-king-sstik) *n* bastón *m*

wall (ᵁool) *n* muro *m*; pared *f*

wallet (ᵁo-lit) *n* cartera *f*

wallpaper (ᵁool-pei-pö) *n* papel pintado

walnut (ᵁool-nat) *n* nogal *m*

waltz (ᵁoolss) *n* vals *m*

wander (ᵁon-dö) *v* vagar, *errar

want (ᵁont) *v* *querer; desear; *n* necesidad *f*; carencia *f*, falta *f*

war (ᵁoo) *n* guerra *f*

warden (ᵁoo-dön) *n* guardián *m*

wardrobe (ᵁoo-droub) *n* guardarropa *m*, vestuario *m*

warehouse (ᵁê⁰-hauss) *n* almacén *m*

wares (ᵁê⁰s) *pl* mercancías *fpl*

warm (ᵁoom) *adj* caliente; *v* *calentar

warmth (ᵁoomz) *n* calor *m*

warn (ᵁoon) *v* *advertir

warning (ᵁoo-ning) *n* advertencia *f*

wary (ᵁê⁰-ri) *adj* prudente

was (ᵁos) *v* (p be)

wash (ᵁoʃ) *v* lavar; ~ **and wear** no precisa plancha; ~ **up** *fregar

washable (ᵁo-ʃö-böl) *adj* lavable

wash-basin (ᵁoʃ-bei-ssön) *n* palangana *f*

washing (ᵁo-ʃing) *n* lavado *m*; ropa sucia

washing-machine (ᵁo-ʃing-mö-ʃiin) *n* máquina de lavar

washing-powder (ᵁo-ʃing-pau-dö) *n* jabón en polvo

washroom (ᵁoʃ-ruum) *nAm* cuarto de aseo

wash-stand (ᵁoʃ-sstænd) *n* lavabo *m*

wasp (ᵁossp) *n* avispa *f*

waste (ᵁeisst) *v* *perder; *n* desperdicio *m*; *adj* baldío

wasteful (ᵁeisst-föl) *adj* derrochador

wastepaper-basket (ᵁeisst-*pei*-pö-baa-sskit) *n* cesto para papeles

watch (ᵘoch) v mirar, observar; vigilar; n reloj m; ~ for acechar; ~ out *tener cuidado

watch-maker (ᵘoch-mei-kö) n relojero m

watch-strap (ᵘoch-sstræp) n correa de reloj

water (ᵘoo-tö) n agua f; iced ~ agua helada; running ~ agua corriente; ~ pump bomba de agua; ~ ski esqui acuático

water-colour (ᵘoo-tö-ka-lö) n color de aguada; acuarela f

watercress (ᵘoo-tö-krèss) n berro m

waterfall (ᵘoo-tö-fool) n cascada f

watermelon (ᵘoo-tö-mê-lön) n sandía f

waterproof (ᵘoo-tö-pruuf) adj impermeable

water-softener (ᵘoo-tö-ssof-nö) n ablandador m

waterway (ᵘoo-tö-ᵘei) n via navegable

watt (ᵘot) n vatio m

wave (ᵘeiv) n ondulación f, ola f; v *hacer señales

wave-length (ᵘeiv-lêngz) n longitud de onda

wavy (ᵘei-vi) adj ondulado

wax (ᵘækss) n cera f

waxworks (ᵘækss-ᵘöökss) pl museo de figuras de cera

way (ᵘei) n manera f; camino m; lado m, dirección f; distancia f; any ~ de todos modos; by the ~ a propósito; one-way traffic dirección única; out of the ~ apartado; the other ~ round al revés; ~ back vuelta f; ~ in entrada f; ~ out salida f

wayside (ᵘei-ssaid) n borde del camino

we (ᵘii) pron nosotros

weak (ᵘiik) adj débil; flojo

weakness (ᵘiik-nöss) n debilidad f

wealth (ᵘêlz) n riqueza f

wealthy (ᵘêl-zi) adj rico

weapon (ᵘê-pön) n arma f

*wear (ᵘêᵉ) v llevar; ~ out gastar

weary (ᵘiᵉ-ri) adj cansado

weather (ᵘê-ðö) n tiempo m; ~ forecast boletín meteorológico

*weave (ᵘiiv) v tejer

weaver (ᵘii-vö) n tejedor m

wedding (ᵘê-ding) n matrimonio m, boda f

wedding-ring (ᵘê-ding-ring) n anillo de boda

wedge (ᵘêdʒ) n cuña f

Wednesday (ᵘêns-di) miércoles m

weed (ᵘiid) n mala hierba

week (ᵘiik) n semana f

weekday (ᵘiik-dei) n dia laborable

weekend (ᵘii-kênd) n fin de semana

weekly (ᵘii-kli) adj semanal

*weep (ᵘiip) v llorar

weigh (ᵘei) v pesar

weighing-machine (ᵘei-ing-mö-ʃiin) n báscula f

weight (ᵘeit) n peso m

welcome (ᵘêl-köm) adj bienvenido; n bienvenida f; v *dar la bienvenida

weld (ᵘêld) v *soldar

welfare (ᵘêl-fêᵉ) n bienestar m

well¹ (ᵘêl) adv bien; adj sano; as ~ también; as ~ as asi como; well! ¡bueno!

well² (ᵘêl) n pozo m

well-founded (ᵘêl-faun-did) adj fundamentado

well-known (ᵘêl-noun) adj notorio

well-to-do (ᵘêl-tö-duu) adj acomodado

went (ᵘênt) v (p go)

were (ᵘöö) v (p be)

west (ᵘêsst) n occidente m, oeste m

westerly (ᵘê-sstö-li) adj occidental

western (ᵘê-sstön) adj occidental

wet (ᵁèt) *adj* mojado; húmedo
whale (ᵁeil) *n* ballena *f*
wharf (ᵁoof) *n* (pl ~s, wharves) muelle *m*
what (ᵁot) *pron* qué; lo que; ~ **for** para que
whatever (ᵁo-tê-vö) *pron* cualquier cosa que
wheat (ᵁiit) *n* trigo *m*
wheel (ᵁiil) *n* rueda *f*
wheelbarrow (ᵁiil-bæ-rou) *n* carretilla *f*
wheelchair (ᵁiil-chêᵒ) *n* silla de ruedas
when (ᵁên) *adv* cuándo; *conj* cuando
whenever (ᵁê-nê-vö) *conj* cuando quiera que
where (ᵁêᵒ) *adv* dónde; *conj* donde
wherever (ᵁêᵒ-rê-vö) *conj* dondequiera que
whether (ᵁê-ðö) *conj* si; **whether ... or** si ... o
which (ᵁich) *pron* cuál; que
whichever (ᵁi-chê-vö) *adj* cualquiera
while (ᵁail) *conj* mientras; *n* rato *m*
whilst (ᵁailsst) *conj* mientras
whim (ᵁên) *n* antojo *m*, capricho *m*
whip (ᵁip) *n* azote *m*; *v* batir
whiskers (ᵁi-sskös) *pl* patillas *fpl*
whisper (ᵁi-sspö) *v* susurrar; *n* susurro *m*
whistle (ᵁi-ssöl) *v* silbar; *n* silbato *m*
white (ᵁait) *adj* blanco
whitebait (ᵁait-beit) *n* boquerón *m*
whiting (ᵁai-ting) *n* (pl ~) merluza *f*
Whitsun (ᵁit-ssön) *n* Pentecostés *m*
who (huu) *pron* quien; que
whoever (huu-ê-vö) *pron* quienquiera
whole (houl) *adj* completo, entero; intacto; *n* total *m*
wholesale (houl-sseil) *n* venta al por mayor; ~ **dealer** mayorista *m*
wholesome (houl-ssöm) *adj* saludable
wholly (houl-li) *adv* totalmente

whom (huum) *pron* a quien
whore (hoo) *n* puta *f*
whose (huus) *pron* cuyo; de quien
why (ᵁai) *adv* por qué
wicked (ᵁi-kid) *adj* malvado
wide (ᵁaid) *adj* vasto, ancho
widen (ᵁai-dön) *v* ensanchar
widow (ᵁi-dou) *n* viuda *f*
widower (ᵁi-dou-ö) *n* viudo *m*
width (ᵁidz) *n* anchura *f*
wife (ᵁaif) *n* (pl wives) esposa *f*, mujer *f*
wig (ᵁigh) *n* peluca *f*
wild (ᵁaild) *adj* salvaje; feroz
will (ᵁil) *n* voluntad *f*; testamento *m*
*****will** (ᵁil) *v* *querer
willing (ᵁi-ling) *adj* dispuesto
willingly (ᵁi-ling-li) *adv* gustosamente
will-power (ᵁil-pauᵒ) *n* fuerza de voluntad
*****win** (ᵁin) *v* vencer
wind (ᵁind) *n* viento *m*
*****wind** (ᵁaind) *v* serpentear; *dar cuerda, enrollar
winding (ᵁain-ding) *adj* tortuoso
windmill (ᵁind-mil) *n* molino de viento
window (ᵁin-dou) *n* ventana *f*
window-sill (ᵁin-dou-ssil) *n* antepecho *m*
windscreen (ᵁind-sskriin) *n* parabrisas *m*; ~ **wiper** limpiaparabrisas *m*
windshield (ᵁind-fiild) *nAm* parabrisas *m*
windy (ᵁin-di) *adj* ventoso
wine (ᵁain) *n* vino *m*
wine-cellar (ᵁain-ssê-lö) *n* cueva *f*
wine-list (ᵁain-lisst) *n* carta de vinos
wine-merchant (ᵁain-möö-chönt) *n* vinatero *m*
wine-waiter (ᵁain-ᵁei-tö) *n* camarero *m*
wing (ᵁing) *n* ala *f*
winkle (ᵁing-köl) *n* caracol marino

winner (ᵘi-nö) *n* vencedor *m*

winning (ᵘi-ning) *adj* ganador; **winnings** *pl* ganancias *fpl*

winter (ᵘin-tö) *n* invierno *m*; ~ **sports** deportes de invierno

wipe (ᵘaip) *v* enjugar

wire (ᵘaiᵒ) *n* alambre *m*

wireless (ᵘaiᵒ-löss) *n* radio *f*

wisdom (ᵘis-döm) *n* sabiduría *f*

wise (ᵘais) *adj* sabio

wish (ᵘiʃ) *v* desear; *n* deseo *m*

witch (ᵘich) *n* bruja *f*

with (ᵘið) *prep* con; de

***withdraw** (ᵘið-*droo*) *v* retirar

within (ᵘi-ðin) *prep* dentro de; *adv* de dentro

without (ᵘi-ðaut) *prep* sin

witness (ᵘit-nöss) *n* testigo *m*

wits (ᵘitss) *pl* razón *f*

witty (ᵘi-ti) *adj* chistoso

wolf (ᵘulf) *n* (pl wolves) lobo *m*

woman (ᵘu-mön) *n* (pl women) mujer *f*

womb (ᵘuum) *n* matriz *f*

won (ᵘan) *v* (p, pp win)

wonder (ᵘan-dö) *n* milagro *m*; asombro *m*; *v* preguntarse

wonderful (ᵘan-dö-föl) *adj* estupendo, maravilloso; delicioso

wood (ᵘud) *n* madera *f*; bosque *m*

wood-carving (ᵘud-kaa-ving) *n* talla *f*

wooded (ᵘu-did) *adj* selvoso

wooden (ᵘu-dön) *adj* de madera; ~ **shoe** zueco *m*

woodland (ᵘud-lönd) *n* arbolado *m*

wool (ᵘul) *n* lana *f*; **darning** ~ hilo de zurcir

woollen (ᵘu-lön) *adj* de lana

word (ᵘööd) *n* palabra *f*

wore (ᵘoo) *v* (p wear)

work (ᵘöök) *n* obra *f*; trabajo *m*; *v* trabajar; funcionar; **working day** día de trabajo; ~ **of art** obra de arte; ~ **permit** permiso de trabajo

worker (ᵘöö-kö) *n* obrero *m*

working (ᵘöö-king) *n* funcionamiento *m*

workman (ᵘöök-mön) *n* (pl -men) obrero *m*

works (ᵘöökss) *pl* fábrica *f*

workshop (ᵘöök-ʃop) *n* taller *m*

world (ᵘööld) *n* mundo *m*; ~ **war** guerra mundial

world-famous (ᵘööld-*fei*-möss) *adj* de fama mundial

world-wide (ᵘööld-ᵘaid) *adj* mundial

worm (ᵘööm) *n* gusano *m*

worn (ᵘoon) *adj* (pp wear) gastado

worn-out (ᵘoon-*aut*) *adj* gastado

worried (ᵘa-rid) *adj* inquieto

worry (ᵘa-ri) *v* inquietarse; *n* preocupación *f*, inquietud *f*

worse (ᵘööss) *adj* peor; *adv* peor

worship (ᵘöö-ʃip) *v* venerar; *n* culto *m*

worst (ᵘöösst) *adj* pésimo; *adv* peor

worsted (ᵘu-sstid) *n* estambre *m/f*

worth (ᵘööz) *n* valor *m*; ***be** ~ ***valer; ***be worth-while** *valer la pena

worthless (ᵘööz-löss) *adj* sin valor

worthy of (ᵘöö-ði öv) *adj* digno de

would (ᵘud) *v* (p will) *soler

wound¹ (ᵘuund) *n* herida *f*; *v* ofender, *herir

wound² (ᵘaund) *v* (p, pp wind)

wrap (ræp) *v* *envolver

wreck (rêk) *n* pecio *m*; *v* *destruir

wrench (rênch) *n* llave *f*; tirón *m*; *v* dislocar

wrinkle (ring-köl) *n* arruga *f*

wrist (risst) *n* muñeca *f*

wrist-watch (risst-ᵘoch) *n* reloj de pulsera

***write** (rait) *v* escribir; **in writing** por escrito; ~ **down** anotar

writer (rai-tö) *n* escritor *m*

writing-pad (rai-ting-pæd) *n* bloque *m*; bloc *mMe*

writing-paper (*rai*-ting-pei-pö) *n* papel de escribir

written (*ri*-tön) *adj* (pp write) por escrito

wrong (rong) *adj* impropio, erróneo; *n* mal *m*; *v* agraviar; ***be** ~ no *tener razón

wrote (rout) *v* (p write)

X

Xmas (*kriss*-möss) Navidad *f*

X-ray (*ékss*-rei) *n* radiografía *f*; *v* radiografiar

Y

yacht (yot) *n* yate *m*

yacht-club (*yot*-klab) *n* club de yates

yachting (*yo*-ting) *n* deporte de vela

yard (yaad) *n* corral *m*

yarn (yaan) *n* hilo *m*

yawn (yoon) *v* bostezar

year (yiº) *n* año *m*

yearly (*yiº*-li) *adj* anual

yeast (yiisst) *n* levadura *f*

yell (yêl) *v* gritar; *n* grito *m*

yellow (*yé*-lou) *adj* amarillo

yes (yêss) sí

yesterday (*yê*-sstö-di) *adv* ayer

yet (yêt) *adv* aun; *conj* pero, sin embargo

yield (yiild) *v* producir; ceder

yoke (youk) *n* yugo *m*

yolk (youk) *n* yema *f*

you (yuu) *pron* tú; a ti; usted; a usted; vosotros; os; ustedes

young (yang) *adj* joven

your (yoo) *adj* de usted; tu; vuestro, tuyos

yourself (yoo-*ssêlf*) *pron* te; tú mismo; usted mismo

yourselves (yoo-*ssêlvs*) *pron* se; vosotros mismos; ustedes mismos

youth (yuuz) *n* juventud *f*; ~ **hostel** albergue para jóvenes

Z

zeal (siil) *n* celo *m*

zealous (*sê*-löss) *adj* celoso

zebra (*sii*-brö) *n* cebra *f*

zenith (*sê*-niz) *n* cenit *m*; apogeo *m*

zero (*siº*-rou) *n* (pl ~s) cero *m*

zest (sêsst) *n* energía *f*

zinc (singk) *n* cinc *m*

zip (sip) *n* cremallera *f*; ~ **code** *Am* código postal

zipper (*si*-pö) *n* cierre relámpago

zodiac (*sou*-di-æk) *n* zodíaco *m*

zone (soun) *n* zona *f*; región *f*

zoo (suu) *n* (pl ~s) jardín zoológico

zoology (sou-*o*-lö-dʒi) *n* zoología *f*

Léxico gastronómico

Comidas

almond almendra

anchovy anchoa

angel food cake pastel confeccionado con clara de huevo

angels on horseback ostras envueltas en tocino, asadas y servidas en pan tostado

appetizer entremés

apple manzana

~ **charlotte** pastel de compota de manzanas y pan rallado

~ **dumpling** pastel de manzanas

~ **sauce** puré de manzanas

apricot albaricoque

Arbroath smoky róbalo ahumado

artichoke alcachofa

asparagus espárrago

~ **tip** punta de espárrago

aspic (en) gelatina

assorted variado

aubergine berenjena

avocado (pear) aguacate

bacon tocino

~ **and eggs** huevos con tocino

bagel panecillo en forma de corona

baked al horno

~ **Alaska** helado cubierto con merengue, dorado en el horno;

se sirve flameado como postre

~ **beans** judías blancas en salsa de tomates

~ **potato** patata sin pelar cocida al horno

Bakewell tart pastel de almendras con mermelada de frambuesas

baloney especie de mortadela

banana plátano

~ **split** dos mitades de plátano servidas con helado y nueces, rociadas con almíbar o crema de chocolate

barbecue 1) carne picada de ternera en una salsa a base de tomates, servida en un panecillo 2) comida al aire libre

~ **sauce** salsa de tomates muy picante

barbecued asado a la parrilla con carbón de leña

basil albahaca

bass lubina (pescado)

bean judía, haba, fríjol

beef carne de ternera

~ **olive** rollo de carne de ternera

beefburger bistec de carne picada, asado y a veces servido en un panecillo

beet, beetroot remolacha
bilberry arándano
bill cuenta
~ **of fare** lista de platos
biscuit 1) galleta (GB) 2) panecillo (US)
black pudding morcilla
blackberry zarzamora
blackcurrant grosella negra
bloater arenque salado, ahumado
blood sausage morcilla
blueberry arándano
boiled hervido
Bologna (sausage) especie de mortadela
bone hueso
boned deshuesado
Boston baked beans judías blancas con tocino y melaza
Boston cream pie torta rellena de nata en capas superpuestas, cubierta de chocolate
brains sesos
braised asado
bramble pudding pudín de zarzamoras (a menudo con manzanas)
braunschweiger salchichón de hígado ahumado
bread pan
breaded empanado
breakfast desayuno
bream brema (pescado)
breast pecho, pechuga
brisket pecho
broad bean haba
broth caldo
brown Betty especie de compota de manzanas, con especias y cubierta de pan rallado
brunch comida que reemplaza el desayuno y el almuerzo
brussels sprout col de Bruselas
bubble and squeak patatas y coles

picadas que se fríen, mezcladas a veces con trozos de carne de ternera (especie de tortilla)
bun 1) panecillo dulce confeccionado con frutas secas 2) especie de panecillo (US)
butter mantequilla
buttered con mantequilla
cabbage col, repollo
Caesar salad ensalada verde con ajo, anchoas, cuscurro y queso rallado
cake pastel, torta
cakes galletas, pastelillos
calf ternera
Canadian bacon lomo de cerdo ahumado que se corta en lonchas finas
cantaloupe melón
caper alcaparra
capercaillie, capercailzie urogallo grande
caramel caramelo
carp carpa
carrot zanahoria
cashew anacardo
casserole cacerola
catfish siluro (pescado)
catsup salsa de tomate
cauliflower coliflor
celery apio
cereal cereal
hot ~ gachas
chateaubriand solomillo de ternera
check cuenta
Cheddar (cheese) queso de textura firme y de sabor ligeramente ácido
cheese queso
~ **board** bandeja de quesos
~ **cake** pastel de queso doble crema, ligeramente azucarado
cheeseburger bistec de carne pica-

da, asado con una loncha de queso, servido en un panecillo

chef's salad ensalada de jamón, pollo, huevos cocidos, tomates, lechuga y queso

cherry cereza

chestnut castaña

chicken pollo

chicory 1) endibia (GB) 2) escarola, achicoria (US)

chili pepper chile, ají

chips 1) patatas fritas (GB) 2) chips (US)

chitt(er)lings tripas de cerdo

chive cebolleta

choice elección, surtido

chop costilla

~ **suey** plato hecho con carne picada de cerdo o de pollo, arroz y legumbres

chopped picado

chowder sopa espesa a base de mariscos

Christmas pudding pudín inglés hecho con frutas secas, a veces flameado, muy nutritivo y que se sirve en Navidad

chutney condimento indio muy sazonado, con sabor agridulce

cinnamon canela

clam almeja

club sandwich bocadillo doble con tocino, pollo, tomates, lechuga y mayonesa

cobbler compota de frutas cubierta con una capa de pasta

cock-a-leekie soup sopa de pollo y puerros

coconut coco

cod bacalao

Colchester oyster ostra inglesa muy afamada

cold cuts/meat fiambres

coleslaw ensalada de col

compote compota

condiment condimento

cooked cocido

cookie galleta

corn 1) trigo (GB) 2) maíz (US)

~ **on the cob** mazorca de maíz

cornflakes copos de maíz

corned beef carne de ternera sazonada

cottage cheese requesón

cottage pie carne picada que se cuece con cebollas y se cubre con puré de patatas

course plato

cover charge precio del cubierto

crab cangrejo de mar

cracker galletita salada

cranberry arándano agrio

~ **sauce** mermelada de arándanos agrios

crawfish, crayfish 1) cangrejo de río 2) langosta (GB) 3) langostino (US)

cream 1) nata 2) crema (sopa) 3) crema (postre)

~ **cheese** queso doble crema

~ **puff** pastelillo con nata

creamed potatoes patatas cortadas en forma de dados en salsa blanca

creole plato muy condimentado con tomates, pimientos y cebollas; suele servirse con arroz blanco

cress berro

crisps patatas a la inglesa, chips

croquette croqueta

crumpet especie de panecillo redondo, asado y untado de mantequilla

cucumber pepino

Cumberland ham jamón ahumado, muy conocido

Cumberland sauce jalea de grosellas sazonada de vino, jugo de naranja y especias

cupcake pastelillo, hojaldre

cured salado y ahumado

currant 1) pasa de Corinto 2) grosella

curried con curry

custard 1) crema 2) flan

cutlet 1) chuleta 2) escalope 3) fina lonja de carne

dab lenguado

Danish pastry pastelillos hojaldrados

date dátil

Derby cheese queso blando picante, de color amarillo claro

dessert postre

devilled con aliño muy fuerte

devil's food cake torta de chocolate muy nutritiva

devils on horseback ciruelas pasas cocidas en vino tinto, rellenas de almendras y anchoas, envueltas en tocino, asadas y servidas en una tostada

Devonshire cream crema doble muy espesa

diced cortado en daditos

diet food alimento dietético

dill eneldo

dinner cena

dish plato

donut, doughnut buñuelo en forma de anillo, rosquilla

double cream doble crema, nata

Dover sole lenguado de Dover, muy afamado

dressing 1) salsa para ensalada 2) relleno para aves (US)

Dublin Bay prawn langostino

duck pato

duckling anadón

dumpling albóndiga de pasta

Dutch apple pie tarta de manzanas, cubierta con una capa de azúcar negra y mantequilla

éclair pastelillo relleno de crema de chocolate o de café

eel anguila

egg huevo
   boiled ~ pasado por agua
   fried ~ frito
   hard-boiled ~ duro
   poached ~ escalfado
   scrambled ~ revuelto
   soft-boiled ~ poco pasado por agua

eggplant berenjena

endive 1) escarola, achicoria (GB) 2) endibia (US)

entrecôte solomo de ternera

entrée 1) entrada (GB) 2) plato principal (US)

fennel hinojo

fig higo

filet mignon solomillo

fillet filete de carne o de pescado

finnan haddock róbalo ahumado

fish pescado
   ~ **and chips** filetes de pescado y patatas fritas
   ~ **cake** albóndigas, galleta de pescado y patatas

flan tarta de frutas

flapjack hojuela espesa

flounder fleso (pescado)

forcemeat relleno, picadillo

fowl ave

frankfurter salchicha de Francfort

French bean judía verde

French bread pan francés

French dressing 1) vinagreta (GB) 2) salsa cremosa de ensalada con salsa de tomates (US)

french fries patatas fritas

French toast rebanada de pan, mojada en huevos batidos, frita en una sartén y servida con

mermelada o azúcar

fresh fresco

fried frito, asado

fritter buñuelo

frogs' legs ancas de rana

frosting capa de azúcar garrapiñado

fruit fruta

fry fritura

galantine trozos de carne y picadillo cocidos en gelatina

game caza

gammon jamón ahumado

garfish anguila de mar

garlic ajo

garnish aderezo

gherkin pepinillo

giblets menudillos de ave

ginger jengibre

goose ganso

  ~ **berry** grosella espinosa

grape uva

  ~ **fruit** pomelo, toronja

grated rallado

gravy jugo de carne, salsa

grayling pescado de la familia del salmón

green bean judía verde

green pepper pimiento verde

green salad ensalada verde

greens verduras

grilled asado a la parrilla

grilse salmón joven

grouse urogallo

gumbo 1) legumbre de origen africano 2) plato criollo a base de *okra*, con carne o pescado y tomates

haddock róbalo

haggis panza de cordero rellena de copos de avena

hake merluza

half mitad, semi

ham jamón

  ~ **and eggs** huevos con jamón

hamburger hamburguesa

hare liebre

haricot bean alubia blanca

hash 1) carne picada 2) picadillo de carne de ternera cubierto con patatas y legumbres

hazelnut avellana

heart corazón

herb hierba aromática

herring arenque

home-made de confección casera

hominy grits crema espesa de harina de maíz, especie de polenta

honey miel

  ~ **dew melon** tipo de melón cuya carne es de color verde amarillento

hors-d'œuvre entremeses

horse-radish rábano picante

hot 1) caliente 2) con especias

  ~ **cross bun** bollito con pasas (que se come durante la Cuaresma)

  ~ **dog** salchicha caliente en un panecillo

huckleberry especie de arándano

hush puppy buñuelo a base de harina de maíz

ice-cream helado

iced helado

icing capa de azúcar garrapiñado

Idaho baked potato patata sin pelar cocida al horno

Irish stew guisado de cordero con cebollas y patatas

Italian dressing vinagreta

jam confitura

jellied en gelatina

Jell-O postre a la gelatina

jelly gelatina o jalea de frutas

Jerusalem artichoke aguaturma

John Dory especie de dorada

jugged hare estofado de liebre

juice jugo, zumo

juniper berry baya de enebro

junket leche cuajada azucarada

kale col rizada

kedgeree migajas de pescado aderezadas con arroz, huevos y mantequilla

ketchup salsa de tomates

kidney riñón

kipper arenque ahumado

lamb cordero

Lancashire hot pot guisado de chuletas y riñones de cordero, con patatas y cebollas

larded mechado

lean magro

leek puerro

leg pierna, muslo, corvejón

lemon limón

~ sole especie de platija

lentil lenteja

lettuce lechuga, ensalada verde

lima bean haba grande

lime lima (limón verde)

liver hígado

loaf pan, hogaza

lobster bogavante

loin lomo

Long Island duck pato de Long Island, muy afamado

low-calorie pobre en calorías

lox salmón ahumado

lunch almuerzo

macaroni macarrones

macaroon macarrón (almendrado)

mackerel caballa

maize maíz

mandarin mandarina

maple syrup jarabe de arce

marinade escabeche

marinated en escabeche

marjoram mejorana

marmalade mermelada de naranja

u otros sabores

marrow tuétano

~ bone hueso con tuétano

marshmallow dulce de malvavisco

marzipan mazapán

mashed potatoes puré de patatas

mayonnaise mayonesa

meal comida

meat carne

~ ball albóndiga de carne

~ loaf carne picada preparada en forma de un pan y que se cuece al horno

medium (done) a punto

melted derretido

Melton Mowbray pie especie de empanada de carne

menu lista de platos

meringue merengue

milk leche

mince picadillo

~ pie tarta de frutas confitadas cortadas en daditos, con manzanas y especias (con o sin carne)

minced picado

~ meat carne picada

mint menta

mixed mezclado, surtido

~ grill brocheta de carne

molasses melaza

morel morilla

mousse postre de nata aromatizada

mulberry mora

mullet mújol (pescado)

mulligatawny soup sopa de pollo muy picante de origen indio

mushroom champiñón

muskmelon tipo de melón

mussel mejillón

mustard mostaza

mutton carnero

noodle tallarín

nut nuez

oatmeal (porridge) gachas de avena

oil aceite

okra fruto del *gumbo* utilizado generalmente para espesar las sopas y guisados

olive aceituna

omelet tortilla

onion cebolla

orange naranja

ox tongue lengua de buey

oxtail cola de buey (sopa)

oyster ostra

pancake hojuela espesa, torta de sartén

paprika pimiento

Parmesan (cheese) queso parmesano

parsley perejil

parsnip chirivía

partridge perdiz

pastry pastel, pastelillo

pasty empanadilla de carne

pea guisante

peach melocotón

peanut cacahuete, maní
~ **butter** manteca de cacahuete

pear pera

pearl barley cebada perlada

pepper pimienta

peppermint menta

perch perca

persimmon caqui

pheasant faisán

pickerel lucio pequeño (pescado)

pickle 1) legumbre o fruta en vinagre 2) pepinillo (US)

pickled conservado en salmuera o vinagre

pie torta a menudo cubierta con una capa de pasta, rellena de carne, legumbres, frutas o crema inglesa

pig cerdo

pigeon pichón

pike lucio

pineapple piña

plaice platija, acedía

plain natural

plate plato

plum ciruela, ciruela pasa
~ **pudding** pudín inglés hecho con frutas secas, a veces flameado, muy nutritivo y que se sirve en Navidad

poached escalfado

popcorn palomitas de maíz

popover panecillo esponjoso cocido en el horno

pork cerdo

porridge gachas

porterhouse steak lonja espesa de solomillo de res

pot roast carne de ternera asada y legumbres

potato patata, papa
~ **chips** 1) patatas fritas (GB) 2) chips (US)
~ **in its jacket** patata sin pelar

potted shrimps mantequilla sazonada, derretida y enfriada, servida con camarones

poultry ave de corral

prawn camarón grande

prune ciruela seca

ptarmigan perdiz blanca

pudding pudín blando o consistente hecho con harina, relleno de carne, pescado, legumbres o frutas

pumpernickel pan hecho con harina gruesa de centeno

pumpkin calabaza

quail codorniz

quince membrillo

rabbit conejo

radish rábano

rainbow trout trucha arco iris

ﬡisin pasa
rare poco hecho
raspberry frambuesa
raw crudo
red mullet salmonete
red (sweet) pepper pimiento morrón
redcurrant grosella roja
relish condimento hecho con trocitos de legumbres y vinagre
rhubarb ruibarbo
rib (of beef) costilla (de ternera)
rib-eye steak solomillo
rice arroz
rissole croqueta de pescado o carne
river trout trucha de río
roast(ed) asado
Rock Cornish hen pollo tomatero
roe huevos de pescado
roll panecillo
rollmop herring filete de arenque escabechado con vino blanco, enrollado con un pepinillo en medio
round steak filete de pierna de ternera
Rubens sandwich carne de ternera en pan tostado, con col fermentada, queso suizo y salsa para ensalada; se sirve caliente
rump steak filete de lomo de ternera
rusk rebanadas tostadas de pan de molde
rye bread pan de centeno
saddle cuarto trasero
saffron azafrán
sage salvia
salad ensalada
~ **bar** surtido de ensaladas
~ **cream** salsa cremosa para ensalada, ligeramente azucarada

~ **dressing** salsa para ensalada
salmon salmón
~ **trout** trucha asalmonada
salt(ed) sal(ado)
sandwich bocadillo, emparedado
sardine sardina
sauce salsa
sauerkraut col fermentada
sausage salchicha
sauté(ed) salteado
scallop 1) venera 2) escalope de ternera
scampi langostino
scone panecillo tierno hecho con harina de avena o cebada
Scotch broth caldo a base de carne de carnero o de buey y legumbres
Scotch woodcock pan tostado con huevos revueltos y crema de anchoas
sea bass róbalo, lubina
sea kale col marina
seafood mariscos y peces marinos
(in) season (en su) época (estación del año)
seasoning condimento, sazón
service servicio
~ **charge** importe que se paga por el servicio
~ **(not) included** servicio (no) incluido
set menu menú fijo
shad alosa, sábalo
shallot chalote
shellfish marisco
sherbet sorbete
shoulder espalda
shredded wheat hojuelas de trigo en croquetas (se sirven en el desayuno)
shrimp camarón, gamba
silverside (of beef) codillo (de ternera)

sirloin steak bistec del solomillo

skewer brocheta

slice loncha, rodaja

sliced cortado en lonchas

sloppy Joe carne picada de ternera con una salsa picante de tomates, se sirve en un panecillo

smelt eperlano

smoked ahumado

snack comida ligera

sole lenguado

soup sopa, crema

sour agrio

soused herring arenque conservado en vinagre y especias

spaghetti espaguetis

spare rib costilla de cerdo casi descarnada

spice especia

spinach espinaca

spiny lobster langosta

(on a) spit (en un) espetón

sponge cake bizcocho ligero y esponjoso

sprat arenque pequeño, sardineta

squash calabaza

starter entrada

steak and kidney pie empanada de carne de ternera y riñones

steamed cocido al vapor

stew guisado

Stilton (cheese) queso inglés afamado (blanco o con mohos azules)

strawberry fresa

string bean judía verde

stuffed relleno

stuffing (el) relleno

suck(l)ing pig lechón

sugar azúcar

sugarless sin azúcar

sundae copa de helado con frutas, nueces, nata batida y a veces jarabe

supper comida ligera de la noche, cena

swede naba de Suecia

sweet 1) dulce 2) postre

~ corn maíz blanco

~ potato patata dulce

sweetbread lechecillas

Swiss cheese queso suizo (Emmenthal)

Swiss roll bizcocho enrollado y relleno de mermelada

Swiss steak lonja de ternera asada con legumbres y especias

T-bone steak bistec y filete de ternera separados por un hueso en forma de T

table d'hôte menú fijo

tangerine especie de mandarina

tarragon estragón

tart tarta de frutas

tenderloin filete de carne

Thousand Island dressing salsa para ensalada, sazonada, hecha de mayonesa y pimientos

thyme tomillo

toad-in-the-hole carne de ternera (o salchicha) cubierta de pasta y cocida al horno

toast pan tostado, tostada

toasted tostado

~ cheese pan tostado con queso derretido

tomato tomate

tongue lengua

tournedos bistec espeso del filete (ternera)

treacle melaza

trifle pastel con jerez o aguardiente, hecho con almendras, mermelada y crema batida o natillas y crema de vainilla

tripe tripas, callos

trout trucha

truffle trufa

tuna, tunny atún
turbot rodaballo, rombo
turkey pavo
turnip nabo
turnover pastelillo relleno de compota o mermelada
turtle tortuga
underdone poco hecho
vanilla vainilla
veal ternera
 ~ bird pulpeta de ternera
vegetable legumbre
 ~ marrow calabacin
venison caza, corzo
vichyssoise sopa fría preparada con puerros, patatas y crema
vinegar vinagre
Virginia baked ham jamón cocido al horno, adornado con clavos de especia, rebanadas de piña y cerezas; se le baña con el jugo de las frutas
vol-au-vent pastel de hojaldre relleno de salsa con crema, trozos de carne y champiñones
wafer barquillo
waffle especie de barquillo caliente

walnut nuez
water ice sorbete
watercress berro de agua
watermelon sandía
well-done bastante hecho
Welsh rabbit/rarebit queso derretido sobre una tostada
whelk buccino (molusco)
whipped cream nata batida
whitebait boquerón
Wiener schnitzel escalope de ternera empanado
wine list lista de vinos
woodcock becada
Worcestershire sauce condimento líquido picante a base de vinagre, soja y ajo
yoghurt yogur
York ham jamón de York (ahumado)
Yorkshire pudding especie de pasta de hojuelas que se sirve con el rosbif
zucchini calabacín
zwieback rebanadas tostadas de pan de molde

Bebidas

ale cerveza negra, ligeramente azucarada, fermentada a elevada temperatura
 bitter ~ negra, amarga y más bien pesada
 brown ~ negra de botella, ligeramente azucarada
 light ~ dorada de botella
 mild ~ negra de barril, bastante fuerte
 pale ~ dorada de botella
angostura esencia aromática amarga que se añade a los cócteles
applejack aguardiente de manzanas

Athol Brose bebida escocesa hecha con whisky, miel, agua y a veces copos de avena

Bacardi cocktail cóctel de ron con ginebra, jarabe de granadina y jugo de limón

barley water bebida refrescante a base de cebada y aromatizada con limón

barley wine cerveza negra muy alcoholizada

beer cerveza
  bottled ~ de botella
  draft, draught ~ de barril

bitters aperitivos y digestivos a base de raíces, corteza o hierbas

black velvet champán mezclado con *stout* (acompaña con frecuencia las ostras)

bloody Mary vodka, jugo de tomate y especias

bourbon whisky americano, a base de maíz

brandy 1) denominación genérica de los aguardientes de uvas y otras frutas 2) coñac
  ~ **Alexander** mezcla de aguardiente, crema de cacao y nata

British wines vino fermentado en Gran Bretaña, fabricado a base de uvas o jugo de uvas importados

cherry brandy licor de cerezas

cider sidra
  ~ **cup** mezcla de sidra, especias, azúcar y hielo

claret vino tinto de Burdeos

cobbler *long drink* helado a base de frutas, al que se añade vino o licor

coffee café
  ~ **with cream** con nata
  black ~ solo
  caffeine-free ~ descafeinado

white ~ con leche, cortado

cordial licor estimulante y digestivo

cream nata

cup bebida refrescante a base de vino helado, sifón, un espirituoso y adornada con una raja de naranja, de limón o de pepino

daiquiri cóctel de ron con jugo de limón y de piña

double doble porción

Drambuie licor a base de whisky y miel

dry martini 1) vermú seco (GB) 2) cóctel de ginebra con algo de vermú seco (US)

egg-nog bebida de ron u otro licor fuerte con yemas de huevos batidas y azúcar

gin ginebra

gin and it mezcla de ginebra y vermú italiano

gin-fizz mezcla de ginebra, jugo de limón, sifón y azúcar

ginger ale bebida sin alcohol, perfumada con extracto de jengibre

ginger beer bebida ligeramente alcohólica, a base de jengibre y azúcar

grasshopper mezcla de crema de menta, crema de cacao y nata

Guinness (stout) cerveza negra, con gusto muy pronunciado y algo dulce, con mucha malta y lúpulo

half pint aproximadamente 3 decilitros

highball whisky o aguardiente diluido con agua, soda o *ginger ale*

iced helado

Irish coffee café con azúcar y whisky irlandés, cubierto con nata batida (Chantilly)

Irish Mist licor irlandés a base de whisky y miel

Irish whiskey whisky irlandés menos áspero que el whisky escocés *(scotch);* además de cebada contiene centeno, avena y trigo

juice jugo, zumo

lager cerveza dorada ligera

lemon squash zumo de limón

lemonade limonada

lime juice zumo de lima (limón verde)

liqueur licor, poscafé

liquor aguardiente

long drink licor diluido en agua o tónica y servido con cubitos de hielo

madeira vino de Madera

Manhattan whisky americano, vermú y *angostura*

milk leche

~ **shake** batido

mineral water agua mineral

mulled wine vino caliente con especias

neat bebida pura, sola, sin hielo y sin agua

old-fashioned whisky, *angostura*, cerezas con marrasquino y azúcar

on the rocks con cubitos de hielo

Ovaltine Ovomaltina

Pimm's cup(s) bebida alcohólica compuesta por alguno de los siguientes licores; se mezcla con zumo de fruta y algunas veces con agua de Seltz

~ **No. 1** a base de ginebra

~ **No. 2** a base de whisky

~ **No. 3** a base de ron

~ **No. 4** a base de aguardiente

pink champagne champán rosado

pink lady mezcla de clara de huevo, Calvados, zumo de limón, jarabe de granadina y ginebra

pint aproximadamente 6 decilitros

port (wine) (vino de) Oporto

porter cerveza negra y amarga

punch ponche

quart 1,14 litro (US 0.95 litro)

root beer bebida edulcorada efervescente, aromatizada con hierbas y raíces

rum ron

rye (whiskey) whisky de centeno, más pesado y más áspero que el *bourbon*

scotch (whisky) whisky escocés, mezcla de whisky de trigo y de whisky de cebada

screwdriver vodka y zumo de naranja

shandy *bitter ale* mezclada con zumo de limón o con una *ginger beer*

sherry jerez

short drink todo licor no diluido, puro

shot dosis de cualquier licor espirituoso

sloe gin-fizz licor de endrina con sifón y zumo de limón

soda water agua gaseosa

soft drink bebida sin alcohol

spirits aguardientes

stinger coñac y crema de menta

stout cerveza negra con mucho lúpulo y alcohol

straight alcohol que se bebe seco, sin mezcla

tea té

toddy ponche hecho de ron, agua, limón y azúcar

Tom Collins ginebra, zumo de limón, sifón y azúcar

tonic (water) (agua) tónica, agua gaseosa, a base de quinina

vermouth vermú
water agua
whisky sour whisky, zumo de limón, azúcar y sifón
wine vino
   dessert ~ de postre

dry ~ seco
red ~ tinto
rosé ~ clarete, rosado
sparkling ~ espumoso
sweet ~ dulce (de postre)
white ~ blanco

Mini-gramática

El artículo

El artículo determinado (el, la, los, las) tiene una sola forma: *the.*

the room, the rooms   el cuarto, los cuartos
the end of the month   el fin del mes

El artículo indeterminado (un, una, unos, unas) tiene dos formas: *a* se usa cuando precede a sonidos consonantes; *an* antes de sonidos vocales.

a coat un abrigo   **an umbrella** un paraguas   **an hour** una hora

Plurales

El plural de la mayor parte de los nombres se forma añadiendo *-(e)s* al singular. Según el sonido final del singular, el plural se pronuncia *-ss* o *-s* o *-is* (que forma una sílaba extra).

cup — cups (taza — tazas)   **dress — dresses** (vestido — vestidos)

Los plurales siguientes son irregulares:

man — men (hombre/s)   **foot — feet** (pie/s)
woman — women (mujer/es)   **tooth — teeth** (diente/s)
child — children (niño/s)   **mouse — mice** (ratónes/es)

El posesivo

1. Si el poseedor es una persona: los nombres en singular y los plurales que no terminan en *-s* añaden *'s.*

the boy's room   el cuarto del muchacho
the children's clothes   los vestidos de los niños

Los nombres terminados en *-s* (incluyendo la mayoría de los plurales), añaden solamente el apóstrofe (').

the boys' room   el cuarto de los muchachos

2. Si el poseedor no es una persona: se emplea la preposición *of.*

the key of the door   la llave de la puerta

Adjetivos

Los adjetivos preceden normalmente al nombre.

a large brown suitcase   una maleta marrón grande

El comparativo y el superlativo de los adjetivos se pueden formar de dos maneras:

1. Los adjetivos monosílabos y muchos adjetivos bisílabos añaden *-(e)r* y *-(e)st.*

small (pequeño) **— smaller — smallest**
busy (ocupado) **— busier — busiest**

2. Los adjetivos de tres sílabas o más y algunos adjetivos de dos sílabas (los que terminan en *-ful* o *-less,* por ejemplo) no sufren inflexión y forman los comparativos y superlativos con las palabras *more* y *most.*

expensive (caro) **— more expensive — most expensive**
careful (cuidadoso) **— more careful — most careful**

Nótense los siguientes comparativos irregulares:

good (bueno) − **better** − **best**
bad (malo) − **worse** − **worst**
little (poco) − **less** − **least**
much/many (mucho) − **more** − **most**

Pronombres

	Sujeto	Objeto (dir./indir.)	Posesivo 1	2
Singular				
1ª persona	I	me	my	mine
2ª persona	you	you	your	yours
3ª persona (m)	he	him	his	his
(f)	she	her	her	hers
(n)	it	it	its	−
Plural				
1ª persona	we	us	our	ours
2ª persona	you	you	your	yours
3ª persona	they	they	their	theirs

Nota: en inglés *you* es tanto singular como plural. No existe la distinción como en español entre «tú» y «usted».
El caso acusativo se usa también para el complemento indirecto y antes de las preposiciones.

Give it to me.	Dámelo.
He came with us.	Él vino con nosotros.

La forma 1 del posesivo se usa antes del nombre, la forma 2 se usa sola.

Where's my key?	¿Dónde está mi llave?
That's not mine.	Ésa no es mía.

Verbos

La misma forma que el infinitivo para todas las personas excepto la 3ª persona del singular, ésta se forma añadiendo -(e)s al infinitivo.

	to love amar	to come venir	to go ir
I	love	come	go
you	love	come	go
he/she	loves	comes	goes
we	love	come	go
they	love	come	go

Los negativos se forman empleando el verbo auxiliar *do/does* + *not* + infinitivo.

We do not (don't) like this hotel.	No nos gusta este hotel.
She does not (doesn't) smoke.	Ella no fuma.

Los interrogativos se forman empleando el verbo auxiliar *do* + pronombre + infinitivo.

Do you like it?	¿Te gusta?
Does he live here?	¿Vive aquí?

Verbos irregulares

En la siguiente lista damos los verbos irregulares ingleses. Los verbos compuestos o los que llevan un prefijo se conjugan como los verbos simples, por ej.: *mistake* y *overdrive* se conjugan como *take* y *drive*.

Infinitivo	*Pret. indefinido*	*Participio pasado*	
arise	arose	arisen	*levantarse*
awake	awoke	awoken	*despertarse*
be	was	been	*ser, estar*
bear	bore	borne	*soportar*
beat	beat	beaten	*batir*
become	became	become	*llegar a ser*
begin	began	begun	*comenzar*
bend	bent	bent	*doblar*
bet	bet	bet	*apostar*
bid	bade/bid	bidden/bid	*pedir*
bind	bound	bound	*atar*
bite	bit	bitten	*morder*
bleed	bled	bled	*sangrar*
blow	blew	blown	*soplar*
break	broke	broken	*romper*
breed	bred	bred	*criar*
bring	brought	brought	*traer*
build	built	built	*construir*
burn	burnt/burned	burnt/burned	*quemar*
burst	burst	burst	*reventar*
buy	bought	bought	*comprar*
can*	could	—	*poder*
cast	cast	cast	*arrojar*
catch	caught	caught	*coger*
choose	chose	chosen	*escoger*
cling	clung	clung	*adherirse*
clothe	clothed/clad	clothed/clad	*vestir*
come	came	come	*venir*
cost	cost	cost	*costar*
creep	crept	crept	*arrastrar*
cut	cut	cut	*cortar*
deal	dealt	dealt	*distribuir*
dig	dug	dug	*cavar*
do (he does)	did	done	*hacer*
draw	drew	drawn	*dibujar*
dream	dreamt/dreamed	dreamt/dreamed	*soñar*
drink	drank	drunk	*beber*
drive	drove	driven	*conducir*
dwell	dwelt	dwelt	*habitar*
eat	ate	eaten	*comer*
fall	fell	fallen	*caer*

* presente de indicativo

feed	fed	fed	*alimentar*
feel	felt	felt	*sentir*
fight	fought	fought	*luchar*
find	found	found	*encontrar*
flee	fled	fled	*huir*
fling	flung	flung	*lanzar*
fly	flew	flown	*volar*
forsake	forsook	forsaken	*renunciar*
freeze	froze	frozen	*helar*
get	got	got	*obtener*
give	gave	given	*dar*
go	went	gone	*ir*
grind	ground	ground	*moler*
grow	grew	grown	*crecer*
hang	hung	hung	*colgar*
have	had	had	*tener*
hear	heard	heard	*oír*
hew	hewed	hewed/hewn	*cortar*
hide	hid	hidden	*esconder*
hit	hit	hit	*golpear*
hold	held	held	*sostener*
hurt	hurt	hurt	*herir*
keep	kept	kept	*guardar*
kneel	knelt	knelt	*arrodillarse*
knit	knitted/knit	knitted/knit	*juntar*
know	knew	known	*saber*
lay	laid	laid	*acostar*
lead	led	led	*dirigir*
lean	leant/leaned	leant/leaned	*apoyarse*
leap	leapt/leaped	leapt/leaped	*saltar*
learn	learnt/learned	learnt/learned	*aprender*
leave	left	left	*marcharse*
lend	lent	lent	*prestar*
let	let	let	*permitir*
lie	lay	lain	*acostarse*
light	lit/lighted	lit/lighted	*encender*
lose	lost	lost	*perder*
make	made	made	*hacer*
may*	might	—	*poder*
mean	meant	meant	*significar*
meet	met	met	*encontrar (personas)*
mow	mowed	mowed/mown	*segar*
must*	—	—	*tener que*
ought (to)*	—	—	*deber*
pay	paid	paid	*pagar*
put	put	put	*poner*
read	read	read	*leer*
rid	rid	rid	*desembarazar*
ride	rode	ridden	*cabalgar*

* presente de indicativo

ring	rang	rung	*sonar*
rise	rose	risen	*ascender*
run	ran	run	*correr*
saw	sawed	sawn	*aserrar*
say	said	said	*decir*
see	saw	seen	*ver*
seek	sought	sought	*buscar*
sell	sold	sold	*vender*
send	sent	sent	*enviar*
set	set	set	*poner*
sew	sewed	sewed/sewn	*coser*
shake	shook	shaken	*agitar*
shall*	should	—	*deber*
shed	shed	shed	*desprenderse*
shine	shone	shone	*brillar*
shoot	shot	shot	*tirar*
show	showed	shown	*mostrar*
shrink	shrank	shrunk	*encogerse*
shut	shut	shut	*cerrar*
sing	sang	sung	*cantar*
sink	sank	sunk	*hundir*
sit	sat	sat	*sentarse*
sleep	slept	slept	*dormir*
slide	slid	slid	*resbalar*
sling	slung	slung	*lanzar*
slink	slunk	slunk	*escabullirse*
slit	slit	slit	*rajar*
smell	smelled/smelt	smelled/smelt	*oler*
sow	sowed	sown/sowed	*sembrar*
speak	spoke	spoken	*hablar*
speed	sped/speeded	sped/speeded	*apresurarse*
spell	spelt/spelled	spelt/spelled	*deletrear*
spend	spent	spent	*gastar*
spill	spilt/spilled	spilt/spilled	*derramar*
spin	spun	spun	*girar*
spit	spat	spat	*escupir*
split	split	split	*rajar*
spoil	spoilt/spoiled	spoilt/spoiled	*estropear*
spread	spread	spread	*extender*
spring	sprang	sprung	*saltar*
stand	stood	stood	*estar de pie*
steal	stole	stolen	*robar*
stick	stuck	stuck	*hundir*
sting	stung	stung	*picar*
stink	stank/stunk	stunk	*apestar*
strew	strewed	strewed/strewn	*esparcir*
stride	strode	stridden	*andar a pasos largos*
strike	struck	struck/stricken	*golpear*
string	strung	strung	*atar*

* presente de indicativo

strive	strove	striven	*esforzarse*
swear	swore	sworn	*jurar*
sweep	swept	swept	*barrer*
swell	swelled	swollen	*hinchar*
swim	swam	swum	*nadar*
swing	swung	swung	*balancearse*
take	took	taken	*tomar*
teach	taught	taught	*enseñar*
tear	tore	torn	*desgarrar*
tell	told	told	*decir*
think	thought	thought	*pensar*
throw	threw	thrown	*arrojar*
thrust	thrust	thrust	*impeler*
tread	trod	trodden	*pisotear*
wake	woke/waked	woken/waked	*despertar*
wear	wore	worn	*llevar puesto*
weave	wove	woven	*tejer*
weep	wept	wept	*llorar*
will*	would	—	*querer*
win	won	won	*ganar*
wind	wound	wound	*enrollar*
wring	wrung	wrung	*torcer*
write	wrote	written	*escribir*

* presente de indicativo

Abreviaturas inglesas

AA	*Automobile Association*	Asociación Automovilística
AAA	*American Automobile Association*	Asociación Automovilística de los Estados Unidos
ABC	*American Broadcasting Company*	Sociedad Privada de Radio-difusión y Televisión (EE.UU.)
A.D.	*anno Domini*	año de Cristo
Am.	*America; American*	América; americano
a.m.	*ante meridiem (before noon)*	de la mañana (de 00.00 a 12.00 h.)
Amtrak	*American railroad corporation*	Sociedad Privada de Com-pañías de Ferrocarriles Americanos
AT & T	*American Telephone and Telegraph Company*	Compañía Americana de Teléfonos y Telégrafos
Ave.	*avenue*	avenida
BBC	*British Broadcasting Corporation*	Sociedad Británica de Radio-difusión y Televisión
B.C.	*before Christ*	antes de Cristo
bldg.	*building*	edificio
Blvd.	*boulevard*	bulevar
B.R.	*British Rail*	Ferrocarriles Británicos
Brit.	*Britain; British*	Gran Bretaña; británico
Bros.	*brothers*	hermanos
¢	*cent*	1/100 de dólar
Can.	*Canada; Canadian*	Canadá; canadiense
CBS	*Columbia Broadcasting System*	Sociedad Privada de Radio-difusión y Televisión (EE.UU.)
CID	*Criminal Investigation Department*	Oficina de Investigación Criminal
CNR	*Canadian National Railway*	Ferrocarriles Canadienses
c/o	*(in) care of*	al cuidado de
Co.	*company*	compañía
Corp.	*corporation*	compañía
CPR	*Canadian Pacific Railways*	Compañía Privada de Ferrocarriles Canadienses
D.C.	*District of Columbia*	Distrito de Columbia (Washington, D.C.)
DDS	*Doctor of Dental Science*	Dentista

dept.	*department*	departamento, división administrativa
EEC	*European Economic Community*	Comunidad Económica Europea
e.g.	*for instance*	por ejemplo, verbigracia
Eng.	*England; English*	Inglaterra; inglés
excl.	*excluding; exclusive*	no incluido
ft.	*foot/feet*	pie/pies (medida: 30,5 cm.)
GB	*Great Britain*	Gran Bretaña
H.E.	*His/Her Excellency; His Eminence*	Su Excelencia; Su Eminencia
H.H.	*His Holiness*	Su Santidad
H.M.	*His/Her Majesty*	Su Majestad
H.M.S.	*Her Majesty's ship*	navío de guerra británico
hp	*horsepower*	caballos de vapor
Hwy	*highway*	carretera principal
i.e.	*that is to say*	a saber, es decir
in.	*inch*	pulgada (medida: 2,54 cm.)
Inc.	*incorporated*	Sociedad Anónima
incl.	*including, inclusive*	incluido
£	*pound sterling*	libra esterlina
L.A.	*Los Angeles*	Los Angeles
Ltd.	*limited*	Sociedad Anónima
M.D.	*Doctor of Medicine*	médico
M.P.	*Member of Parliament*	Miembro del Parlamento
mph	*miles per hour*	millas por hora
Mr.	*Mister*	Señor
Mrs.	*Missis*	Señora
Ms.	*Missis/Miss*	Señora/Señorita
nat.	*national*	nacional
NBC	*National Broadcasting Company*	Sociedad Privada de Radio-difusión y Televisión (EE.UU.)
No.	*number*	número
N.Y.C.	*New York City*	Ciudad de Nueva York
O.B.E.	*Officer (of the Order) of the British Empire*	Caballero de la Orden del Imperio Británico
p.	*page; penny/pence*	página; 1/100 de libra
p.a.	*per annum*	por año
Ph.D.	*Doctor of Philosophy*	Doctor en Filosofía
p.m.	*post meridiem (after noon)*	de la tarde/noche (de 12.00 a 24.00 h.)
PO	*Post Office*	Oficina de Correos
POO	*post office order*	giro postal

pop.	*population*	población
P.T.O.	*please turn over*	vuelva la página, por favor
RAC	*Royal Automobile Club*	Real Club Autómovil (Gran Bretaña)
RCMP	*Royal Canadian Mounted Police*	Policía Montada de Canadá
Rd.	*road*	carretera
ref.	*reference*	referencia
Rev.	*reverend*	Reverendo (pastor de la Iglesia Anglicana)
RFD	*rural free delivery*	distribución del correo en el campo
RR	*railroad*	ferrocarril
RSVP	*please reply*	se ruega contestación
$	*dollar*	dólar
Soc.	*society*	sociedad
St.	*saint; street*	santo(a); calle
STD	*Subscriber Trunk Dialling*	teléfono automático
UN	*United Nations*	Organización de las Naciones Unidas
UPS	*United Parcel Service*	Compañía Privada de Expedición de Paquetes (EE.UU.)
US	*United States*	Estados Unidos de América
USS	*United States Ship*	navío de guerra (EE.UU.)
VAT	*value added tax*	tasa al valor añadido
VIP	*very important person*	persona importante que beneficia de ventajas particulares
Xmas	*Christmas*	Navidad
yd.	*yard*	yarda (medida: 91,44 cm.)
YMCA	*Young Men's Christian Association*	Asociación Cristiana de Muchachos
YWCA	*Young Women's Christian Association*	Asociación Cristiana de Muchachas
ZIP	*ZIP code*	número de distrito postal

Numerales

Cardinales		Ordinales	
0	zero	1st	first
1	one	2nd	second
2	two	3rd	third
3	three	4th	fourth
4	four	5th	fifth
5	five	6th	sixth
6	six	7th	seventh
7	seven	8th	eighth
8	eight	9th	ninth
9	nine	10th	tenth
10	ten	11th	eleventh
11	eleven	12th	twelfth
12	twelve	13th	thirteenth
13	thirteen	14th	fourteenth
14	fourteen	15th	fifteenth
15	fifteen	16th	sixteenth
16	sixteen	17th	seventeenth
17	seventeen	18th	eighteenth
18	eighteen	19th	nineteenth
19	nineteen	20th	twentieth
20	twenty	21st	twenty-first
21	twenty-one	22nd	twenty-second
22	twenty-two	23rd	twenty-third
23	twenty-three	24th	twenty-fourth
24	twenty-four	25th	twenty-fifth
25	twenty-five	26th	twenty-sixth
30	thirty	27th	twenty-seventh
40	forty	28th	twenty-eighth
50	fifty	29th	twenty-ninth
60	sixty	30th	thirtieth
70	seventy	40th	fortieth
80	eighty	50th	fiftieth
90	ninety	60th	sixtieth
100	a/one hundred	70th	seventieth
230	two hundred and thirty	80th	eightieth
		90th	ninetieth
1,000	a/one thousand	100th	hundredth
10,000	ten thousand	230th	two hundred and thirtieth
100,000	a/one hundred thousand		
1,000,000	a/one million	1,000th	thousandth

La hora

Los británicos y los americanos utilizan el sistema de 12 horas. La abreviatura *a.m. (ante meridiem)* designa las horas anteriores al mediodía, *p.m. (post meridiem)* las de la tarde o de la noche. Sin embargo en Gran Bretaña existe la tendencia, cada vez más acentuada, a indicar los horarios como en el continente.

I'll come at seven a.m.   Vendré a las 7 de la mañana.
I'll come at two p.m.   Vendré a las 2 de la tarde.
I'll come at eight p.m.   Vendré a las 8 de la noche.

Los días de la semana

Sunday	domingo	*Thursday*	jueves
Monday	lunes	*Friday*	viernes
Tuesday	martes	*Saturday*	sábado
Wednesday	miércoles		